#수학유형서
#리더공부비법
#한권으로유형올킬
#학원에서검증된문제집

수학리더
유형

Chunjae
Makes
Chunjae

기획총괄	박금옥
편집개발	윤경옥, 박초아, 조선현, 조은영, 김연정, 김수정, 김유림, 남태희
디자인총괄	김희정
표지디자인	윤순미, 박민정
내지디자인	박희춘
제작	황성진, 조규영

발행일	2021년 11월 15일 2판 2022년 10월 1일 2쇄
발행인	(주)천재교육
주소	서울시 금천구 가산로9길 54
신고번호	제2001-000018호
고객센터	1577-0902
교재 구입 문의	1522-5566

※ 정답 분실 시에는 천재교육 홈페이지에서 내려받으세요.

※ KC 마크는 이 제품이 공통안전기준에 적합하였음을 의미합니다.

※ 주의
책 모서리에 다칠 수 있으니 주의하시기 바랍니다.
부주의로 인한 사고의 경우 책임지지 않습니다.
8세 미만의 어린이는 부모님의 관리가 필요합니다.

수학 리더 유형 6-1

라이트 유형서 차례

구성과 특장

1 단원 도입

단원에서 중요한
핵심 개념이나 자주 틀리는
유형에 대해 재미있는
스토리로 진단해 주고
처방해 준다능~

2 기본 학습

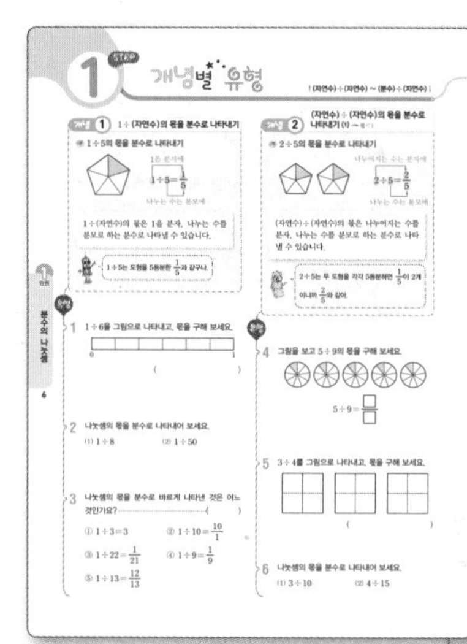

개념 1 ~ 4 기초력 집중 연습

[1~9] 나눗셈의 몫을 분수로 나타내어 보세요.

1 1÷7 2 1÷11 3 1÷20

4 6÷17 5 8÷9 6 12÷25

7 13÷6 8 10÷9 9 24÷11

[10~11] □ 안에 알맞은 수를 써넣으세요.

10 $\frac{4}{5}\div4=\frac{4\div\square}{5}=\frac{\square}{5}$

11 $\frac{5}{6}\div9=\frac{\square}{54}\div9=\frac{\square\div9}{54}=\frac{\square}{54}$

[12~17] 계산해 보세요.

12 $\frac{6}{7}\div4=$ □ 건

13 $\frac{5}{9}\div2=$ □ 마

14 $\frac{14}{15}\div7=$ □ 섬

15 $\frac{9}{20}\div3=$ □ 도

16 $\frac{5}{24}\div5=$ □ 아

17 $\frac{7}{18}\div2=$ □ 보

위의 계산 결과가 오른쪽 분수인 글자를 넣어 난센스의 답을 찾아봐.

Q 있을 수도 있고 없을 수도 있는 섬은?

A $\frac{1}{24}$ $\frac{5}{18}$ $\frac{3}{20}$

유형 진단 TEST 점수 /10점

공부한 날 월 일

정답 및 풀이 2쪽

1 나눗셈의 몫을 분수로 잘못 나타낸 것의 기호를 써 보세요. [1점]

㉠ $8\div11=\frac{11}{8}$ ㉡ $10\div17=\frac{10}{17}$

( )

2 빈 곳에 나눗셈의 몫을 써넣으세요. [1점]

$\frac{3}{5}$ → ÷4 → □

3 작은 수를 큰 수로 나눈 몫을 구해 보세요. [1점]

4 $\frac{9}{10}$

( )

4 나눗셈의 몫을 분수로 나타내었을 때 1보다 큰 것을 찾아 ○표 하세요. [1점]

6÷13 5÷18 12÷7

( ) ( ) ( )

5 끈 $\frac{4}{7}$ m를 모두 사용하여 가장 큰 정사각형 모양을 한 개 만들었습니다. 이 정사각형의 한 변의 길이는 몇 m인가요? [2점]

식 ______

답 ______

6 □ 안에 들어갈 수 있는 수에 모두 ○표 하세요. [2점]

23÷7>□

(1 , 2 , 3 , 4 , 5)

7 한 병에 $\frac{4}{5}$ L씩 들어 있는 우유가 5병 있습니다. 이 우유를 일주일 동안 똑같이 나누어 마시려면 하루에 마셔야 할 우유의 양은 몇 L인가요? [2점]

(1) 5병에 들어 있는 우유는 모두 몇 L인가요?

( )

(2) 하루에 마셔야 할 우유의 양은 몇 L인지 분수로 나타내어 보세요.

( )

1 단원 분수의 나눗셈 11

개념에 따른
교과서 유형
수록!

연산 • 이해
기초 문제
반복 연습

개념별 유형 중
핵심 유형을
진단하는 TEST

문제 해결력 강화 학습

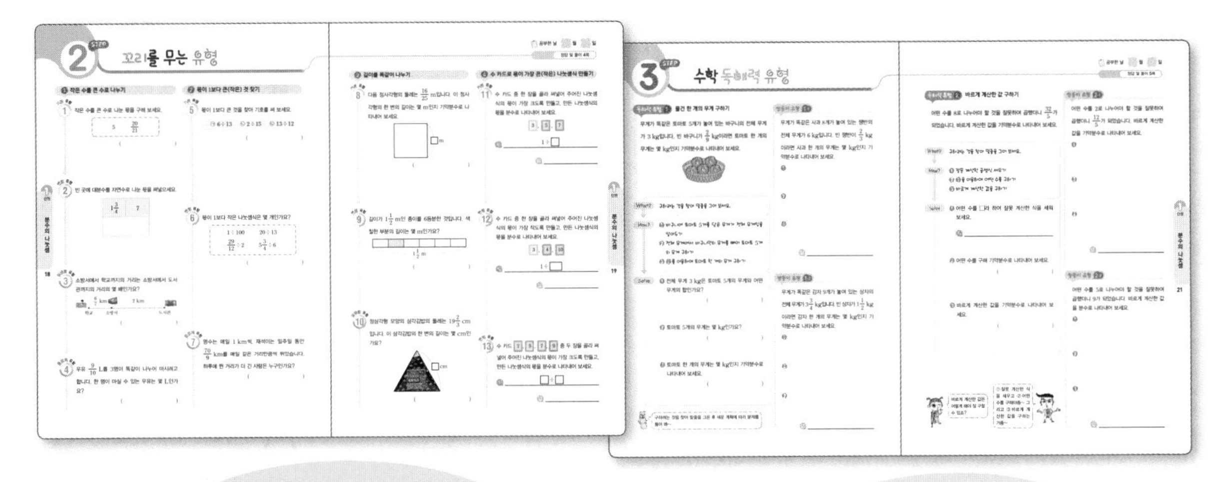

기본 → 변형 → 문장제 → 실생활 유형으로 **꼬리를 무는 유형**

What → How → Solve 단계로 문제를 **분석하고 해결하는 유형**

4 STEP 사고력 플러스 유형

플러스 유형 1 빈 곳에 알맞은 수 구하기

1-1 빈 곳에 알맞은 분수를 써넣으세요. (÷19, ÷5, 2)

1-2 빈 곳에 알맞은 기약분수를 써넣으세요. (÷25, ÷4, 8)

1-3 빈 곳에 알맞은 기약분수를 써넣으세요. (÷5, ÷2, $\frac{26}{25}$)

플러스 유형 2 □ 안에 알맞은 수 구하기

2-1 □ 안에 알맞은 분수를 구해 보세요. $\square\times8=\frac{3}{8}$

2-2 □ 안에 알맞은 분수를 구해 보세요. $\square\times9=\frac{13}{6}$

2-3 □ 안에 알맞은 분수를 구해 보세요. $4\times\square=\frac{5}{6}$

2-4 □ 안에 알맞은 분수를 구해 보세요. $11\times\square=3\frac{1}{7}$

플러스 유형 3 잘못된 계산 알아보기

3-1 계산이 잘못된 곳을 찾아 바르게 고쳐 계산해 보세요. $\frac{1}{7}\div7=7\times\frac{1}{7}=\frac{7}{7}=1$

3-2 계산이 잘못된 곳을 찾아 바르게 고쳐 계산해 보세요. $\frac{20}{3}\div15=\frac{20}{3}\times15=\frac{300}{3}=100$

3-3 $\frac{9}{24}\div12$를 잘못 계산한 것입니다. 그 이유를 써 보세요. $\frac{9}{24}\div12=\frac{9}{24\div12}=\frac{9}{2}=4\frac{1}{2}$

3-4 $1\frac{2}{3}\div2$를 잘못 계산한 것입니다. 그 이유를 써 보세요. $1\frac{2}{3}\div2=1\frac{2}{3}\times\frac{1}{2}=1\frac{2}{6}=1\frac{1}{3}$

플러스 유형 4 도형의 넓이를 알 때 길이 구하기

4-1 세로가 3 cm이고 넓이가 $14\frac{2}{5}$ cm²인 직사각형입니다. 직사각형의 가로는 몇 cm인지 기약분수로 나타내어 보세요.

4-2 세로가 4 cm이고 넓이가 $\frac{28}{3}$ cm²인 직사각형입니다. 직사각형의 가로는 몇 cm인지 풀이 과정을 쓰고 답을 기약분수로 나타내어 보세요.

4-3 높이가 3 cm이고 넓이가 $7\frac{5}{7}$ cm²인 삼각형입니다. 삼각형의 밑변의 길이는 몇 cm인지 기약분수로 나타내어 보세요.

하나의 유형을 반복해서 연습한 후 변형된 어려운 유형을 함께 익히는 **사고력을 플러스 시켜주는 유형**

특별 학습

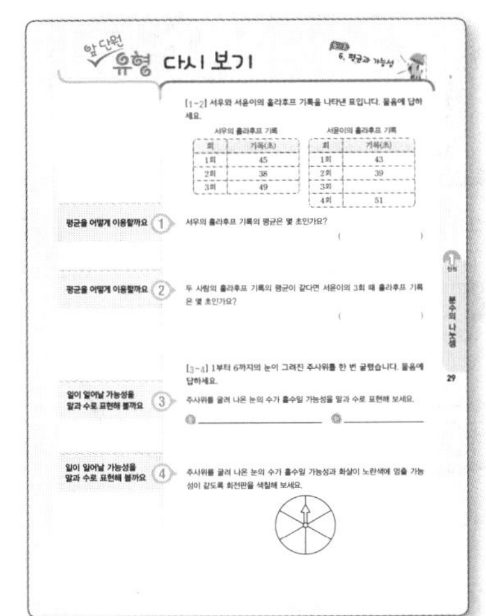

앞 단원 내용을 잊기 전에 다시 한번 풀어 보면서 기억하자!

특강 재미있는 창의·융합·코딩 별별 코딩 학습

수를 바꾸는 상자

다음과 같은 규칙으로 수를 바꾸는 상자가 있습니다.

분자가 홀수면 분수에 ÷3, 분자가 짝수면 분수에 ÷2를 합니다.

보기와 같이 이 상자에 어떤 수를 넣어 나온 결과를 다시 상자에 넣는 과정을 반복했을 때, 3번째에 나오는 기약분수를 구해 보세요. (단, 상자에서 나오는 분수는 기약분수로 생각하여 계산합니다.)

상자에 넣는 수: $\frac{12}{5}$

$\frac{12}{5}$ → $\frac{12}{5}\div2$ → $\frac{6}{5}$ → $\frac{6}{5}\div2$ → $\frac{3}{5}$ → $\frac{3}{5}\div3$ → $\frac{1}{5}$

3번째에 나오는 기약분수: $\frac{1}{5}$

$\frac{12}{5}$를 넣었을 때 3번째에 나오는 수는 $\frac{1}{5}$이야.

상자에 넣는 수: $\frac{6}{7}$

3번째에 나오는 기약분수: □

창의·융합·코딩 관련 문항이나 이야기를 접해 볼 수 있는 특별 코너!

1 분수의 나눗셈

요즘 피곤해서 커피를 많이 마셨더니 잠도 잘 못 자겠고……. 더 피곤하기만 하네요.
얼마나 마셨는데?
쾅~
3일 동안 $14\frac{1}{4}$ L를 마셨으니까 매일 $14\frac{1}{4} \div 3 = \frac{57}{4} \div 3 = \frac{57 \div 3}{4} = \frac{19}{4} = 4\frac{3}{4}$ (L) 마셨네요.
보통 우유( )가 1 L 정도인데 마셔도 너무 많이 마셨네.

Dr. 유형 처방전
피로회복제는 비타민C와 보너스

다음부턴 피곤할 때 커피 말고
비타민C를 먹어봐~
비타민C
척
여러분~ 희소식이에용~
다음 달 우리 과 식구들에게
보너스가 지급된답니당!
오~ 정말요?
와우~ 신난다! 피곤함이
싹 사라지네요.
역시 최고의 피로회복제는
따로 있었어.
Dr. 유형
깡
총
깡
총

개념 1 1÷(자연수)의 몫을 분수로 나타내기

예 1÷5의 몫을 분수로 나타내기

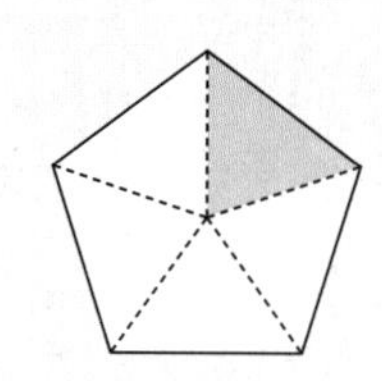

1을 분자에

$1\div5=\frac{1}{5}$

나누는 수는 분모에

1÷(자연수)의 몫은 1을 분자, 나누는 수를 분모로 하는 분수로 나타낼 수 있습니다.

1÷5는 도형을 5등분한 $\frac{1}{5}$과 같구나.

개념 2 (자연수)÷(자연수)의 몫을 분수로 나타내기 (1) — 몫<1

예 2÷5의 몫을 분수로 나타내기

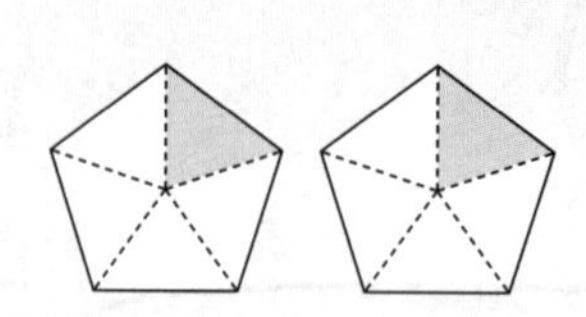

나누어지는 수는 분자에

$2\div5=\frac{2}{5}$

나누는 수는 분모에

(자연수)÷(자연수)의 몫은 나누어지는 수를 분자, 나누는 수를 분모로 하는 분수로 나타낼 수 있습니다.

2÷5는 두 도형을 각각 5등분하면 $\frac{1}{5}$이 2개이니까 $\frac{2}{5}$와 같아.

유형

1 1÷6을 그림으로 나타내고, 몫을 구해 보세요.

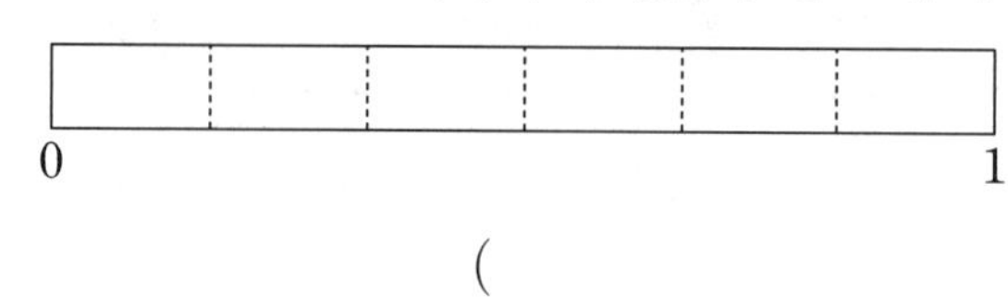

( )

2 나눗셈의 몫을 분수로 나타내어 보세요.

(1) 1÷8 (2) 1÷50

3 나눗셈의 몫을 분수로 바르게 나타낸 것은 어느 것인가요? ······························ ( )

① $1\div3=3$ ② $1\div10=\frac{10}{1}$

③ $1\div22=\frac{1}{21}$ ④ $1\div9=\frac{1}{9}$

⑤ $1\div13=\frac{12}{13}$

4 그림을 보고 5÷9의 몫을 구해 보세요.

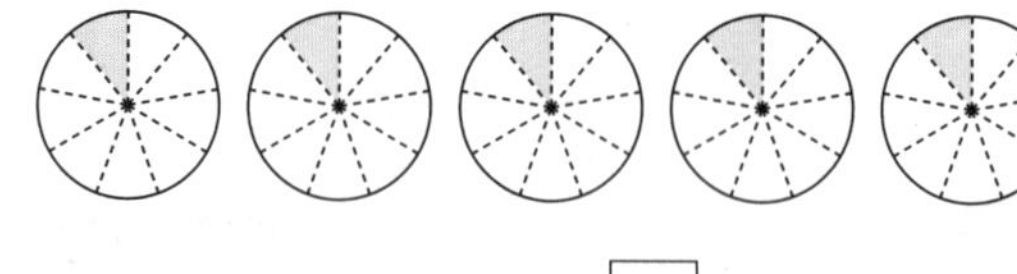

$5\div9=\frac{\square}{\square}$

5 3÷4를 그림으로 나타내고, 몫을 구해 보세요.

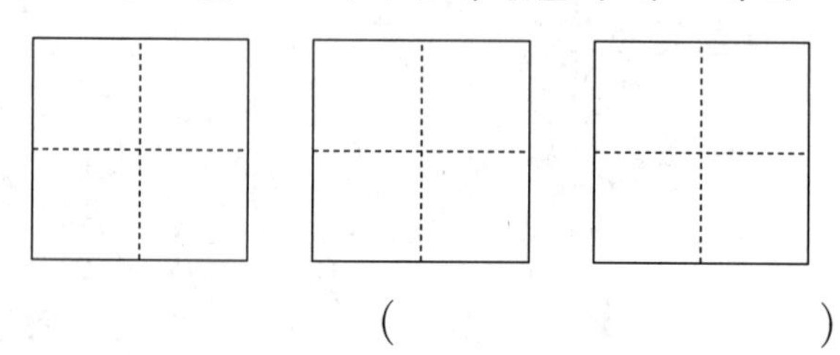

( )

6 나눗셈의 몫을 분수로 나타내어 보세요.

(1) 3÷10 (2) 4÷15

7 빈칸에 알맞은 분수를 써넣으세요.

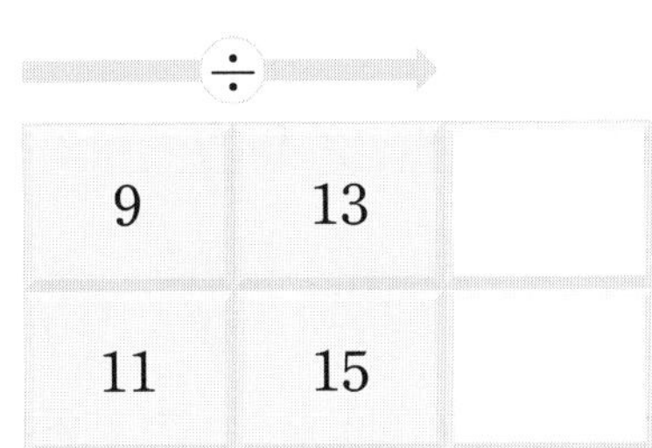

÷		
9	13	
11	15	

8 잘못 계산한 사람의 이름을 쓰고, 바르게 계산한 몫을 구해 보세요.

소은	호영
$4 \div 9 = \frac{4}{9}$	$5 \div 8 = \frac{8}{5}$

( ), ( )

9 물 3 L를 병 5개에 남김없이 똑같이 나누어 담으려고 합니다. 병 한 개에 담긴 물의 양은 몇 L인지 분수로 나타내어 보세요.

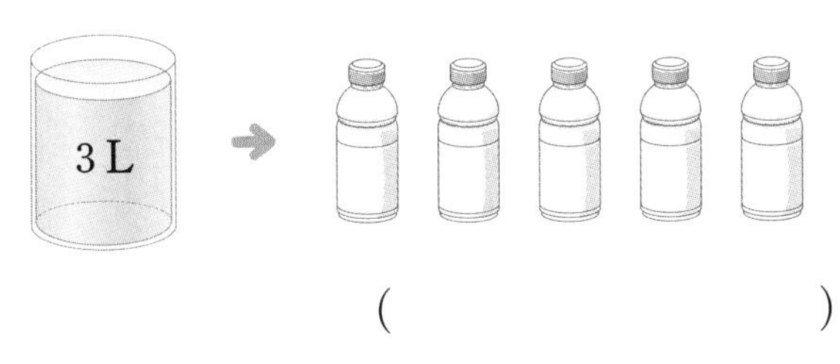

( )

10 굵기가 일정한 철근 7 m의 무게가 4 kg입니다. 이 철근 1 m의 무게는 몇 kg인지 분수로 나타내어 보세요.

식 ______________________

답 ______________________

개념 3 (자연수)÷(자연수)의 몫을 분수로 나타내기 (2) — 몫>1

예 $4 \div 3$의 몫을 분수로 나타내기

방법 1

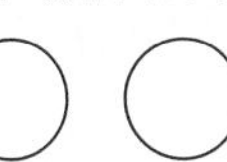
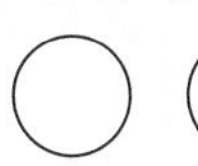

— 1개씩 나누고 나머지 1개를 3으로 나누기

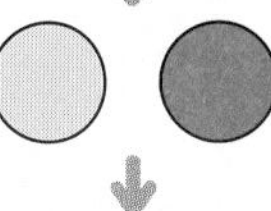

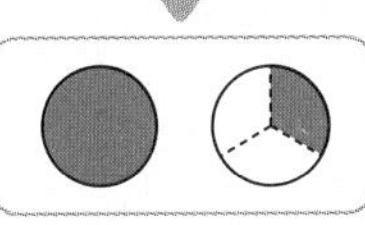

$$4 \div 3 = 1\frac{1}{3}\left(=\frac{4}{3}\right)$$

방법 2

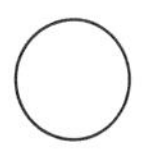
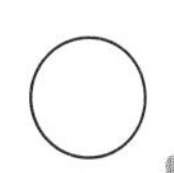

— 각각을 3으로 나누기

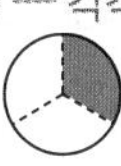

$4 \div 3$은 $\frac{1}{3}$이 4개 ➔ $4 \div 3 = \frac{4}{3}\left(=1\frac{1}{3}\right)$

유형

11 그림을 보고 $8 \div 3$의 몫을 구하려고 합니다. □ 안에 알맞은 수를 써넣으세요.

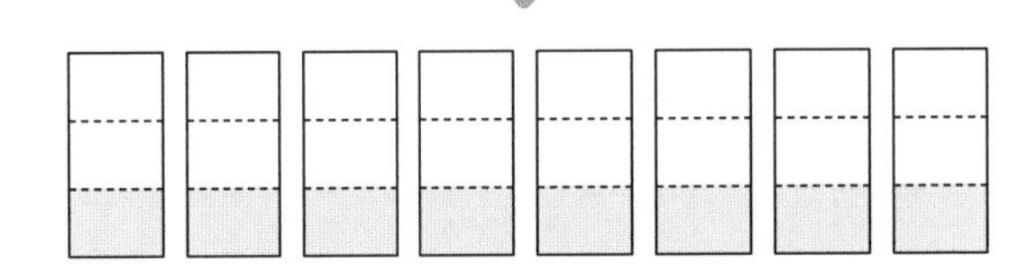

$8 \div 3$은 $\frac{1}{3}$이 □개입니다.

➔ $8 \div 3 =$ □

12 나눗셈의 몫을 분수로 나타내어 보세요.

(1) $14 \div 3$ (2) $8 \div 7$

13 관계있는 것끼리 이어 보세요.

$6\div5$ •		• $\frac{5}{6}$
$5\div2$ •		• $1\frac{1}{5}$
		• $2\frac{1}{2}$

14 나눗셈의 몫을 분수로 나타내었을 때 1보다 큰 것을 모두 찾아 기호를 써 보세요.

㉠ $5\div6$　㉡ $13\div11$　㉢ $16\div3$

(　　　　　　　)

15 분수로 나타낸 몫을 비교하여 ○ 안에 >, =, <를 알맞게 써넣으세요.

$6\div7$ ○ $7\div6$

16 넓이가 $15\ \text{cm}^2$인 평행사변형입니다. 높이는 몇 cm인지 분수로 나타내어 보세요.

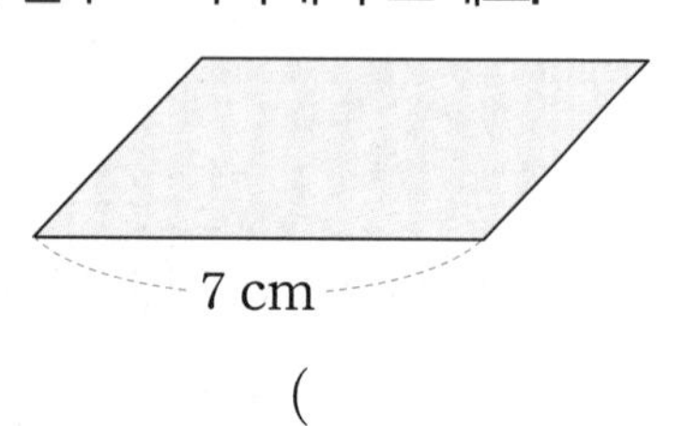

(　　　　　　　)

개념 4 (분수)÷(자연수)

1. 분자가 자연수의 배수인 $\frac{8}{9}\div2$의 계산 (2: 나누는 수)

$$\frac{8}{9}\div2=\frac{8\div2}{9}=\frac{4}{9}$$

분수의 분자가 나누는 수인 자연수의 배수일 때에는 분자를 자연수로 나눕니다.

2. 분자가 자연수의 배수가 아닌 $\frac{3}{4}\div2$의 계산

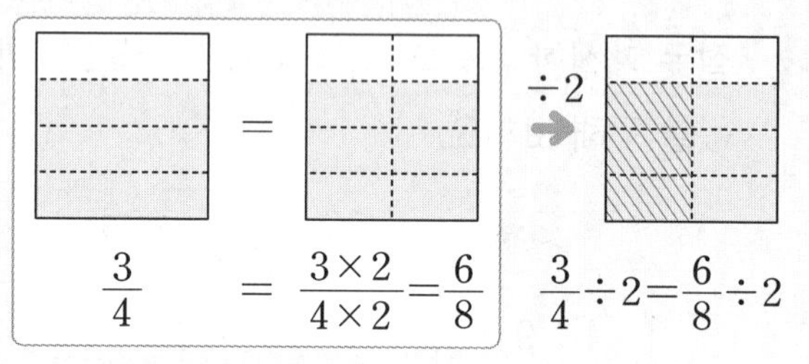

$$\frac{3}{4}\div2=\frac{6}{8}\div2=\frac{6\div2}{8}=\frac{3}{8}$$

분수의 분자가 나누는 수인 자연수의 배수가 아닐 때에는 크기가 같은 분수 중에서 분자가 자연수의 배수인 수로 바꾸어 계산합니다.

유형

17 보기 와 같은 방법으로 계산해 보세요.

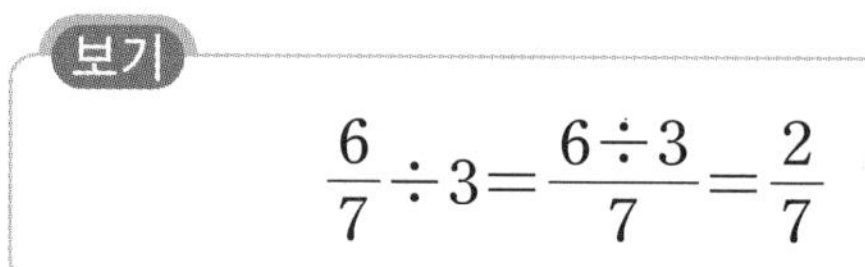

$\frac{10}{11}\div5$ ________________

18 $\frac{5}{6}\div4$를 그림으로 나타내고, 몫을 구해 보세요.

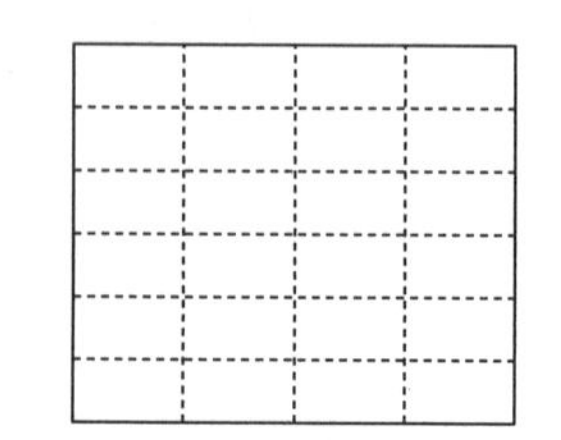

(　　　　　　　)

19 계산해 보세요.

(1) $\frac{10}{13} \div 3$ (2) $\frac{2}{3} \div 7$

20 빈 곳에 알맞은 분수를 써넣으세요.

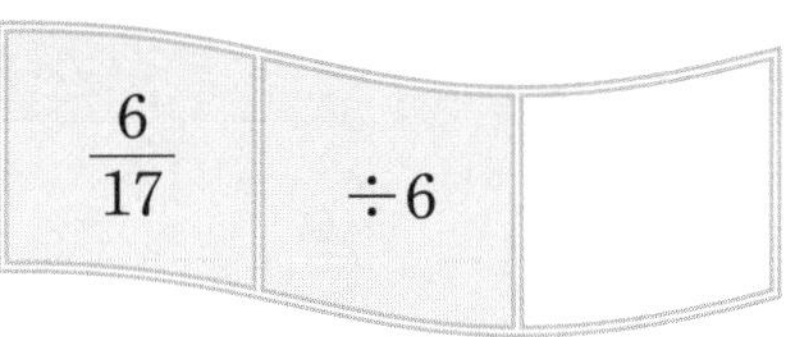

21 분수를 자연수로 나눈 몫을 구해 보세요.

4	$\frac{5}{8}$

(   )

22 현서가 $\frac{5}{8} \div 2$를 잘못 계산한 것입니다. 바르게 고쳐 계산해 보세요.

$\frac{5}{8} \div 2 = \frac{5}{8 \div 2} = \frac{5}{4} = 1\frac{1}{4}$

$\frac{5}{8} \div 2$ ____________

23 나눗셈의 몫이 다른 하나에 ○표 하세요.

$\frac{3}{5} \div 2$ $\frac{9}{10} \div 3$ $\frac{3}{40} \div 4$

24 길이가 $\frac{24}{25}$ m인 색 테이프를 3등분한 것입니다. 색칠한 부분의 길이는 몇 m인가요?

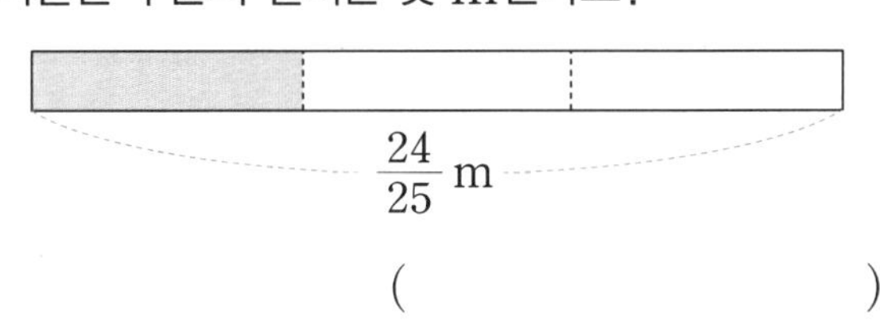

(   )

25 몫이 더 큰 나눗셈을 들고 있는 사람의 이름을 써 보세요.

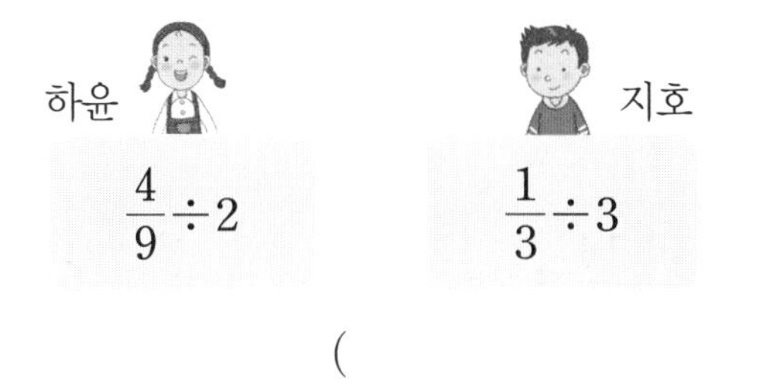

(   )

26 점토 $\frac{5}{7}$ kg을 4덩어리로 똑같이 나누었습니다. 한 덩어리의 무게는 몇 kg인가요?

식 ____________

답 ____________

개념 1 ~ 4 기초력 집중 연습

[1~9] 나눗셈의 몫을 분수로 나타내어 보세요.

1 $1 \div 7$

2 $1 \div 11$

3 $1 \div 20$

4 $6 \div 17$

5 $8 \div 9$

6 $12 \div 25$

7 $13 \div 6$

8 $10 \div 9$

9 $24 \div 11$

[10~11] □ 안에 알맞은 수를 써넣으세요.

10 $\frac{4}{5} \div 4 = \frac{4 \div \square}{5} = \frac{\square}{5}$

11 $\frac{5}{6} \div 9 = \frac{\square}{54} \div 9 = \frac{\square \div 9}{54} = \frac{\square}{54}$

[12~17] 계산해 보세요.

12 $\frac{6}{7} \div 4 = \square$ 건

13 $\frac{5}{9} \div 2 = \square$ 마

14 $\frac{14}{15} \div 7 = \square$ 섬

15 $\frac{9}{20} \div 3 = \square$ 도

16 $\frac{5}{24} \div 5 = \square$ 아

17 $\frac{7}{18} \div 2 = \square$ 포

위의 계산 결과가 오른쪽 분수인 글자를 넣어 난센스의 답을 찾아봐.

Q 있을 수도 있고 없을 수도 있는 성은?

A

$\frac{1}{24}$	$\frac{5}{18}$	$\frac{3}{20}$

유형 진단 TEST

점수 /10점

정답 및 풀이 2쪽

1 나눗셈의 몫을 분수로 잘못 나타낸 것의 기호를 써 보세요. [1점]

㉠ $8 \div 11 = \frac{11}{8}$ ㉡ $10 \div 17 = \frac{10}{17}$

( )

2 빈 곳에 나눗셈의 몫을 써넣으세요. [1점]

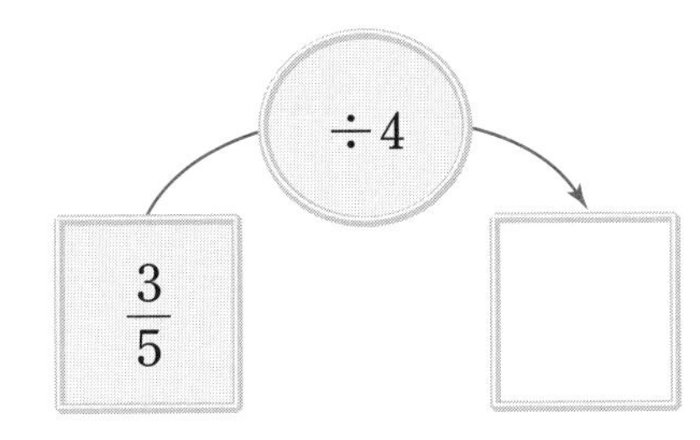

3 작은 수를 큰 수로 나눈 몫을 구해 보세요. [1점]

4 $\frac{9}{10}$

( )

4 나눗셈의 몫을 분수로 나타내었을 때 1보다 큰 것을 찾아 ○표 하세요. [1점]

$6 \div 13$	$5 \div 18$	$12 \div 7$
( )	( )	( )

5 끈 $\frac{4}{7}$ m를 모두 사용하여 가장 큰 정사각형 모양을 한 개 만들었습니다. 이 정사각형의 한 변의 길이는 몇 m인가요? [2점]

식 ______________

답 ______________

6 □ 안에 들어갈 수 있는 수에 모두 ○표 하세요. [2점]

$23 \div 7 > \square$

(1 , 2 , 3 , 4 , 5)

7 한 병에 $\frac{4}{5}$ L씩 들어 있는 우유가 5병 있습니다. 이 우유를 일주일 동안 똑같이 나누어 마시려면 하루에 마셔야 할 우유의 양은 몇 L인가요? [2점]

(1) 5병에 들어 있는 우유는 모두 몇 L인가요?

( )

(2) 하루에 마셔야 할 우유의 양은 몇 L인지 분수로 나타내어 보세요.

( )

개념 5 (진분수) ÷ (자연수)를 분수의 곱셈으로 나타내기

예 $\frac{3}{4} \div 5$의 계산

$\frac{3}{4} \div 5$의 몫은 $\mathbf{\frac{3}{4}}$을 **5**등분한 것 중의 하나입니다. 이것은 $\frac{3}{4}$의 $\frac{1}{5}$이므로 $\frac{3}{4} \times \frac{1}{5}$입니다.

➜ $\frac{3}{4} \div 5 = \frac{3}{4} \times \frac{1}{5} = \frac{3}{20}$

÷ (자연수)를 $\times \frac{1}{(\text{자연수})}$로 바꿔 계산해.

유형

1 그림을 보고 □ 안에 알맞은 수를 써넣으세요.

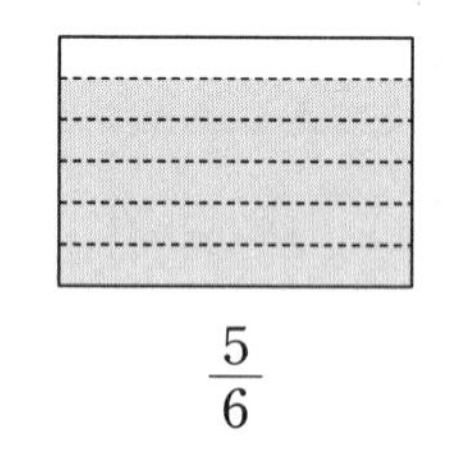

$\frac{5}{6}$

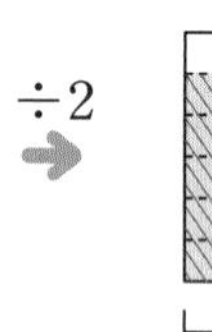

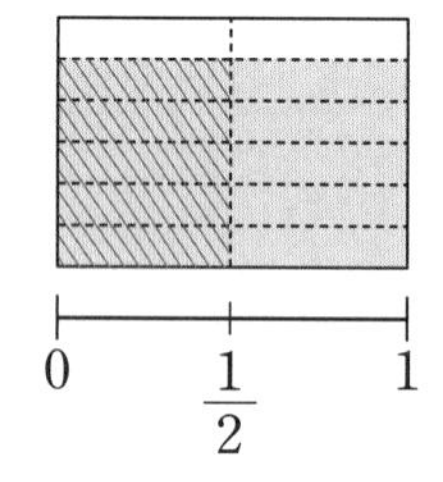

$\frac{5}{6} \div 2 = \frac{5}{6} \times \frac{\square}{\square} = \frac{\square}{\square}$

[2~3] 보기 와 같이 계산해 보세요.

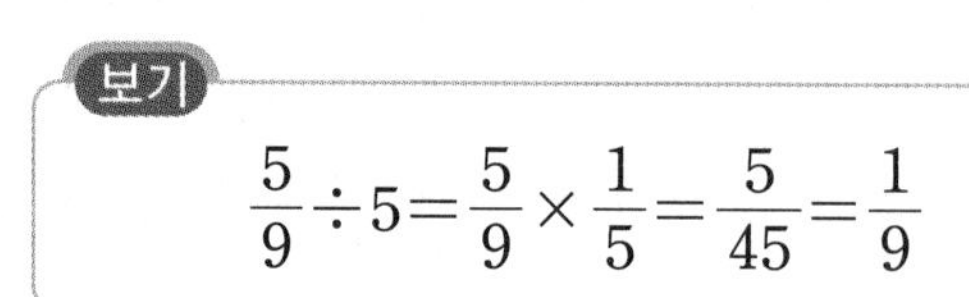
보기

$\frac{5}{9} \div 5 = \frac{5}{9} \times \frac{1}{5} = \frac{5}{45} = \frac{1}{9}$

2 $\frac{4}{7} \div 6$ ____________________

3 $\frac{3}{4} \div 9$ ____________________

4 빈 곳에 알맞은 수를 써넣으세요.

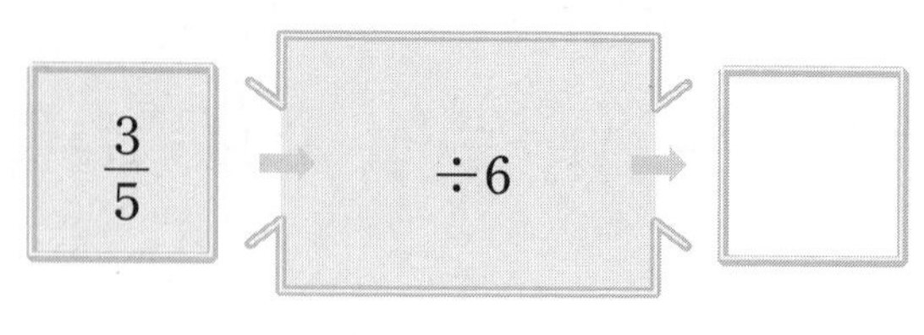

5 나눗셈의 몫이 다른 하나를 찾아 기호를 써 보세요.

㉠ $\frac{3}{8} \div 3$ ㉡ $\frac{1}{6} \div 3$ ㉢ $\frac{1}{4} \div 2$

(   )

6 나눗셈의 몫을 비교하여 ○ 안에 >, =, <를 알맞게 써넣으세요.

$\frac{9}{14} \div 4$ ○ $\frac{9}{10} \div 5$

7 철사 $\frac{6}{11}$ m를 겹치지 않게 모두 사용하여 정삼각형 모양을 한 개 만들었습니다. 이 정삼각형의 한 변의 길이는 몇 m인가요?

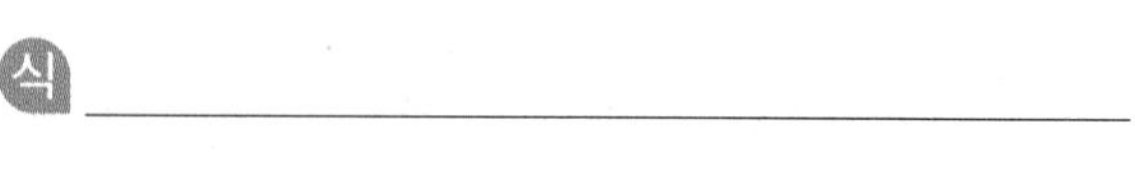

식 ____________________

답 ____________________

개념 6 (가분수)÷(자연수)를 분수의 곱셈으로 나타내기

예 $\frac{7}{4}\div 3$의 계산

$\frac{7}{4}\div 3$의 몫은 $\frac{7}{4}$을 **3**등분한 것 중의 하나입니다. 이것은 $\frac{7}{4}$의 $\frac{1}{3}$이므로 $\frac{7}{4}\times\frac{1}{3}$입니다.

➜ $\frac{7}{4}\div 3=\frac{7}{4}\times\frac{1}{3}=\frac{7}{12}$

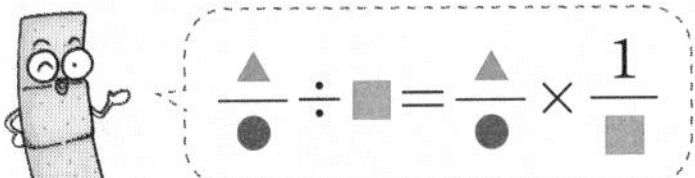

$\frac{▲}{●}\div■=\frac{▲}{●}\times\frac{1}{■}$

8 ㉠과 ㉡에 알맞은 수를 각각 구해 보세요.

$$\frac{10}{7}\div 9=\frac{10}{7}\times\frac{1}{㉠}=\frac{10}{㉡}$$

㉠ (　　　　　　)
㉡ (　　　　　　)

9 계산해 보세요.

(1) $\frac{17}{3}\div 6$　　(2) $\frac{11}{3}\div 5$

10 계산이 잘못된 곳을 찾아 바르게 고쳐 계산해 보세요.

$$\frac{11}{9}\div 5=\frac{9}{11}\times\frac{1}{5}=\frac{9}{55}$$

$\frac{11}{9}\div 5$ ______________________

11 관계있는 것끼리 이어 보세요.

$\frac{8}{7}\div 5$	$\frac{12}{5}\times\frac{1}{7}$	$\frac{12}{35}$
$\frac{13}{6}\div 6$	$\frac{8}{7}\times\frac{1}{5}$	$\frac{8}{35}$
$\frac{12}{5}\div 7$	$\frac{13}{6}\times\frac{1}{6}$	$\frac{13}{36}$

12 500원짜리 동전의 반지름은 몇 cm인가요?

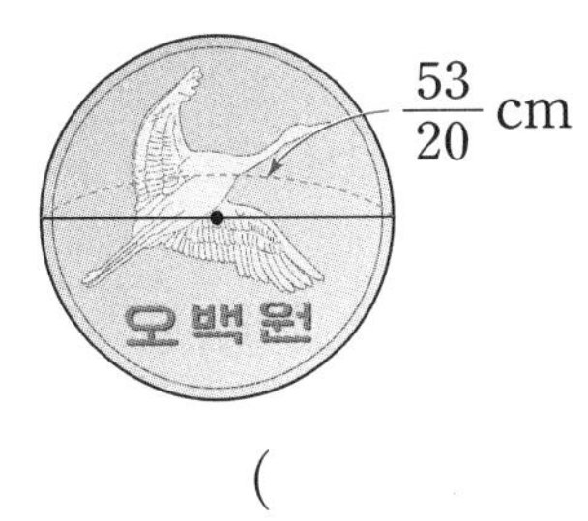

(　　　　　　)

13 소진이는 빨간색 리본을 $\frac{16}{7}$ m, 파란색 리본을 12 m 가지고 있습니다. 빨간색 리본의 길이는 파란색 리본의 길이의 몇 배인가요?

 식 ______________________

 답 ______________________

개념 7 (대분수)÷(자연수)

예 $1\frac{2}{5}\div 4$의 계산

방법 1 ①대분수를 가분수로 바꾸고 ②분수의 분자를 자연수의 배수로 바꾸어 계산하기

$$1\frac{2}{5}\div 4\overset{①}{=}\frac{7}{5}\div 4\overset{②}{=}\frac{28}{20}\div 4$$
$$=\frac{28\div 4}{20}=\frac{7}{20}$$

방법 2 ①대분수를 가분수로 바꾸고 ②나눗셈을 곱셈으로 나타내어 계산하기

$$1\frac{2}{5}\div 4\overset{①}{=}\frac{7}{5}\div 4\overset{②}{=}\frac{7}{5}\times\frac{1}{4}=\frac{7}{20}$$

유형

[14~15] $3\frac{2}{9}\div 4$를 위 개념 7 의 두 가지 방법으로 계산해 보세요.

14 방법 1

15 방법 2

[16~17] 계산해 보세요.

16 $4\frac{2}{3}\div 7$

17 $2\frac{3}{5}\div 7$

18 빈 곳에 알맞은 수를 써넣으세요.

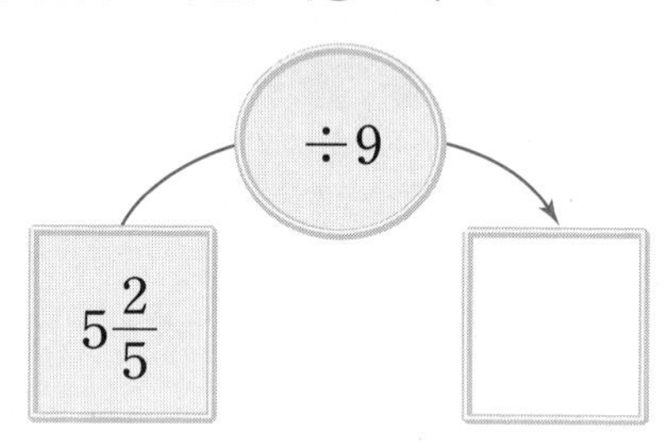

19 작은 수를 큰 수로 나눈 몫을 구해 보세요.

$3\frac{3}{4}$　　4

(　　　　　　)

20 관계있는 것끼리 이어 보세요.

$1\frac{7}{8}\div 6$ •	• $\frac{3}{13}$
$1\frac{5}{13}\div 6$ •	• $\frac{5}{18}$
	• $\frac{5}{16}$

정답 및 풀이 2쪽

21 계산 결과가 더 큰 것의 기호를 써 보세요.

㉠ $5\frac{1}{3} \div 8$ ㉡ $2\frac{2}{3} \div 2$

( )

22 잘못 계산한 사람의 이름을 쓰고, 바르게 계산한 값을 구해 보세요.

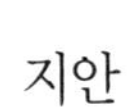

지안

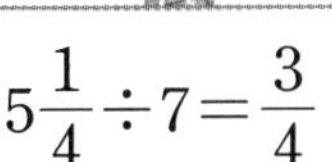

$5\frac{1}{4} \div 7 = \frac{3}{4}$

서준

$1\frac{2}{7} \div 8 = 10\frac{2}{7}$

( ), ( )

23 넓이가 $6\frac{1}{2}$ cm^2이고 가로가 4 cm인 직사각형입니다. 세로는 몇 cm인가요?

4 cm

( )

24 쌀 $1\frac{2}{7}$ kg을 남김없이 똑같이 셋으로 나누어 끼니마다 먹으려고 합니다. 한 끼로 먹을 수 있는 쌀은 몇 kg인가요?

식 ____________________

답 ____________________

플러스 개념 **8** **분수와 자연수의 혼합 계산**

예 $\frac{2}{3} \div 3 \times 4$의 계산

• 왼쪽에서부터 순서대로 계산하기

$\frac{2}{3} \div 3 \times 4 = \frac{2}{3} \times \frac{1}{3} \times 4$ ①

$= \frac{2}{9} \times 4 = \frac{8}{9}$ ②

• 오른쪽에서부터 순서대로 계산하기

$\frac{2}{3} \div 3 \times 4 = \frac{2}{3} \div 12$ ①

$= \frac{2}{3} \times \frac{1}{12} = \frac{2}{36} = \frac{1}{18}$ ②

×, ÷ 혼합 계산은 왼쪽에서부터 순서대로 계산합니다.

[25~26] 계산해 보세요.

25 $\frac{5}{6} \div 3 \times 2$

26 $\frac{3}{8} \div 2 \div 4$

27 삼각형의 넓이는 몇 cm^2인지 기약분수로 나타내어 보세요.

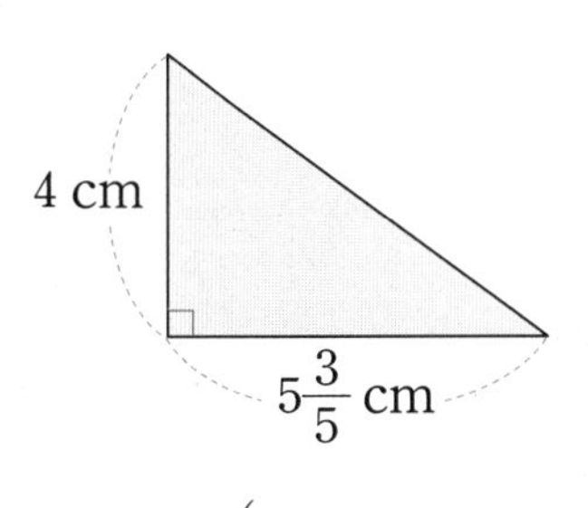

( )

개념 5 ~ 8 기초력 집중 연습

[1~6] 계산을 하여 오른쪽 깃발에 계산 결과를 기약분수로 나타내어 보세요.

1

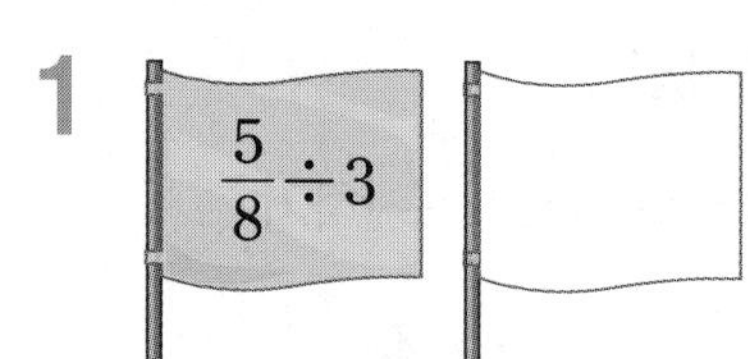

2

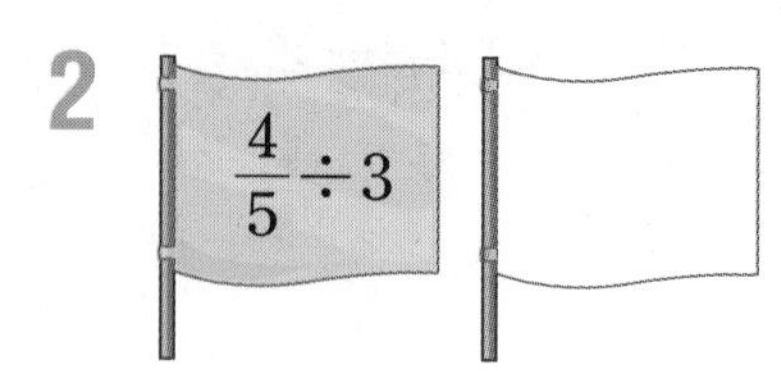

3

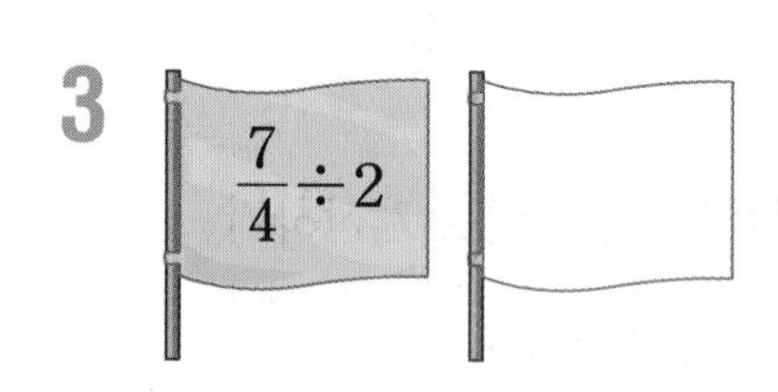

4

$\frac{21}{16} \div 7$

5

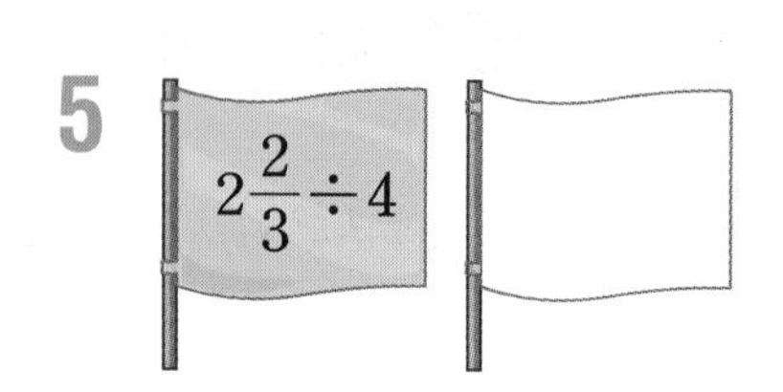

6

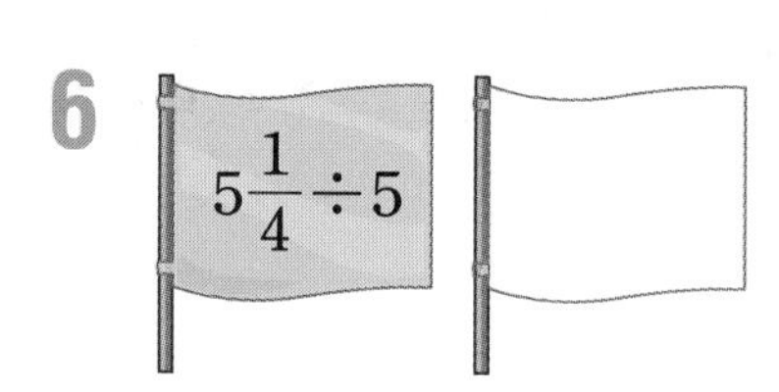

[7~12] 준비되어 있는 각 음료수의 양입니다. 5명이 똑같이 나누어 먹는다면 한 명이 각 음료수를 몇 L씩 마실 수 있는지 기약분수로 나타내어 보세요.

7 오렌지주스 $\frac{2}{5}$ L ➔ ☐ L

8 우유 $\frac{9}{7}$ L ➔ ☐ L

9 식혜 $\frac{5}{3}$ L ➔ ☐ L

10

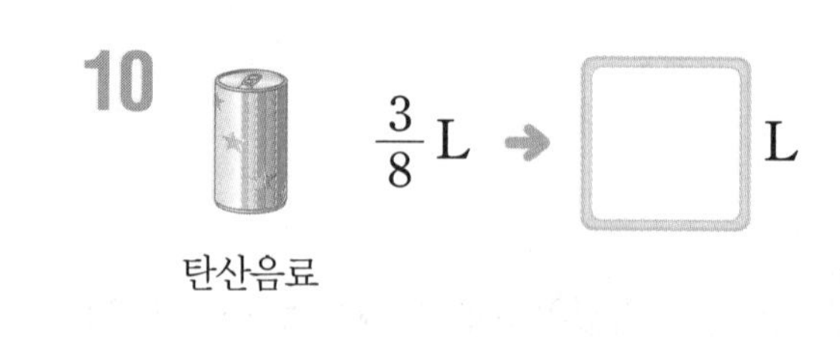

11 꿀물 $1\frac{3}{10}$ L ➔ ☐ L

12 수정과 $1\frac{2}{9}$ L ➔ ☐ L

유형 진단 TEST

점수 /10점

정답 및 풀이 4쪽

1 다은이가 말한 수를 지호가 말한 수로 나누어 몫을 구해 보세요. [1점]

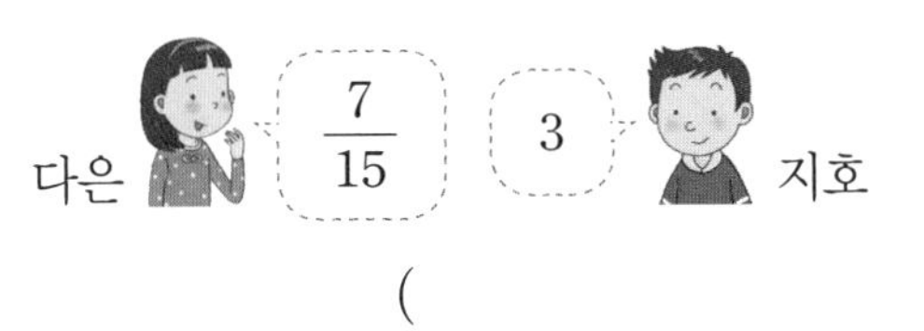

( )

2 나눗셈의 몫을 잘못 구한 사람의 이름을 써 보세요. [1점]

수현: $\frac{17}{9} \div 3 = 5\frac{2}{3}$

정호: $\frac{13}{4} \div 2 = \frac{13}{8}$

( )

3 계산 결과가 나머지와 다른 하나를 찾아 기호를 써 보세요. [1점]

㉠ $2\frac{5}{8} \div 4$ ㉡ $\frac{21}{8} \times \frac{1}{4}$ ㉢ $\frac{21}{8 \div 4}$

( )

4 나눗셈의 몫을 비교하여 ○ 안에 >, =, <를 알맞게 써넣으세요. [1점]

$\frac{8}{3} \div 2$ 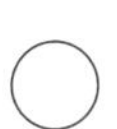 $4\frac{1}{2} \div 12$

5 $3\frac{3}{7} \div 6$을 두 가지 방법으로 계산해 보세요. [2점]

방법 1

방법 2

6 어떤 기약분수에 7을 곱했더니 $\frac{49}{8}$가 되었습니다. 어떤 기약분수를 구해 보세요. [2점]

( )

7 철사 $\frac{3}{8}$ m를 모두 사용하여 크기가 똑같은 정사각형 모양을 2개 만들었습니다. 이 정사각형의 한 변의 길이는 몇 m인가요? [2점]

( )

STEP 2

꼬리를 무는 유형

① 작은 수를 큰 수로 나누기

기본 유형

1 작은 수를 큰 수로 나눈 몫을 구해 보세요.

5	$\frac{20}{21}$

( )

변형 유형

2 빈 곳에 대분수를 자연수로 나눈 몫을 써넣으세요.

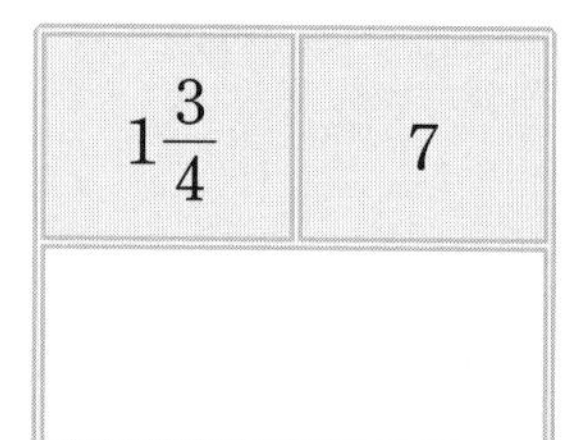

$1\frac{3}{4}$	7

실생활 유형

3 소방서에서 학교까지의 거리는 소방서에서 도서관까지의 거리의 몇 배인가요?

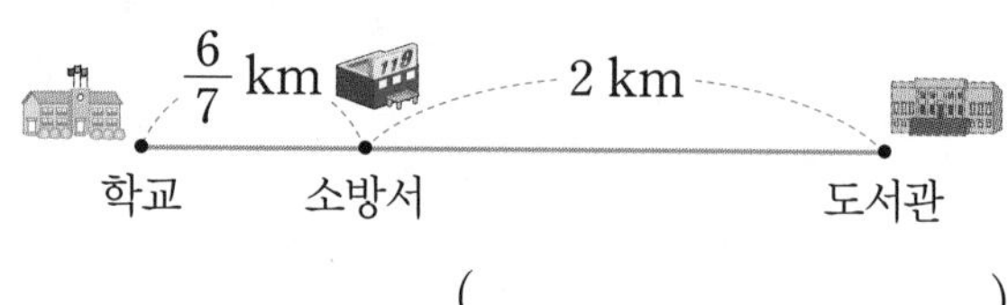

( )

문장제 유형

4 우유 $\frac{9}{10}$ L를 3명이 똑같이 나누어 마시려고 합니다. 한 명이 마실 수 있는 우유는 몇 L인가요?

( )

② 몫이 1보다 큰(작은) 것 찾기

기본 유형

5 몫이 1보다 큰 것을 찾아 기호를 써 보세요.

㉠ $6\div13$ ㉡ $2\div15$ ㉢ $13\div12$

( )

변형 유형

6 몫이 1보다 작은 나눗셈식은 몇 개인가요?

$1\div100$	$20\div13$
$\frac{29}{12}\div2$	$5\frac{3}{4}\div6$

( )

문장제 유형

7 명수는 매일 1 km씩, 재석이는 일주일 동안 $\frac{70}{9}$ km를 매일 같은 거리만큼씩 뛰었습니다. 하루에 뛴 거리가 더 긴 사람은 누구인가요?

( )

③ 길이를 똑같이 나누기

기본 유형

8 다음 정사각형의 둘레는 $\frac{16}{25}$ m입니다. 이 정사각형의 한 변의 길이는 몇 m인지 기약분수로 나타내어 보세요.

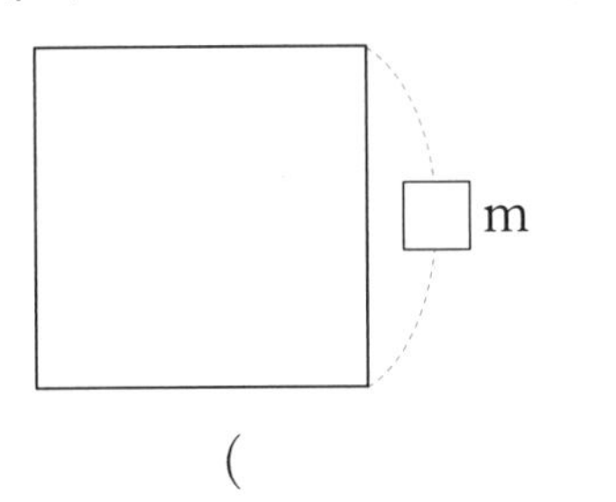

( )

변형 유형

9 길이가 $1\frac{1}{2}$ m인 종이를 6등분한 것입니다. 색칠한 부분의 길이는 몇 m인가요?

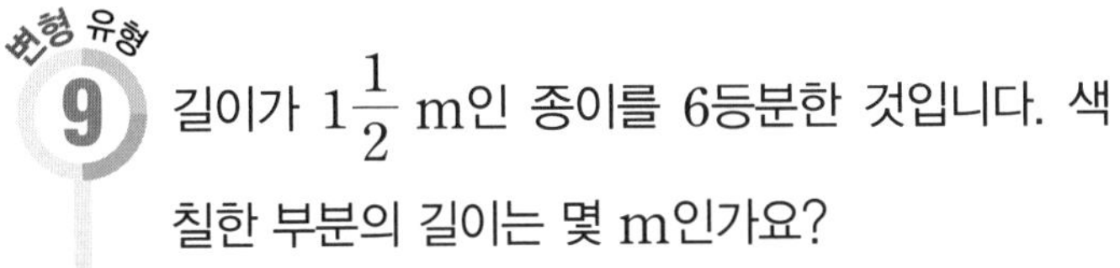
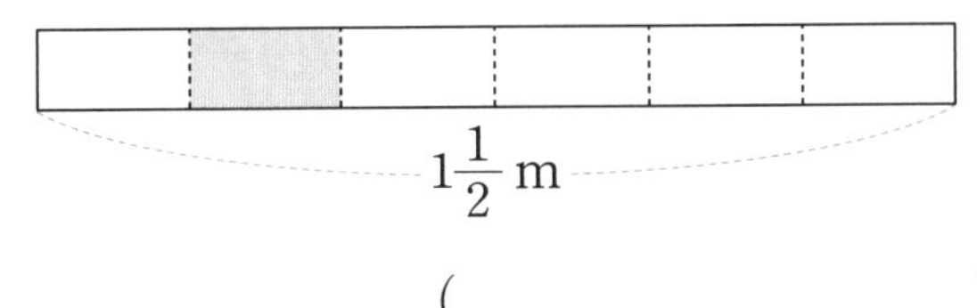

( )

실생활 유형

10 정삼각형 모양의 삼각김밥의 둘레는 $19\frac{2}{3}$ cm입니다. 이 삼각김밥의 한 변의 길이는 몇 cm인가요?

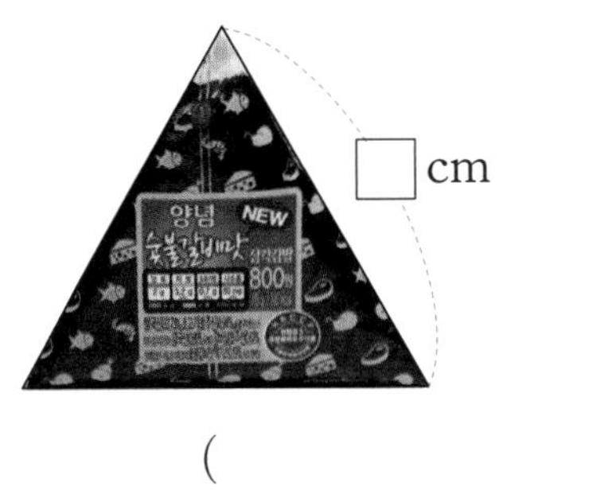

( )

④ 수 카드로 몫이 가장 큰(작은) 나눗셈식 만들기

기본 유형

11 수 카드 중 한 장을 골라 써넣어 주어진 나눗셈식의 몫이 가장 크도록 만들고, 만든 나눗셈식의 몫을 분수로 나타내어 보세요.

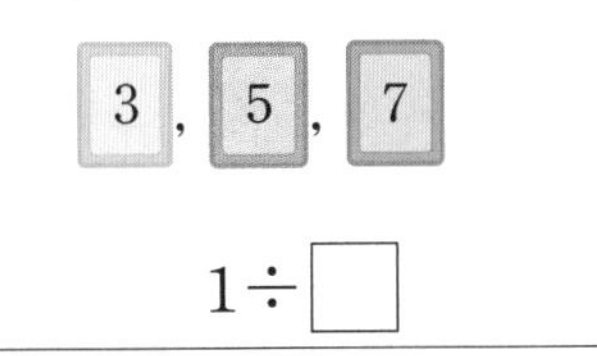

식 1÷□

답

변형 유형

12 수 카드 중 한 장을 골라 써넣어 주어진 나눗셈식의 몫이 가장 작도록 만들고, 만든 나눗셈식의 몫을 분수로 나타내어 보세요.

3, 4, 10

식 1÷□

답

변형 유형

13 수 카드 2, 5, 7, 9 중 두 장을 골라 써넣어 주어진 나눗셈식의 몫이 가장 크도록 만들고, 만든 나눗셈식의 몫을 분수로 나타내어 보세요.

식 □÷□

답

3 STEP

수학 독해력 유형

독해력 유형 1 물건 한 개의 무게 구하기

무게가 똑같은 토마토 5개가 놓여 있는 바구니의 전체 무게가 3 kg입니다. 빈 바구니가 $\frac{2}{9}$ kg이라면 토마토 한 개의 무게는 몇 kg인지 기약분수로 나타내어 보세요.

What? 구하려는 것을 찾아 밑줄을 그어 보세요.

How?
❶ 바구니에 토마토 5개를 담은 무게가 전체 무게임을 알아두기
❷ 전체 무게에서 바구니만의 무게를 빼어 토마토 5개의 무게 구하기
❸ ❷를 이용하여 토마토 한 개의 무게 구하기

Solve
❶ 전체 무게 3 kg은 토마토 5개의 무게와 어떤 무게의 합인가요?

( )

❷ 토마토 5개의 무게는 몇 kg인가요?

( )

❸ 토마토 한 개의 무게는 몇 kg인지 기약분수로 나타내어 보세요.

( )

구하려는 것을 찾아 밑줄을 그은 후 세운 계획에 따라 문제를 풀어 봐~

쌍둥이 유형 1-1

무게가 똑같은 사과 8개가 놓여 있는 쟁반의 전체 무게가 6 kg입니다. 빈 쟁반이 $\frac{2}{3}$ kg이라면 사과 한 개의 무게는 몇 kg인지 기약분수로 나타내어 보세요.

❶

❷

❸

답 ____________

쌍둥이 유형 1-2

무게가 똑같은 감자 9개가 놓여 있는 상자의 전체 무게가 $3\frac{3}{4}$ kg입니다. 빈 상자가 $1\frac{1}{2}$ kg이라면 감자 한 개의 무게는 몇 kg인지 기약분수로 나타내어 보세요.

❶

❷

❸

 ____________

정답 및 풀이 5쪽

독해력 유형 2 바르게 계산한 값 구하기

어떤 수를 8로 나누어야 할 것을 잘못하여 곱했더니 $\frac{32}{5}$가 되었습니다. 바르게 계산한 값을 기약분수로 나타내어 보세요.

What? 구하려는 것을 찾아 밑줄을 그어 보세요.

How?
❶ 잘못 계산한 곱셈식 세우기
❷ ❶을 이용하여 어떤 수를 구하기
❸ 바르게 계산한 값을 구하기

Solve
❶ 어떤 수를 □라 하여 잘못 계산한 식을 세워 보세요.

식 ________________

❷ 어떤 수를 구해 기약분수로 나타내어 보세요.

( )

❸ 바르게 계산한 값을 기약분수로 나타내어 보세요.

( )

바르게 계산한 값은 어떻게 해야 잘 구할 수 있죠?

쌍둥이 유형 2-1

어떤 수를 2로 나누어야 할 것을 잘못하여 곱했더니 $\frac{12}{5}$가 되었습니다. 바르게 계산한 값을 기약분수로 나타내어 보세요.

❶

❷

❸

답 ________________

쌍둥이 유형 2-2

어떤 수를 5로 나누어야 할 것을 잘못하여 곱했더니 9가 되었습니다. 바르게 계산한 값을 분수로 나타내어 보세요.

❶

❷

❸

답 ________________

4 STEP 사고력 플러스 유형

플러스 유형 ❶ 빈 곳에 알맞은 수 구하기

1-1 빈 곳에 알맞은 분수를 써넣으세요.

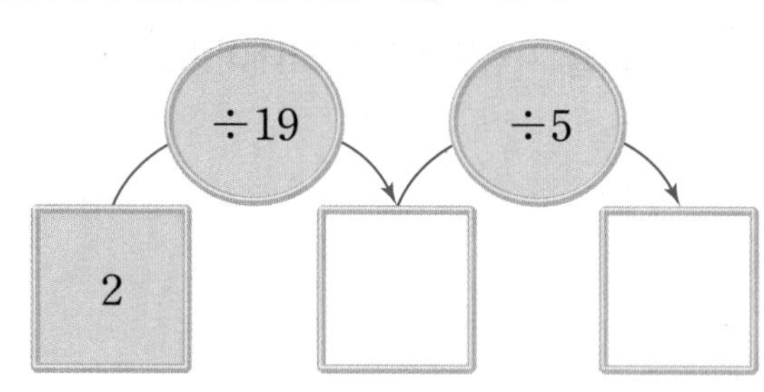

1-2 빈 곳에 알맞은 기약분수를 써넣으세요.

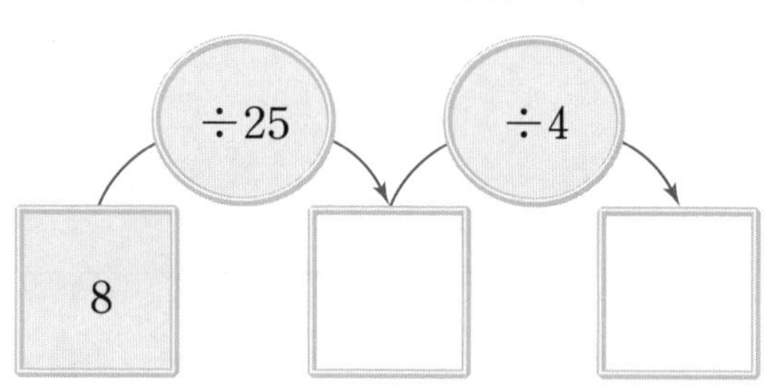

1-3 빈 곳에 알맞은 기약분수를 써넣으세요.

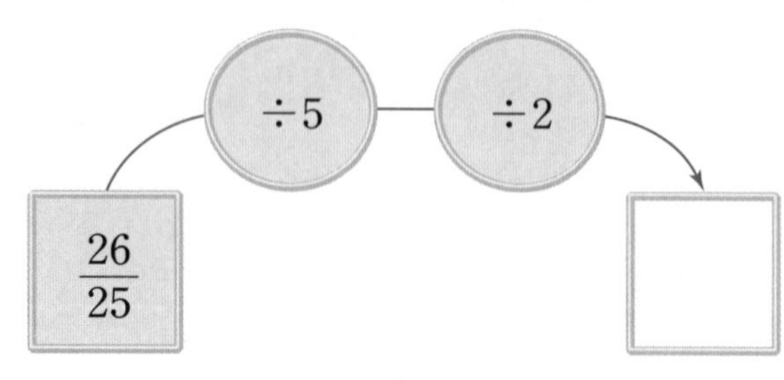

플러스 유형 처방전

분수와 자연수의 혼합 계산은 왼쪽에서부터
순서대로 계산해야 한다는~ 순서를 바꾸면 앙대~

플러스 유형 ❷ □ 안에 알맞은 수 구하기

2-1 □ 안에 알맞은 분수를 구해 보세요.

$\square \times 8 = \frac{3}{8}$

( )

2-2 □ 안에 알맞은 분수를 구해 보세요.

$\square \times 9 = \frac{13}{6}$

( )

2-3 □ 안에 알맞은 분수를 구해 보세요.

$4 \times \square = \frac{5}{6}$

( )

2-4 □ 안에 알맞은 분수를 구해 보세요.

$11 \times \square = 3\frac{1}{7}$

( )

플러스 유형 ③ 잘못된 계산 알아보기

3-1 계산이 잘못된 곳을 찾아 바르게 고쳐 계산해 보세요.

$$\frac{1}{7} \div 7 = 7 \times \frac{1}{7} = \frac{7}{7} = 1$$

$\frac{1}{7} \div 7$ ______

3-2 계산이 잘못된 곳을 찾아 바르게 고쳐 계산해 보세요.

$$\frac{20}{3} \div 15 = \frac{20}{3} \times 15 = \frac{300}{3} = 100$$

$\frac{20}{3} \div 15$ ______

서술형

3-3 $\frac{9}{24} \div 12$를 잘못 계산한 것입니다. 그 이유를 써 보세요.

$$\frac{9}{24} \div 12 = \frac{9}{24 \div 12} = \frac{9}{2} = 4\frac{1}{2}$$

이유 ______

서술형

3-4 $1\frac{2}{3} \div 2$를 잘못 계산한 것입니다. 그 이유를 써 보세요.

$$1\frac{2}{3} \div 2 = 1\frac{2}{3} \times \frac{1}{2} = 1\frac{2}{6} = 1\frac{1}{3}$$

이유 ______

플러스 유형 ④ 도형의 넓이를 알 때 길이 구하기

4-1 세로가 3 cm이고 넓이가 $14\frac{2}{5}$ cm^2인 직사각형입니다. 직사각형의 가로는 몇 cm인지 기약분수로 나타내어 보세요.

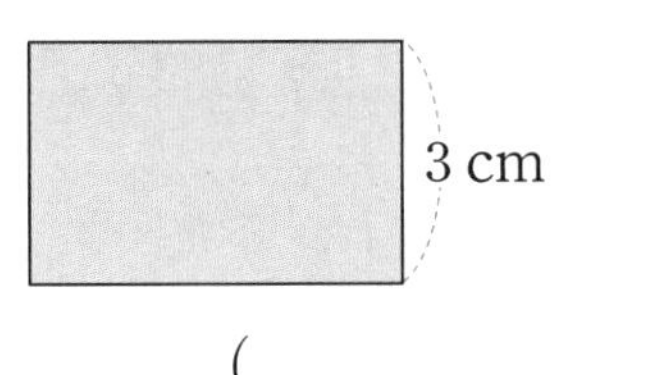

( )

서술형

4-2 세로가 4 cm이고 넓이가 $\frac{28}{3}$ cm^2인 직사각형입니다. 직사각형의 가로는 몇 cm인지 풀이 과정을 쓰고 답을 기약분수로 나타내어 보세요.

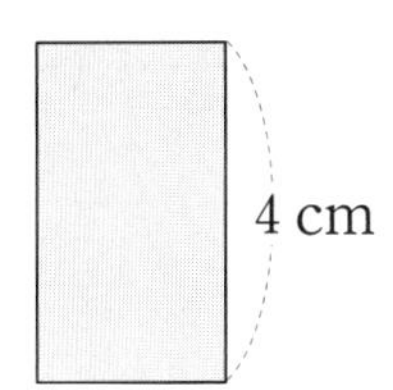

풀이 ______

답 ______

4-3 높이가 3 cm이고 넓이가 $7\frac{5}{7}$ cm^2인 삼각형입니다. 삼각형의 밑변의 길이는 몇 cm인지 기약분수로 나타내어 보세요.

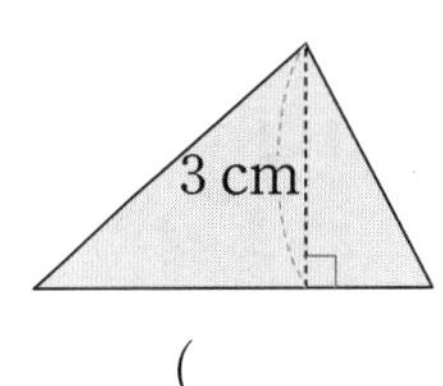

( )

플러스 유형 5 □ 안에 들어갈 수 있는 수 구하기

사고력 유형

5-1 □ 안에 들어갈 수 있는 자연수를 모두 구해 보세요.

$$\frac{\square}{7} < 4\frac{2}{7} \div 6$$

(　　　　　　　　)

서술형

5-2 □ 안에 들어갈 수 있는 자연수를 모두 구하려고 합니다. 풀이 과정을 쓰고 답을 구해 보세요.

$$\frac{\square}{8} < 1\frac{3}{4} \div 2$$

풀이

답

5-3 □ 안에 들어갈 수 있는 자연수 중에서 가장 작은 수를 구해 보세요.

$$4\frac{2}{3} \div 2 < \square$$

(　　　　　　　　)

플러스 유형 6 두 양 비교하기

6-1 우유 5 L는 병 8개에, 식혜 $\frac{27}{4}$ L는 병 6개에 남김없이 똑같이 나누어 담으려고 합니다. 나누어 담는 병의 모양과 크기가 같다면 어떤 음료수를 담은 병의 음료 양이 더 많은가요?

(　　　　　　　　)

서술형

6-2 철사 3 m짜리는 정사각형 1개를, 철사 $2\frac{4}{7}$ m짜리는 정육각형 1개를 만들었습니다. 철사를 겹치거나 남김없이 각각 모두 사용하였다면 어떤 정다각형의 한 변의 길이가 더 긴지 풀이 과정을 쓰고 답을 구해 보세요.

풀이

답

사고력 유형

6-3 감자를 심기로 한 텃밭이 더 넓은 모둠은 누구네 모둠인가요?

재호: 우리 모둠의 텃밭은 17 m^2야. 상추, 고추, 감자를 똑같은 넓이로 심기로 했어.

정수: 우리 모둠의 텃밭은 $21\frac{1}{3}$ m^2야. 고구마, 콩, 오이, 감자를 똑같은 넓이로 심기로 했어.

(　　　　　　　　)네 모둠

플러스 유형 7 수 카드로 나눗셈식 만들고 계산하기

독해력 유형

7-1 수 카드 3장을 모두 한 번씩만 사용하여 주어진 나눗셈식의 계산 결과가 가장 작도록 만들고 계산해 보세요.

$\frac{㉠}{㉡} \div ㉢$

단계 1 위 나눗셈식을 기호를 사용하여 분수의 곱셈식으로 나타내어 보세요.

( )

단계 2 계산 결과가 가장 작으려면 ㉠, ㉡, ㉢ 중 어떤 두 기호의 곱이 가장 커야 하나요?

( )과 ( )

단계 3 계산 결과가 가장 작도록 만들고 계산해 보세요.

$\frac{\square}{\square} \div \square = \square$

식

7-2 수 카드 3장을 모두 한 번씩만 사용하여 주어진 나눗셈식의 계산 결과가 가장 작도록 만들고 계산해 보세요.

$\frac{\square}{\square} \div \square = \square$

식

플러스 유형 8 팔고 남은 쌀의 무게 구하기

독해력 유형

8-1 쌀 $12\frac{2}{3}$ kg을 5봉지에 똑같이 나누어 담아 3봉지를 팔았습니다. 팔고 남은 쌀은 몇 kg인지 분수로 나타내어 보세요.

단계 1 한 봉지에 담긴 쌀은 몇 kg인가요?

( )

단계 2 팔고 남은 쌀은 몇 봉지인가요?

( )

단계 3 팔고 남은 쌀은 몇 kg인가요?

( )

8-2 콩 $4\frac{3}{8}$ kg을 7봉지에 똑같이 나누어 담아 5봉지를 팔았습니다. 팔고 남은 콩은 몇 kg인지 기약분수로 나타내어 보세요.

( )

플러스 유형 처방전

8-1에서 전체 쌀의 무게에서 판 3봉지의 무게를 빼는 방법으로도 팔고 남은 쌀의 무게를 구할 수 있어용~

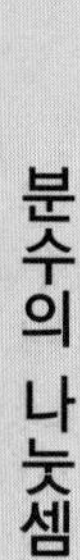

1 4÷3을 그림으로 나타내고, 몫을 구해 보세요.

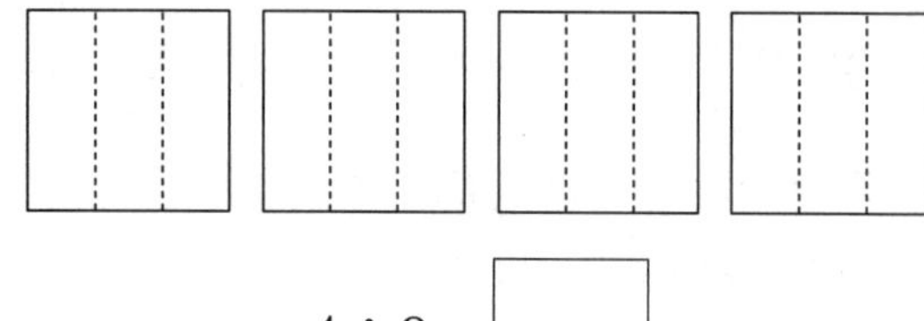

$4 \div 3 = \square$

2 계산해 보세요.

(1) $\frac{15}{4} \div 6$

(2) $6\frac{2}{5} \div 8$

3 나눗셈을 곱셈으로 바르게 나타낸 것은 어느 것 인가요? ··· (　　　　)

① $4 \div 9 = \frac{1}{4} \times 9$　② $6 \div 13 = 6 \times \frac{1}{13}$

③ $5 \div 8 = 8 \times \frac{1}{5}$　④ $7 \div 10 = \frac{1}{7} \times 10$

⑤ $3 \div 8 = 3 \times 8$

4 빈 곳에 알맞은 수를 써넣으세요.

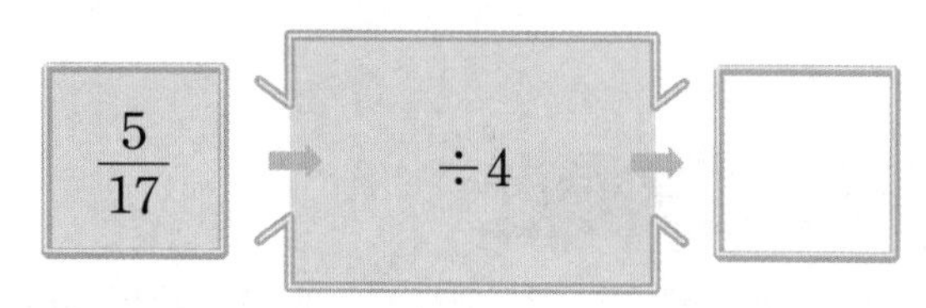

5 분수를 자연수로 나눈 몫을 구해 보세요.

$\frac{9}{14}$　　27

(　　　　　　　　　)

6 계산 결과가 다른 하나를 찾아 기호를 써 보세요.

㉠ $\frac{17}{14} \div 7$　㉡ $\frac{17 \times 7}{14}$　㉢ $\frac{17}{14 \times 7}$

(　　　　　　　　　)

7 관계있는 것끼리 이어 보세요.

$\frac{9}{14} \div 6$ •		• $\frac{3}{28}$
$\frac{5}{12} \div 5$ •		• $3\frac{6}{7}$
		• $\frac{1}{12}$

8 계산이 잘못된 곳을 찾아 바르게 고쳐 계산해 보세요.

$2\frac{3}{4} \div 2 = 2\frac{3}{4 \times 2} = 2\frac{3}{8}$

$2\frac{3}{4} \div 2$ ________________

9 나눗셈의 몫을 바르게 구한 사람의 이름을 써 보세요.

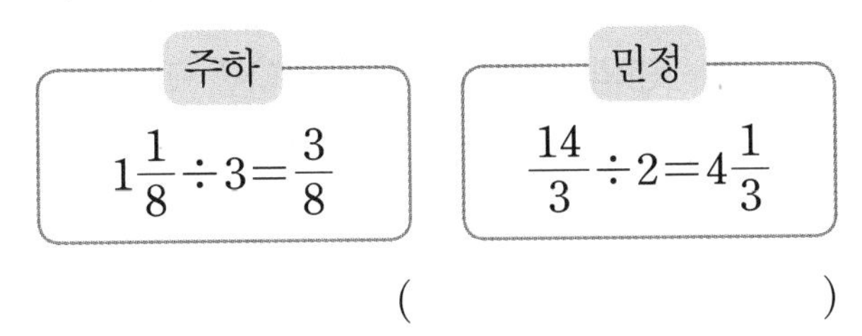

( )

10 나눗셈의 몫을 비교하여 ○ 안에 $>$, $=$, $<$를 알맞게 써넣으세요.

$$\frac{5}{6} \div 15 \bigcirc 1 \div 18$$

11 찰흙 7 kg을 세 사람이 똑같이 나누어 가지려고 합니다. 한 사람이 가지게 되는 찰흙은 몇 kg인가요?

( )

12 $2\frac{5}{8} \div 7$을 두 가지 방법으로 계산해 보세요.

13 어느 식당에서는 2주일 동안 $\frac{7}{90}$ kg의 소금을 사용하였습니다. 하루에 소금을 몇 kg씩 사용한 셈인지 기약분수로 나타내어 보세요.

( )

14 재석이네 가족은 쌀 $15\frac{5}{9}$ kg을 4월 한 달 동안 먹으려고 합니다. 매일 똑같은 양을 먹는다면 하루에 먹는 쌀은 몇 kg인지 기약분수로 나타내어 보세요.

답 ______

15 몫이 다른 하나를 찾아 기호를 써 보세요.

㉠ $4 \div 9$	㉡ $5\frac{1}{3} \div 12$
㉢ $\frac{4}{3} \div 3$	㉣ $1\frac{5}{9} \div 2$

( )

16 □ 안에 알맞은 기약분수를 써넣으세요.

$$\square \times 4 = 3\frac{7}{9} \div 2$$

정답 및 풀이 7쪽

서술형 » 23쪽 4-2 유사 문제

17 세로가 7 cm이고 넓이가 $9\frac{4}{5}$ cm^2인 직사각형입니다. 직사각형의 가로는 몇 cm인지 풀이 과정을 쓰고 답을 기약분수로 나타내어 보세요.

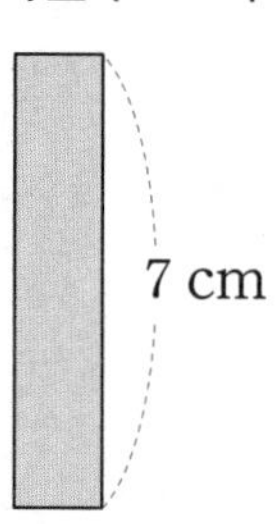

풀이

답

서술형 » 24쪽 5-2 유사 문제

18 □ 안에 들어갈 수 있는 자연수를 모두 구하려고 합니다. 풀이 과정을 쓰고 답을 구해 보세요.

$$\frac{\square}{13} < 2\frac{2}{13} \div 7$$

풀이

답

서술형 » 24쪽 6-1 유사 문제

19 물 $2\frac{3}{8}$ L는 병 4개에, 식혜 $1\frac{1}{16}$ L는 병 2개에 남김없이 똑같이 나누어 담으려고 합니다. 나누어 담는 병의 모양과 크기가 같다면 어떤 음료수를 담은 병의 음료 양이 더 많은지 풀이 과정을 쓰고 답을 구해 보세요.

풀이

답

독해력 유형 서술형 » 25쪽 7-1 유사 문제

20 수 카드 3장을 모두 한 번씩만 사용하여 주어진 나눗셈식의 계산 결과가 가장 작도록 만들고 계산하려고 합니다. 풀이 과정을 쓰고 답을 구해 보세요.

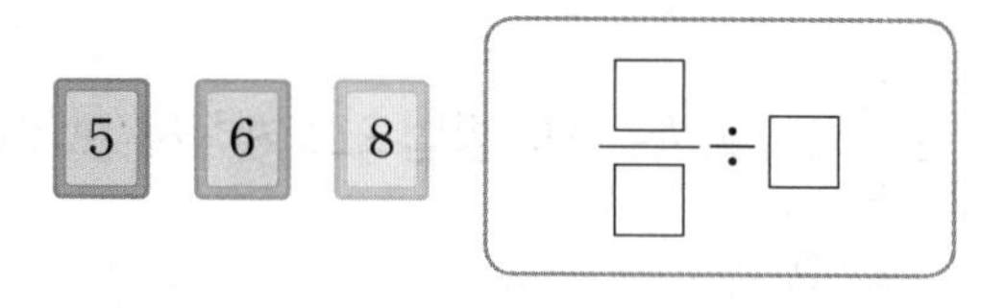

풀이

답
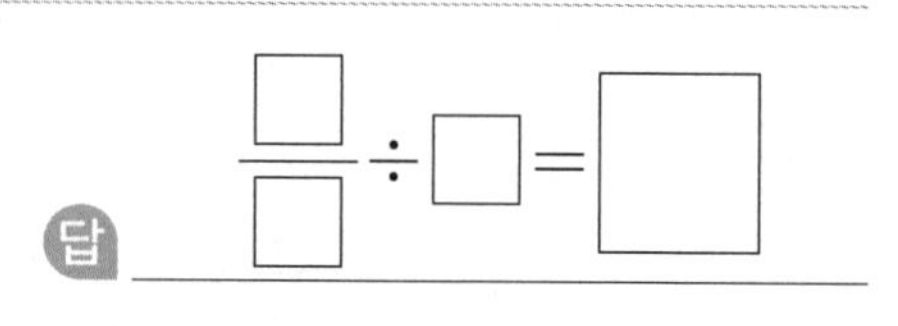

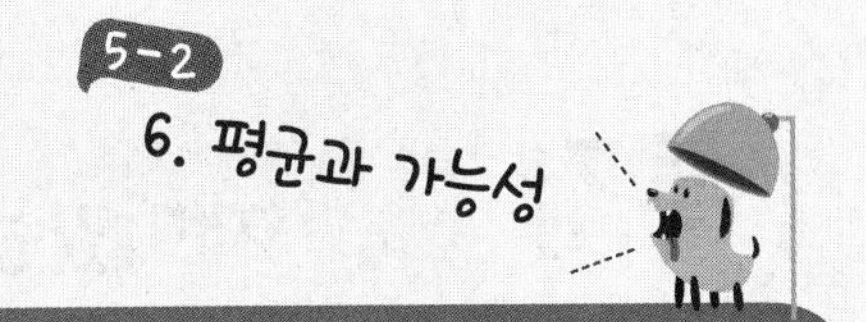

[1~2] 서우와 서윤이의 훌라후프 기록을 나타낸 표입니다. 물음에 답하세요.

서우의 훌라후프 기록

회	기록(초)
1회	45
2회	38
3회	49

서윤이의 훌라후프 기록

회	기록(초)
1회	43
2회	39
3회	
4회	51

평균을 어떻게 이용할까요

1 서우의 훌라후프 기록의 평균은 몇 초인가요?

( )

평균을 어떻게 이용할까요

2 두 사람의 훌라후프 기록의 평균이 같다면 서윤이의 3회 때 훌라후프 기록은 몇 초인가요?

( )

[3~4] 1부터 6까지의 눈이 그려진 주사위를 한 번 굴렸습니다. 물음에 답하세요.

일이 일어날 가능성을 말과 수로 표현해 볼까요

3 주사위를 굴려 나온 눈의 수가 홀수일 가능성을 말과 수로 표현해 보세요.

 ____________ 수 ____________

일이 일어날 가능성을 말과 수로 표현해 볼까요

4 주사위를 굴려 나온 눈의 수가 홀수일 가능성과 화살이 노란색에 멈출 가능성이 같도록 회전판을 색칠해 보세요.

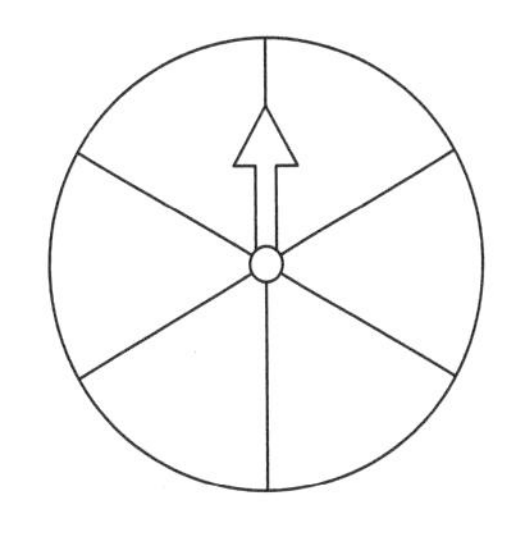

수를 바꾸는 상자

코딩 1 다음과 같은 규칙으로 수를 바꾸는 상자가 있습니다.

분자가 홀수면 분수에 ÷3,
분자가 짝수면 분수에 ÷2를 합니다.

보기 와 같이 이 상자에 어떤 수를 넣어 나온 결과를 다시 상자에 넣는 과정을 반복했을 때, 3번째에 나오는 기약분수를 구해 보세요. (단, 상자에서 나오는 분수는 기약분수로 생각하여 계산합니다.)

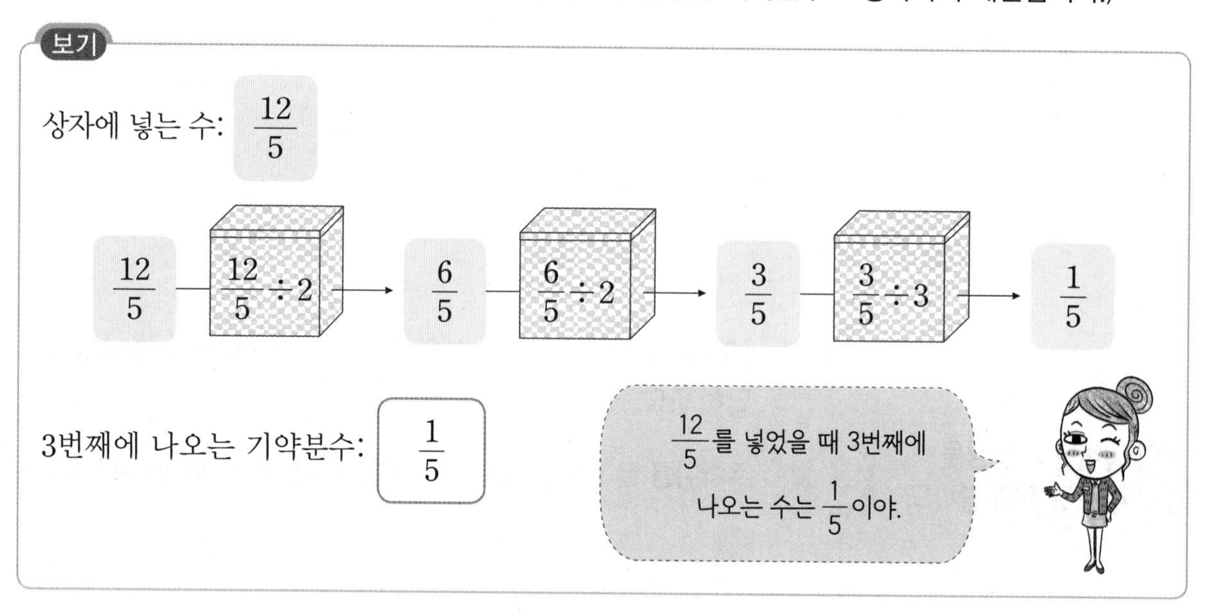

상자에 넣는 수: $\frac{6}{7}$

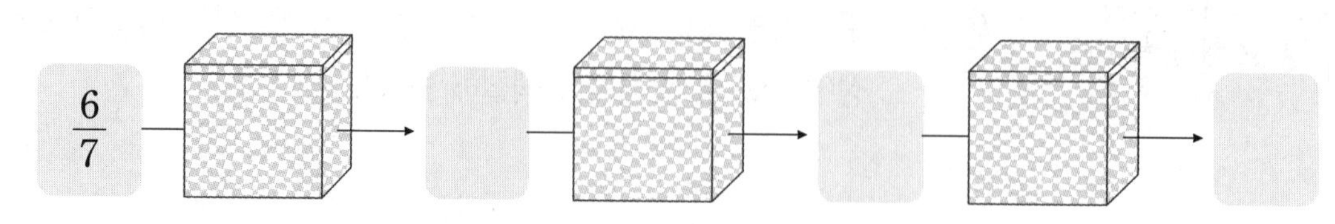

3번째에 나오는 기약분수: $\square$

내 몸무게는 달에서 재면 몇 kg일까?

지구와 달은 모두 둥근 모양을 하고 있습니다. 지구와 달의 표면에는 산과 같이 높은 곳도 있고 바다와 같이 깊고 넓은 곳도 있습니다. 또한 지구와 달은 스스로 빛을 내지 못한다는 공통점을 갖고 있습니다.

지구는 태양의 주위를 돌고 있는 행성이지만 달은 지구의 주위를 돌고 있는 위성입니다.
달은 지구에 비해 작아 달의 반지름은 (지구의 반지름)$\div 4$이며, 달의 질량은 (지구의 질량)$\div 80$, 달의 중력은 (지구의 중력)$\div 6$입니다. 따라서 달에서의 몸무게는 (지구에서의 몸무게)$\div 6$입니다.
지구에는 육지와 바다, 구름을 볼 수 있고, 달은 밝은 부분과 어두운 부분이 있습니다. 그래서 지구는 하얀색, 푸른색, 갈색 등 여러 가지 색깔로 보이지만 달은 회색빛으로만 보입니다.

▲ 지구 표면

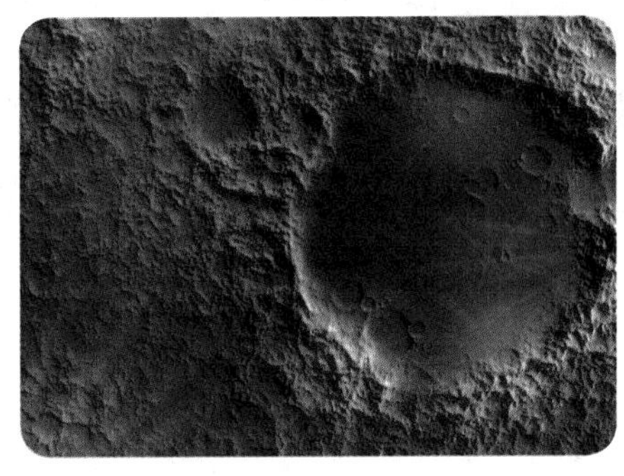

▲ 달 표면

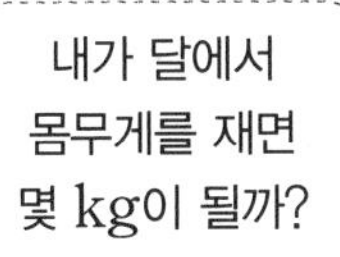

달에서의 몸무게를 기약분수로 나타내어 봐.

45	kg

	kg

2 각기둥과 각뿔

Dr. 유형 처방전
* 옆면이 삼각형으로 이루어진 것은 각뿔

이렇게 옆면이 삼각형으로
이루어진 건 기둥이 아니고
사각뿔이라고 한다능~

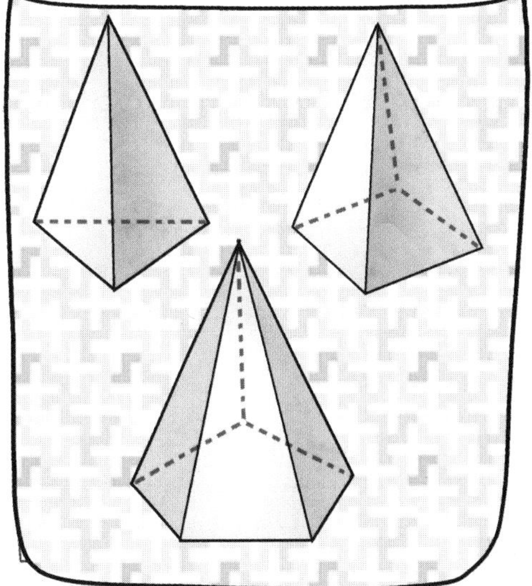
또 밑면의 모양에 따라 삼각뿔,
사각뿔, 오각뿔……이라고 한다능~

저…선생님…….
근데 지금 제 똥구멍이
찢어진 거 같은데 치료 후에
알려주시면 안 될까요?
아차차! 내 정신 좀 봐.
빨리 소독하고 연고
발라주겠어용~

개념 1 입체도형과 각기둥

• 각기둥: 서로 평행하고 합동인 두 다각형이 있는 입체도형

예
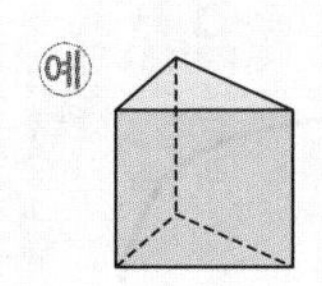
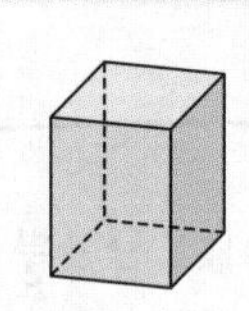
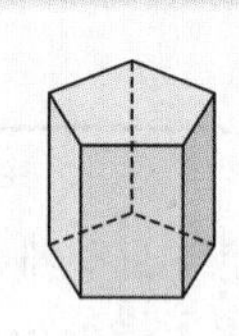
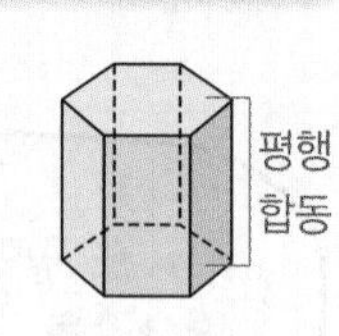

개념 2 각기둥의 밑면과 옆면

• 밑면: 면 ㄱㄴㄷ과 면 ㄹㅁㅂ과 같이 서로 평행하고 합동인 두 면
• 옆면: 면ㄱㄹㅁㄴ, 면ㄴㅁㅂㄷ, 면ㄱㄹㅂㄷ과 같이 두 밑면과 만나는 면

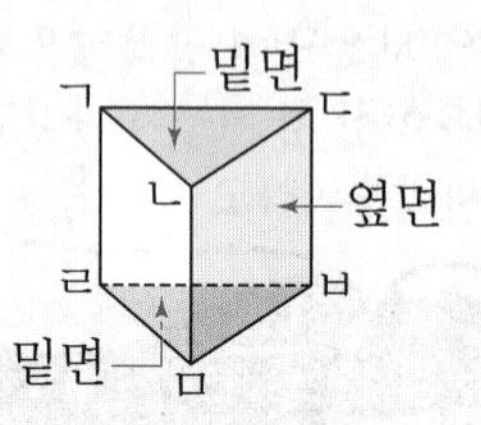

두 밑면은 나머지 면들과 모두 수직으로 만나. 그리고 각기둥의 옆면은 모두 직사각형이지.

유형

[1~4] 입체도형을 보고 물음에 답하세요.

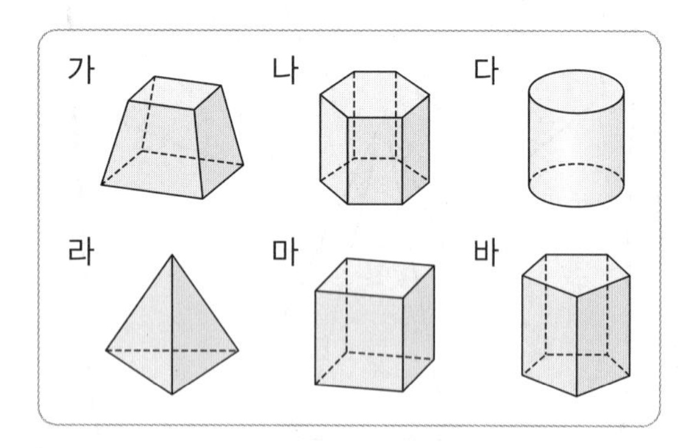

1 서로 평행한 두 면이 있는 입체도형을 모두 찾아 기호를 써 보세요.

(   )

2 모든 면이 다각형이고 서로 평행한 두 면이 합동인 입체도형을 모두 찾아 기호를 써 보세요.

(   )

3 위 2에서 찾은 입체도형을 무엇이라고 하나요?

(   )

서술형

4 다가 각기둥이 아닌 이유를 써 보세요.

이유 ______________________

____

유형

5 각기둥의 각 부분의 이름을 □ 안에 써넣으세요.

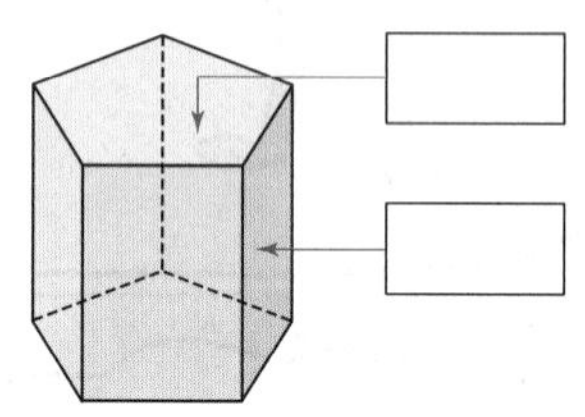

6 각기둥의 겨냥도를 완성해 보세요.

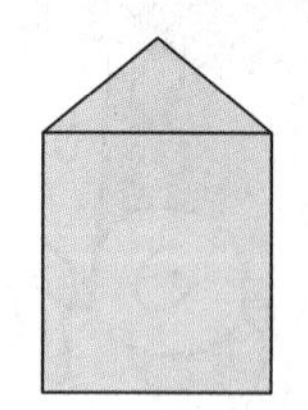

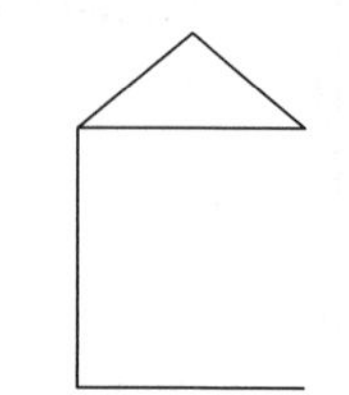

7 오른쪽 각기둥에서 서로 평행한 두 면을 찾아 색칠해 보세요.

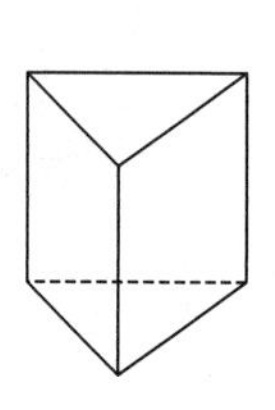

8 맞으면 ○표, 틀리면 ×표 하세요.

(1) 각기둥에서 두 밑면은 나머지 면들과 모두 수직으로 만납니다. ························(　　　　)

(2) 각기둥의 옆면은 모두 직사각형입니다. ··(　　　　)

[9~10] 오른쪽 각기둥에서 색칠한 면이 밑면일 때 물음에 답하세요.

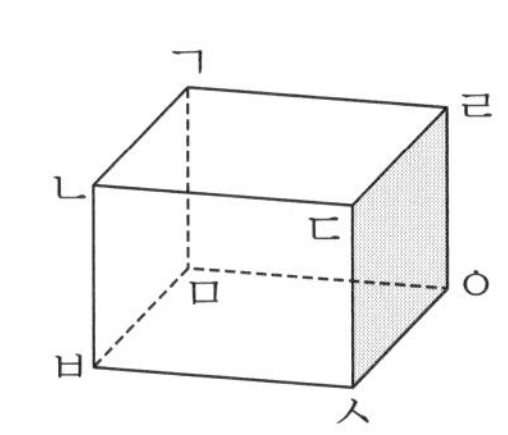

9 밑면에 수직인 면은 몇 개인가요?

(　　　　　　　　)

10 옆면을 모두 찾아 써 보세요.

____

____

서술형

11 오른쪽 각기둥에서 색칠한 두 면은 평행하고 합동이지만 밑면이 아닌 이유를 써 보세요.

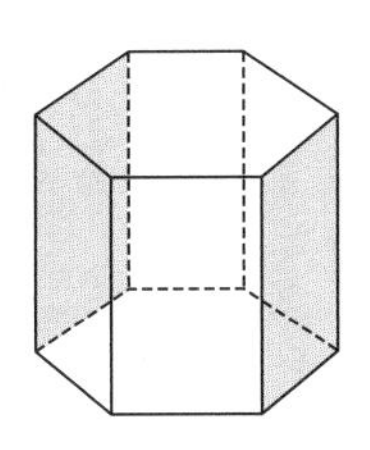

이유 ______________________________

____

개념 3 각기둥의 이름

각기둥			
밑면의 모양	삼각형	사각형	오각형
각기둥의 이름	삼각기둥	사각기둥	오각기둥

각기둥의 이름은 **밑면의 모양**에 따라 정해짐을 기억해.

유형

[12~13] 각기둥의 이름을 써 보세요.

12

(　　　　　　　　)

13

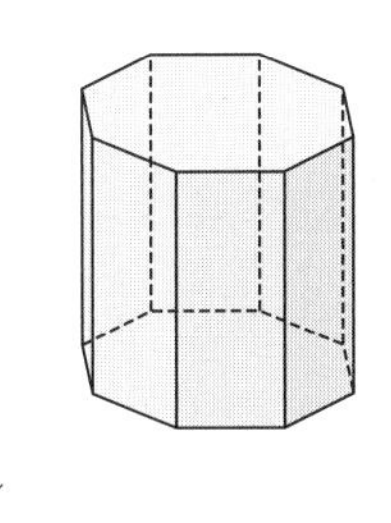

(　　　　　　　　)

14 각기둥의 이름과 밑면의 모양이 바르게 짝지어진 것은 어느 것인가요? ·····························(　　　　)

① 삼각기둥 – 

② 사각기둥 – 

③ 오각기둥 – 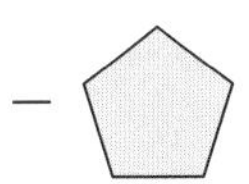

④ 육각기둥 – 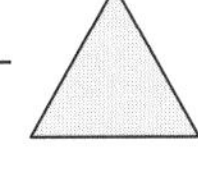

⑤ 칠각기둥 –

15 칠각기둥의 밑면은 어떤 모양인가요?

(　　　　　　　　)

개념 4 각기둥의 구성 요소

- 모서리: 면과 면이 만나는 선분
- 꼭짓점: 모서리와 모서리가 만나는 점
- 높이: 두 밑면 사이의 거리

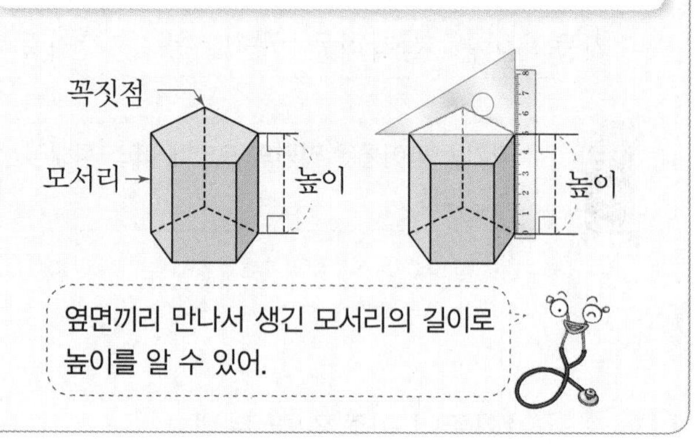

옆면끼리 만나서 생긴 모서리의 길이로 높이를 알 수 있어.

유형

16 오른쪽 각기둥에서 높이를 잴 수 있는 모서리가 아닌 것은 어느 것인가요? ··········( )

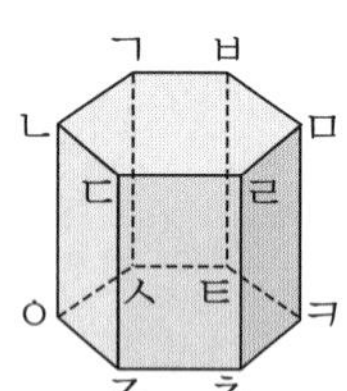
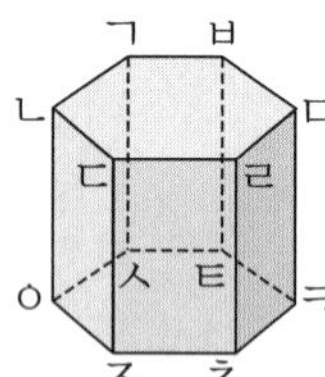

① 모서리 ㄱㅅ
② 모서리 ㄹㅊ
③ 모서리 ㄹㅁ
④ 모서리 ㅂㅌ
⑤ 모서리 ㄷㅈ

17 각기둥에서 면과 면이 만나는 선분에 모두 ○표 하고, 몇 개인지 세어 보세요.

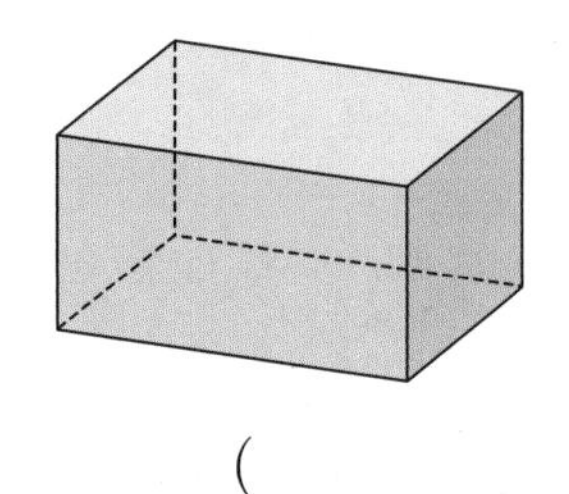

( )

18 각기둥에서 모서리와 모서리가 만나는 점을 모두 찾아 •으로 표시하고, 몇 개인지 세어 보세요.

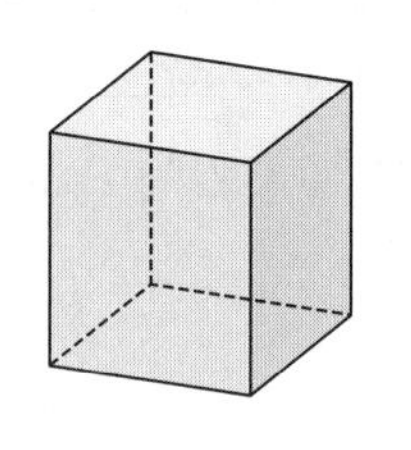

( )

[19~20] 각기둥을 보고 물음에 답하세요.

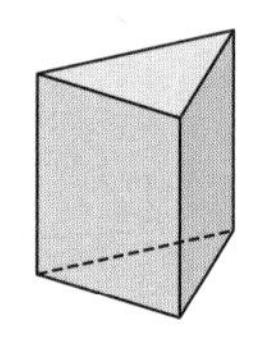
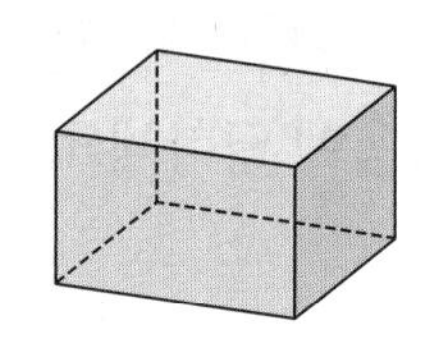

19 빈칸에 알맞은 수를 써넣으세요.

도형	한 밑면의 변의 수(개)	꼭짓점의 수(개)	면의 수(개)	모서리의 수(개)
삼각기둥	3	6		
사각기둥				

20 위 **19**의 표를 보고 규칙을 찾아 □ 안에 알맞은 수를 써넣으세요.

① (각기둥의 꼭짓점의 수)
=(한 밑면의 변의 수)×□

② (각기둥의 면의 수)
=(한 밑면의 변의 수)+□

③ (각기둥의 모서리의 수)
=(한 밑면의 변의 수)×□

각기둥의 규칙을 잘 기억해 둬. 앞으로 문제에 많이 활용될 거야.

개념 5 각기둥의 전개도 (1)

• 각기둥의 전개도: 각기둥의 모서리를 잘라서 평면 위에 펼쳐 놓은 그림

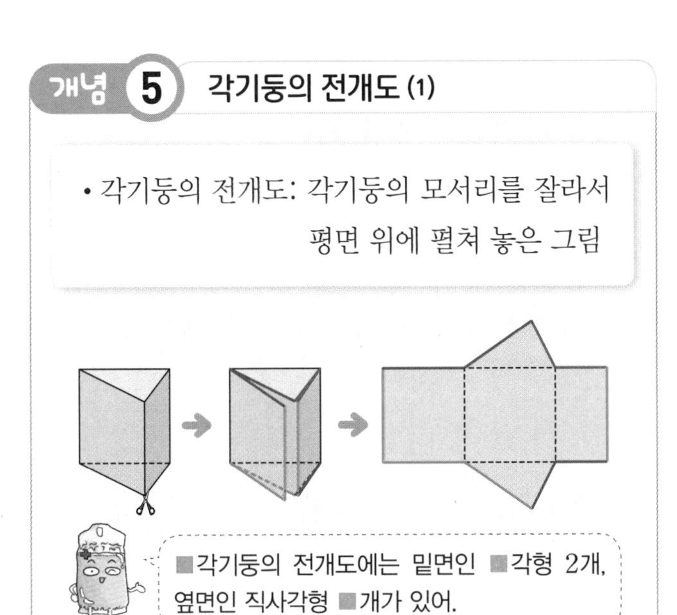

유형

21 그림을 보고 □ 안에 알맞은 말을 써넣으세요.

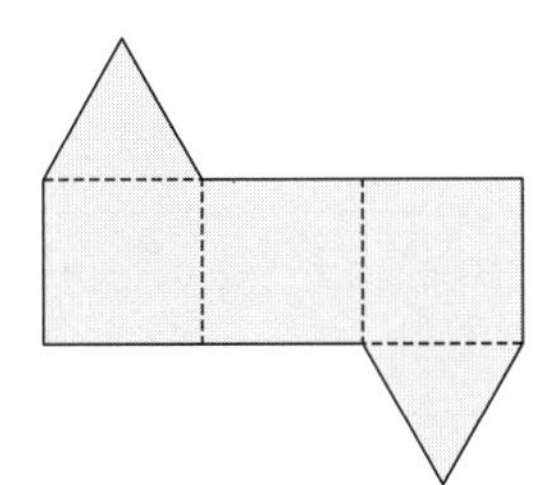

삼각기둥의 모서리를 잘라서 평면 위에 펼쳐 놓은 그림을 삼각기둥의 [ ]라고 합니다.

[22~23] 전개도를 보고 물음에 답하세요.

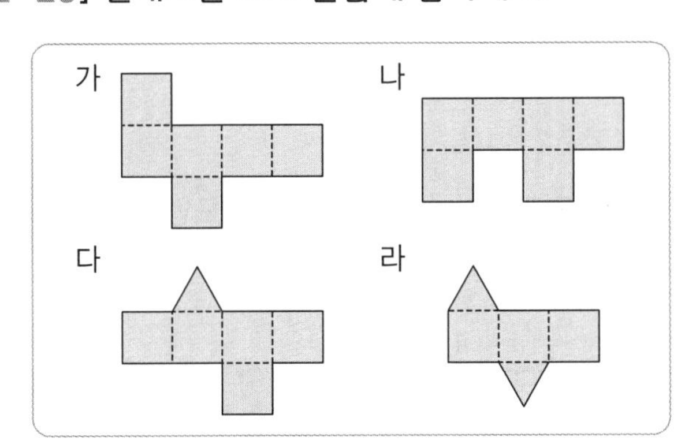

22 삼각기둥의 전개도를 찾아 기호를 써 보세요.

( )

23 사각기둥의 전개도를 찾아 기호를 써 보세요.

( )

24 전개도를 접으면 어떤 도형이 되나요?

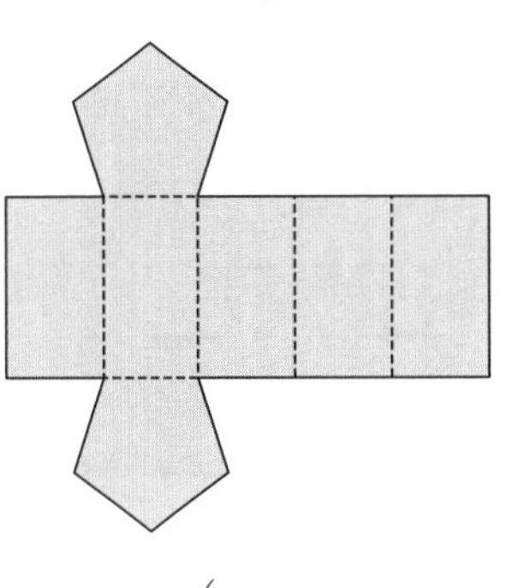

( )

25 다음 삼각기둥의 전개도에서 밑면과 옆면을 각각 모두 찾아 기호를 써 보세요.

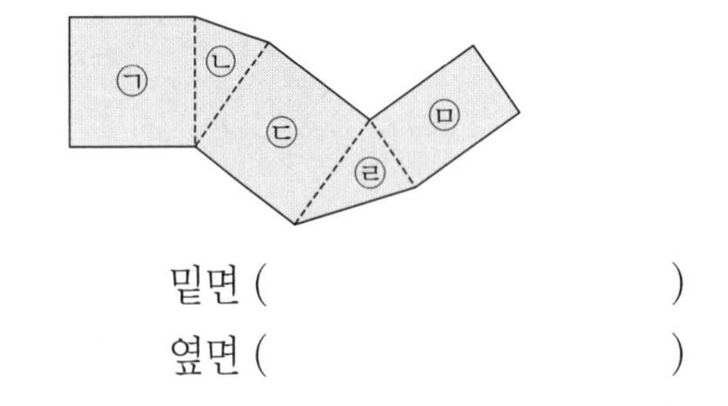

밑면 ( )
옆면 ( )

서술형

26 다음은 사각기둥의 전개도가 아닙니다. 그 이유를 써 보세요.

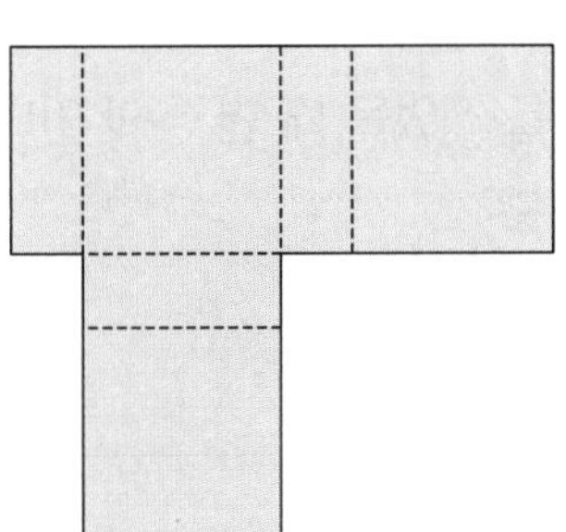

이유 ______________________

____

개념 6 각기둥의 전개도 (2)

전개도를 점선을 따라 접을 때 서로 맞닿는 선분의 길이는 같습니다.

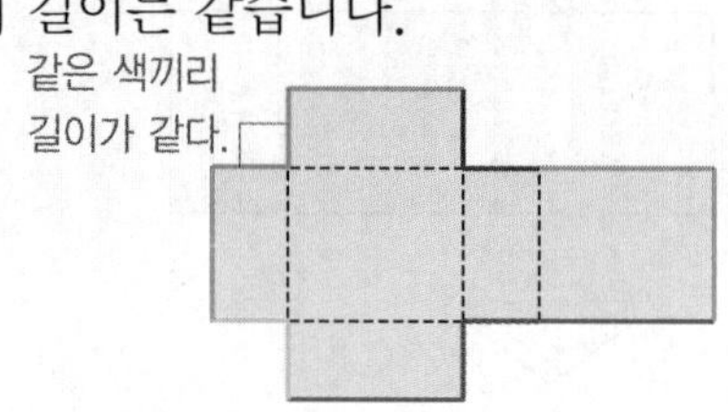

유형

27 전개도를 접었을 때 서로 만나는 점끼리 선으로 이어 보세요.

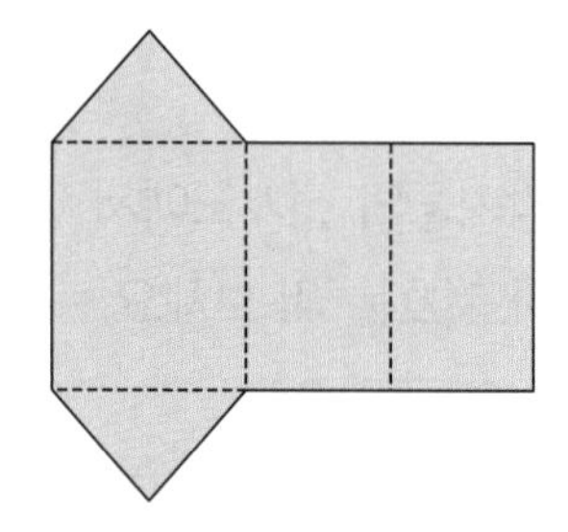

[28~29] 오각기둥의 전개도를 보고 물음에 답하세요.

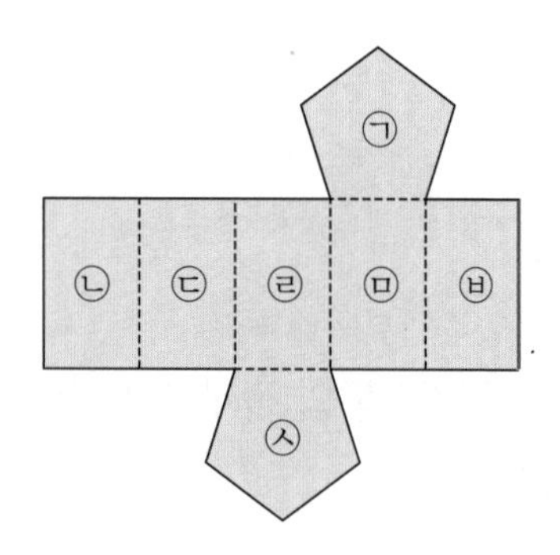

28 전개도를 접었을 때 면 ㉠과 만나는 면은 모두 몇 개인가요?

( )

29 전개도를 접었을 때 빨간색 선분과 맞닿는 선분을 찾아 색칠해 보세요.

30 삼각기둥의 전개도를 접었을 때 점 ㅁ과 만나는 점을 모두 찾아 써 보세요.

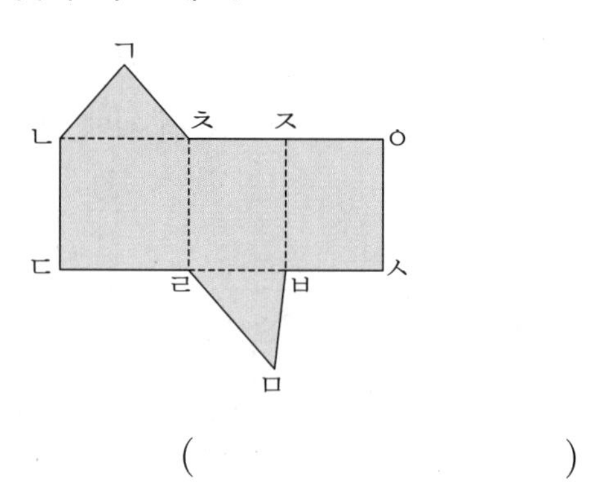

( )

31 선분 ㄱㄴ의 길이는 몇 cm인가요?

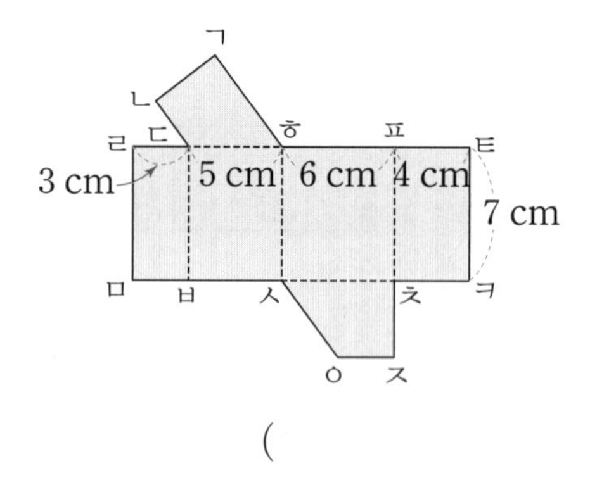

( )

32 삼각기둥과 삼각기둥의 전개도입니다. ㉠, ㉡, ㉢의 길이는 각각 몇 cm인가요?

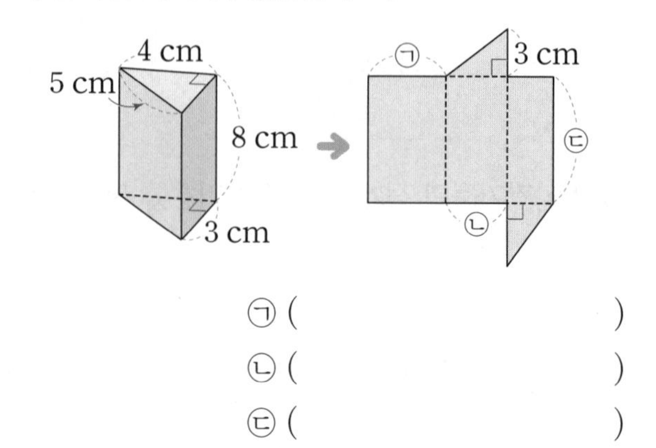

㉠ ( )

㉡ ( )

㉢ ( )

개념 7 각기둥의 전개도 그리기

예 삼각기둥의 전개도

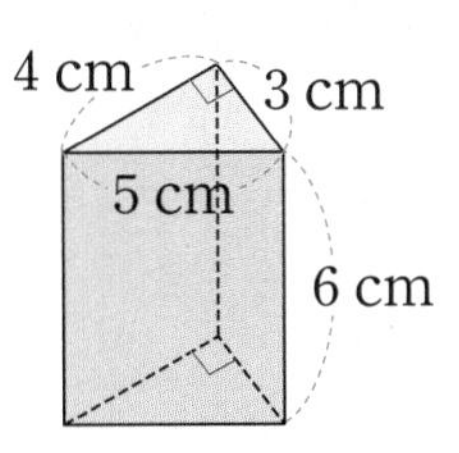

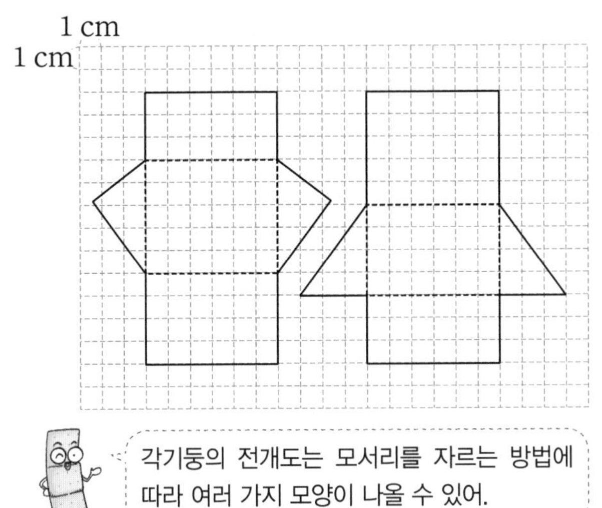

각기둥의 전개도는 모서리를 자르는 방법에 따라 여러 가지 모양이 나올 수 있어.

유형

[33~34] 오른쪽 사각기둥의 전개도를 2가지 방법으로 완성해 보세요.

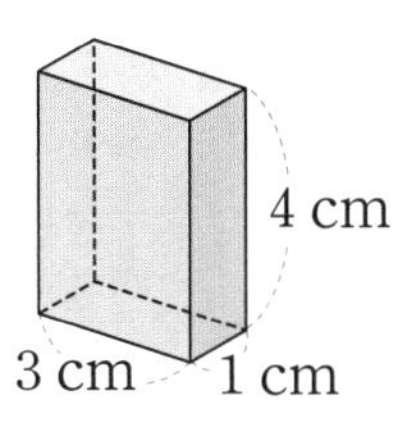

33

1 cm
1 cm

34

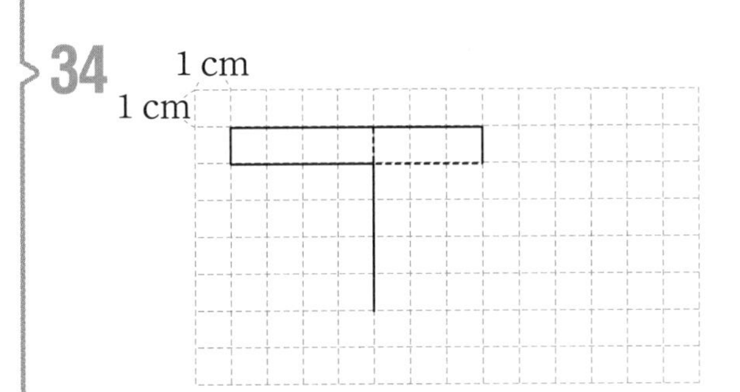

35 육각기둥의 겨냥도를 보고 육각기둥의 전개도를 완성해 보세요.

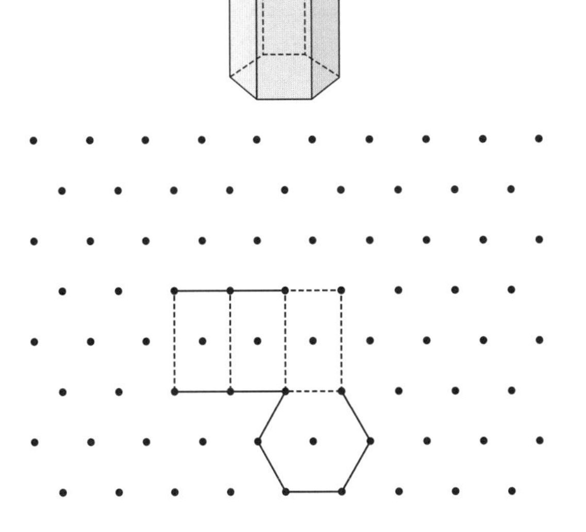

36 밑면이 사다리꼴인 사각기둥의 전개도를 완성해 보세요.

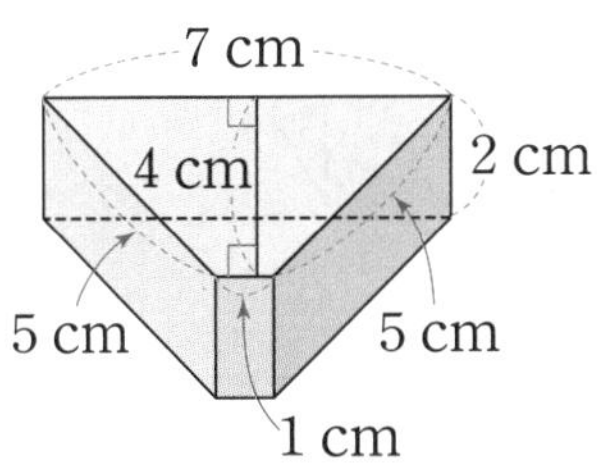

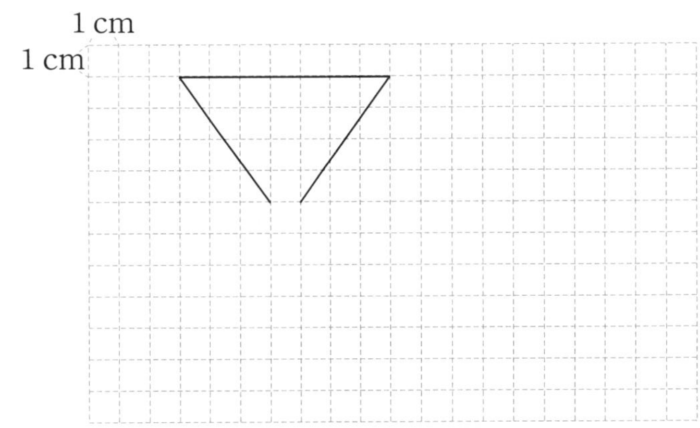

각기둥의 두 밑면은 서로 합동임을 잊지 말고 전개도를 완성해 봐요~

개념 1 ~ 7 기초력 집중 연습

[1~3] 각기둥의 밑면에 모두 색칠하고, 옆면은 모두 몇 개인지 써 보세요.

1

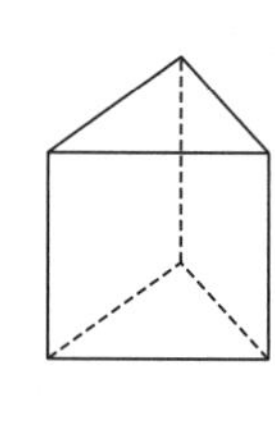

(　　　　　　　　)

2

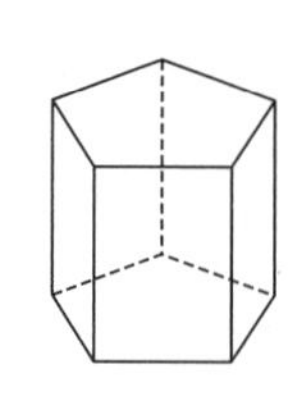

(　　　　　　　　)

3

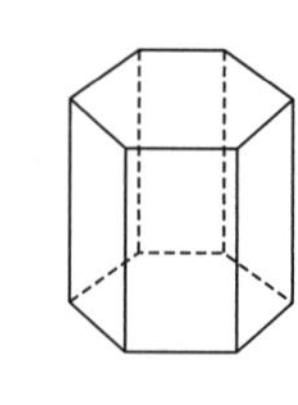

(　　　　　　　　)

[4~5] 각기둥의 밑면의 모양과 각기둥의 이름을 써 보세요.

4

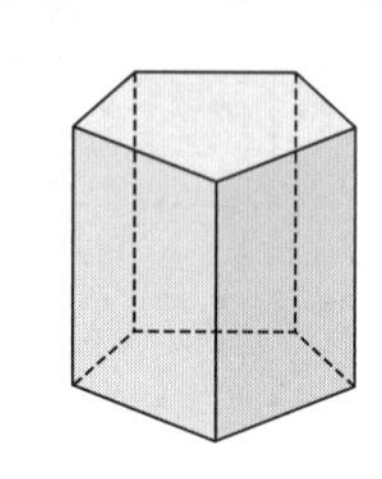

밑면의 모양 (　　　　　　　　)

각기둥의 이름 (　　　　　　　　)

5

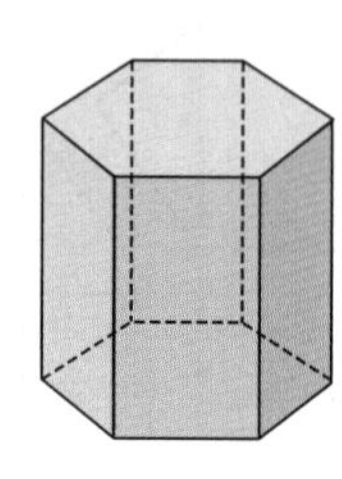

밑면의 모양 (　　　　　　　　)

각기둥의 이름 (　　　　　　　　)

[6~7] 각기둥을 보고 빈칸에 알맞은 수를 써넣으세요.

6

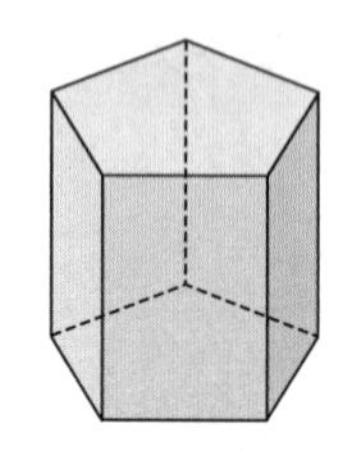

한 밑면의 변의 수(개)	꼭짓점의 수(개)	면의 수(개)	모서리의 수(개)

7

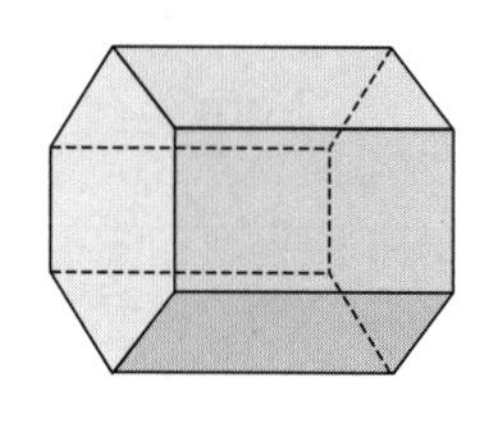

한 밑면의 변의 수(개)	꼭짓점의 수(개)	면의 수(개)	모서리의 수(개)

[8~9] 전개도를 접었을 때 만들어지는 각기둥의 이름을 써 보세요.

8

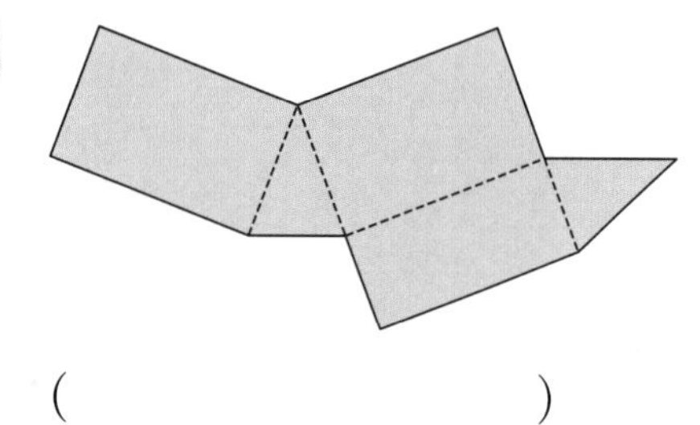

(　　　　　　　　)

9

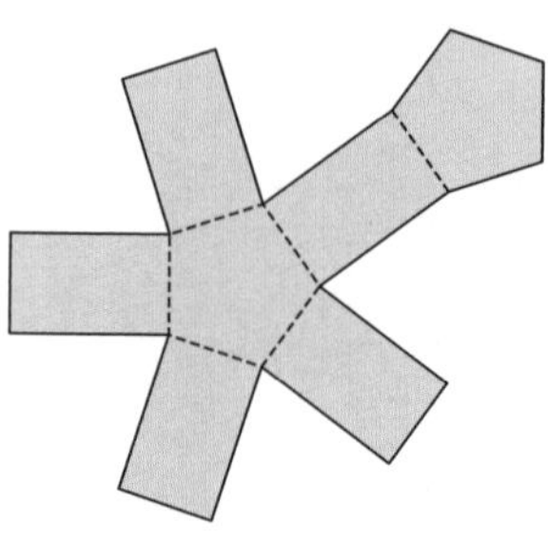

(　　　　　　　　)

유형 진단 TEST

점수 /10점

정답 및 풀이 10쪽

1 각기둥을 모두 찾아 기호를 써 보세요. [1점]

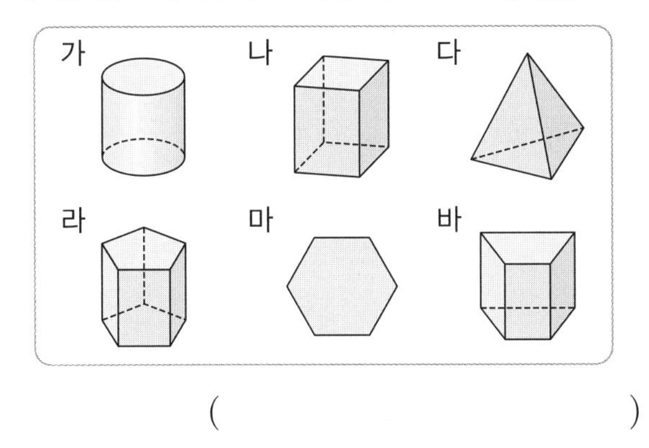

( )

2 사각기둥에 대한 설명으로 옳으면 ○표, 틀리면 ×표 하세요. [1점]

- 밑면은 사각형입니다. ……………………( )
- 옆면은 직사각형입니다. ………………( )
- 모서리는 18개입니다. …………………( )

3 전개도를 접었을 때 점 ㄱ과 만나는 점을 모두 찾아 써 보세요. [1점]

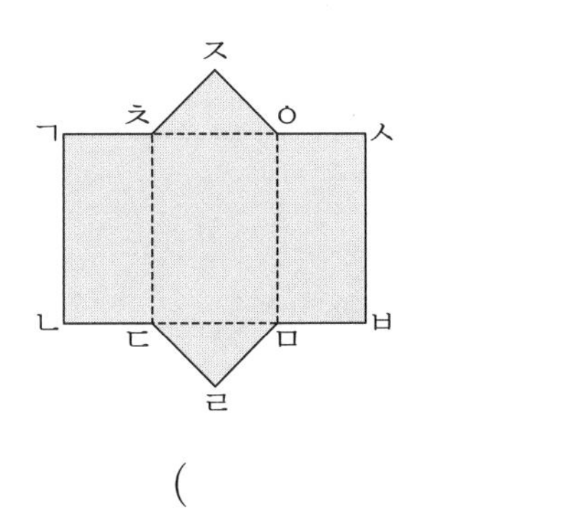

( )

4 한 밑면의 변이 10개인 각기둥의 이름을 써 보세요. [1점]

( )

5 각기둥을 만들려면 면은 적어도 몇 개 있어야 할까요? [2점]

( )

6 오각기둥의 모서리의 수와 꼭짓점의 수를 비교하여 ○ 안에 >, =, <를 알맞게 써넣으세요. [2점]

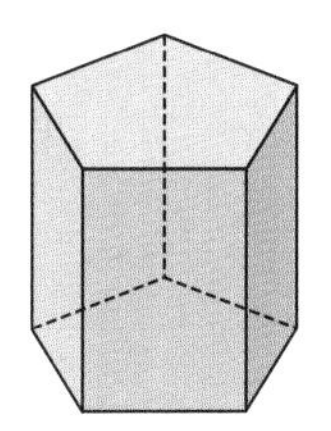

(모서리의 수) ○ (꼭짓점의 수)

7 각기둥의 전개도를 완성하고, 접었을 때 만들어지는 각기둥의 이름을 써 보세요. [2점]

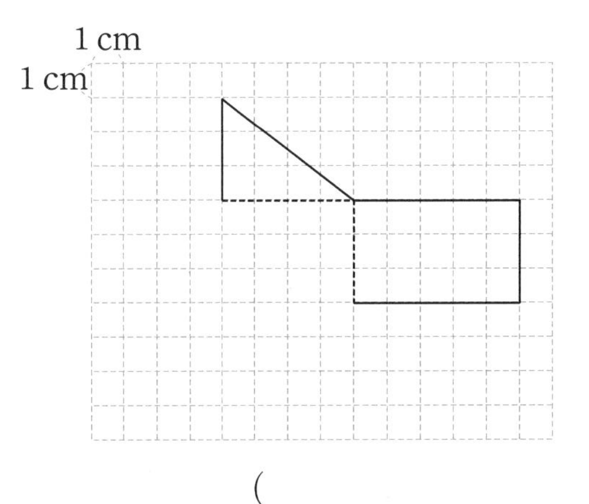

( )

개념 8 각뿔

• 각뿔: 뿔 모양이고 옆으로 둘러싼 면이 삼각형인 입체도형

예

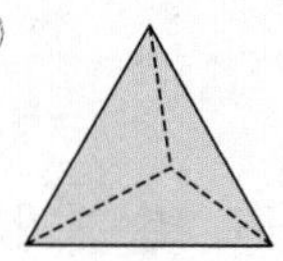
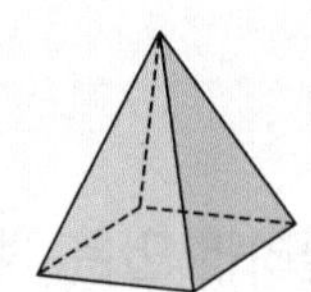
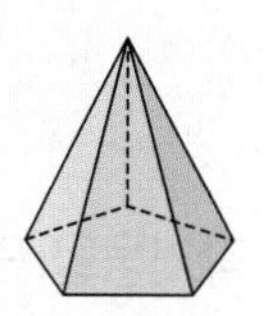

개념 9 각뿔의 밑면과 옆면

• 밑면: 면 ㄴㄷㄹㅁ과 같은 면
• 옆면: 면 ㄱㄴㄷ, 면 ㄱㄷㄹ, 면 ㄱㄹㅁ, 면 ㄱㄴㅁ과 같이 밑면과 만나는 면

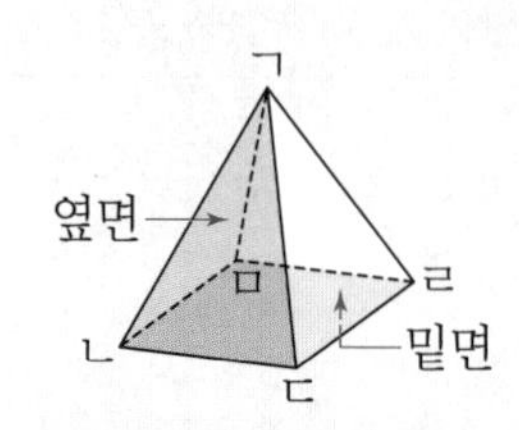

각뿔의 옆면은 모두 삼각형이야.

유형

[1~3] 입체도형을 보고 물음에 답하세요.

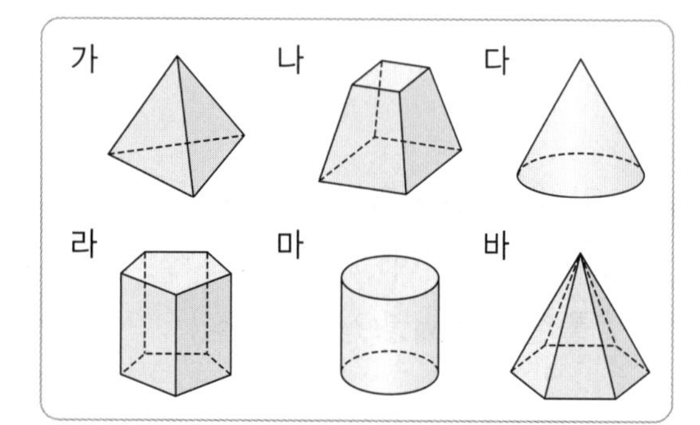

1 뿔 모양이고 옆으로 둘러싼 면이 삼각형인 입체도형을 모두 찾아 기호를 써 보세요.

( )

2 위 1에서 찾은 입체도형을 무엇이라고 하나요?

( )

서술형

3 다가 각뿔이 아닌 이유를 써 보세요.

이유 ______________________

____

유형

[4~5] 오른쪽 각뿔을 보고 물음에 답하세요.

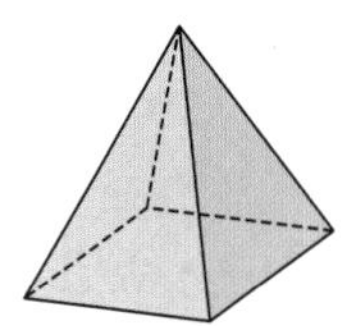

4 밑면은 몇 개인가요?

( )

5 밑면과 만나는 면은 모두 몇 개인가요?

( )

6 각뿔의 옆면의 모양을 오른쪽에서 찾아 이어 보세요.

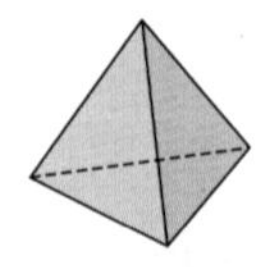 • • 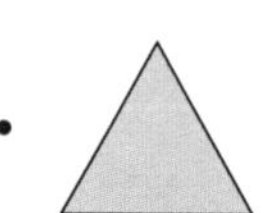

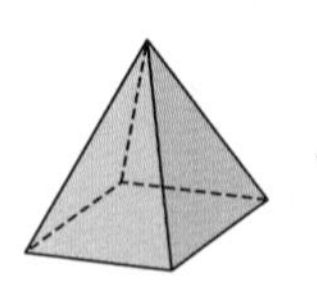 • • 

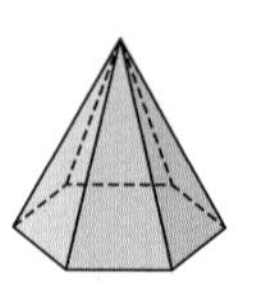 • • 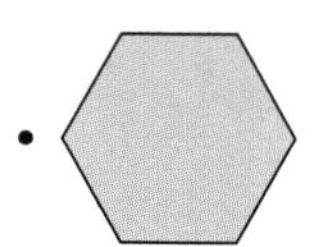

정답 및 풀이 11쪽

[7~8] 오른쪽 각뿔을 보고 물음에 답하세요.

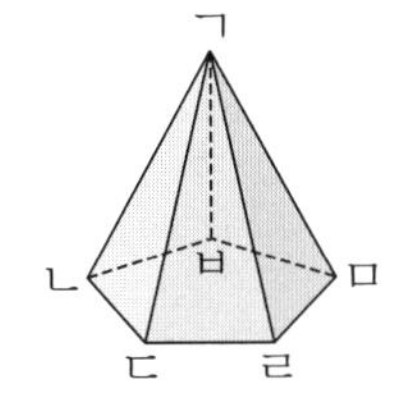

7 밑면을 찾아 써 보세요.

( )

8 옆면을 모두 찾아 써 보세요.

9 각뿔의 밑면과 옆면에 대한 설명으로 잘못된 것을 찾아 기호를 써 보세요.

㉠ 밑면은 1개입니다.
㉡ 옆면은 삼각형입니다.
㉢ 옆면은 밑면과 수직으로 만납니다.

( )

10 오른쪽 각뿔에서 밑면과 옆면의 수의 차는 몇 개인가요?

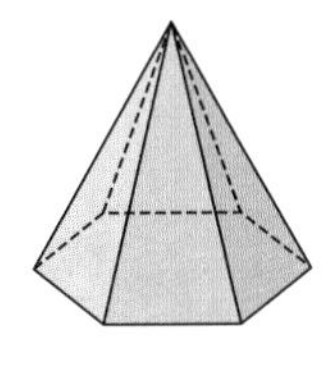

( )

개념 10 각뿔의 이름

각뿔			
밑면의 모양	삼각형	사각형	오각형
각뿔의 이름	삼각뿔	사각뿔	오각뿔

각뿔의 이름은 **밑면의 모양**에 따라 정해져.

유형

[11~12] 각뿔의 이름을 써 보세요.

11

( )

12

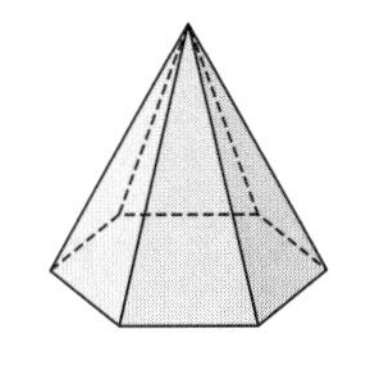

( )

13 팔각뿔의 밑면은 어떤 모양인가요?

( )

14 옆면이 7개인 각뿔의 이름을 써 보세요.

( )

15 옆면과 밑면의 모양이 다음과 같은 입체도형의 이름을 써 보세요.

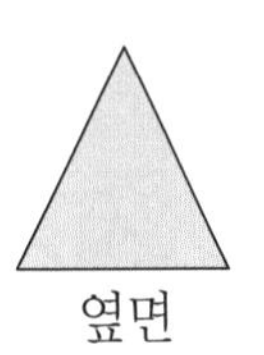

옆면 밑면

( )

개념 11 각뿔의 구성 요소

- 모서리: 면과 면이 만나는 선분
- 꼭짓점: 모서리와 모서리가 만나는 점
- 각뿔의 꼭짓점: 꼭짓점 중에서도 옆면이 모두 만나는 점
- 높이: 각뿔의 꼭짓점에서 밑면에 수직인 선분의 길이

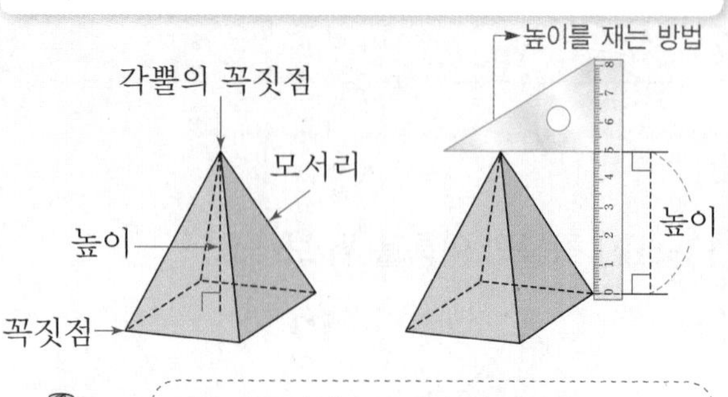

각뿔의 꼭짓점도 꼭짓점 중 하나야. 꼭짓점의 수를 셀 때 각뿔의 꼭짓점도 잊지 말고 꼭 세어야 해.

유형

[16~17] 각뿔에서 꼭짓점은 모두 몇 개인지 세어 보세요.

16

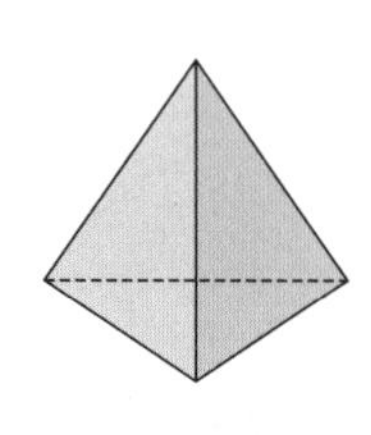

( )

17

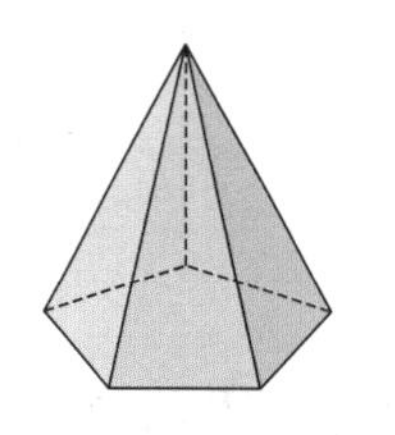

( )

18 각뿔의 높이는 몇 cm인가요?

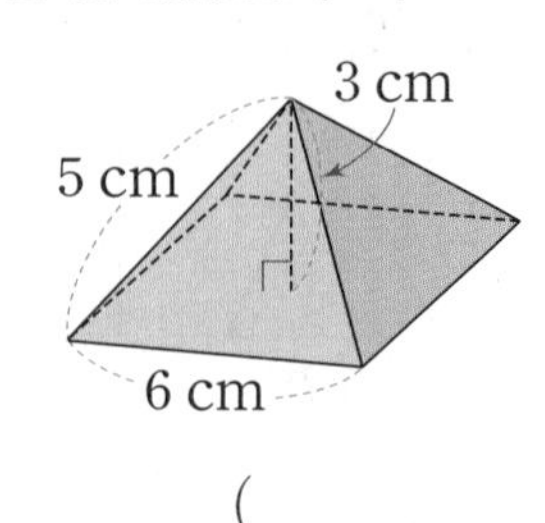

( )

19 오른쪽 입체도형에 대한 설명으로 옳지 않은 것은 어느 것인가요? ··········· ( )

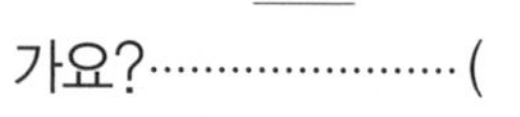

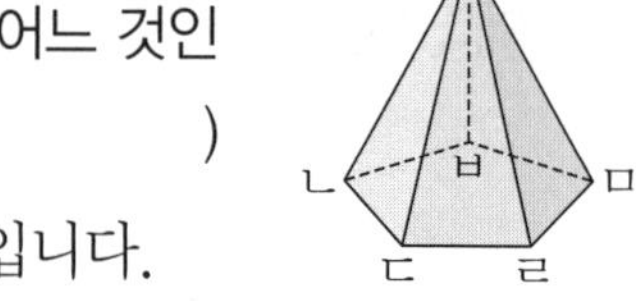

① 옆면은 모두 5개입니다.
② 밑면은 오각형입니다.
③ 선분 ㄱㅂ을 모서리라고 합니다.
④ 면 ㄴㄷㄹㅁㅂ은 면 ㄱㄹㅁ에 수직입니다.
⑤ 오각뿔입니다.

[20~21] 각뿔을 보고 물음에 답하세요.

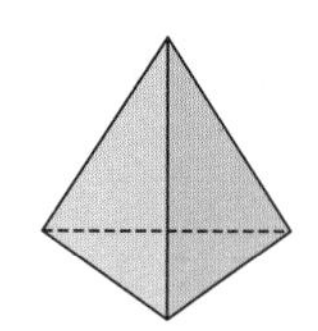
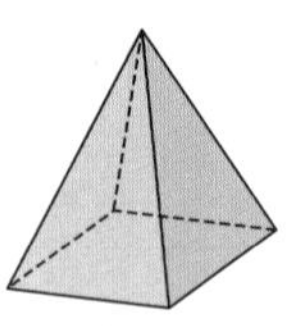
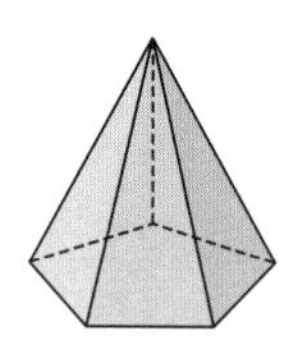

20 빈칸에 알맞은 수를 써넣으세요.

도형	밑면의 변의 수(개)	꼭짓점의 수(개)	면의 수(개)	모서리의 수(개)
삼각뿔	3	4		
사각뿔	4			
오각뿔				

21 위 **20**의 표를 보고 규칙을 찾아 □ 안에 알맞은 수를 써넣으세요.

① (각뿔의 꼭짓점의 수)
=(밑면의 변의 수)+□

② (각뿔의 면의 수)
=(밑면의 변의 수)+□

③ (각뿔의 모서리의 수)
=(밑면의 변의 수)×□

각기둥과 각뿔의 규칙을 각각 잘 구분해서 기억해 봐.

플러스 개념 12 각기둥과 각뿔의 비교

	도형	각기둥	각뿔
공통점	밑면의 모양	다각형	
차이점	밑면의 수	2개	1개
	옆면의 모양	직사각형	삼각형

유형

22 각기둥과 각뿔을 각각 모두 찾아 기호를 써 보세요.

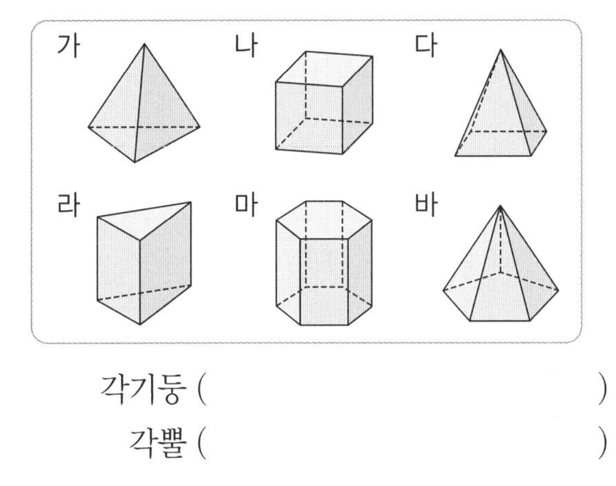

각기둥 (　　　　　　　　)

각뿔 (　　　　　　　　)

[23~26] 각기둥에 대한 설명이면 □표, 각뿔에 대한 설명이면 △표 하세요.

23 밑면은 1개입니다. .... (　　　)

24 두 밑면은 서로 평행하고 합동입니다. ·· (　　　)

25 두 밑면 사이의 거리를 높이라고 합니다. .... (　　　)

26 옆면은 모두 삼각형입니다. .... (　　　)

27 밑면의 모양이 오른쪽과 같은 각기둥과 각뿔의 이름을 차례로 써 보세요.

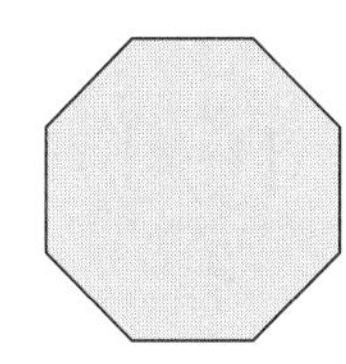

(　　　　　　　　), (　　　　　　　　)

28 삼각기둥과 밑면의 모양이 같은 각뿔의 이름을 써 보세요.

(　　　　　　　　)

29 오각뿔과 밑면의 모양이 같은 각기둥의 이름을 써 보세요.

(　　　　　　　　)

서술형

30 사각기둥과 사각뿔입니다. 두 입체도형의 공통점과 차이점을 각각 1가지씩 써 보세요.

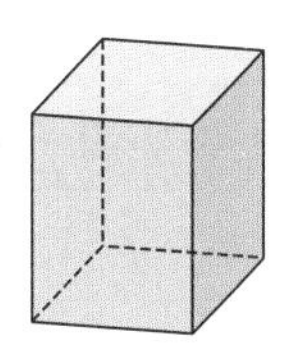

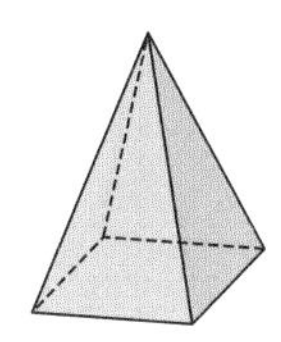

공통점 ______________________

차이점 ______________________

기초력 집중 연습

[1~4] 각뿔의 밑면의 모양과 각뿔의 이름을 써 보세요.

1

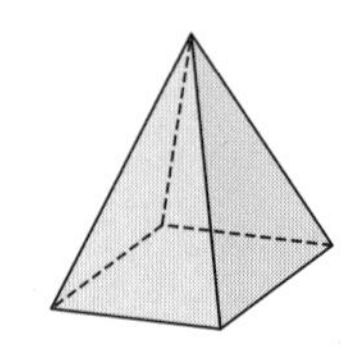

밑면의 모양 (　　　　　　　　)
각뿔의 이름 (　　　　　　　　)

2

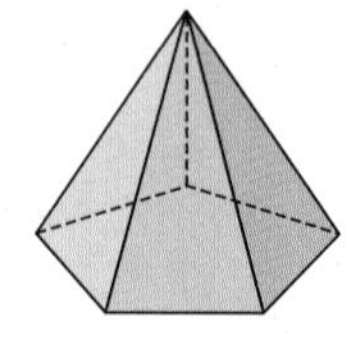

밑면의 모양 (　　　　　　　　)
각뿔의 이름 (　　　　　　　　)

3

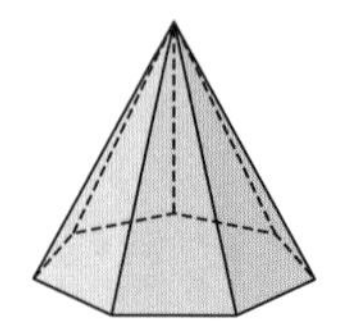

밑면의 모양 (　　　　　　　　)
각뿔의 이름 (　　　　　　　　)

4

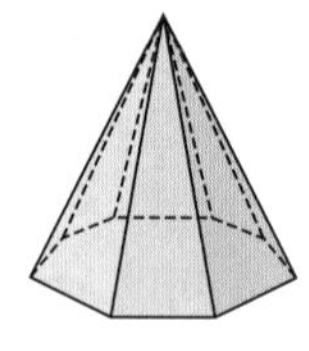

밑면의 모양 (　　　　　　　　)
각뿔의 이름 (　　　　　　　　)

[5~7] 각뿔을 보고 빈칸에 알맞은 수를 써넣으세요.

5

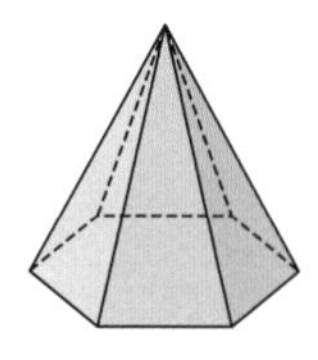

밑면의 변의 수(개)	꼭짓점의 수(개)	면의 수(개)	모서리의 수(개)
6			

6

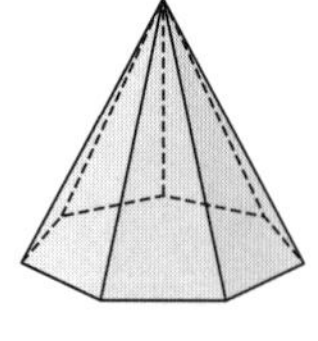

밑면의 변의 수(개)	꼭짓점의 수(개)	면의 수(개)	모서리의 수(개)
7			

7

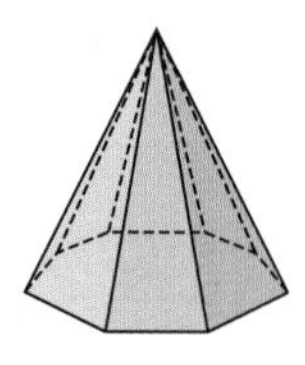

밑면의 변의 수(개)	꼭짓점의 수(개)	면의 수(개)	모서리의 수(개)
8			

유형 진단 TEST

점수 /10점

정답 및 풀이 11쪽

1 밑면의 모양이 오른쪽과 같은 각뿔의 이름을 써 보세요. [1점]

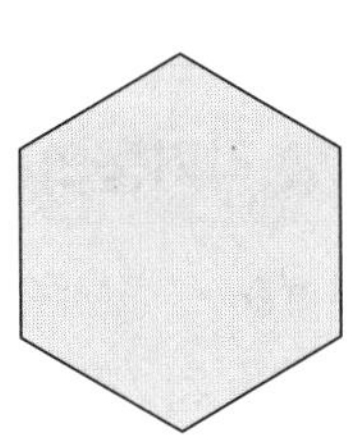

(   )

2 각뿔의 옆면의 모양을 그려 보고, 어떤 도형인지 써 보세요. [1점]

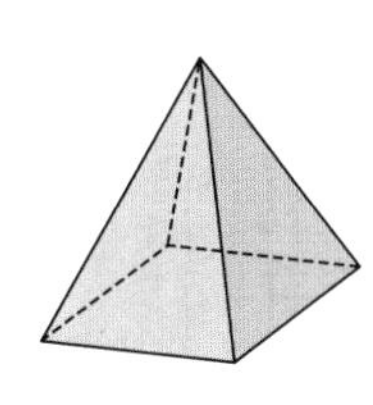

(   )

3 오각뿔에 대한 설명으로 잘못된 것을 찾아 기호를 써 보세요. [1점]

㉠ 면은 5개입니다.
㉡ 모서리는 10개입니다.
㉢ 꼭짓점은 6개입니다.

(   )

4 오각기둥과 오각뿔의 공통점으로 알맞은 것의 기호를 써 보세요. [1점]

㉠ 밑면의 모양　　㉡ 옆면의 모양

(   )

5 각뿔을 만들려면 면은 적어도 몇 개 있어야 할까요? [2점]

(   )

6 각뿔에서 면의 수와 개수가 같은 것을 찾아 기호를 써 보세요. [2점]

㉠ 꼭짓점의 수
㉡ 모서리의 수
㉢ 밑면의 변의 수

(   )

7 오른쪽 삼각형과 합동인 삼각형 5개를 옆면으로 하는 각뿔의 밑면의 둘레는 몇 cm인가요? [2점]

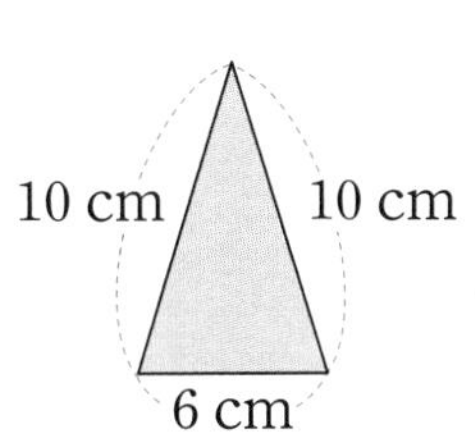

(   )

꼬리를 무는 유형

❶ 밑면의 모양이 같은 각기둥과 각뿔

기본 유형

1 밑면의 모양이 삼각형인 각기둥과 각뿔의 이름을 차례로 써 보세요.

(   ), (   )

변형 유형

2 육각기둥과 밑면의 모양이 같은 각뿔의 이름을 써 보세요.

(   )

변형 유형

3 칠각뿔과 밑면의 모양이 같은 각기둥의 이름을 써 보세요.

(   )

문장제 유형

4 피라미드는 고대 이집트 무덤의 한 형태로 사각뿔 모양입니다. 이 피라미드와 밑면의 모양이 같은 각기둥의 이름을 써 보세요.

(   )

❷ 각기둥의 높이 알아보기

기본 유형

5 각기둥의 높이는 몇 cm인가요?

3 cm
3 cm
7 cm
6 cm

(   )

변형 유형

6 옆면이 모두 오른쪽과 같이 정사각형인 각기둥이 있습니다. 이 각기둥의 높이는 몇 cm인가요?

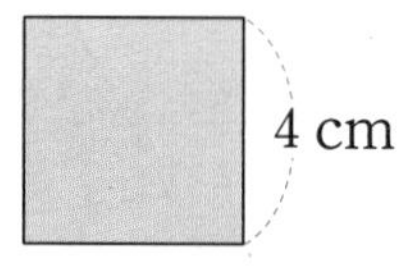

(   )

변형 유형

7 전개도를 접었을 때 만들어지는 각기둥의 높이는 몇 cm일까요?

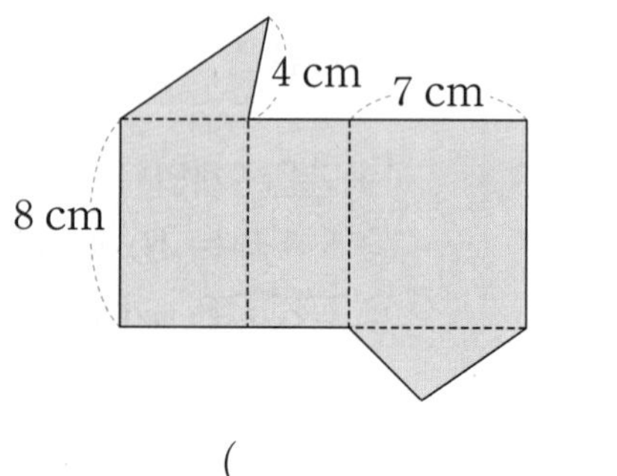

(   )

❸ 각기둥의 구성 요소의 수

기본 유형 **8** 칠각기둥에서 꼭짓점, 면, 모서리의 수는 각각 몇 개인가요?

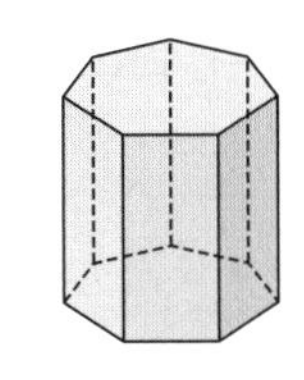

꼭짓점 ( )
면 ( )
모서리 ( )

변형 유형 **9** 팔각기둥에서 꼭짓점, 면, 모서리의 수를 구하려고 합니다. □ 안에 알맞은 수를 써넣으세요.

① (팔각기둥의 꼭짓점의 수)
=(한 밑면의 변의 수)×□
=□(개)

② (팔각기둥의 면의 수)
=(한 밑면의 변의 수)+□
=□(개)

③ (팔각기둥의 모서리의 수)
=(한 밑면의 변의 수)×□
=□(개)

변형 유형 **10** 삼각기둥의 꼭짓점의 수와 모서리의 수를 비교하여 ○ 안에 >, =, <를 알맞게 써넣으세요.

(꼭짓점의 수) ○ (모서리의 수)

❹ 만나는 점 알아보기

기본 유형 **11** 전개도를 접었을 때 서로 만나는 점끼리 선으로 이어 보세요.

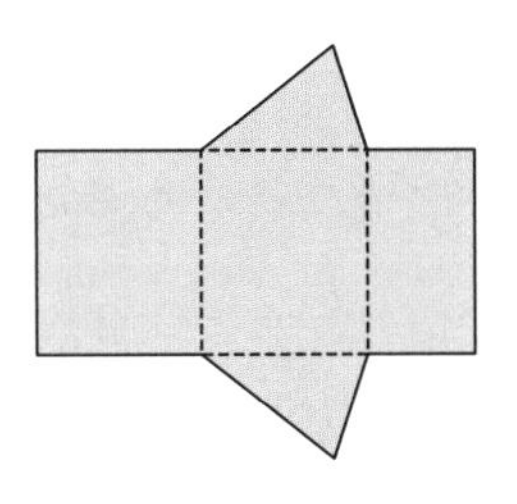

변형 유형 **12** 전개도를 접었을 때 점 ㄱ과 만나는 점을 모두 찾아 써 보세요.

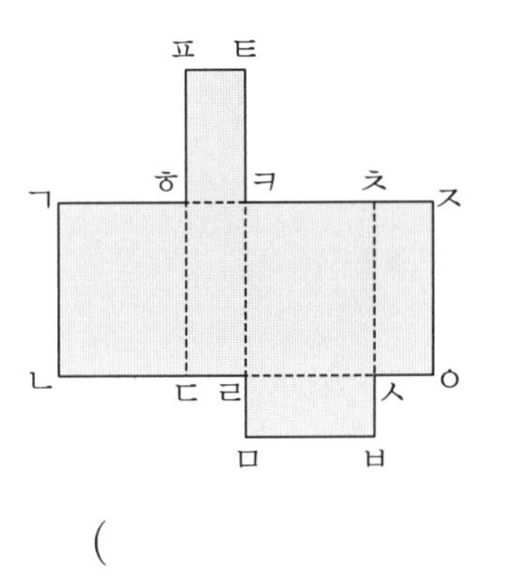

( )

변형 유형 **13** 전개도를 접어 사각기둥을 만들었습니다. □ 안에 알맞은 점을 써넣으세요.

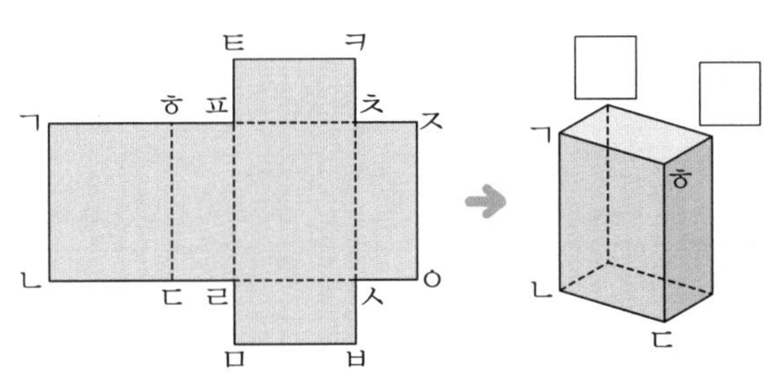

3 STEP 수학 독해력 유형

독해력 유형 1 각기둥의 밑면의 모양을 보고 구성 요소의 수 구하기

밑면의 모양이 오른쪽과 같은 각기둥의 면의 수를 구해 보세요.

What? 구하려는 것을 찾아 밑줄을 그어 보세요.

How?
1. 밑면의 모양을 보고 한 밑면의 변의 수 구하기
2. 각기둥의 면의 수를 구하는 식 알아보기
3. 2를 이용하여 면의 수 구하기

Solve

1. 밑면의 모양이 오른쪽과 같은 각기둥의 한 밑면의 변의 수는 몇 개인가요?

( )

2. 각기둥의 면의 수를 구하는 식을 완성해 보세요.

(각기둥의 면의 수)
=(한 밑면의 변의 수)+□

3. 밑면의 모양이 오른쪽과 같은 각기둥의 면은 몇 개인가요?

( )

쌍둥이 유형 1-2에서 각기둥의 꼭짓점의 수는 (한 밑면의 변의 수)×2로 구할 수 있어.

쌍둥이 유형 1-1

밑면의 모양이 오른쪽과 같은 각기둥의 면은 몇 개인가요?

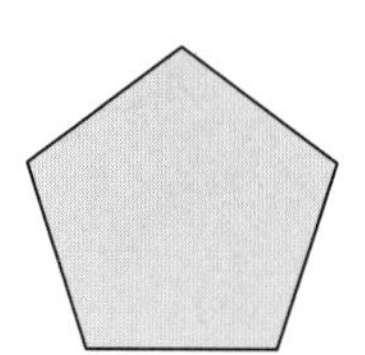

1.

2.

3.

답 ____________

쌍둥이 유형 1-2

밑면의 모양이 오른쪽과 같은 각기둥의 꼭짓점은 몇 개인가요?

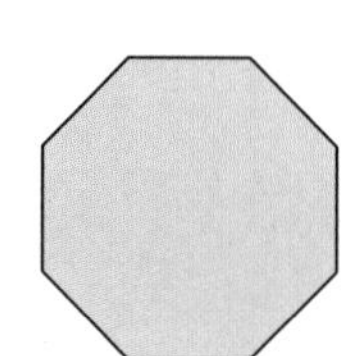

1.

2.

3.

 ____________

독해력 유형 2 밑면의 모양이 같은 각기둥과 각뿔

꼭짓점이 4개인 각뿔과 밑면의 모양이 같은 각기둥의 이름을 써 보세요.

What? 구하려는 것을 찾아 밑줄을 그어 보세요.

How?
❶ 각뿔의 구성 요소의 수를 구하는 식을 이용해 꼭짓점이 4개인 각뿔의 밑면의 변의 수 구하기
❷ 밑면의 변의 수를 이용해 각뿔의 밑면의 모양 알아보기
❸ 밑면의 모양으로 각기둥의 이름 알아보기

Solve
❶ 꼭짓점이 4개인 각뿔의 밑면의 변의 수는 몇 개인가요?
( )

❷ 각뿔의 밑면의 모양은 어떤 도형인가요?
( )

❸ 꼭짓점이 4개인 각뿔과 밑면의 모양이 같은 각기둥의 이름은 무엇인가요?
( )

다시 한번 기억해볼까요?
(각뿔의 꼭짓점의 수)=(밑면의 변의 수)$+1$
(각뿔의 면의 수)=(밑면의 변의 수)$+1$
(각뿔의 모서리의 수)=(밑면의 변의 수)$\times 2$

쌍둥이 유형 2-1

꼭짓점이 8개인 각뿔과 밑면의 모양이 같은 각기둥의 이름을 써 보세요.

❶

❷

❸

답 ______________

쌍둥이 유형 2-2

꼭짓점이 10개인 각뿔과 밑면의 모양이 같은 각기둥의 이름을 써 보세요.

❶

❷

❸

답 ______________

4 STEP 사고력 플러스 유형

플러스 유형 ❶ 접었을 때 맞닿는 선분 알아보기

1-1 전개도를 접었을 때 선분 ㄱㄴ과 맞닿는 선분을 찾아 써 보세요.

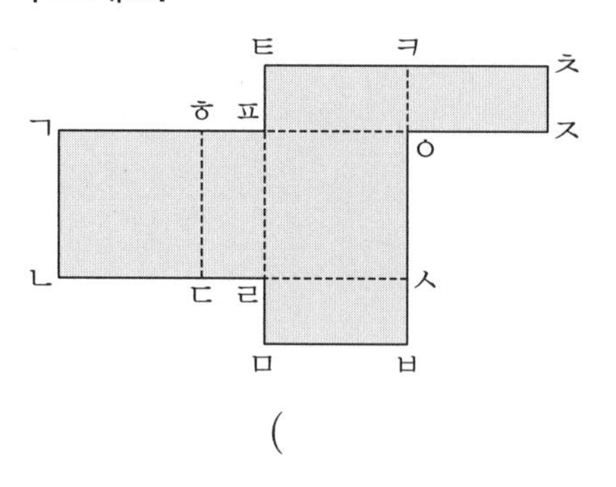

(　　　　　　　　　　)

1-2 전개도를 접었을 때 선분 ㄱㄴ과 맞닿는 선분을 찾아 써 보세요.

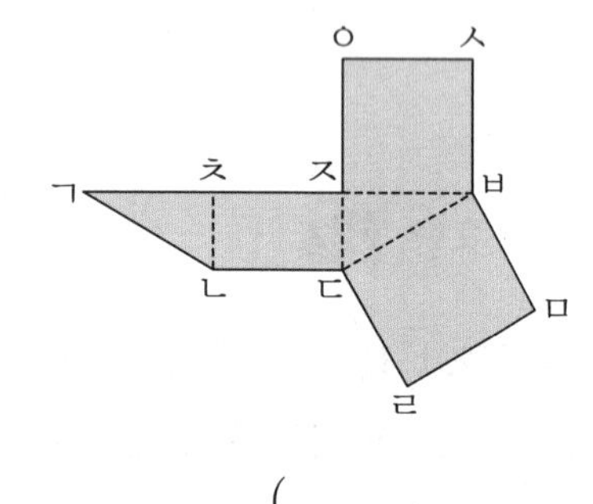

(　　　　　　　　　　)

1-3 삼각기둥의 전개도에서 선분 ㄱㄴ의 길이는 몇 cm인가요?

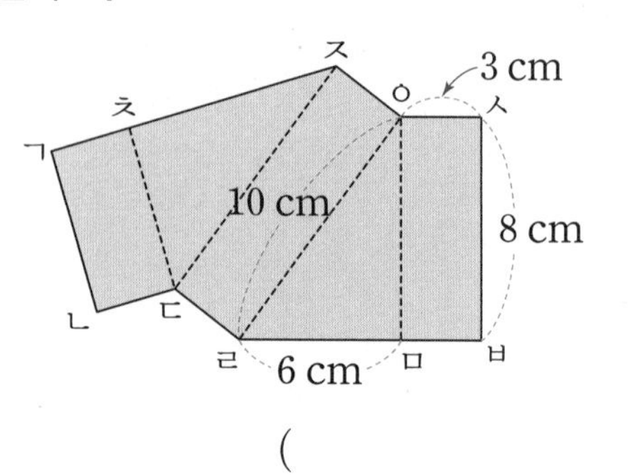

(　　　　　　　　　　)

플러스 유형 ❷ 각기둥과 각뿔 비교하기

2-1 다음 두 입체도형의 공통점으로 알맞은 것의 기호를 써 보세요.

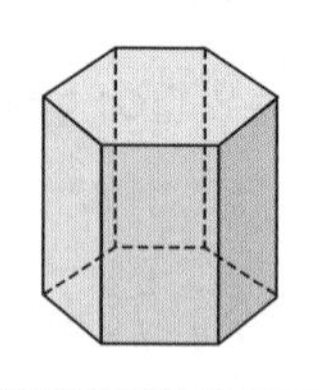
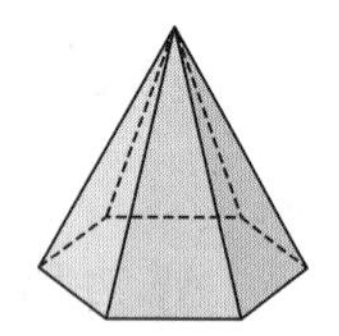

㉠ 밑면의 수　　㉡ 옆면의 수

(　　　　　　　　　　)

2-2 다음 두 입체도형의 공통점으로 알맞은 것의 기호를 써 보세요.

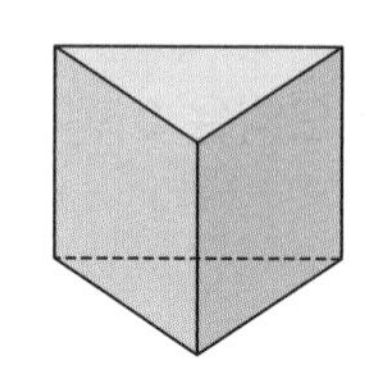
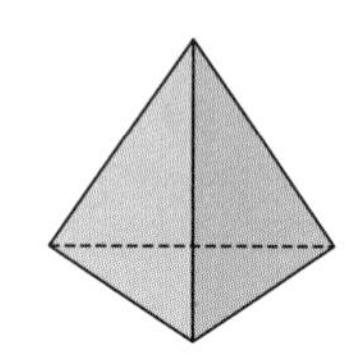

㉠ 밑면의 모양　　㉡ 옆면의 모양

(　　　　　　　　　　)

2-3 다음 두 입체도형의 차이점으로 알맞은 것을 찾아 기호를 써 보세요.

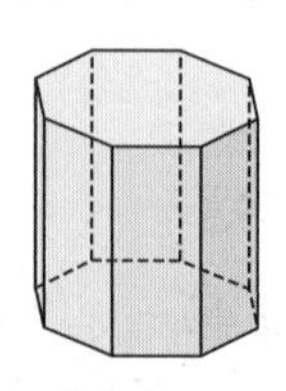
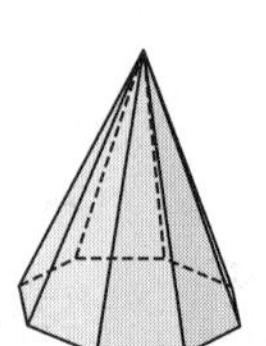

㉠ 밑면의 수　㉡ 밑면의 모양　㉢ 옆면의 수

(　　　　　　　　　　)

플러스 유형 ❸ 각기둥과 각뿔이 아닌 이유 알아보기

서술형

3-1 오른쪽 입체도형이 각기둥이 아닌 이유를 써 보세요.

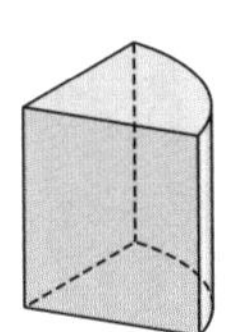

이유 ______________________________

____

서술형

3-2 오른쪽 입체도형이 각기둥이 아닌 이유를 써 보세요.

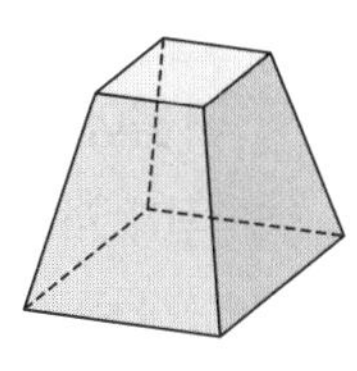

이유 ______________________________

____

서술형

3-3 오른쪽 입체도형이 각뿔이 아닌 이유를 써 보세요.

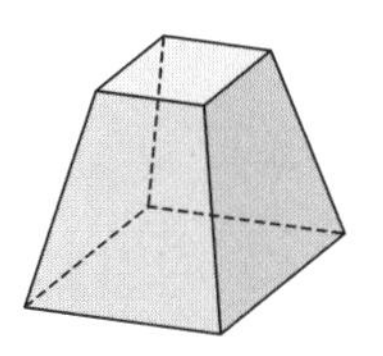

이유 ______________________________

____

플러스 유형 처방전

각기둥은 서로 평행하고 합동인 두 다각형이 있는 입체도형이고 각뿔은 밑면이 다각형이고 옆면이 삼각형인 입체도형이니 헷갈리지 말라능~

플러스 유형 ❹ 밑면의 모양을 보고 각기둥의 전개도 그리기

4-1 오른쪽 도형을 밑면으로 하고 높이가 4 cm인 사각기둥의 전개도를 그려 보세요.

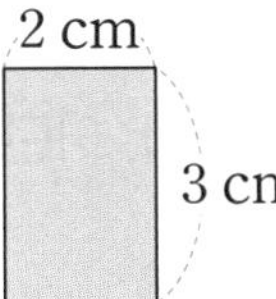

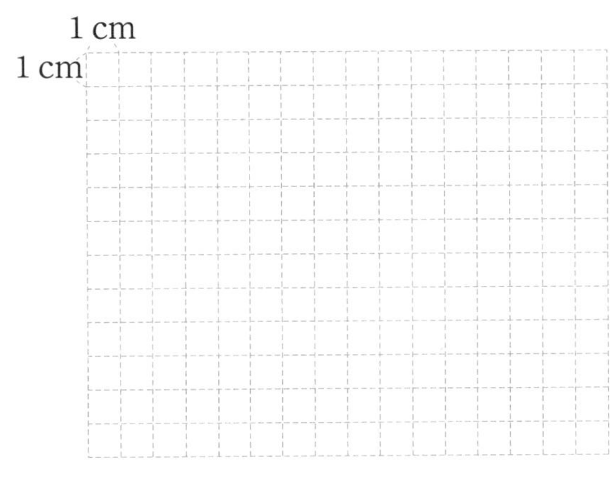

4-2 오른쪽 도형을 밑면으로 하고 높이가 5 cm인 삼각기둥의 전개도를 그려 보세요.

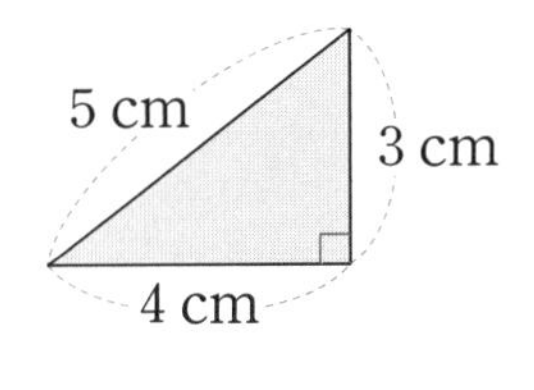

1 cm
1 cm

플러스 유형 처방전

■각기둥의 전개도 그리는 방법을 알려주겠어용~

① 직사각형 모양의 옆면을 ■개 그린다.

② ■각형 모양의 밑면을 2개 그린다.

③ 전개도를 접었을 때 맞닿는 선분의 길이가 같은지 확인한다.

플러스 유형 5 주어진 그림을 보고 각기둥의 이름 알아보기

사고력 유형

5-1 어떤 각기둥의 옆면만 그린 전개도의 일부분입니다. 어떤 각기둥인지 이름을 써 보세요.

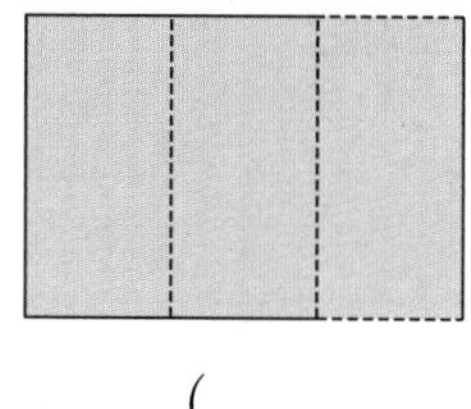

(　　　　　　　　　　)

서술형

5-2 어떤 각기둥의 옆면만 그린 전개도의 일부분입니다. 어떤 각기둥인지 풀이 과정을 쓰고 답을 구해 보세요.

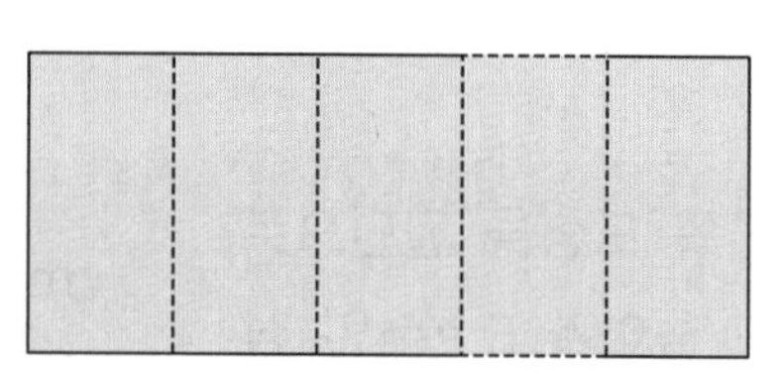

풀이

답

5-3 어떤 입체도형의 옆면과 밑면의 모양입니다. 이 입체도형의 이름을 써 보세요.

옆면

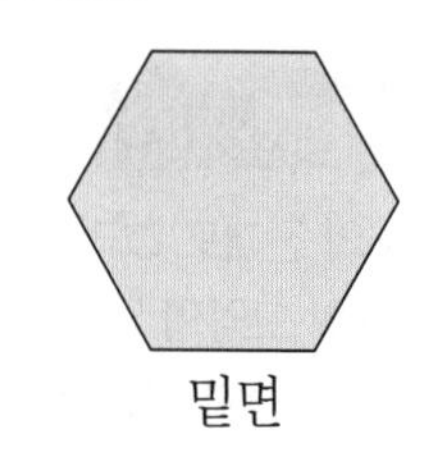

밑면

(　　　　　　　　　　)

플러스 유형 6 구성 요소의 수로 각기둥 알아보기

사고력 유형

6-1 다음에서 설명하는 '나'의 이름을 써 보세요.

- '나'는 각기둥입니다.
- '나'는 면이 8개입니다.

(　　　　　　　　　　)

서술형

6-2 다음에서 설명하는 '나'의 이름을 쓰려고 합니다. 풀이 과정을 쓰고 답을 구해 보세요.

- '나'는 각기둥입니다.
- '나'는 꼭짓점이 20개입니다.

풀이

답

6-3 다음에서 설명하는 입체도형의 이름을 써 보세요.

- 두 밑면은 서로 평행하고 합동입니다.
- 옆면은 모두 직사각형이고 8개입니다.

(　　　　　　　　　　)

플러스 유형 7 각뿔의 구성 요소의 수의 관계

독해력 유형

7-1 꼭짓점이 4개인 각뿔이 있습니다. 이 각뿔의 모서리의 수를 구해 보세요.

단계 1 각뿔의 밑면의 변의 수는 몇 개인가요?

( )

단계 2 각뿔의 이름을 써 보세요.

( )

단계 3 각뿔의 모서리의 수는 몇 개인가요?

( )

7-2 꼭짓점이 7개인 각뿔이 있습니다. 이 각뿔의 모서리의 수는 몇 개인가요?

( )

7-3 면이 9개인 각뿔이 있습니다. 이 각뿔의 모서리의 수는 몇 개인가요?

( )

플러스 유형 처방전

각뿔의 밑면의 변의 수를 알면 꼭짓점, 면, 모서리의 수를 알 수 있다능~

플러스 유형 8 각기둥의 밑면의 한 변의 길이 구하기

독해력 유형

8-1 오른쪽 전개도를 접어서 만든 각기둥에 대한 조건 을 보고 밑면의 한 변의 길이를 구해 보세요.

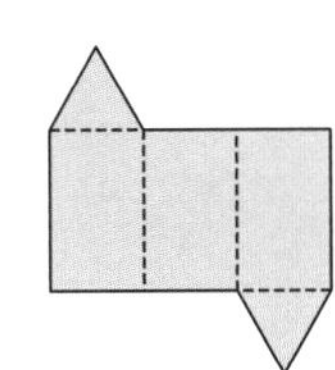

조건
- 각기둥의 옆면은 모두 합동입니다.
- 각기둥의 높이는 5 cm입니다.
- 각기둥의 모든 모서리의 길이의 합은 33 cm입니다.

단계 1 두 밑면의 모서리의 길이의 합은 몇 cm인가요?

( )

단계 2 한 밑면의 모서리의 길이의 합은 몇 cm인가요?

( )

단계 3 한 밑면의 한 변의 길이는 몇 cm인가요?

( )

8-2 오른쪽 전개도를 접어서 만든 각기둥에 대한 조건 을 보고 밑면의 한 변의 길이가 몇 cm인지 구해 보세요.

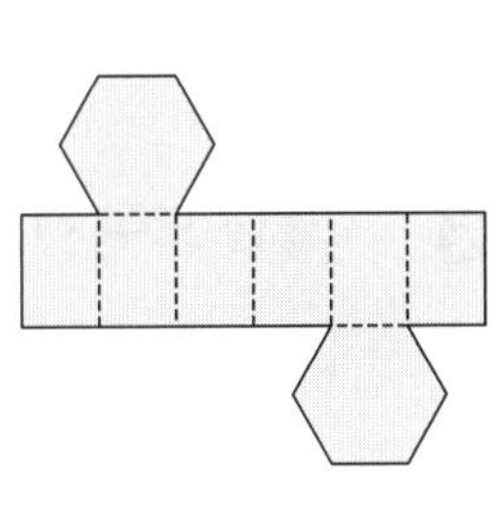

조건
- 각기둥의 옆면은 모두 합동입니다.
- 각기둥의 높이는 7 cm입니다.
- 각기둥의 모든 모서리의 길이의 합은 102 cm입니다.

( )

1 각뿔에서 높이를 나타내는 것을 찾아 기호를 써 보세요.

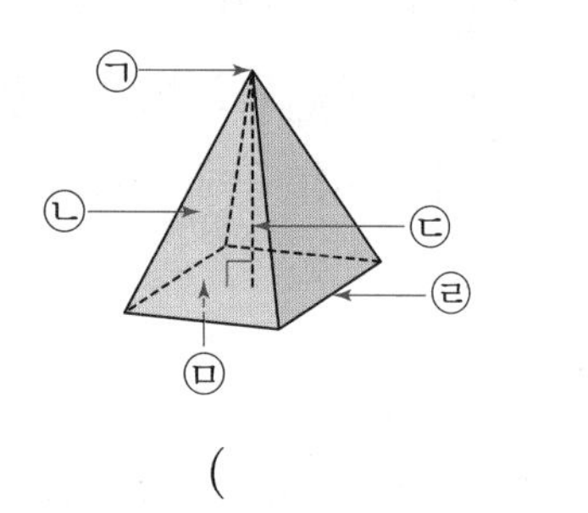

( )

[2~3] 도형을 보고 물음에 답하세요.

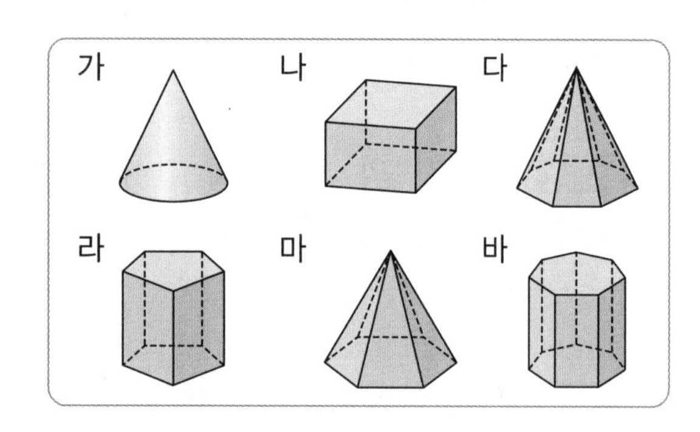

2 각기둥을 모두 찾아 기호를 써 보세요.

( )

3 각뿔을 모두 찾아 기호를 써 보세요.

( )

4 각기둥에서 각 부분의 이름을 잘못 나타낸 것은 어느 것인가요? ……………………………… ( )

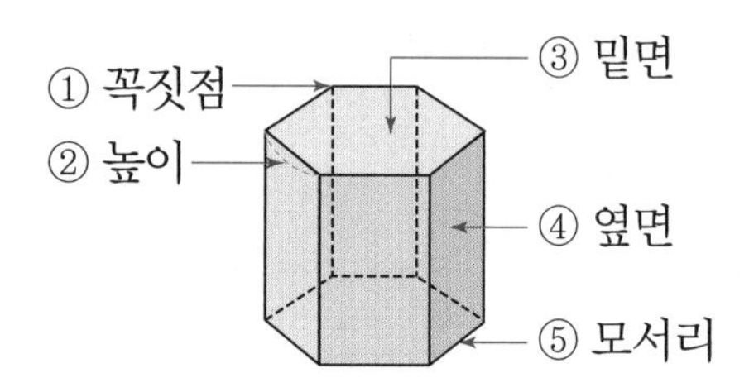

5 각뿔의 밑면에 색칠해 보세요.

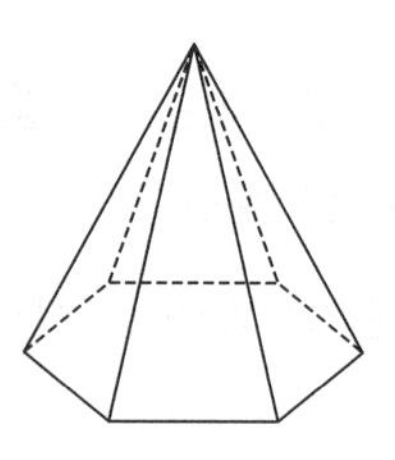

6 밑면의 모양이 오른쪽과 같은 각기둥의 이름을 써 보세요.

( )

[7~8] 오른쪽 각기둥을 보고 물음에 답하세요.

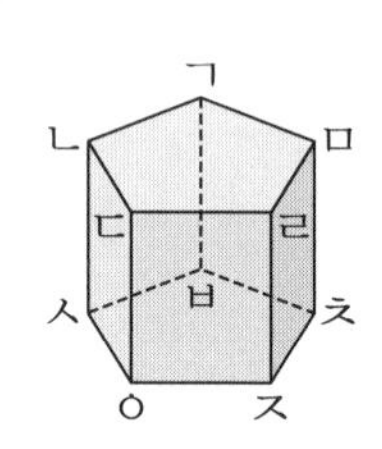

7 각기둥의 이름을 써 보세요.

( )

8 옆면을 모두 찾아 써 보세요.

9 각기둥에 대한 설명입니다. 옳지 않은 것은 어느 것인가요? ………………………………………( )

① 각기둥의 옆면은 삼각형입니다.
② 각기둥의 밑면은 다각형입니다.
③ 두 밑면은 서로 평행합니다.
④ 밑면에 수직인 면을 옆면이라고 합니다.
⑤ 각기둥은 밑면의 모양에 따라 이름이 정해집니다.

10 삼각기둥과 삼각기둥의 전개도입니다. ㉠, ㉡을 차례로 구해 보세요.

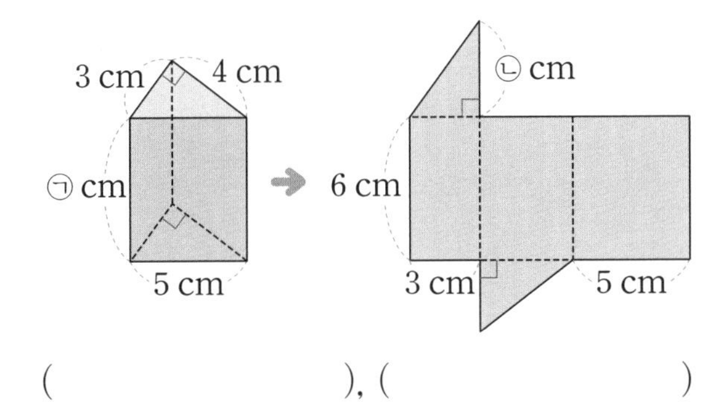

( ), ( )

11 어떤 입체도형에 대한 설명인가요?

• 밑면은 구각형입니다.
• 옆면은 모두 삼각형입니다.

( )

12 빈칸에 알맞은 수를 써넣으세요.

도형	꼭짓점의 수(개)	면의 수(개)	모서리의 수(개)
육각기둥			
사각뿔			

13 오른쪽 사각기둥의 전개도를 그려 보세요.

서술형

14 다음은 사각기둥의 전개도가 아닙니다. 그 이유를 써 보세요.

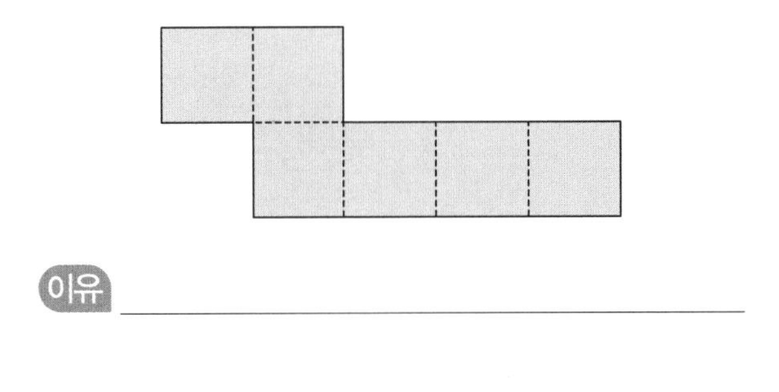

이유

15 수가 더 많은 것의 기호를 써 보세요.

㉠ 오각뿔의 꼭짓점의 수
㉡ 칠각기둥의 면의 수

( )

16 전개도를 접었을 때 만들어지는 입체도형의 모든 모서리의 길이의 합은 몇 cm인가요?

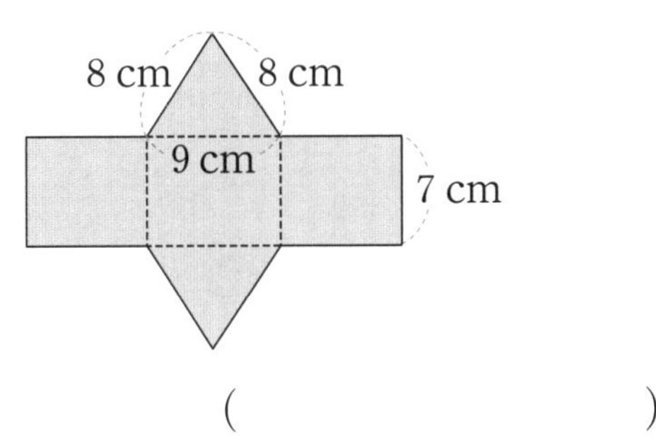

( )

» 53쪽 4-1 유사 문제

17 오른쪽 도형을 밑면으로 하고 높이가 3 cm인 사각기둥의 전개도를 그려 보세요.

4 cm
2 cm

1 cm
1 cm

서술형 » 54쪽 5-2 유사 문제

18 어떤 각기둥의 옆면만 그린 전개도의 일부분입니다. 어떤 각기둥인지 풀이 과정을 쓰고 답을 구해 보세요.

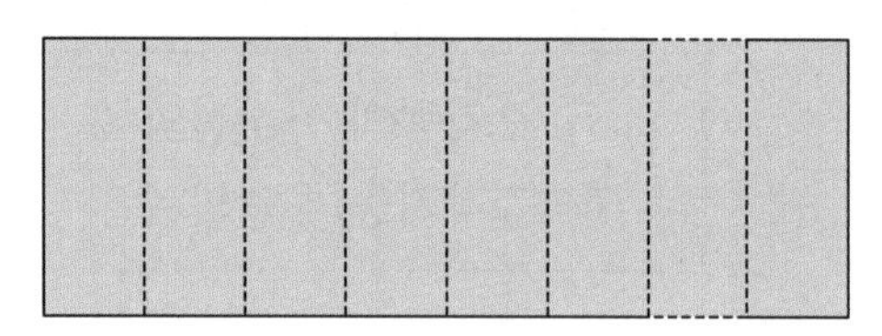

풀이

답

서술형 » 54쪽 6-2 유사 문제

19 다음에서 설명하는 '나'의 이름을 쓰려고 합니다. 풀이 과정을 쓰고 답을 구해 보세요.

- '나'는 각기둥입니다.
- '나'는 모서리가 15개입니다.

풀이

답

독해력 유형 서술형 » 55쪽 7-1 유사 문제

20 꼭짓점이 6개인 각뿔이 있습니다. 이 각뿔의 모서리의 수는 몇 개인지 풀이 과정을 쓰고 답을 구해 보세요.

풀이

답

앞 단원 유형 다시 보기

6-1 1. 분수의 나눗셈

(분수) ÷ (자연수)

1 빈 곳에 알맞은 기약분수를 써넣으세요.

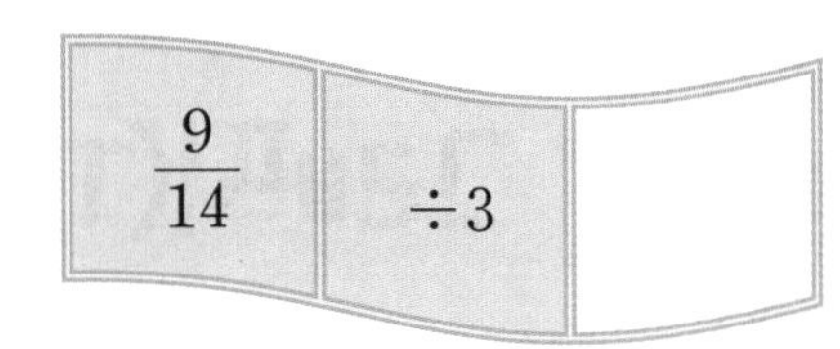

(분수) ÷ (자연수)를 분수의 곱셈으로 나타내어 계산하기

2 크기를 비교하여 ○ 안에 >, =, <를 알맞게 써넣으세요.

$\frac{15}{8} \div 4$ 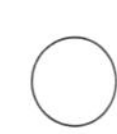 $\frac{13}{32}$

(대분수) ÷ (자연수)

3 주스 $1\frac{1}{8}$ L를 세 사람이 똑같이 나누어 마셨습니다. 한 사람이 마신 주스의 양은 몇 L인지 기약분수로 나타내어 보세요.

식 ______________________

답 ______________________

(자연수) ÷ (자연수)의 몫을 분수로 나타내기

4 굵기가 일정한 철근 7 m의 무게가 12 kg입니다. 이 철근 1 m의 무게는 몇 kg인지 분수로 나타내어 보세요.

식 ______________________

답 ______________________

(자연수) ÷ (자연수)의 몫은 나누어지는 수를 분자, 나누는 수를 분모로 하여 나타내야 해.

거북이 그래픽(Turtle Graphics)

거북이 그래픽은 1960년대 Logo라는 교육용 프로그래밍 언어의 일부로 개발된 컴퓨터 그래픽 방식입니다. 주어진 거북이 실행 명령어를 이용해 삼각형을 그려 볼게요.

명령어	설명
turtle.forward(■)	거북이 앞으로 ■ 이동합니다.
turtle.left(▲)	거북이 왼쪽으로 ▲° 회전합니다.
turtle.right(●)	거북이 오른쪽으로 ●° 회전합니다.

▲ 자주 사용하는 거북이 실행 명령어

거북이 그래픽은 내 꼬리에 잉크를 묻혀 종이에 올려놓고 리모컨으로 조종하듯이 그림을 그리는 거야. 거북이 실행 명령어로 삼각형을 그려 볼까?

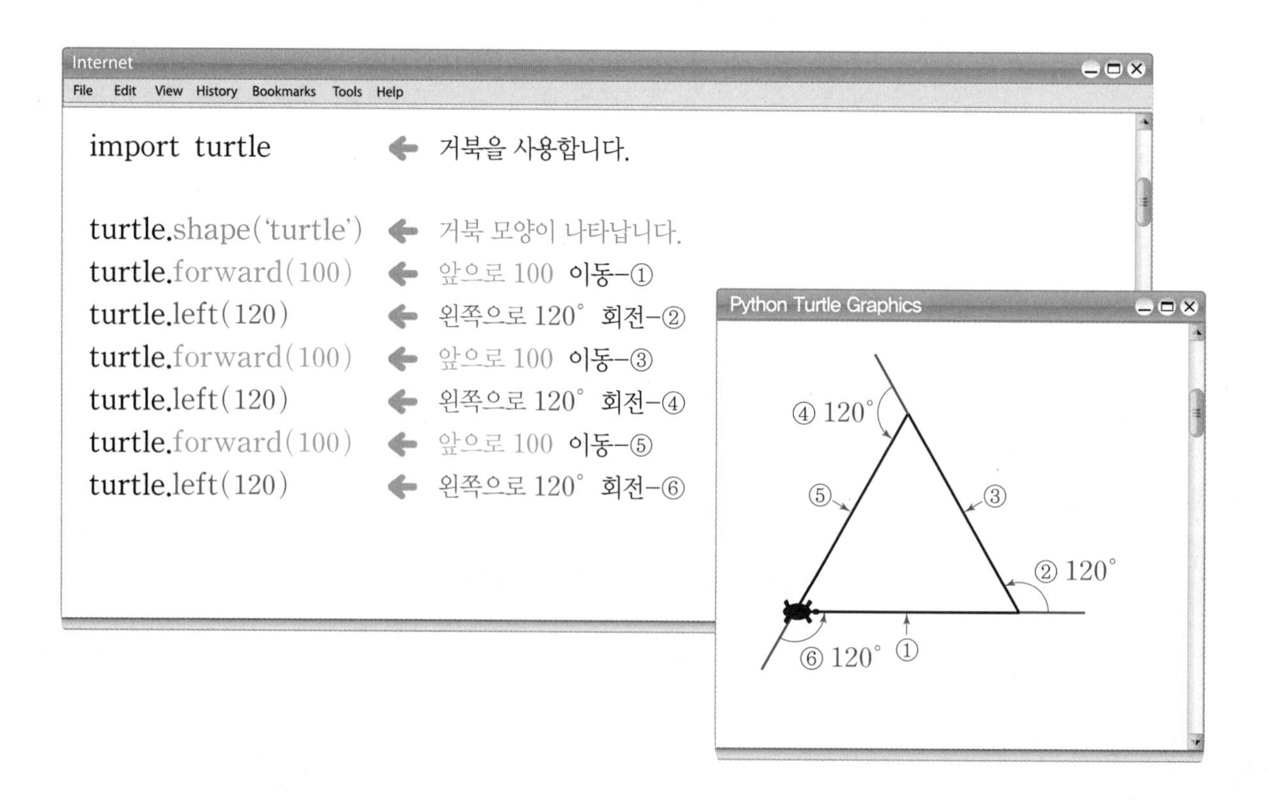

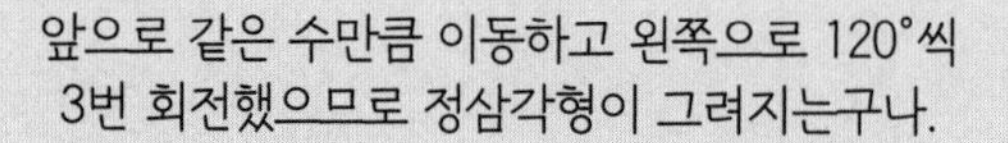

앞으로 같은 수만큼 이동하고 왼쪽으로 120°씩 3번 회전했으므로 정삼각형이 그려지는구나.

삼각형을 그린 것을 참고해서 다음과 같이 실행했을 때 나오는 그림을 그려 보세요.

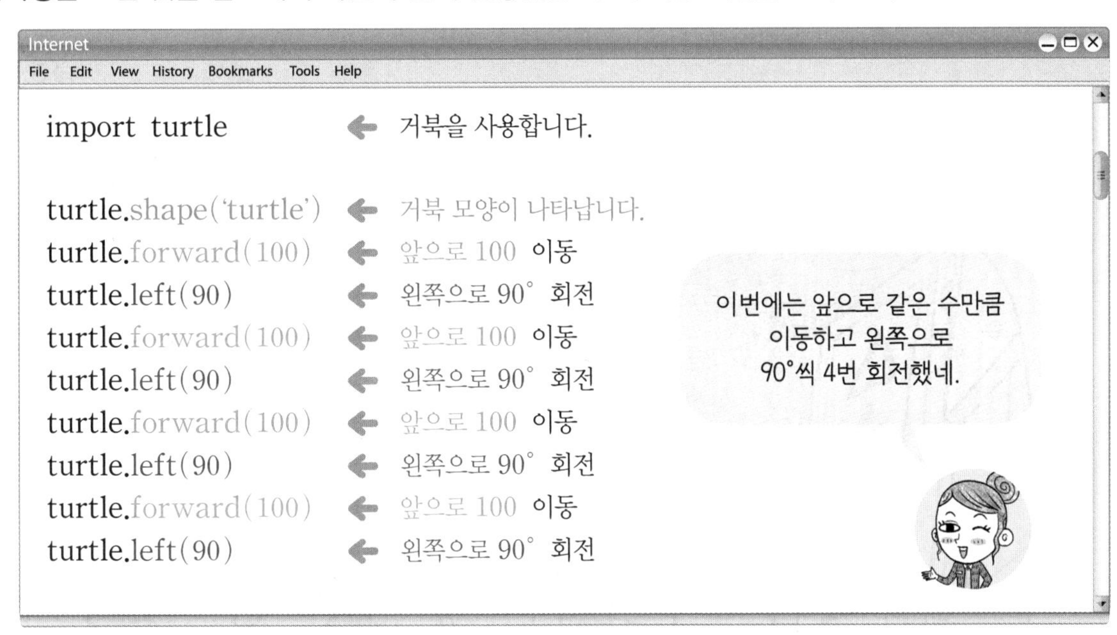

그림은 잘 그렸겠지?
이제 방금 그린 그림을 밑면의 모양으로 하는 각기둥과 각뿔의
이름을 차례로 써 봐.

[　　　　], [　　　　]

3 소수의 나눗셈

△△피부과
석 달 동안 머리카락이 4.23cm밖에 안 자랐어요.
더 빨리 자랄 수 있는 약 좀 주세요.
한 달에 $4.23 \div 3 = \frac{423}{100} \div 3 = \frac{423 \div 3}{100} = 1.41$(cm)씩 자랐으니 정상 범위입니당~. 충분한 잠을 자는 것도 도움이 되고용.

Dr. 유형 처방전
머리카락이 빨리 자라려면 충분한 잠을 잘 것

아니요! 선생님은 잘 모르세요. 머리카락이 늦게 자라서 얼마나 스트레스를 받는데요.
흠…….
저…환자분.
스윽
이런 말까지 안 하려 했는데……. 환자분은 풍성한 머리카락이라도 있잖아용!
반짝
반짝
아~ 죄송합니다. 정상이라고 하셨죠? 그럼 안녕히 계세요~

개념 1 자연수의 나눗셈을 이용한 (소수)÷(자연수)

예) 484÷4를 이용하여
48.4÷4와 4.84÷4를 계산하기

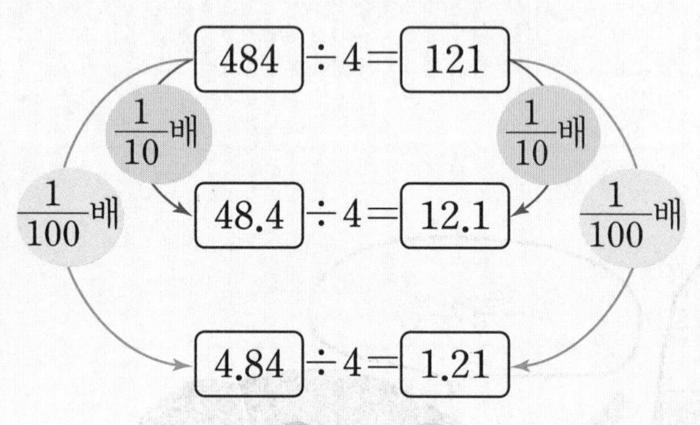

나누어지는 수가 $\frac{1}{10}$배, $\frac{1}{100}$배가 되면 몫도 $\frac{1}{10}$배, $\frac{1}{100}$배가 되므로 소수점은 왼쪽으로 한 칸, 두 칸 이동합니다.

유형

1 1 g 분동 4개와 0.1 g 분동 4개를 페트리 접시 2개에 똑같이 나누어 담으려고 합니다. 물음에 답하세요.

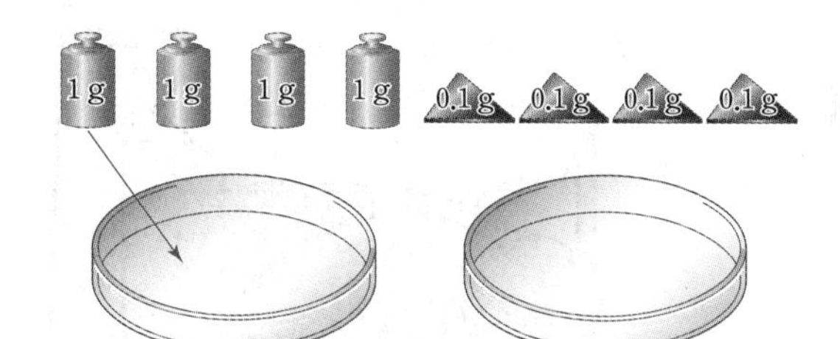

(1) 분동을 위 페트리 접시 2개에 똑같이 나누어 담아 보세요.

(2) 페트리 접시 1개에 담긴 분동은 몇 g인가요? (　　　　　)

2 수직선을 보고 □ 안에 알맞은 수를 써넣으세요.

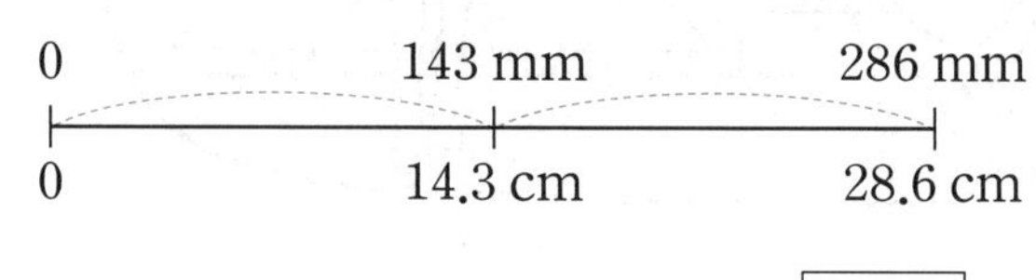

286÷2=143 ➡ 28.6÷2=□

3 □ 안에 알맞은 수를 써넣으세요.

끈 3.69 m를 3등분하려고 합니다.
1 m=100 cm이므로 3.69 m=369 cm입니다.

① 369÷3=□

② 끈 한 도막은 □ cm이므로 □ m입니다.

4 빈 곳에 알맞은 수를 써넣으세요.

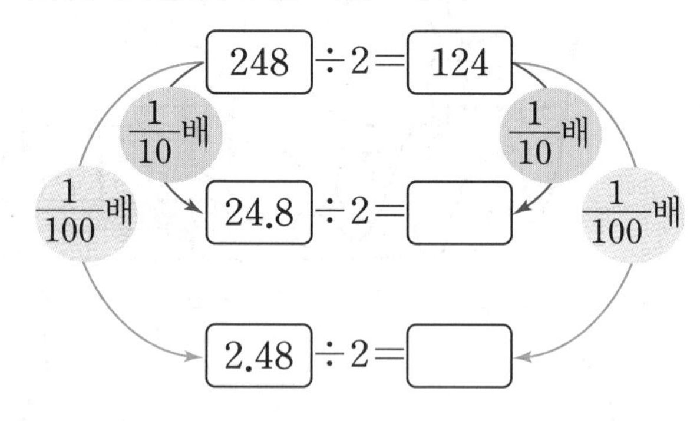

5 자연수의 나눗셈을 이용하여 소수의 나눗셈을 계산하고, 알게 된 점을 완성해 보세요.

639÷3=213
63.9÷3=□
6.39÷3=□

알게 된 점 나누는 수가 같고 나누어지는 수가 $\frac{1}{10}$배, $\frac{1}{100}$배가 되면 ______________________

개념 2 각 자리에서 나누어떨어지지 않는 (소수)÷(자연수)

예 $61.5 \div 5$의 계산

(1) 분수의 나눗셈으로 바꾸어 계산하기

$$61.5 \div 5 = \frac{615}{10} \div 5 = \frac{615 \div 5}{10} = \frac{123}{10} = 12.3$$

(2) 자연수의 나눗셈을 이용하여 계산하기

$615 \div 5 = 123$ —($\frac{1}{10}$배)→ $61.5 \div 5 = 12.3$

123 —($\frac{1}{10}$배)→ 12.3

(3) 세로로 계산하기

```
     1 2 3              1 2.3
5) 6 1 5           5) 6 1.5
   5                  5
   1 1                1 1
   1 0        ➜       1 0
     1 5                1 5
     1 5                1 5
       0                  0
```

자연수의 나눗셈과 같은 방법으로 계산하고, **나누어지는 수의 소수점 위치에 맞춰** 결괏값에 소수점을 올려 찍어야 해.

유형

6 다음은 $28.84 \div 7$을 계산한 것입니다. 알맞은 위치에 소수점을 찍어 보세요.

```
      4□1□2
7) 2 8.8 4
   2 8
       8
       7
       1 4
       1 4
         0
```

7 자연수의 나눗셈을 이용하여 □ 안에 알맞은 수를 써넣으세요.

$1088 \div 8 = 136$ ➜ $108.8 \div 8 =$ □

8 보기 와 같은 방법으로 계산해 보세요.

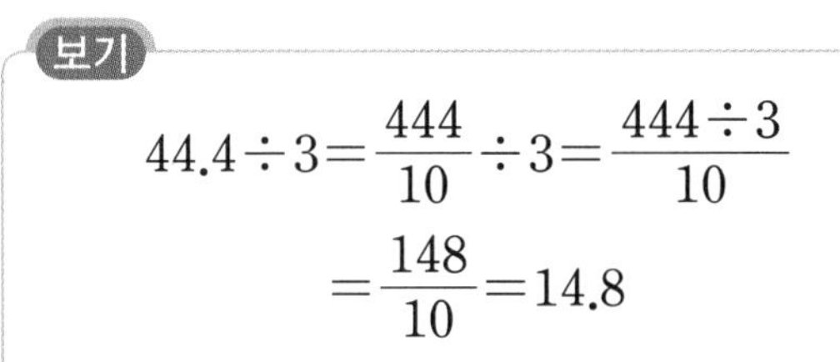

$90.4 \div 4$ ________________

9 계산해 보세요.

(1) $6\overline{)76.2}$　　(2) $9\overline{)21.24}$

10 빈 곳에 알맞은 수를 써넣으세요.

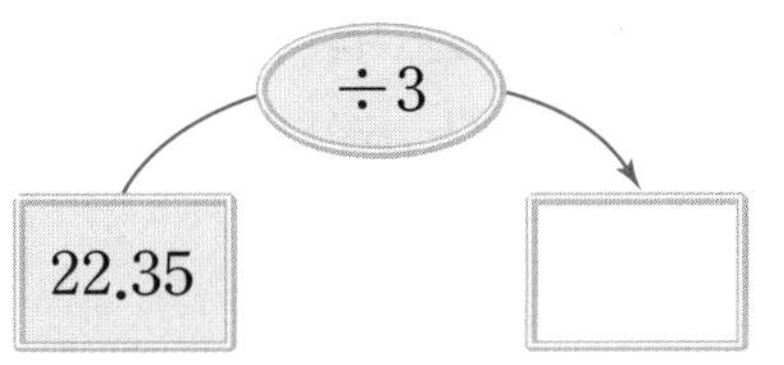

11 나눗셈의 몫을 찾아 이어 보세요.

		2.37
7.71÷3		
		2.47
12.35÷5		
		2.57

12 크기를 비교하여 ○ 안에 >, =, <를 알맞게 써넣으세요.

135.8÷7  18.3

13 길이가 58.8 cm인 색 테이프를 똑같이 4도막으로 나누었습니다. 한 도막의 길이는 몇 cm인가요?

 ____________________

 ____________________

14 소라는 자전거를 타고 일정한 빠르기로 2시간 동안 13.34 km를 달렸습니다. 소라가 한 시간 동안 달린 거리는 몇 km인가요?

(　　　　　　　　)

개념 3 몫이 1보다 작은 (소수)÷(자연수)

예 3.84÷8의 계산

(1) 분수의 나눗셈으로 바꾸어 계산하기

$$3.84 \div 8 = \frac{384}{100} \div 8 = \frac{384 \div 8}{100} = \frac{48}{100} = 0.48$$

(2) 자연수의 나눗셈을 이용하여 계산하기

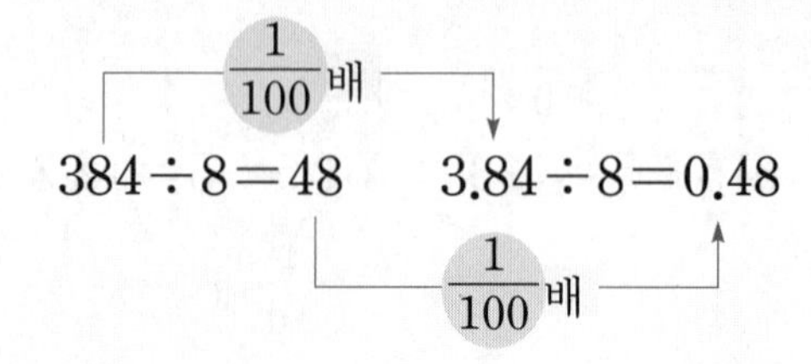

(3) 세로로 계산하기

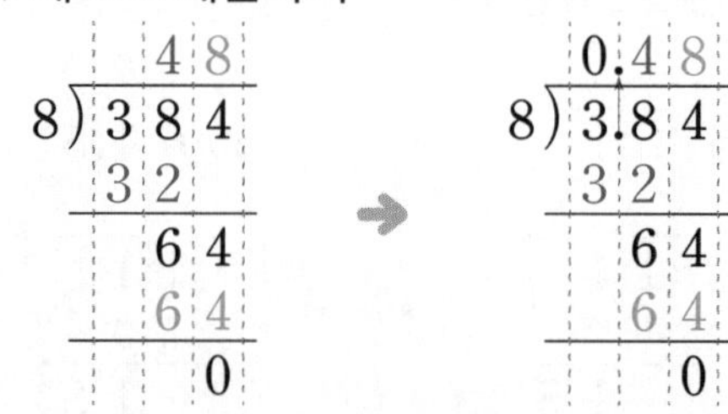

(나누어지는 수)<(나누는 수)이면 몫이 1보다 작으므로 몫의 자연수 부분에 0을 쓰고 소수점을 올려 찍어야 해.

[15~16] 3.71÷7을 계산하려고 합니다. 주어진 방법으로 계산해 보세요.

15 분수의 나눗셈으로 바꾸어 계산하기

$$3.71 \div 7 = \frac{371}{\square} \div 7 = \frac{371 \div 7}{\square} = \frac{\square}{\square} = \square$$

16 자연수의 나눗셈을 이용하여 계산하기

371÷7=53 ➔ 3.71÷7=□

17 보기 와 같은 방법으로 계산해 보세요.

보기

$$2.16 \div 9 = \frac{216}{100} \div 9 = \frac{216 \div 9}{100} = \frac{24}{100} = 0.24$$

$3.45 \div 5$ ______________________

____

18 계산해 보세요.

(1) $0.34 \div 2$ (2)0.34)

(2) $0.78 \div 3$ (3)0.78)

19 작은 수를 큰 수로 나눈 몫을 소수로 나타내어 보세요.

6.08	8

( )

20 계산이 잘못된 곳을 찾아 바르게 고쳐 계산해 보세요.

$$\begin{array}{r} 7.3 \\ 6\overline{)4.38} \\ 4\,2 \\ \hline 1\,8 \\ 1\,8 \\ \hline 0 \end{array}$$

→ $6\overline{)4.38}$

21 계산 결과가 더 큰 식을 들고 있는 학생의 이름을 써 보세요.

지호 $2.37 \div 3$

다은 $5.25 \div 7$

( )

22 넓이가 $2.85\ m^2$인 직사각형입니다. 세로의 길이는 몇 m인가요?

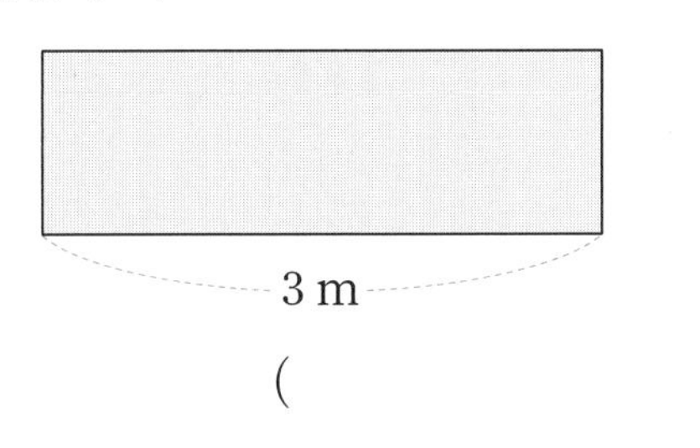

( )

23 물 1.65 L를 비커 5개에 똑같이 나누어 담으려고 합니다. 비커 한 개에 담아야 할 물의 양은 몇 L인가요?

24 서하네 가족은 쌀 3.22 kg을 일주일 동안 똑같이 나누어 먹으려고 합니다. 하루에 쌀을 몇 kg씩 먹는 셈인가요?

( )

개념 1 ~ 3 기초력 집중 연습

[1~15] 계산해 보세요.

1 $4\overline{)4.52}$

2 $3\overline{)7.38}$

3 $6\overline{)26.58}$

4 $8\overline{)5.52}$

5 $7\overline{)3.29}$

6 $9\overline{)2.25}$

7 $82.5 \div 5$

8 $86.8 \div 7$

9 $105.6 \div 8$

10 $33.48 \div 4$

11 $45.84 \div 8$

12 $52.71 \div 7$

13 $1.94 \div 2$

14 $5.04 \div 8$

15 $2.56 \div 4$

[16~17] 빈 곳에 소수를 자연수로 나눈 몫을 써넣으세요.

16

50.56	8

17

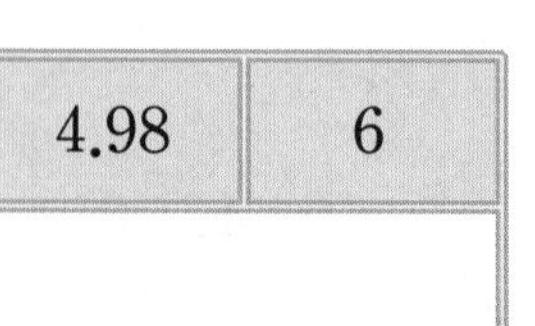

4.98	6

유형 진단 TEST

점수 /10점

1 7.47÷3을 분수의 나눗셈으로 바꾸어 계산한 것입니다. ㉠, ㉡에 알맞은 수를 구해 보세요. [1점]

$$7.47 \div 3 = \frac{㉠}{100} \div 3 = \frac{\square \div 3}{100} = \frac{\square}{100} = ㉡$$

㉠ (　　　　), ㉡ (　　　　)

2 408÷4=102임을 이용하여 □ 안에 알맞은 수를 써넣으세요. [1점]

$40.8 \div 4 = \square$

3 가장 큰 수를 6으로 나눈 몫을 구해 보세요. [1점]

22.98　　39.6　　35.4

(　　　　)

4 몫이 1보다 작은 것에 ○표 하세요. [1점]

8.05÷7	7.52÷8
(　　)	(　　)

5 수아는 상자 3개를 묶기 위해 리본 393 cm를 3개로 똑같이 나누었습니다. 민정이도 수아와 같은 방법으로 리본 3.93 m를 사용하여 상자 3개를 묶으려고 합니다. 민정이가 상자 한 개를 묶기 위해 필요한 리본은 몇 m인가요? [2점]

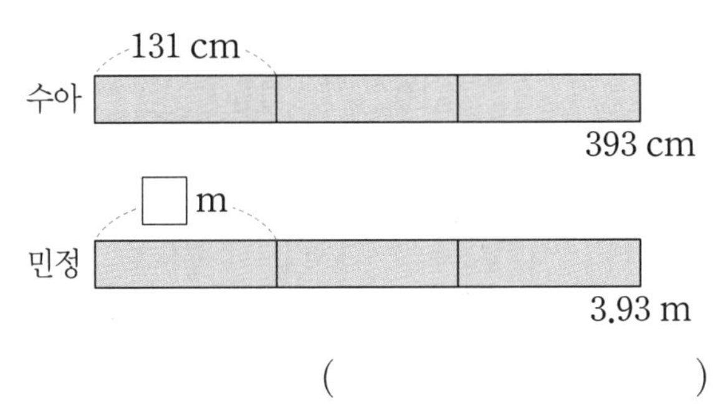

(　　　　)

6 페인트 7.98 L를 모두 사용하여 넓이가 7 m^2인 벽을 칠했습니다. 1 m^2의 벽을 칠하는 데 사용한 페인트는 몇 L인가요? [2점]

(　　　　)

7 수 카드 9, 7, 6, 5 중 3장을 골라 한 번씩만 사용하여 가장 작은 소수 두 자리 수를 만들고, 이 수를 남은 수 카드의 수로 나누었을 때 몫을 구하려고 합니다. 물음에 답하세요. [2점]

(1) 수 카드로 만들 수 있는 가장 작은 소수 두 자리 수를 써 보세요.

(　　　　)

(2) (1)에서 만든 수를 남은 수 카드의 수로 나누어 몫을 구해 보세요.

식 ________________

답 ________________

개념 4 소수점 아래 0을 내려 계산하는 (소수)÷(자연수)

예 7.6÷5의 계산

(1) 분수의 나눗셈으로 바꾸어 계산하기

$7.6\div5=\frac{76}{10}\div5=\frac{760}{100}\div5$

$=\frac{760\div5}{100}=\frac{152}{100}=1.52$

76÷5가 나누어떨어지지 않아 구할 수 없음.

760÷5는 나누어떨어지므로 분모가 100인 분수로 나타냄.

(2) 자연수의 나눗셈을 이용하여 계산하기

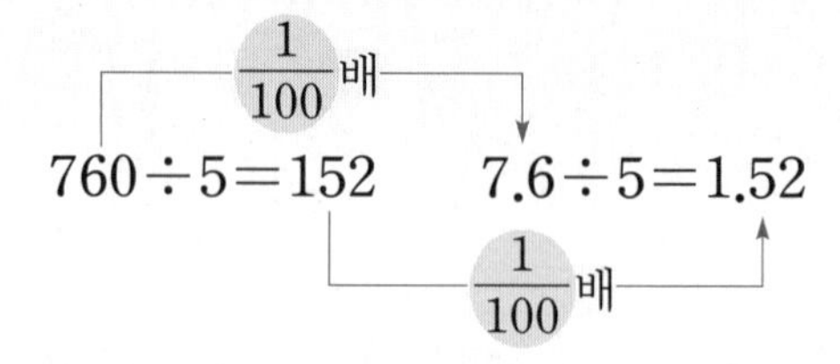

(3) 세로로 계산하기

```
     1 5 2              1.5 2
5 ) 7 6 0          5 ) 7.6 0
    5                  5
    2 6        →       2 6
    2 5                2 5
      1 0                1 0
      1 0                1 0
        0                  0
```

세로로 계산하고 소수점을 올려. 이때 계산이 끝나지 않으면 0을 하나 더 내려 계산해.

유형

1 나머지가 0이 될 때까지 계산해 보세요.

(1)
```
      1.4
4 ) 5.8
    4
    1 8
    1 6
      2
      2
```

(2)
```
      1.1
2 ) 2.3
    2
      3
      2
      1
      1
```

2 자연수의 나눗셈을 이용하여 소수의 나눗셈을 계산해 보세요.

750÷6=125 ➔ 7.5÷6=☐

3 9.2÷8을 분수의 나눗셈으로 바꾸어 계산해 보세요.

9.2÷8 ______________________

4 나머지가 0이 될 때까지 나눗셈을 하여 몫을 구해 보세요.

17.3÷5=☐

5 빈 곳에 알맞은 수를 써넣으세요.

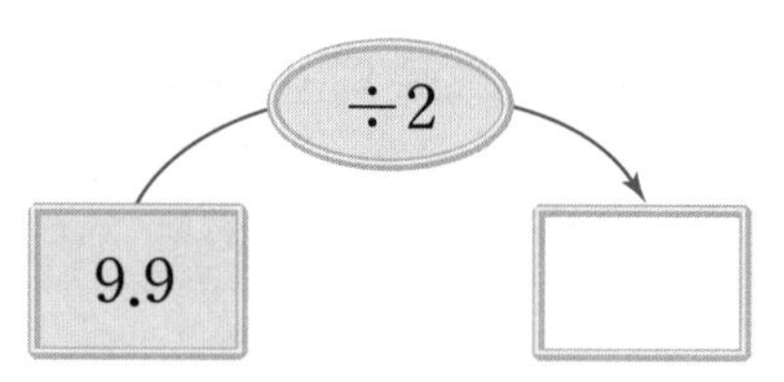

6 양초가 5분 동안 2.1 cm 탔습니다. 이 양초는 1분에 몇 cm씩 탄 셈인지 나머지가 0이 될 때까지 세로로 계산해 구해 보세요.

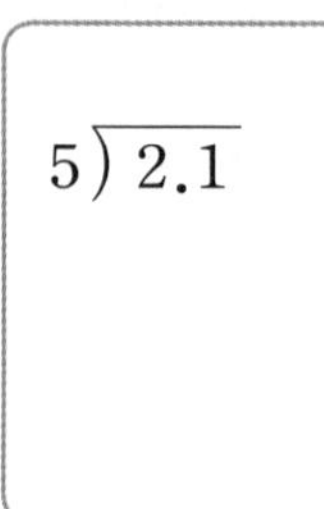

(　　　　　　　　)

개념 5 몫의 소수 첫째 자리가 0인 (소수)÷(자연수)

예 6.15÷3의 계산

(1) 분수의 나눗셈으로 바꾸어 계산하기

$$6.15\div3=\frac{615}{100}\div3=\frac{615\div3}{100}$$
$$=\frac{205}{100}=2.05$$

(2) 자연수의 나눗셈을 이용하여 계산하기

$615\div3=205$ → $\frac{1}{100}$배 → $6.15\div3=2.05$

(3) 세로로 계산하기

$$\begin{array}{r} 2\,0\,5 \\ 3\overline{)6\,1\,5} \\ 6 \\ \hline 1\,5 \\ 1\,5 \\ \hline 0 \end{array} \rightarrow \begin{array}{r} 2.0\,5 \\ 3\overline{)6.1\,5} \\ 6 \\ \hline 1\,5 \\ 1\,5 \\ \hline 0 \end{array}$$

세로로 계산하는 중에 수를 하나 내려도 나누어야 할 수(1)가 나누는 수(3)보다 작은 경우에는 **몫에 0을 쓰고 수를 하나 더 내려 계산해.**

유형

7 자연수의 나눗셈을 이용하여 ㉠에 알맞은 수를 구해 보세요.

$828\div4=207$ → $\frac{1}{100}$배 → $8.28\div4=$ ㉠

( )

8 7.35÷7을 분수의 나눗셈으로 바꾸어 계산해 보세요.

7.35÷7 ____________

9 계산해 보세요.

(1) $6\overline{)18.24}$ (2) $8\overline{)32.64}$

10 큰 수는 작은 수의 몇 배인가요?

9.12 3

( )

11 계산이 잘못된 곳을 찾아 바르게 고쳐 계산해 보세요.

$$\begin{array}{r} 1.7 \\ 5\overline{)5.3\,5} \\ 5 \\ \hline 3\,5 \\ 3\,5 \\ \hline 0 \end{array} \rightarrow 5\overline{)5.3\,5}$$

12 길이가 4.18 cm인 색 테이프를 똑같이 2도막이 되게 잘랐습니다. 색 테이프 한 도막의 길이는 몇 cm인가요?

식 ____________

 ____________

개념 6 (자연수)÷(자연수)의 몫을 소수로 나타내기

예) $5 \div 4$의 계산

(1) 분수의 나눗셈으로 바꾸어 계산하기

$$5 \div 4 = \frac{5}{4} = \frac{5 \times 25}{4 \times 25} = \frac{125}{100} = 1.25$$

(2) 자연수의 나눗셈을 이용하여 계산하기

$500 \div 4 = 125$ → $\frac{1}{100}$배 → $5 \div 4 = 1.25$

(3) 세로로 계산하기

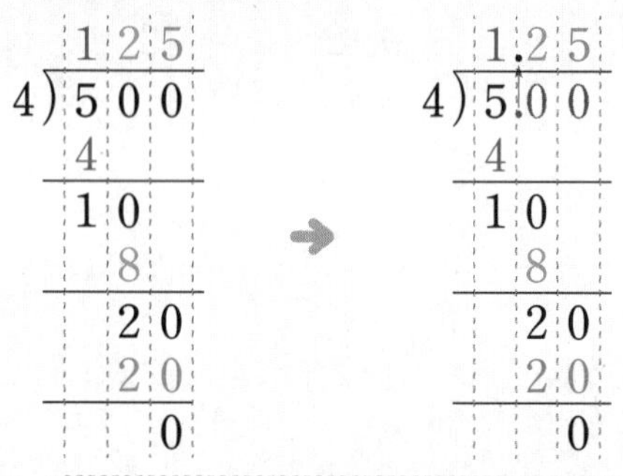

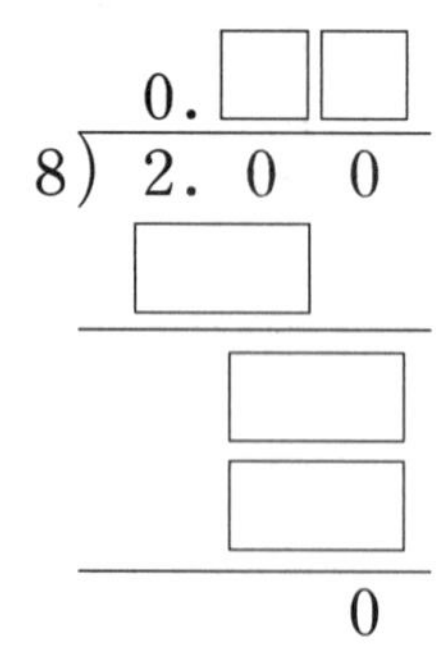

세로로 계산하고 소수점을 올려. 이때 계산이 끝나지 않으면 0을 하나 더 내려 계산해.

유형

13 □ 안에 알맞은 수를 써넣으세요.

$8 \overline{) 2.00}$ 몫: 0.□□

14 계산해 보세요.

(1) $16 \div 5$　　(2) $9 \div 4$

15 분수의 나눗셈으로 바르게 바꾸어 계산한 것의 기호를 써 보세요.

㉠ $3 \div 2 = \frac{3}{2} = \frac{3 \times 5}{2 \times 5} = \frac{15}{10} = 1.5$

㉡ $2 \div 5 = \frac{5}{2} = \frac{5 \times 5}{2 \times 5} = \frac{25}{10} = 2.5$

(　　　　　)

16 빈 곳에 알맞은 소수를 써넣으세요.

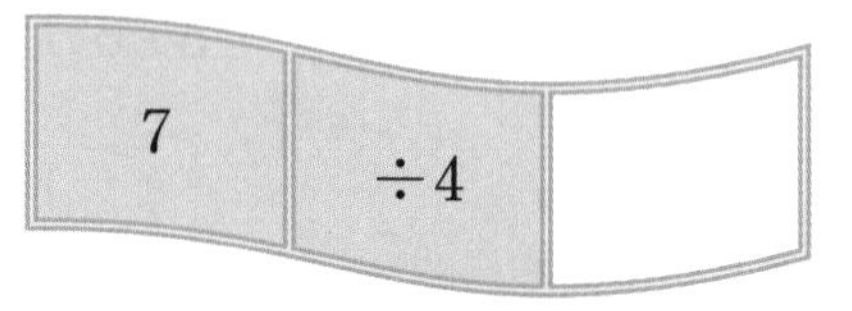

17 $3 \div 20$과 계산 결과가 같은 나눗셈에 ○표 하세요.

$300 \div 2000$	$30 \div 20$
(　　)	(　　)

18 넓이가 $23\ m^2$인 직사각형 모양의 꽃밭을 만들려고 합니다. 가로를 5 m로 한다면 세로는 몇 m로 해야 할까요?

(　　　　　)

개념 7 몫의 소수점 위치

예 $35.3 \div 5$를 어림셈하여 몫의 소수점 위치 찾기

35.3을 반올림하여 일의 자리까지 나타내면 35입니다.

어림 $35.3 \div 5$ ➔ $35 \div 5$ ➔ 약 7

몫 7□0□6

유형

19 보기와 같이 소수를 반올림하여 일의 자리까지 나타내어 어림한 식으로 표현해 보세요.

보기

$20.86 \div 7$ ➔ $21 \div 7$

$28.2 \div 4$ ➔ □ $\div 4$

20 어림셈하여 몫의 소수점 위치를 찾아 소수점을 찍어 보세요.

(1) $27.36 \div 9$

어림 □ ÷ □ ➔ 약 □

몫 3□0□4

(2) $35.76 \div 6$

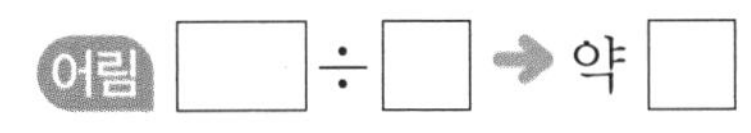

어림 □ ÷ □ ➔ 약 □

몫 5□9□6

21 지호의 어림셈을 이용하여 알맞은 식을 찾아 색칠해 보세요.

$4.36 \div 2 = 2.18$

$4.36 \div 2 = 21.8$

$4.36 \div 2 = 218$

22 몫을 어림하여 나눗셈의 몫을 찾아 이어 보세요.

$34.83 \div 9$ •

• 387

• 38.7

• 3.87

23 물 9.15 L를 3개의 물통에 똑같이 나누어 담으려고 합니다. 몫을 어림하여 물통 1개에 담아야 할 물의 양을 바르게 구한 사람을 찾아 이름을 써 보세요.

(   )

개념 4 ~ 7 기초력 집중 연습

[1~9] 계산해 보세요.

1 $5\overline{)6.2}$

2 $6\overline{)4.5}$

3 $4\overline{)8.6}$

4 $7\overline{)7.49}$

5 $6\overline{)6.48}$

6 $5\overline{)10.25}$

7 $2\overline{)9}$

8 $5\overline{)7}$

9 $4\overline{)3}$

[10~11] 어림셈하여 몫의 소수점 위치를 찾아 소수점을 찍어 보세요.

10 19.56÷2

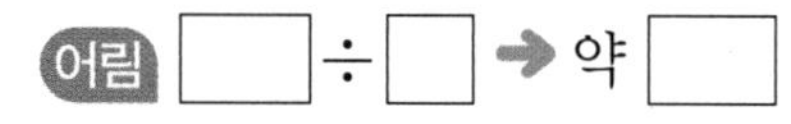

몫 9□7□8

11 24.06÷3

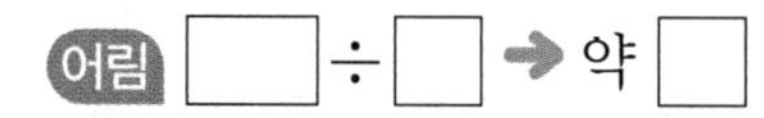

몫 8□0□2

[12~13] 빈 곳에 알맞은 수를 써넣으세요.

12

21.8	÷4	

13

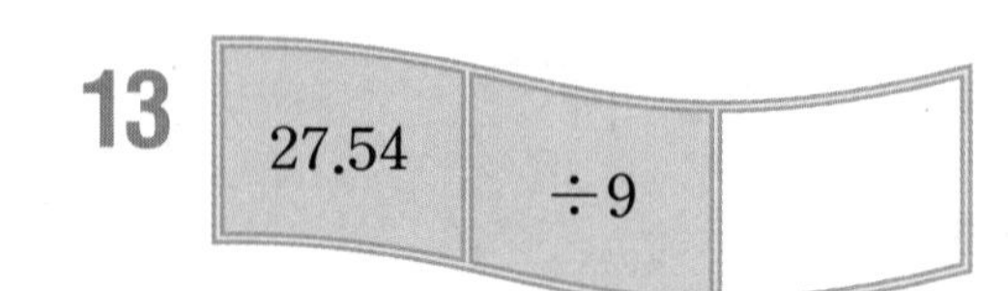

유형 진단 TEST

점수 /10점

1 자연수의 나눗셈을 이용하여 ㉠에 알맞은 수를 구해 보세요. [1점]

$140 \div 4 = 35$
$14 \div 4 =$ ㉠

( )

2 $21.42 \div 7$을 어림셈하여 몫의 소수점 위치가 올바른 식에 ○표 하세요. [1점]

$21.42 \div 7 = 30.6$ ( )

$21.42 \div 7 = 3.06$ ( )

$21.42 \div 7 = 0.306$ ( )

3 관계있는 것끼리 이어 보세요. [1점]

$36.2 \div 5$ •	• 7.23
$43.5 \div 6$ •	• 7.24
	• 7.25

4 똑같은 동화책 4권의 무게가 1 kg입니다. 이 동화책 한 권의 무게는 몇 kg인가요? [1점]

( )

5 $8.16 \div 8$을 두 가지 방법으로 구해 보세요. [2점]

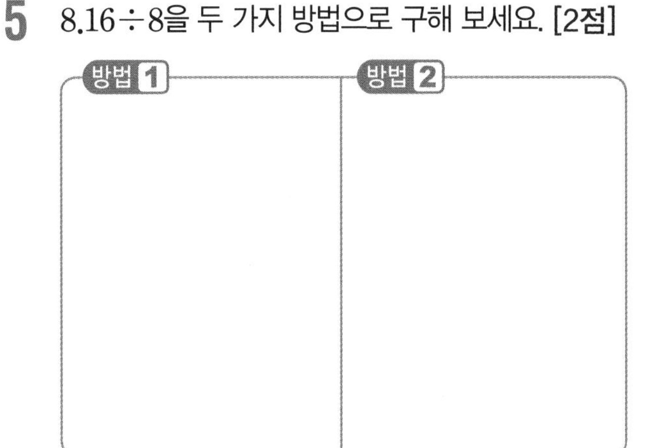

6 넓이가 20.4 m^2인 직사각형을 똑같은 5개의 작은 직사각형으로 나누었습니다. 색칠된 부분의 넓이는 몇 m^2인가요? [2점]

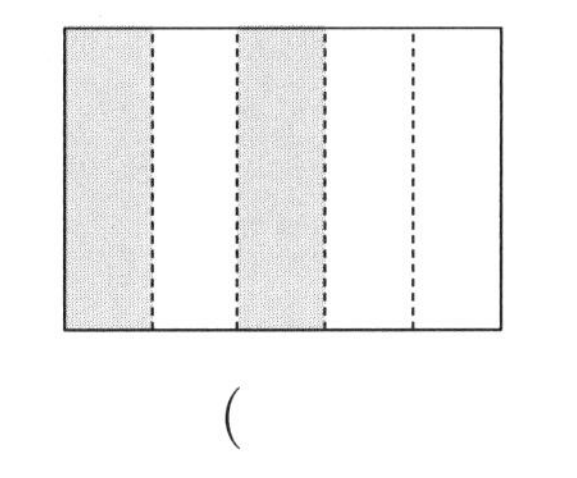

( )

7 1부터 9까지의 수 중에서 □ 안에 들어갈 수 있는 수를 모두 구하려고 합니다. 물음에 답하세요. [2점]

$6.8 \div 8 < 0.8\square$

(1) 왼쪽 식 $6.8 \div 8$을 계산해 보세요.

( )

(2) 1부터 9까지의 수 중 □ 안에 들어갈 수 있는 수를 모두 구해 보세요.

( )

STEP 2

꼬리를 무는 유형

❶ 몇 배 알아보기

기본 유형

1 ㉠은 ㉡의 몇 배인가요?

㉠ 75.2 ㉡ 4

(　　　　　　)

변형 유형

2 작은 수는 큰 수의 몇 배인가요?

4.16　　8

(　　　　　　)

변형 유형

3 소수는 자연수의 몇 배인가요?

7.2　　5

(　　　　　　)

실생활 유형

4 세훈이와 세정이가 갯벌에서 바지락을 캤습니다. 세훈이는 4.2 kg, 세정이는 4 kg을 캤다면 세훈이가 캔 바지락의 무게는 세정이가 캔 바지락의 무게의 몇 배인가요?

(　　　　　　)

❷ 계산 결과 비교

기본 유형

5 몫이 1보다 작은 것에 ○표 하세요.

$3.78 \div 3$　　$4 \div 8$

(　　　　)　(　　　　)

(나누어지는 수)<(나누는 수)이면 몫이 1보다 작아.

변형 유형

6 몫이 1보다 큰 것의 기호를 쓰고, 그 몫을 구해 보세요.

㉠ $2.14 \div 2$　　㉡ $8.37 \div 9$

기호 (　　　　　　)

몫 (　　　　　　)

문장제 유형

7 배 5개의 무게는 5.9 kg이고, 사과 1개의 무게는 1 kg입니다. 배와 사과 중 어느 것이 더 무겁나요? (단, 배의 무게는 모두 같습니다.)

(　　　　　　)

❸ 자연수의 나눗셈을 이용하기

기본 유형

8 □ 안에 알맞은 수를 써넣으세요.

$738 \div 9 = 82$ ➔ $7.38 \div 9 =$ □

변형 유형

9 □ 안에 알맞은 수를 써넣으세요.

□ $\div 50 = 18$ ➔ $9 \div 50 = 0.18$

변형 유형 서술형

10 서아가 어떤 실수를 했는지 써 보고, 바르게 고쳐 계산해 보세요.

물 4.1 L를 5명에게 똑같이 나누어 주려 해.
$410 \div 5 = 82$이니까
$4.1 \div 5 = 8.2$야.
그러니까 한 명에게 줄 수 있는 물은 8.2 L야.

실수 ______________________

____

고치기 ______________________

나누는 수가 같고 나누어지는 수가 $\frac{1}{10}$배, $\frac{1}{100}$배가 되면 몫도 $\frac{1}{10}$배, $\frac{1}{100}$배가 돼.

❹ 모르는 수 구하기

기본 유형

11 □ 안에 알맞은 수를 구해 보세요.

□ $\times 8 = 46.64$

(　　　　　　)

변형 유형

12 ●를 구해 보세요.

$6 \times$ ● $= 4.08$

(　　　　　　)

변형 유형

13 빈 곳에 알맞은 수를 써넣으세요.

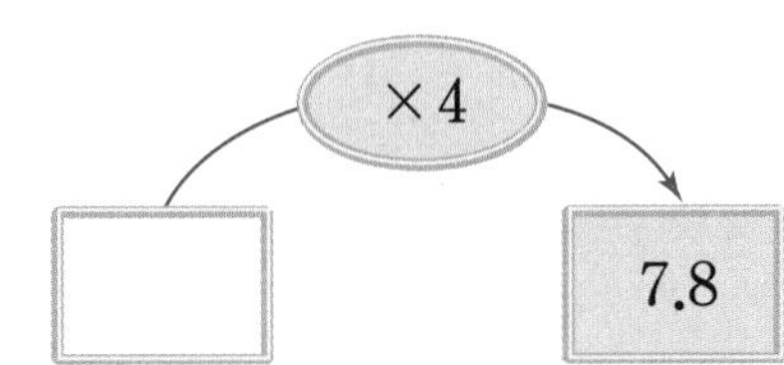

문장제 유형

14 어떤 수에 7을 곱했더니 14.28이 되었습니다. 어떤 수를 구해 보세요.

(　　　　　　)

독해력 유형 1 간격 구하기

가로가 15.3 m인 텃밭에 토마토 모종 7개를 같은 간격으로 그림과 같이 심으려고 합니다. 모종 사이의 간격을 몇 m로 해야 하는지 구해 보세요. (단, 모종의 두께는 생각하지 않습니다.)

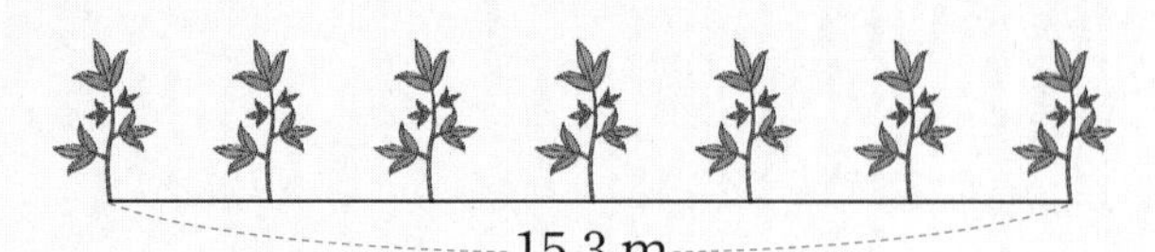

What? 구하려는 것을 찾아 밑줄을 그어 보세요.

How?
❶ 나누는 수가 무엇인지 알아보기
❷ (심을 모종 수)와 (모종 사이의 간격 수)의 관계 알아보기
❸ 텃밭 가로의 길이를 모종 사이의 간격 수로 나눠 모종 사이의 간격이 몇 m인지 구하기

Solve
❶ 모종 사이의 간격이 몇 m인지 구하려면 텃밭 가로의 길이를 무엇으로 나누어야 하나요?

모종 수 ( ) 간격 수 ( )

❷ 모종 수를 이용하여 모종 사이의 간격은 몇 군데인지 구해 보세요.

식 ______

답 ______

❸ 모종 사이의 간격을 몇 m로 해야 할까요?

( )

쌍둥이 유형 1-1

길이가 22.96 m인 도로에 나무 9그루를 같은 간격으로 그림과 같이 심으려고 합니다. 나무 사이의 간격을 몇 m로 해야 하나요? (단, 나무의 두께는 생각하지 않습니다.)

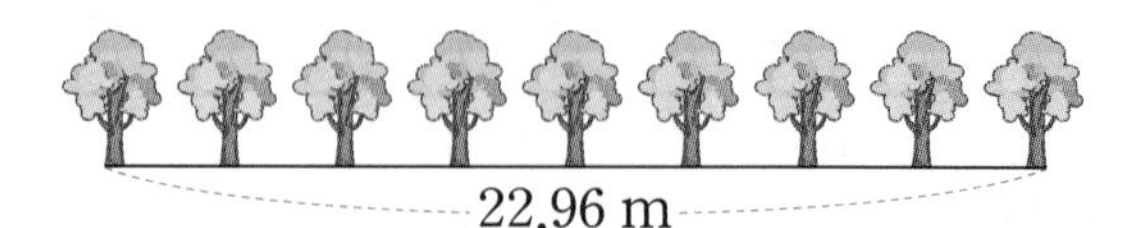

❶

❷

❸

답 ______

쌍둥이 유형 1-2

길이가 5.22 km인 도로에 가로등 10개를 같은 간격으로 그림과 같이 세우려고 합니다. 가로등 사이의 간격을 몇 km로 해야 하나요? (단, 가로등의 두께는 생각하지 않습니다.)

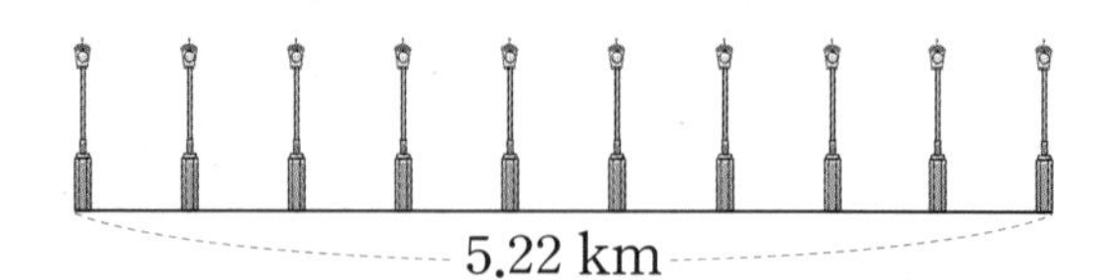

❶

❷

❸

 ______

독해력 유형 2 평균을 이용하여 한 개의 무게 구하기

한 상자에 멜론이 2개씩 들어 있습니다. 4상자의 무게가 18.4 kg일 때 멜론의 무게의 평균을 구해 보세요. (단, 상자의 무게는 생각하지 않습니다.)

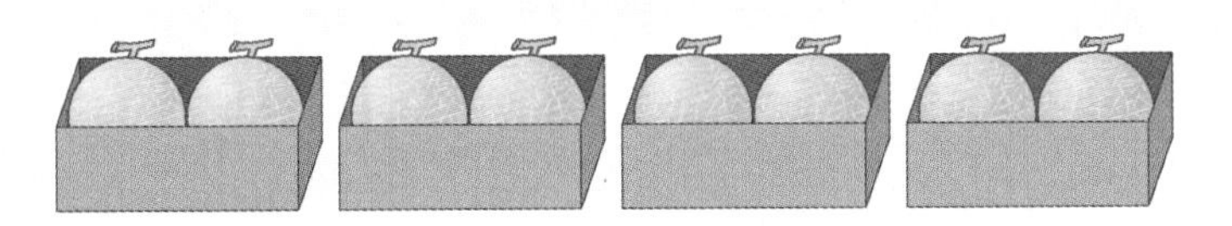

What? 구하려는 것을 찾아 밑줄을 그어 보세요.

How?
1. 멜론의 전체 개수 구하기
2. 평균 구하는 방법 알아보기
3. 멜론의 무게의 평균 구하기

Solve

1. 멜론은 모두 몇 개인가요?

( )

2. 멜론의 무게의 평균을 구하는 식입니다. □ 안에 알맞은 기호를 써넣으세요.

(멜론의 무게의 평균)
=(멜론 전체의 무게)□(멜론의 수)

3. 멜론의 무게의 평균은 몇 kg인가요?

( )

평균은 어떻게 구하지?

자료의 값을 모두 더해 자료의 수로 나누어 구하지.

쌍둥이 유형 2-1

한 상자에 책이 3권씩 들어 있습니다. 3상자의 무게가 11.7 kg일 때 책의 무게의 평균은 몇 kg인가요? (단, 상자의 무게는 생각하지 않습니다.)

1.

2.

3.

답 ______

쌍둥이 유형 2-2

한 상자에 복숭아가 4개씩 들어 있습니다. 2상자의 무게가 6 kg일 때 복숭아의 무게의 평균은 몇 kg인가요? (단, 상자의 무게는 생각하지 않습니다.)

1.

2.

3.

답 ______

4 STEP 사고력 플러스 유형

플러스 유형 ❶ 잘못된 계산 알아보기

1-1 계산이 잘못된 곳을 찾아 바르게 고쳐 계산해 보세요.

```
     6.3
 8 ) 5.0 4
     4 8
     ───
       2 4
       2 4
       ───
         0
```

→

```
 8 ) 5.0 4
```

1-2 계산이 잘못된 곳을 찾아 바르게 고쳐 계산해 보세요.

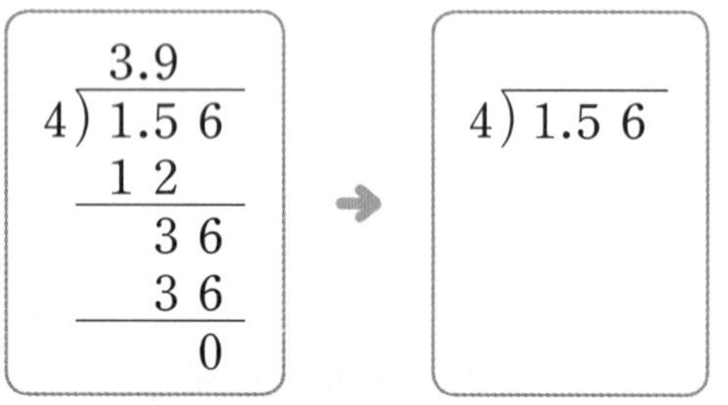

1-3 서술형

7.28÷7을 잘못 계산한 것입니다. 그 이유를 써 보세요.

이유 ____________________

플러스 유형 ❷ 정다각형의 한 변의 길이 구하기

2-1 다음 정사각형의 둘레는 5.48 m입니다. 한 변의 길이는 몇 m일까요?

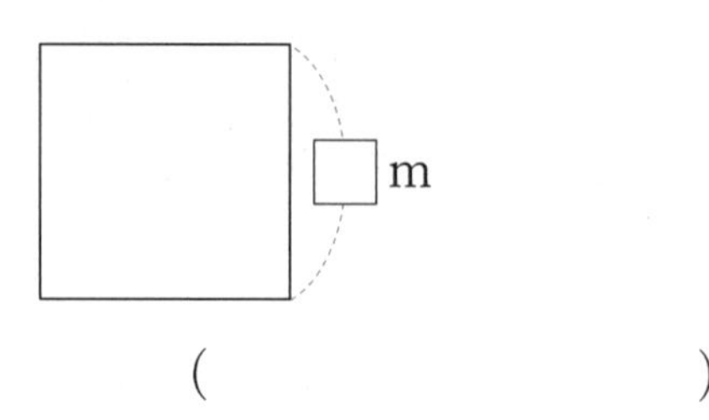

(　　　　　　　　)

2-2 다음 정오각형의 둘레는 5.35 m입니다. 한 변의 길이는 몇 m일까요?

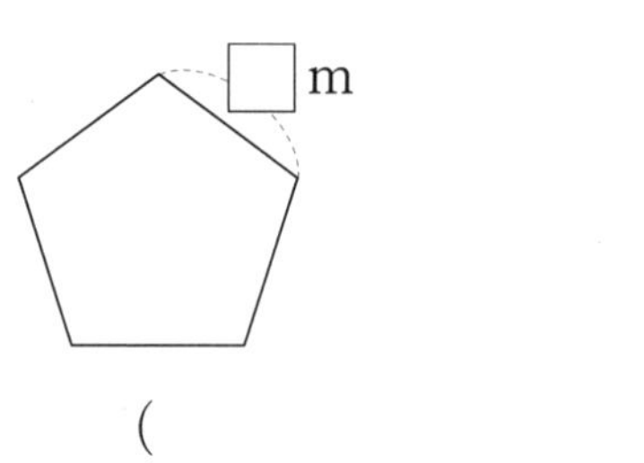

(　　　　　　　　)

2-3 정삼각형 6개로 변끼리 붙여 만든 정육각형입니다. 정육각형의 둘레가 15 m일 때 정삼각형의 한 변의 길이는 몇 m일까요?

(　　　　　　　　)

플러스 유형 3 나누는 수와 나누어지는 수 알아보기

[3-1~3-2] 담 25 m^2를 칠하는 데 페인트 4 L가 필요합니다. 물음에 답하세요.

3-1 담 1 m^2를 칠하는 데 필요한 페인트의 양은 몇 L인가요?

( )

3-2 페인트 1 L로 칠할 수 있는 담의 넓이는 몇 m^2인가요?

( )

[3-3~3-4] 휘발유 16 L로 200 km를 달리는 자동차가 있습니다. 물음에 답하세요.

3-3 휘발유 1 L로 달릴 수 있는 거리는 몇 km인가요?

( )

3-4 1 km를 달리는 데 필요한 휘발유는 몇 L인가요?

( )

플러스 유형 처방전

(담 1 m^2를 칠하는 데 필요한 페인트의 양)
=(사용한 페인트의 양)÷(칠한 담의 넓이)
(페인트 1 L로 칠할 수 있는 담의 넓이)
=(칠한 담의 넓이)÷(사용한 페인트의 양)

플러스 유형 4 색칠된 부분의 넓이 구하기

4-1 가로가 7.44 m이고, 세로가 4 m인 직사각형을 3등분하였습니다. 색칠된 부분의 넓이는 몇 m^2인가요?

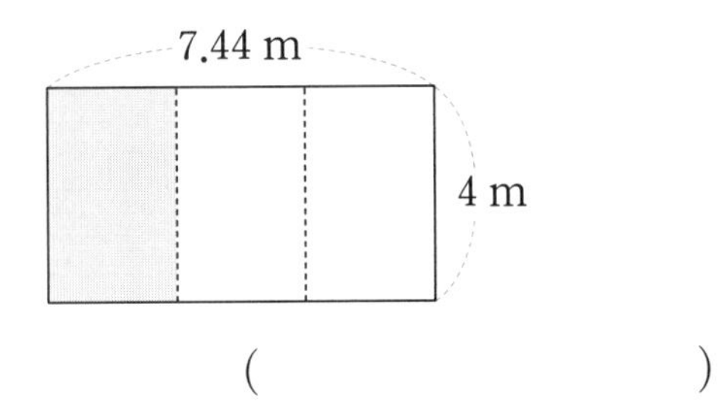

( )

서술형

4-2 가로가 3 m이고, 세로가 2.6 m인 직사각형을 4등분하였습니다. 색칠된 부분의 넓이는 몇 m^2인지 풀이 과정을 쓰고 답을 구해 보세요.

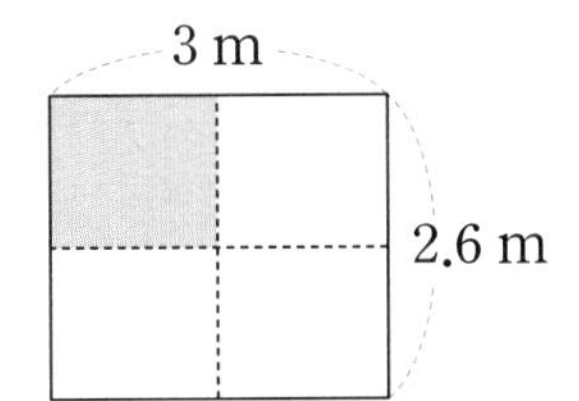

풀이

답

4-3 한 변의 길이가 1.2 m인 정사각형을 8등분하였습니다. 색칠된 부분의 넓이는 몇 m^2인가요?

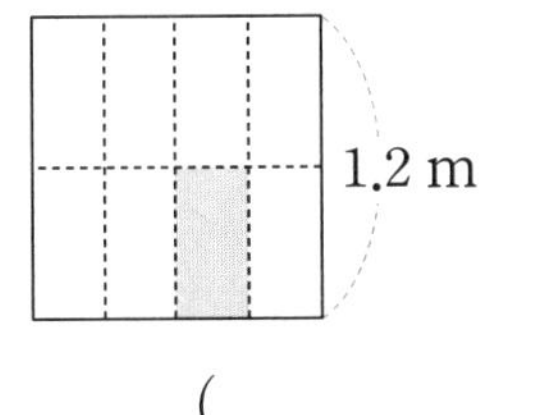

( )

플러스 유형 5 몫이 가장 작은(큰) 나눗셈식 만들기

사고력 유형

5-1 수 카드 3장 중 2장을 골라 한 번씩만 사용하여 몫이 가장 작은 나눗셈식을 만들고 계산해 보세요.

2  8

식 □÷□=□

서술형

5-2 수 카드 3장 중 2장을 골라 한 번씩만 사용하여 몫이 가장 작은 나눗셈식을 만드는 풀이 과정을 쓰고 몫을 구해 보세요.

3  5

풀이

답

5-3 수 카드 3장 중 2장을 골라 한 번씩만 사용하여 몫이 가장 큰 나눗셈식을 만들고 계산해 보세요.

5  34

식 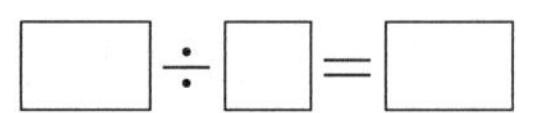

플러스 유형 처방전

나누어지는 수가 작을수록, 나누는 수가 클수록 나눗셈의 몫은 작아진다능~

플러스 유형 6 빈 곳에 알맞은 수 구하기

사고력 유형

6-1 □ 안에 알맞은 수를 써넣으세요.

```
     0. 2 7
3 ) 0.[  ]
       [ ]
      -----
       [ ] 1
       [   ]
      -----
           0
```

6-2 □ 안에 알맞은 수를 써넣으세요.

```
     1. 0 6
7 ) 7.[  ]
    [ ]
    -------
       [ ] 2
       [   ]
      -----
           0
```

6-3 □ 안에 알맞은 수를 써넣으세요.

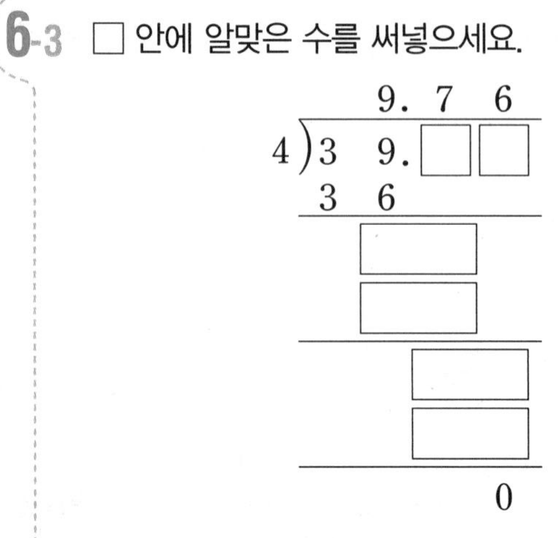

플러스 유형 7 무게 비교하기

독해력 유형

7-1 그림을 보고 감자 한 개와 고구마 한 개 중 어느 것이 더 무겁다고 할 수 있는지 평균을 이용하여 구해 보세요.

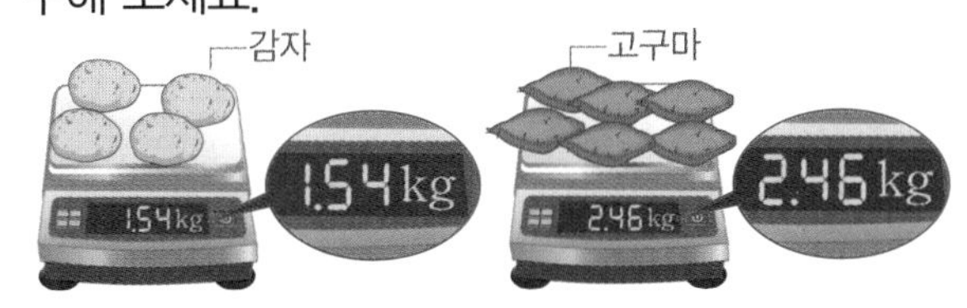

단계 1 감자의 무게의 평균은 몇 kg인가요?

( )

단계 2 고구마의 무게의 평균은 몇 kg인가요?

( )

단계 3 감자 한 개와 고구마 한 개 중 어느 것이 더 무겁다고 할 수 있나요?

( )

7-2 그림을 보고 애호박 한 개와 토마토 한 개 중 어느 것이 더 무겁다고 할 수 있는지 평균을 이용하여 구해 보세요.

( )

플러스 유형 8 한 모서리의 길이 구하기

독해력 유형

8-1 오른쪽과 같이 모든 모서리의 길이가 같은 사각뿔이 있습니다. 모든 모서리의 길이의 합이 8.56 m일 때 한 모서리의 길이는 몇 m인지 구해 보세요.

단계 1 사각뿔의 밑면의 변의 수는 몇 개인가요?

( )

단계 2 사각뿔의 모서리의 수는 몇 개인가요?

( )

단계 3 한 모서리의 길이는 몇 m인가요?

( )

8-2 오른쪽과 같이 모든 모서리의 길이가 같은 삼각기둥이 있습니다. 모든 모서리의 길이의 합이 9.27 m일 때 한 모서리의 길이는 몇 m인지 구해 보세요.

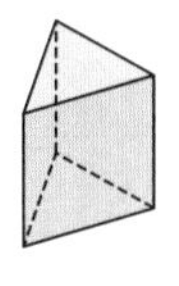

( )

점수

1 자연수의 나눗셈을 이용하여 소수의 나눗셈을 계산해 보세요.

$426 \div 2 = 213$

$\rightarrow 4.26 \div 2 = \square$

2 계산해 보세요.

(1) $4\overline{)12.96}$

(2) $6\overline{)4.56}$

3 계산해 보세요.

(1) $2.8 \div 8$

(2) $9.72 \div 9$

4 보기와 같은 방법으로 계산해 보세요.

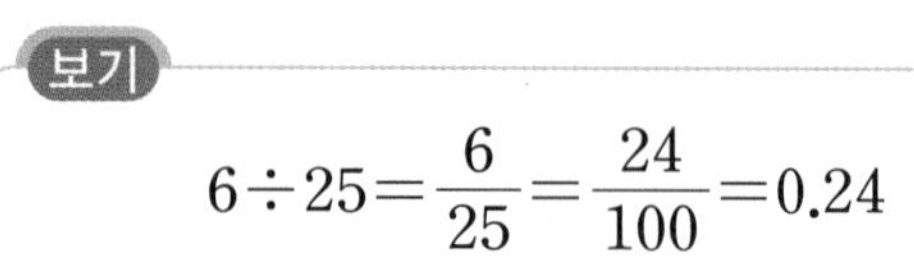

보기

$$6 \div 25 = \frac{6}{25} = \frac{24}{100} = 0.24$$

$17 \div 4$ ______________________

5 빈 곳에 소수를 자연수로 나눈 몫을 써넣으세요.

21.28	7

6 ㉠은 ㉡의 몇 배인가요?

㉠ 8.1　　㉡ 5

(　　　　　　　　)

7 어림셈하여 몫의 소수점 위치를 찾아 소수점을 찍어 보세요.

(1) $47.7 \div 3 = 1\square5\square9$

(2) $32.96 \div 8 = 4\square1\square2$

8 가장 큰 수를 가장 작은 수로 나눈 몫을 구해 보세요.

31.05　　15　　9　　27

(　　　　　　　　)

9 계산 결과를 비교하여 ○ 안에 >, =, <를 알맞게 써넣으세요.

$72.45 \div 9$  $48.3 \div 6$

10 귤 7 kg을 사서 5명이 똑같이 나누어 가지려고 합니다. 한 명이 가질 수 있는 귤은 몇 kg인가요?

( )

11 어떤 수에 8을 곱했더니 10.8이 되었습니다. 어떤 수를 구해 보세요.

( )

12 $12.4 \div 5$를 두 가지 방법으로 구해 보세요.

13 넓이가 15.48 cm^2인 직사각형입니다. 세로의 길이는 몇 cm인가요?

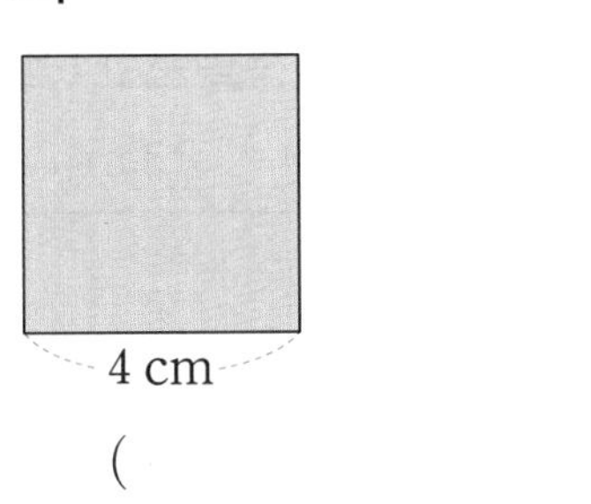

( )

14 성진이는 일정한 빠르기로 공원을 4바퀴 도는 데 1시간 6분이 걸렸습니다. 공원을 한 바퀴 도는 데 걸린 시간은 몇 분인지 소수로 나타내어 보세요.

( )

15 수 카드 3, 4, 6, 8 중 3장을 골라 한 번씩만 사용하여 가장 큰 소수 두 자리 수를 만들고, 이 수를 남은 수 카드의 수로 나누었을 때의 몫을 구해 보세요.

가장 큰 소수 두 자리 수 ( )

몫 ( )

16 1부터 9까지의 수 중에서 □ 안에 들어갈 수 있는 수를 모두 구해 보세요.

$5.25 \div 7 < 0.7$□

( )

서술형 » 81쪽 4-2 유사 문제

17 가로가 3 m이고, 세로가 2.3 m인 직사각형을 5등분하였습니다. 색칠된 부분의 넓이는 몇 m^2인지 풀이 과정을 쓰고 답을 구해 보세요.

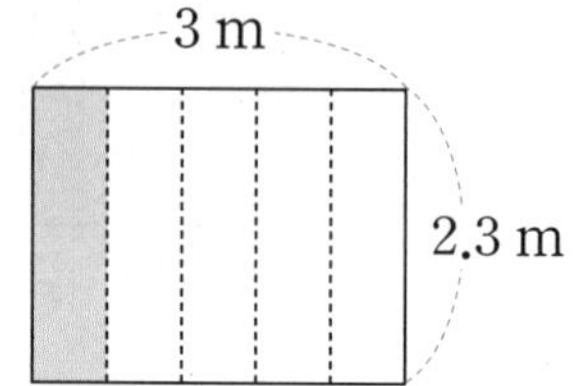

풀이

답

» 82쪽 6-1 유사 문제

19 □ 안에 알맞은 수를 써넣으세요.

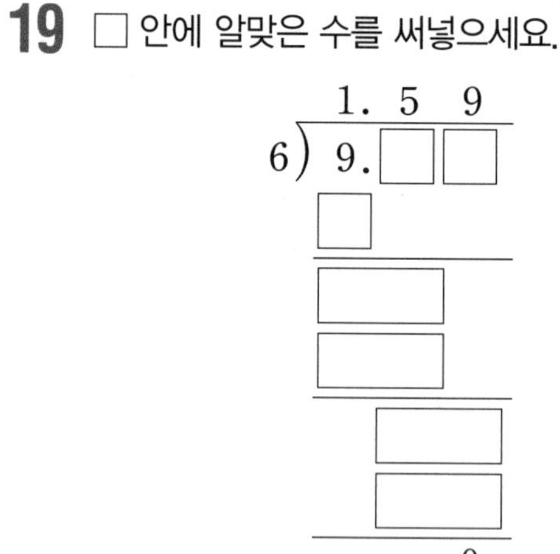

서술형 » 82쪽 5-3 유사 문제

18 수 카드 3장 중 2장을 골라 한 번씩만 사용하여 몫이 가장 큰 나눗셈식을 만드는 풀이 과정을 쓰고 몫을 구해 보세요.

풀이

답

독해력 유형 서술형 » 83쪽 8-1 유사 문제

20 오른쪽과 같이 모든 모서리의 길이가 같은 삼각뿔이 있습니다. 모든 모서리의 길이의 합이 14.7 m일 때 한 모서리의 길이는 몇 m인지 풀이 과정을 쓰고 답을 구해 보세요.

풀이

답

각기둥의 이름

1 밑면의 모양이 오른쪽과 같은 각기둥의 이름을 써 보세요.

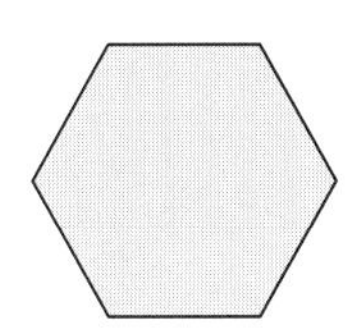

( )

각뿔의 이름

2 어떤 입체도형에 대한 설명인가요?

- 밑면은 오각형이고 1개입니다.
- 옆면은 모두 삼각형입니다.

( )

각기둥의 전개도 그리기

3 삼각기둥의 전개도를 완성해 보세요.

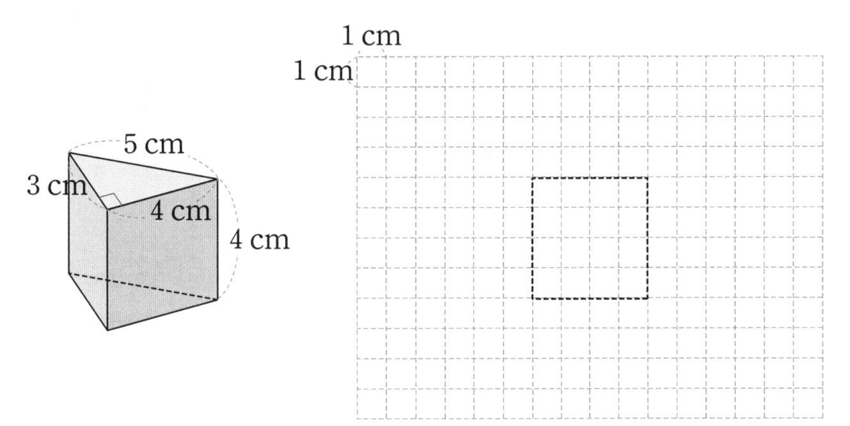

그려야 할 밑면과 옆면의 수를 알고 서로 맞닿는 선분끼리 길이가 같은지 확인해 봐.

각기둥과 각뿔의 비교

4 입체도형을 보고 옳으면 ○표, 틀리면 ×표 하세요.

가

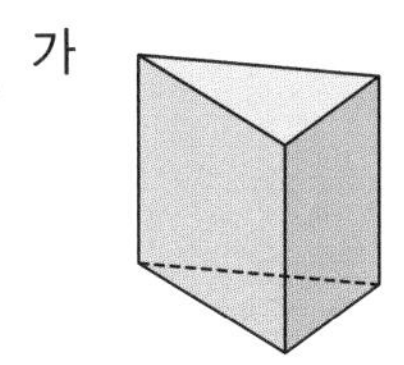

나

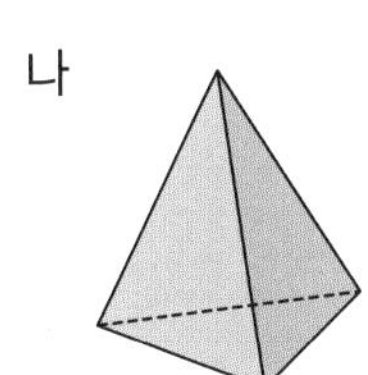

(1) 가와 나의 옆면의 모양은 같습니다. ( )

(2) 가와 나의 옆면의 수가 같습니다. ( )

(3) 가와 나의 모서리의 수가 같습니다. ( )

암호를 찾아라!

암호를 풀 때 단서가 되는 규칙을 암호키라고 합니다. 서하는 곰 인형을 집 안 어딘가에 숨겨놓고 숨겨 놓은 장소를 암호로 만들었습니다.

암호를 풀 수 있는 단서인 암호키를 이용하여 곰 인형이 숨겨진 곳을 찾아보세요.

암호키

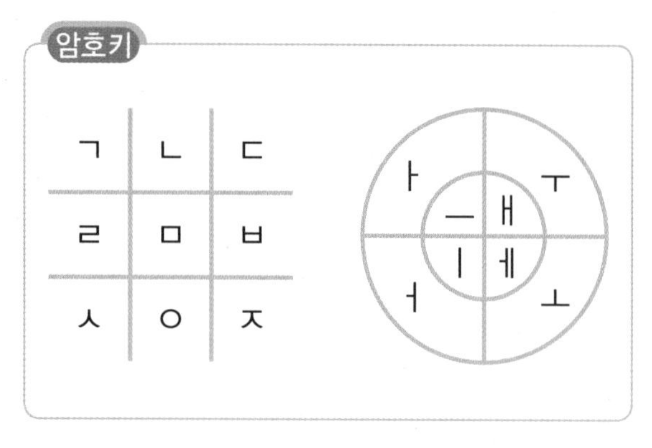

암호키 설명

ㄱㄴㄷ/ㄹㅁㅂ/ㅅㅇㅈ 에서 ┐ 모양 안의 글자는 'ㅅ'입니다.

ㅏㅜㅡㅐㅣㅔㅓㅗ 에서 모양 안의 글자는 'ㅓ'입니다.

암호

해독 ㅅ ㅓ　ㄹ □ □　ㅇ ㅏ □

숨겨진 곳: □

암호키를 이용하여 암호가 나타내는 식을 숫자로 쓰고 몫을 구해 보세요.

암호키

1	2	3
4	5	6
7	8	9

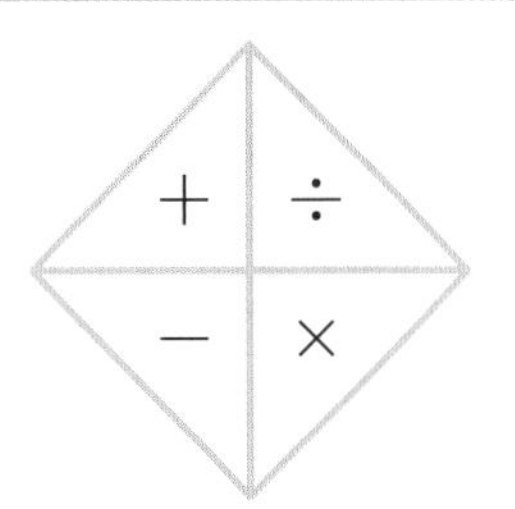

암호키 설명

1	2	3
4	5	6
7	8	9

에서 ㄷ 모양 안의 숫자는 '4'입니다.

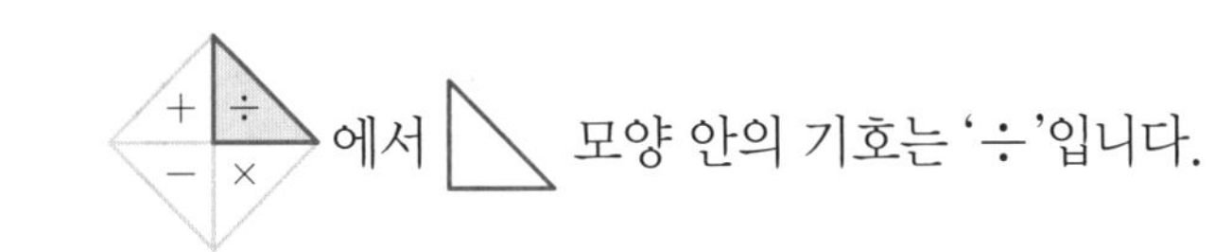

코딩 2

식 ____________________ 몫 ____________________

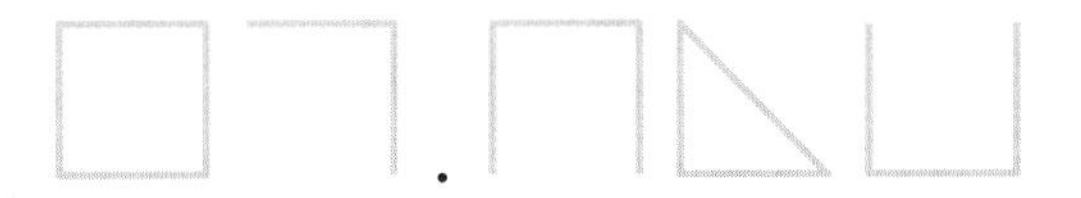

식 ____________________ 몫 ____________________

읽을거리

단 한 사람만 풀 수 있는 암호는?

지문은 사람마다 각기 다른 모양과 패턴을 갖기 때문에 본인이 아닌 누구도 지문 암호를 풀 수 없어용. 그래서 몇 년 전부터 지문은 가장 안전하고 확실한 암호로 자리 잡았죵. 영화에서처럼 다른 사람의 손가락을 잘라서 암호를 풀거나, 사람의 지문이 묻어있는 물체로부터 지문을 얻어내는 방법을 제외하고는 다른 사람의 지문 암호를 푼다는 것은 사실상 불가능하죵.

3 단원 소수의 나눗셈

4 비와 비율

병원 어린이 음악회
오~ 풍선 장식을 하니 그럴 듯 한 걸, 어린이 친구들 수고했어용.
근데 (빨간 풍선의 수):(노란 풍선의 수)를 10:20으로 해달라 했는뎅……
아…… 20:10이 아니었나요?
하하~ 10 : 20과 20 : 10은 색이 전혀 다르죵~
어쨌든 예쁘네용~~
Dr. 유형

Dr. 유형 처방전
* 비교하는 양과 기준량 구분할 것

아……
근데 터지는
풍선이 있네?
빵
병원 어
또??
뿌웅
Dr. 유형
크~
풍선이 터진 게 아니라
다행이긴 하구낭~
아니에요, 걱정 마세요.
이번엔 제 방귀 소리였어요~
욱!
냄새!!
구리
구리

개념 1 두 수를 비교하기

1. 두 수를 뺄셈과 나눗셈으로 비교하기

한 모둠에 남학생 6명, 여학생 3명이 있습니다.

뺄셈으로 비교하기	나눗셈으로 비교하기
남학생은 여학생보다 3명 더 많습니다. 6−3=3	남학생 수는 여학생 수의 2배입니다. 6÷3=2

2. 변하는 두 양의 관계로 비교하기

모둠 수(모둠)	1	2	3
학생 수(명)	6	12	18

뺄셈으로 비교하기	나눗셈으로 비교하기
학생 수는 모둠 수보다 5명, 10명, 15명 더 많습니다. 6−1=5, 12−2=10	학생 수는 모둠 수의 6배입니다. 6÷1=6, 12÷2=6

유형

[1~2] 한 봉지에 초콜릿을 2개씩, 사탕을 4개씩 담고 있습니다. 물음에 답하세요.

1 한 봉지에 들어 있는 초콜릿 수와 사탕 수를 비교해 보세요.

뺄셈으로 비교하기: 4−2=□
사탕은 초콜릿보다 □개 더 많습니다.

나눗셈으로 비교하기: 4÷2=□
사탕 수는 초콜릿 수의 □배입니다.

2 □ 안에 알맞은 수를 써넣으세요.

봉지 수(봉지)	1	2	3	4
초콜릿 수(개)	2	4	6	8
사탕 수(개)	4	8	12	16

사탕 수는 봉지 수의 □배입니다.

개념 2 비 알아보기

1. 비: 두 수를 나눗셈으로 비교하기 위해 기호 :을 사용하여 나타낸 것 예 5 : 3 읽기 5 대 3

2. 5 : 3을 여러 가지로 읽기

5 : 3
- 5 대 3
- 5와 3의 비
- 5의 3에 대한 비
- 3에 대한 5의 비

기호 :의 오른쪽에 있는 수가 기준이므로 5 : 3과 3 : 5는 달라~

유형

3 그림을 보고 □ 안에 알맞은 수를 써넣으세요.

막대사탕 수와 아이스크림 수의 비
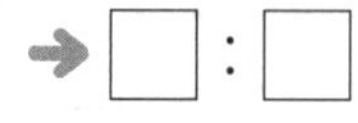
→ □ : □

4 그림을 보고 □ 안에 알맞은 수를 써넣으세요.

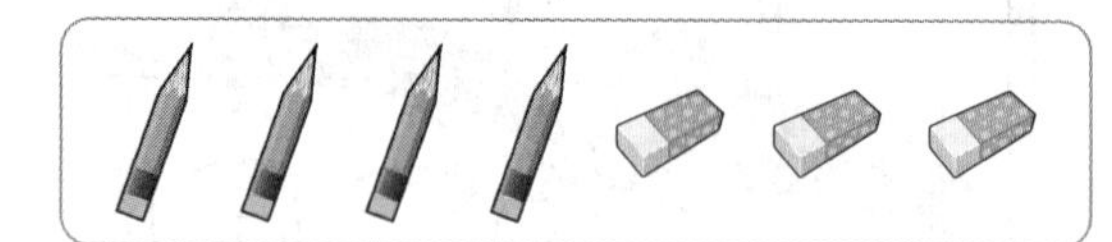

(1) 연필 수의 지우개 수에 대한 비 → □ : □

(2) 연필 수에 대한 지우개 수의 비 → □ : □

(3) 지우개 수에 대한 연필 수의 비 → □ : □

5 □ 안에 알맞은 수를 써넣으세요.

(1) 7 대 8 ➔ □ : □

(2) 2와 5의 비 ➔ □ : □

(3) 5의 6에 대한 비 ➔ □ : □

(4) 9에 대한 4의 비 ➔ □ : □

6 전체에 대한 색칠한 부분의 비를 구하려고 합니다. □ 안에 알맞은 수를 써넣으세요.

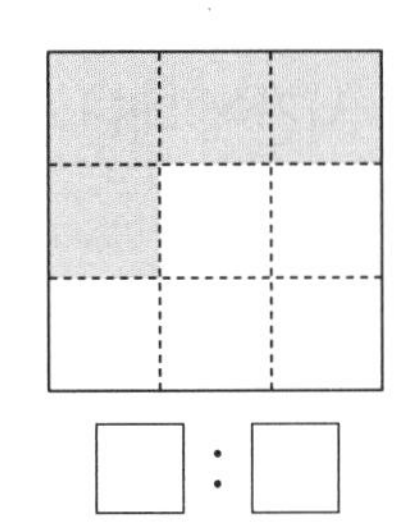

□ : □

7 서아의 설명이 맞으면 ○표, 틀리면 ×표 하세요.

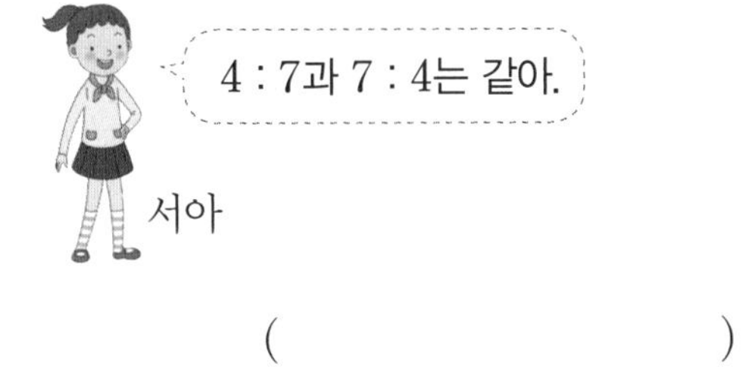

( )

8 빨간 풍선이 6개, 노란 풍선이 7개 있습니다. 빨간 풍선 수와 노란 풍선 수의 비를 써 보세요.

( )

개념 3 비율 알아보기

(1) 비 2 : 5에서 기호 :의 오른쪽에 있는 5는 기준량이고, 왼쪽에 있는 2는 비교하는 양입니다.

2 : 5
비교하는 양 ← 2, 5 → 기준량

(2) **비율**: 기준량에 대한 비교하는 양의 크기

$$(\text{비율})=(\text{비교하는 양})\div(\text{기준량})=\frac{(\text{비교하는 양})}{(\text{기준량})}$$

예 비 2 : 5를 비율로 나타내면 $\frac{2}{5}$ 또는 0.4입니다.

유형

9 □ 안에 알맞은 말을 써넣으세요.

기준량에 대한 비교하는 양의 크기를 □ (이)라고 합니다.

[10~11] 다음 비에서 비교하는 양과 기준량을 써 보세요.

10 14 : 5

비교하는 양 ( )
기준량 ( )

11 3 : 8

비교하는 양 ( )
기준량 ( )

12 비교하는 양과 기준량을 찾아 쓰고 비율을 구해 보세요.

비	비교하는 양	기준량	비율
11 : 12			
8과 9의 비			
13에 대한 5의 비			

13 관계있는 것끼리 이어 보세요.

4에 대한 1의 비	$\frac{3}{5}$	0.6
3의 5에 대한 비	$\frac{1}{4}$	0.25

14 직사각형의 가로에 대한 세로의 비율을 구해 보세요.

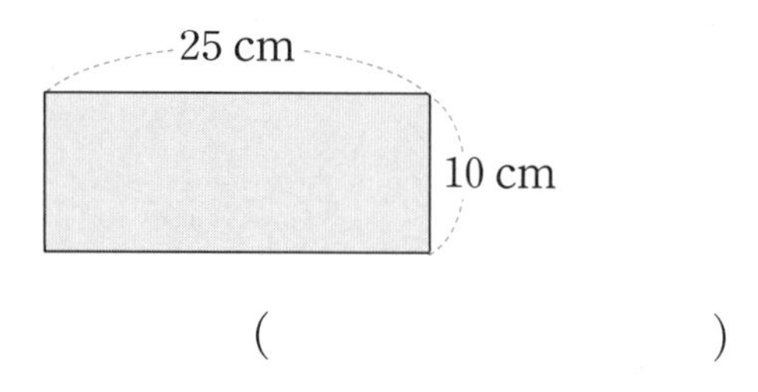

(   )

개념 4 비율이 사용되는 경우 - 속력

예 자동차가 2시간 동안 120 km를 갔을 때 1시간에 대한 간 거리의 비율 구하기

기준량: 걸린 시간 → 2시간
비교하는 양: 간 거리 → 120 km

$$(\text{비율})=\frac{(\text{비교하는 양})}{(\text{기준량})}=\frac{(\text{간 거리})}{(\text{걸린 시간})}=\frac{120}{2}=60$$

(걸린 시간에 대한 간 거리의 비율) $=\frac{(\text{간 거리})}{(\text{걸린 시간})}$

유형

[15~16] 민재가 100 m를 달리는 데 20초가 걸렸습니다. 걸린 시간에 대한 달린 거리의 비율을 구해 보세요.

15 관계있는 것끼리 이어 보세요.

걸린 시간	비교하는 양
달린 거리	기준량

16 □ 안에 알맞은 수를 써넣으세요.

(걸린 시간에 대한 달린 거리의 비율)

$$=\frac{(\text{비교하는 양})}{(\text{기준량})}=\frac{\square}{\square}=\square$$

17 어떤 버스는 110 km를 가는 데 2시간 걸린다고 합니다. 걸린 시간에 대한 간 거리의 비율을 구하려고 합니다. □ 안에 알맞은 수를 써넣으세요.

$$(\text{비율})=\frac{\square}{\square}=\square$$

정답 및 풀이 23쪽

개념 5 비율이 사용되는 경우 - 인구 밀도

예 넓이가 5 km^2이고, 인구가 5000명인 마을의 넓이에 대한 인구의 비율 구하기

기준량: 넓이 → 5 km^2
비교하는 양: 인구 → 5000명

$$(\text{비율})=\frac{(\text{비교하는 양})}{(\text{기준량})}=\frac{(\text{인구})}{(\text{넓이})}$$

$$=\frac{5000}{5}=1000$$ – 1 km^2에 1000명이 살고 있음.

(넓이에 대한 인구의 비율) $=\frac{(\text{인구})}{(\text{넓이})}$

유형

[18~19] 넓이가 2 km^2이고, 인구가 2500명인 마을의 넓이에 대한 인구의 비율을 구해 보세요.

18 □ 안에 '기준량' 또는 '비교하는 양'을 알맞게 써넣으세요.

넓이에 대한 인구의 비율

□ □

19 □ 안에 알맞은 수를 써넣으세요.

(넓이에 대한 인구의 비율)

$$=\frac{(\text{비교하는 양})}{(\text{기준량})}=\frac{\square}{\square}=\square$$

20 어느 지역의 넓이에 대한 인구의 비율을 구하려고 합니다. □ 안에 알맞은 수를 써넣으세요.

넓이는 50 km^2이고, 인구는 22000명이야.

$$(\text{비율})=\frac{\square}{\square}=\square$$

개념 6 비율이 사용되는 경우 - 진하기

예 물 200 mL에 딸기 원액 20 mL를 섞어 딸기 주스를 만들었을 때 물의 양에 대한 딸기 원액의 양의 비율 구하기

기준량: 물의 양 → 200 mL
비교하는 양: 딸기 원액의 양 → 20 mL

$$(\text{비율})=\frac{(\text{비교하는 양})}{(\text{기준량})}=\frac{(\text{딸기 원액의 양})}{(\text{물의 양})}$$

$$=\frac{20}{200}=\frac{1}{10}(=0.1)$$

(물의 양에 대한 딸기 원액의 양의 비율) $=\frac{(\text{딸기 원액의 양})}{(\text{물의 양})}$

유형

[21~22] 물 100 mL에 오렌지 원액 25 mL를 섞어 오렌지 주스를 만들었을 때 물의 양에 대한 오렌지 원액의 양의 비율을 구해 보세요.

21 물의 양과 오렌지 원액의 양을 알맞게 써 보세요.

기준량 (　　　　)
비교하는 양 (　　　　)

22 □ 안에 알맞은 수를 써넣으세요.

(물의 양에 대한 오렌지 원액의 양의 비율)

$$=\frac{(\text{비교하는 양})}{(\text{기준량})}=\frac{\square}{\square}=\frac{\square}{\square}$$

23 흰색 물감 300 mL에 검은색 물감 50 mL를 섞어서 회색을 만들었습니다. 흰색 물감 양에 대한 검은색 물감 양의 비율을 구하려고 합니다. □ 안에 알맞은 수를 써넣으세요.

$$(\text{비율})=\frac{\square}{\square}=\frac{\square}{\square}$$

개념 1 ~ 6 기초력 집중 연습

[1~2] □ 안에 알맞은 수를 써넣으세요.

1

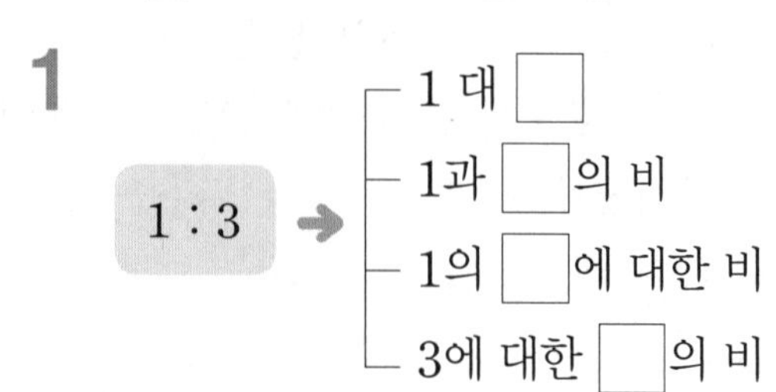

2

4 : 5 →
- □ 대 □
- □와 □의 비
- □의 □에 대한 비
- □에 대한 □의 비

[3~6] 비교하는 양과 기준량을 각각 써 보세요.

3 7 : 9

비교하는 양 (　　　　　)

기준량 (　　　　　)

4 6과 4의 비

비교하는 양 (　　　　　)

기준량 (　　　　　)

5 3에 대한 4의 비

비교하는 양 (　　　　　)

기준량 (　　　　　)

6 8의 5에 대한 비

비교하는 양 (　　　　　)

기준량 (　　　　　)

[7~10] 비율을 분수로 나타내어 보세요.

7 3 : 5

(　　　　　)

8 2와 7의 비

(　　　　　)

9 6에 대한 5의 비

(　　　　　)

10 5의 9에 대한 비

(　　　　　)

유형 진단 TEST

점수 /10점

1 관계있는 것끼리 이어 보세요. [1점]

6 : 11 •

• $\frac{11}{6}$

• $\frac{6}{11}$

2 사과가 8개, 귤이 9개 있습니다. 귤 수에 대한 사과 수의 비율을 구해 보세요. [1점]

( )

3 전체에 대한 색칠한 부분의 비가 3 : 8이 되도록 색칠해 보세요. [1점]

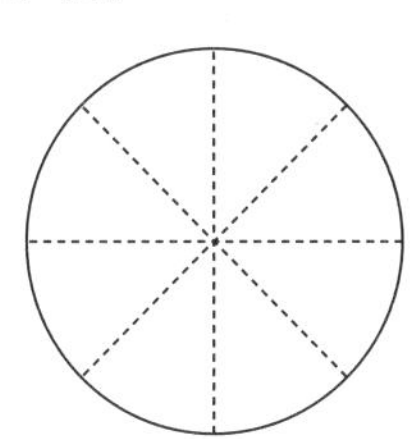

4 버스가 180 km를 가는데 2시간이 걸렸습니다. 이 버스의 걸린 시간에 대한 간 거리의 비율을 구해 보세요. [1점]

( )

5 시우가 표를 보고 두 수를 비교했습니다. 두 수를 비교한 방법을 찾아 기호를 써 보세요. [2점]

	올해	1년 후	2년 후	3년 후
내 나이(살)	13	14	15	16
동생 나이(살)	9	10	11	12

올해 나는 13살, 내 동생은 9살이야.
나는 동생보다 항상 4살이 많아.

시우

㉠ 두 수를 뺄셈으로 비교했습니다.
㉡ 두 수를 덧셈으로 비교했습니다.

( )

6 어느 마을의 인구는 7200명이고 넓이는 6 km^2입니다. 이 마을의 넓이에 대한 인구의 비율을 구해 보세요. [2점]

( )

7 현아와 진우 중 누가 만든 포도 주스가 더 진한가요? [2점]

	포도 원액(mL)	포도 주스(mL)
현아	240	300
진우	300	500

( )

개념 7 백분율 알아보기

1. 백분율: 기준량을 100으로 할 때의 비율

기호 %

비율 $\frac{32}{100}$ → 쓰기 32 % 읽기 32 퍼센트

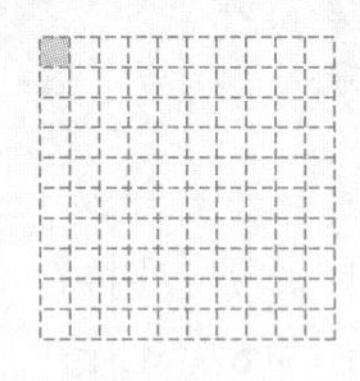

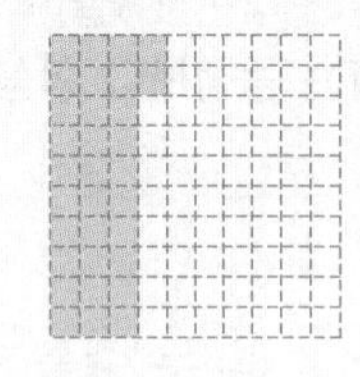

$\frac{1}{100}=1\ \%$ $\frac{32}{100}=32\ \%$

2. 비율을 백분율로 나타내기

① $\frac{1}{4}=\frac{1\times25}{4\times25}=\frac{25}{100}=25\ \%$

② $\frac{1}{4}\times100=25\ (\%)$

유형

1 그림을 보고 전체에 대한 색칠한 부분의 비율을 백분율로 나타내어 보세요.

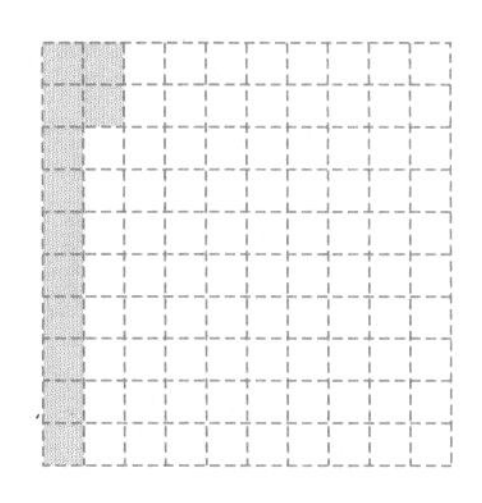

(백분율)$=\frac{\square}{100}=\square$ %

[2~3] 비율을 백분율로 나타내어 보세요.

2 $\frac{23}{50}$ → $\square$ %

3  0.97 → $\square$ %

4 빈칸에 알맞은 수를 써넣으세요.

분수	소수	백분율(%)
$\frac{43}{100}$	0.43	
	0.07	7
$\frac{3}{5}$		

5 백분율만큼 색칠해 보세요.

27 % → 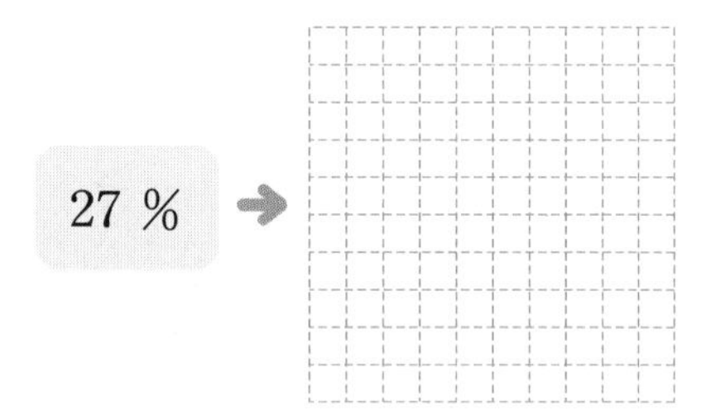

6 비율을 백분율로 잘못 나타낸 것을 찾아 기호를 써 보세요.

㉠ $\frac{14}{50}=14\ \%$ ㉡ $0.56=56\ \%$

( )

7 화분 100개 중 85개에 꽃이 피었습니다. 전체 화분에 대한 꽃이 핀 화분의 비율은 몇 %인가요?

( )

개념 8 백분율이 사용되는 경우 - 할인율

원래 가격 12000원 → 판매 가격 9000원

① (할인 금액)=12000−9000=3000(원)

② (할인율)$=\frac{(\text{할인 금액})}{(\text{원래 가격})}\times 100$

$=\frac{3000}{12000}\times 100=25$ (%)

(할인율)$=\frac{(\text{할인 금액})}{(\text{원래 가격})}\times 100$ (%)

[8~10] 할인율은 몇 %인지 구해 보세요.

8 원래 가격 3000원 → 판매 가격 2700원

( )

9 원래 가격 4000원 → 판매 가격 3000원

( )

10 원래 가격 15000원 → 판매 가격 12000원

( )

11 어느 가게에서 샴푸를 3600원 할인하여 판매합니다. 이 샴푸의 할인율은 몇 %인가요?

( )

12 관람료가 20000원인 티켓을 할인하여 15000원에 샀습니다. 할인율은 몇 %인가요?

할인 티켓 A석 60번
15000원

( )

13 어떤 가게에서 파는 물건의 원래 가격과 판매 가격을 나타낸 표입니다. 할인율은 몇 %인가요?

물건	원래 가격	판매 가격
훌라후프	16000원	13600원

( )

개념 9 백분율이 사용되는 경우 - 득표율

투표함

전체 투표수: 20표
득표수: 4표

$$(\text{득표율})=\frac{(\text{득표수})}{(\text{전체 투표수})}\times 100$$
$$=\frac{4}{20}\times 100=20\ (\%)$$

$(\text{득표율})=\frac{(\text{득표수})}{(\text{전체 투표수})}\times 100\ (\%)$

유형

[14~16] 득표율은 몇 %인지 구해 보세요.

14

전체 투표수: 25표
득표수: 3표

(　　　　　　　　　　)

15

전체 투표수: 200표
득표수: 48표

(　　　　　　　　　　)

16

전체 투표수: 120표
득표수: 90표

(　　　　　　　　　　)

17 미술 동아리 회장 선거에서 40명이 투표에 참여했습니다. 각 후보의 득표율을 구하여 빈칸에 써넣으세요.

후보	가	나	다
득표수(표)	16	4	20
득표율(%)			

18 대화를 읽고 민정이의 득표율은 몇 %인지 구해 보세요.

우리 반 회장 선거에 25명이 투표했대.

민정이는 8표 받았어.

(　　　　　　　　　　)

19 어느 야구 선수가 20타수 중에서 안타를 12개 쳤다고 합니다. 이 선수의 타율은 몇 %인지 구해 보세요.

$(\text{타율})=\frac{(\text{안타 수})}{(\text{전체 타수})}$ 로 구하면 돼 ~.

(　　　　　　　　　　)

20 전교 학생 회장 선거 투표에서 가 후보의 득표율은 몇 %인가요? (단, 무효표는 없었습니다.)

후보	가	나
득표수(표)	240	260

(　　　　　　　　　　)

개념 10 백분율이 사용되는 경우 - 진하기

소금물 양: 200 g
소금 양: 20 g

(소금물 양에 대한 소금 양의 진하기)

$=\frac{(\text{소금 양})}{(\text{소금물 양})}\times 100$

$=\frac{20}{200}\times 100=10\ (\%)$

(진하기)$=\frac{(\text{소금 양})}{(\text{소금물 양})}\times 100\ (\%)$

유형

[21~23] 소금물 양에 대한 소금 양의 비율은 몇 % 인지 구해 보세요.

21

소금물 양: 400 g
소금 양: 20 g

(　　　　　　　　)

22

소금물 양: 100 g
소금 양: 7 g

(　　　　　　　　)

23

소금물 양: 500 g
소금 양: 25 g

(　　　　　　　　)

24 물에 설탕 70 g을 녹여 설탕물 200 g을 만들었습니다. 설탕물 양에 대한 설탕 양의 비율은 몇 %인가요?

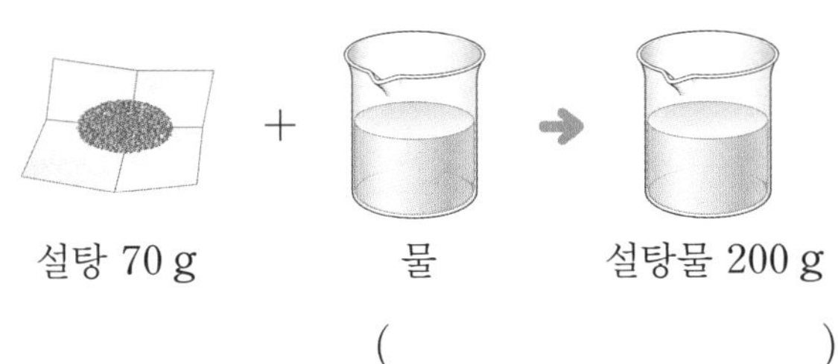

(　　　　　　　　)

25 물에 레몬 원액 12 g을 섞어 레몬 물 100 g을 만들었습니다. 레몬 물 양에 대한 레몬 원액 양의 비율은 몇 %인가요?

(　　　　　　　　)

26 더 진한 소금물을 찾아 기호를 써 보세요.

가

소금 28 g
소금물 400 g

나

소금 10 g
소금물 250 g

(　　　　　　　　)

개념 7 ~ 10 기초력 집중 연습

[1~9] 비율을 백분율로 나타내어 보세요.

1 0.15 → ☐ %

2 0.6 → ☐ %

3 1.23 → ☐ %

4 0.42 → ☐ %

5 $\frac{1}{2}$ → ☐ %

6 $\frac{2}{5}$ → ☐ %

7 $\frac{7}{20}$ → ☐ %

8 $\frac{3}{4}$ → ☐ %

9 $\frac{21}{25}$ → ☐ %

[10~13] 그림을 보고 전체에 대한 색칠한 부분의 비율을 백분율로 나타내어 보세요.

10

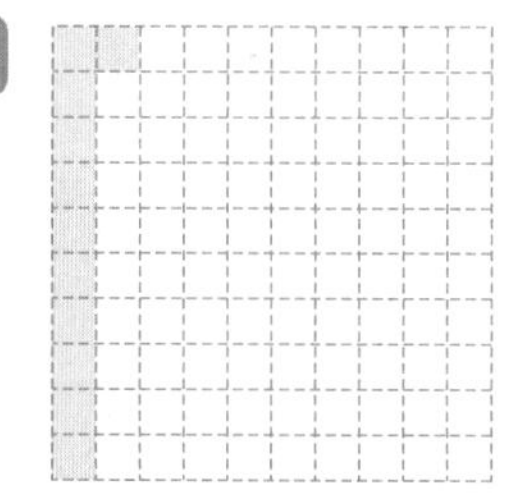

☐ %

11

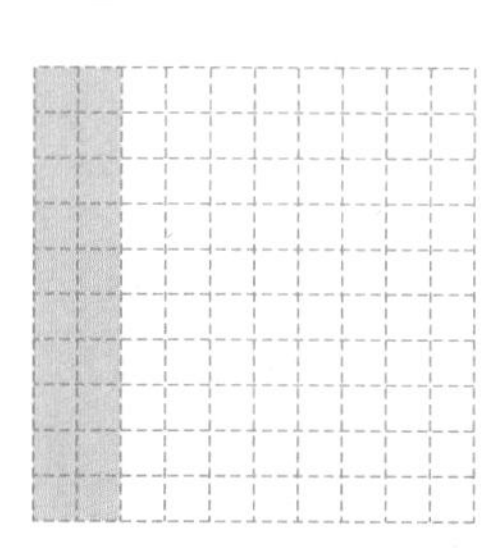

☐ %

12

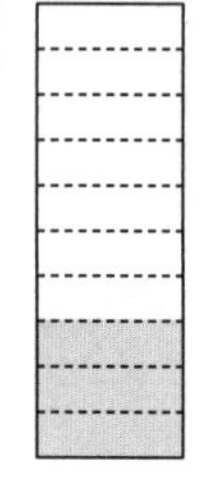

☐ %

13

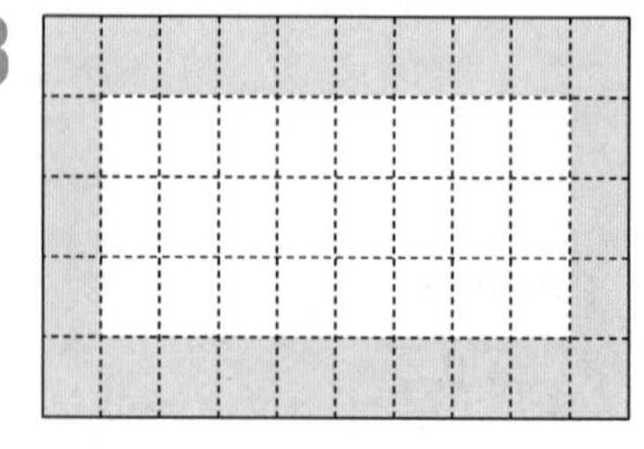

☐ %

유형 진단 TEST

점수 /10점

정답 및 풀이 25쪽

1 그림을 보고 전체에 대한 색칠한 부분의 비율을 백분율로 나타내어 보세요. [1점]

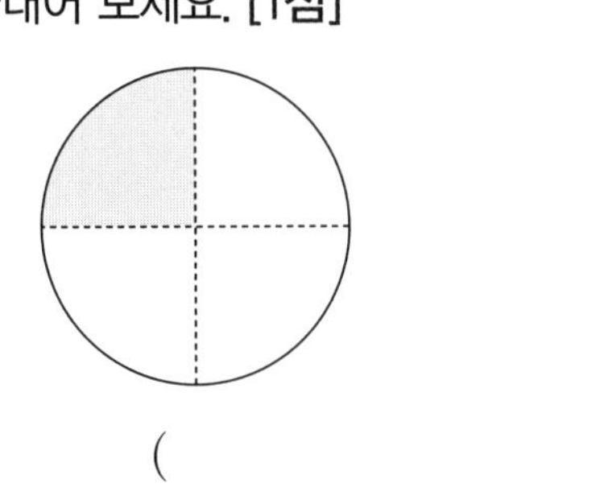

(　　　　　　　)

2 빈칸에 알맞은 수를 써넣으세요. [1점]

분수	소수	백분율(%)
$\frac{2}{5}$		

3 백분율만큼 색칠해 보세요. [1점]

20 %

4 지호는 농구공 던져 넣기를 했습니다. 지호의 성공률은 몇 %인가요? [1점]

지호

농구공을 15번 던져서 12번을 넣었어.

(　　　　　　　)

5 할인율은 몇 %인가요? [2점]

원래 가격: 1000원
판매 가격: 800원

(　　　　　　　)

6 수학여행을 갈 때 버스를 타는 것에 찬성하는 학생 수를 조사했습니다. 두 반의 찬성률을 백분율로 나타내어 보고, 찬성률이 더 높은 반은 몇 반인지 써 보세요. [2점]

반	반 전체 학생 수(명)	찬성하는 학생 수(명)	찬성률(%)
1반	24	12	
2반	20	15	

(　　　　　　　)

7 넓이가 200 m^2인 강당에 넓이가 24 m^2인 무대를 만들려고 합니다. 물음에 답하세요. [2점]

(1) 강당의 넓이에 대한 무대 넓이의 비율을 백분율로 나타내어 보세요.

(　　　　　　　)

(2) 강당이 다음과 같다면 무대의 넓이만큼 색칠해 보세요.

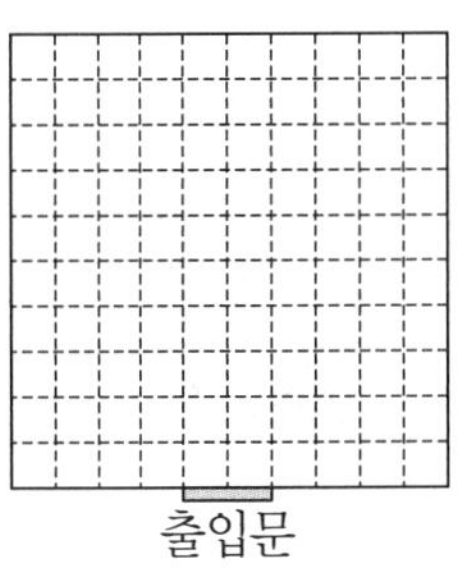

STEP 2 꼬리를 무는 유형

❶ 직사각형에서 길이의 비율 구하기

기본 유형

1 직사각형의 가로에 대한 세로의 비율을 분수로 구해 보세요.

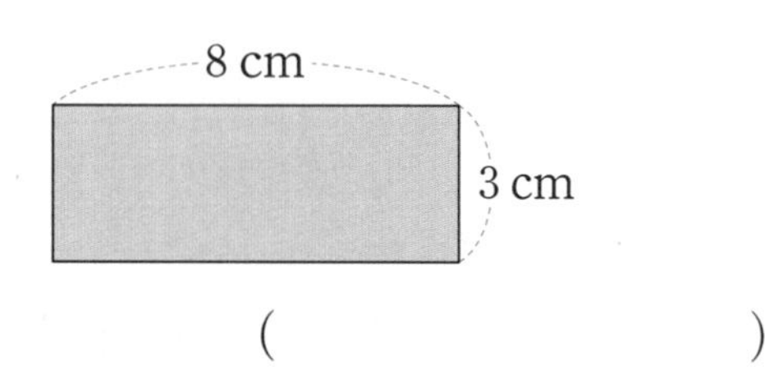

( )

변형 유형

2 직사각형의 세로에 대한 가로의 비율을 분수로 구해 보세요.

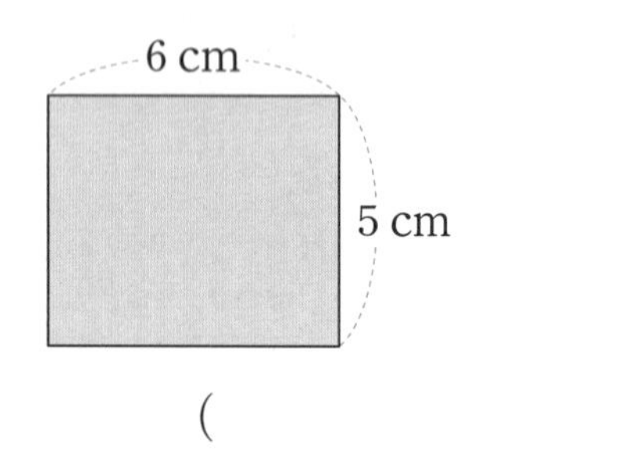

( )

실생활 유형

3 수학 교과서의 가로에 대한 세로의 비율을 분수로 구해 보세요.

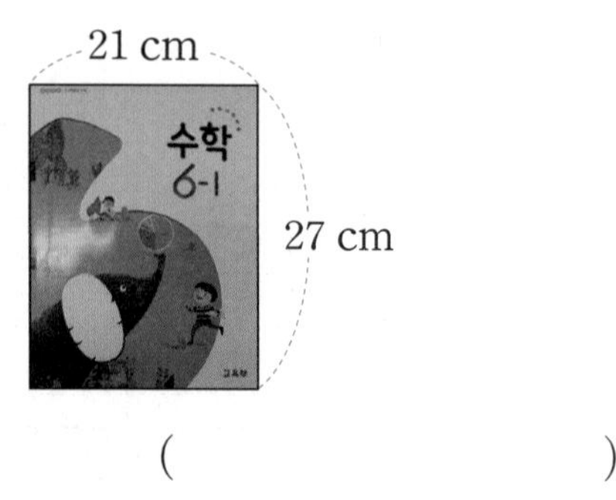

( )

❷ 비율을 백분율로 나타내기

기본 유형

4 비율을 보고 백분율로 나타내어 보세요.

$\frac{3}{10}$

( )

변형 유형

5 비율을 보고 백분율로 나타내어 보세요.

0.62 ➔ ( )

변형 유형

6 그림을 보고 전체에 대한 색칠한 부분의 비율을 백분율로 나타내어 보세요.

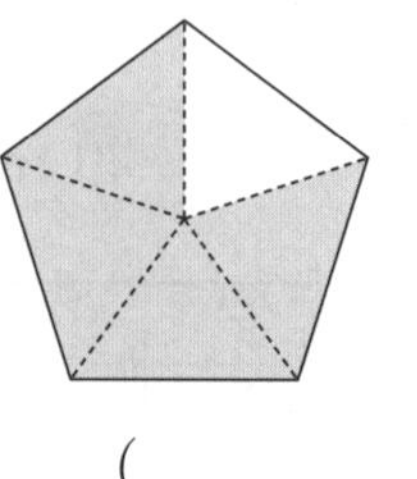

( )

실생활 유형

7 게임 벌칙 돌림판에서 전체에 대한 하늘색 부분의 비율을 백분율로 나타내어 보세요.

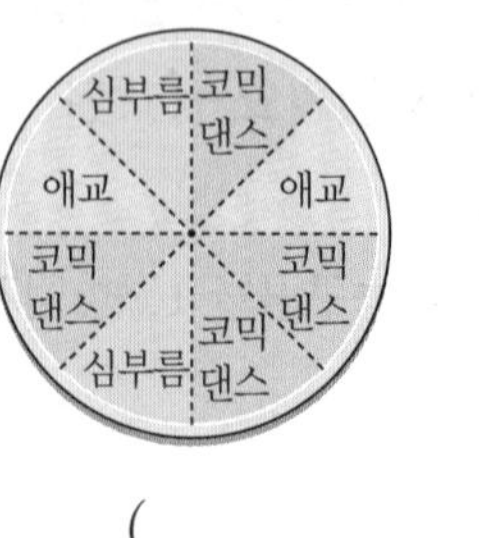

( )

③ 백분율 구하기

기본 유형

8 어느 공장에서 만든 줄넘기 수입니다. 전체 줄넘기 수에 대한 불량품 수의 비율은 몇 %인가요?

전체 줄넘기 수	불량품 수
500개	15개

( )

변형 유형

9 어느 공장에서 만든 장난감 수입니다. 이 공장의 불량률은 몇 %인가요?

정상품 수	불량품 수
188개	12개

( )

실생활 유형

10 준기는 미술관 토요 체험 프로그램에서 전체 12주 동안 3주를 결석하였습니다. 준기의 결석률은 몇 %인가요?

1월

일	월	화	수	목	금	토
1	2	3	4	5	6	⑦
8	9	10	11	12	13	⑭
15	16	17	18	19	20	㉑
22	23	24	25	26	27	㉘
29	30	31				

2월

일	월	화	수	목	금	토
			1	2	3	④
5	6	7	8	9	10	⑪
12	13	14	15	16	17	⑱
19	20	21	22	23	24	25
26	27	28				

3월

일	월	화	수	목	금	토
			1	2	3	4
5	6	7	8	9	10	⑪
12	13	14	15	16	17	18
19	20	21	22	23	24	㉕
26	27	28	29	30	31	

( )

④ 키와 그림자의 길이의 비율 알아보기

기본 유형

11 지호의 그림자의 길이를 재었습니다. 지호의 키에 대한 그림자의 길이의 비율을 구해 보세요.

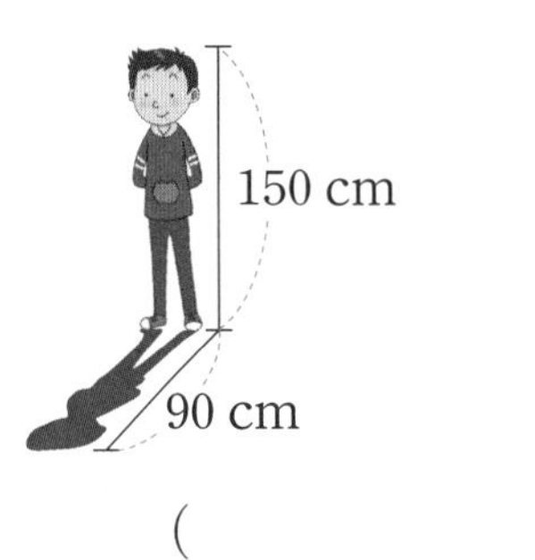

( )

변형 유형

12 시우의 키에 대한 그림자의 길이의 비율이 0.6입니다. 시우의 그림자의 길이는 몇 cm인가요?

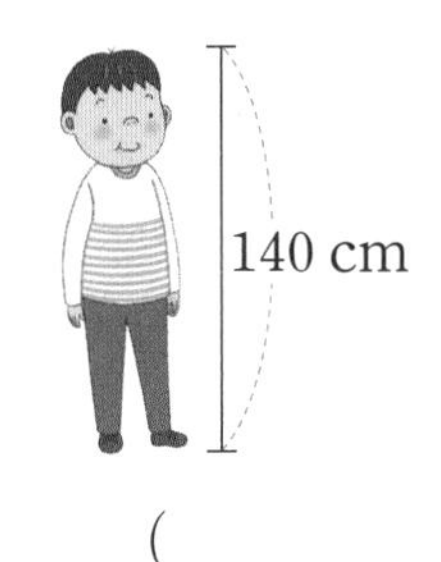

( )

변형 유형

13 같은 시각에 서아와 동생의 그림자의 길이를 재었습니다. 서아와 동생의 키에 대한 그림자의 길이의 비율을 각각 소수로 구하고 두 비율을 비교해 보세요.

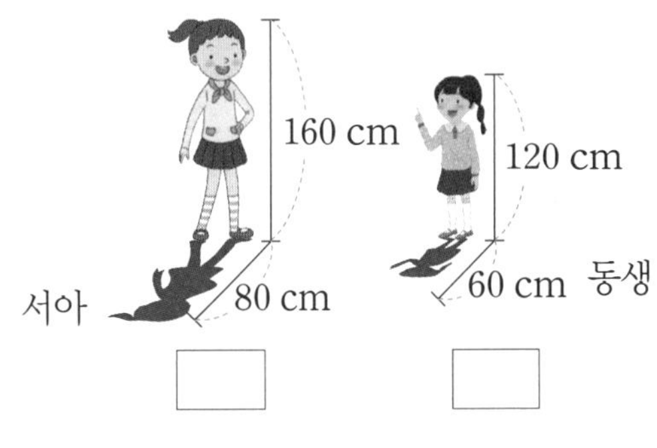

비교 같은 시각에

STEP 3

수학 독해력 유형

독해력 유형 1 이자율 구하기

날개 은행에 20000원을 예금하였더니 22000원이 되었습니다. 이자율은 몇 %인지 구해 보세요.

What? 구하려는 것을 찾아 밑줄을 그어 보세요.

How?
❶ 이자 구하기
❷ 예금한 돈에 대한 이자의 비율 구하기
❸ 이자율은 몇 %인지 구하기

Solve
❶ 이자를 구해 보세요.

( )

❷ 예금한 돈에 대한 이자의 비율을 분수로 나타내어 보세요.

( )

❸ 이자율은 몇 %인가요?

( )

주어진 것에서 이자가 얼마인지 계산해야 해용.

(전체 금액)−(예금한 돈)을 계산하면 돼요~

쌍둥이 유형 1-1

하늘 은행에 40000원을 예금하였더니 48000원이 되었습니다. 이자율은 몇 %인지 구해 보세요.

❶

❷

❸

답 ______________

쌍둥이 유형 1-2

우주 은행에 90000원을 예금하였더니 117000원이 되었습니다. 이자율은 몇 %인지 구해 보세요.

❶

❷

❸

답 ______________

독해력 유형 2 속력 비교하기

빨간 버스는 160 km를 가는데 2시간 걸렸고, 파란 버스는 210 km를 가는데 3시간 걸렸습니다. 두 버스의 걸린 시간에 대한 간 거리의 비율을 각각 구하여 어느 버스가 더 빠른지 구해 보세요.

What? 구하려는 것을 찾아 밑줄을 그어 보세요.

How?
❶ 빨간 버스의 걸린 시간에 대한 간 거리의 비율 구하기
❷ 파란 버스의 걸린 시간에 대한 간 거리의 비율 구하기
❸ 어느 버스가 더 빠른지 구하기

Solve
❶ 빨간 버스의 걸린 시간에 대한 간 거리의 비율을 구해 보세요.
( )

❷ 파란 버스의 걸린 시간에 대한 간 거리의 비율을 구해 보세요.
( )

❸ 어느 버스가 더 빠른가요?
( )

걸린 시간에 대한 간 거리를 비율로 나타내면 $\frac{(\text{간 거리})}{(\text{걸린 시간})}$지~.

쌍둥이 유형 2-1

가 버스는 180 km를 가는데 3시간 걸렸고 나 버스는 250 km를 가는데 5시간 걸렸습니다. 두 버스의 걸린 시간에 대한 간 거리의 비율을 각각 구하여 어느 버스가 더 빠른지 구해 보세요.

가 나

❶

❷

❸

답 ____________

쌍둥이 유형 2-2

걸어서 은미는 160 m를 가는데 2분 걸렸고, 정아는 225 m를 가는데 3분 걸렸습니다. 두 사람의 걸린 시간에 대한 간 거리의 비율을 각각 구하여 누가 더 빨리 걸었는지 구해 보세요.

❶

❷

❸

답 ____________

4 STEP 사고력 플러스 유형

플러스 유형 ① 색칠한 부분의 백분율 구하기

1-1 전체에 대한 색칠한 부분의 비율은 몇 %인가요?

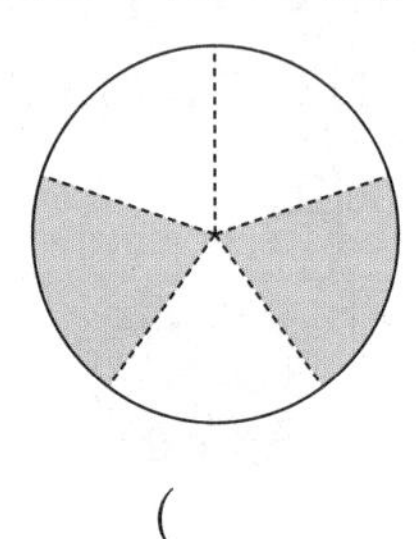

( )

1-2 전체에 대한 색칠한 부분의 비율은 몇 %인가요?

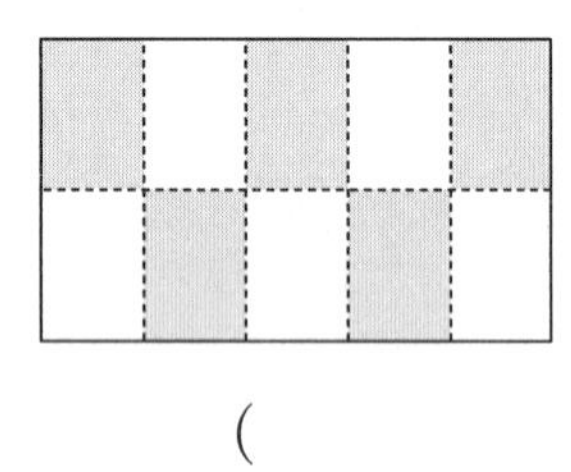

( )

1-3 백분율만큼 색칠해 보세요.

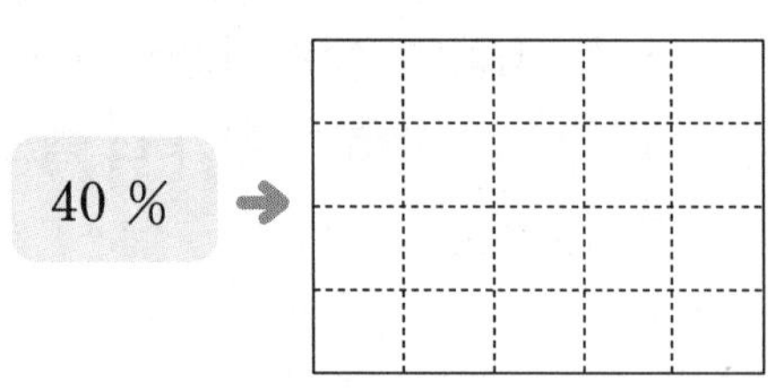

1-4 백분율만큼 색칠해 보세요.

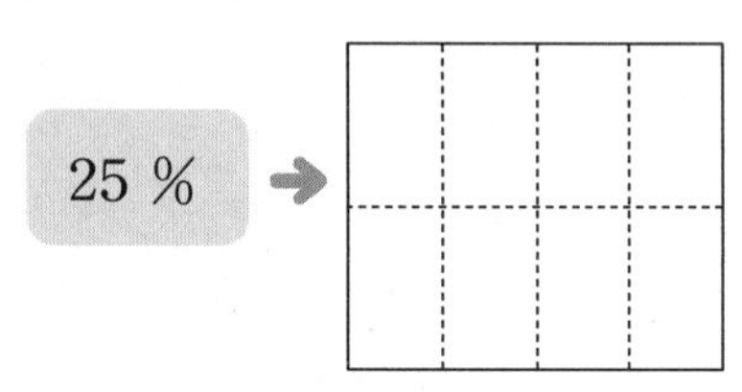

플러스 유형 ② 기준량과 비교하는 양의 크기 비교

2-1 기준량이 비교하는 양보다 작은 경우를 찾아 기호를 써 보세요.

㉠ 4 : 5　　㉡ $\frac{7}{6}$

( )

2-2 기준량이 비교하는 양보다 작은 경우를 찾아 기호를 써 보세요.

㉠ $\frac{5}{8}$　　㉡ 3 : 2

( )

2-3 기준량이 가장 큰 경우를 찾아 기호를 써 보세요.

㉠ 3과 7의 비　　㉡ $\frac{1}{5}$　　㉢ 8 : 6

( )

2-4 기준량이 가장 큰 경우를 찾아 기호를 써 보세요.

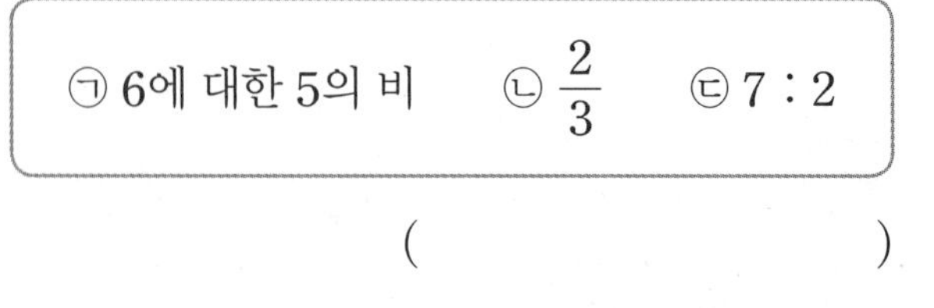

㉠ 6에 대한 5의 비　　㉡ $\frac{2}{3}$　　㉢ 7 : 2

( )

플러스 유형 3 연비 구하기

3-1 연비는 자동차의 단위 연료(1 L)에 대한 주행 거리(km)의 비율입니다. 어느 자동차의 주행 거리와 사용된 연료를 나타낸 표를 보고 이 자동차의 연비를 구해 보세요.

연료(L)	주행 거리(km)
25	400

( )

3-2 연비는 자동차의 단위 연료(1 L)에 대한 주행 거리(km)의 비율입니다. 연료 22 L로 374 km를 달렸을 때 이 자동차의 연비를 구해 보세요.

( )

3-3 연비는 자동차의 단위 연료(1 L)에 대한 주행 거리(km)의 비율입니다. 표를 보고 연비가 더 높은 자동차는 어느 자동차인지 구해 보세요.

	가 자동차	나 자동차
연료(L)	20	30
주행 거리(km)	340	540

( )

플러스 유형 4 비율의 크기 비교하기

4-1 비율이 가장 큰 것을 찾아 기호를 써 보세요.

㉠ 0.12 ㉡ 26 % ㉢ $\frac{14}{50}$

( )

서술형

4-2 비율이 가장 큰 것을 찾는 풀이 과정을 쓰고 답을 기호로 써 보세요.

㉠ $\frac{3}{4}$ ㉡ 0.69 ㉢ 76 %

풀이

답

4-3 비율이 가장 작은 것을 찾아 기호를 써 보세요.

㉠ 0.74 ㉡ $\frac{3}{5}$ ㉢ 72 %

( )

플러스 유형 5 비율과 기준량으로 비교하는 양 구하기

사고력 유형

5-1 풍선 500개 중 파란색 풍선의 비율이 $\frac{2}{5}$입니다. 파란색 풍선은 몇 개인가요?

기준량: 500개, 비율: $\frac{2}{5}$

(　　　　　　　　)

서술형

5-2 넓이에 대한 인구의 비율이 200인 마을이 있습니다. 이 마을의 넓이가 5 km^2일 때 인구는 몇 명인지 풀이 과정을 쓰고 답을 구해 보세요.

기준량: 5 km^2, 비율: 200

풀이

답

5-3 소금물 양에 대한 소금 양의 비율이 $\frac{1}{8}$인 소금물 400 g이 있습니다. 이 소금물에 녹아 있는 소금 양은 몇 g인가요?

기준량: 400 g, 비율: $\frac{1}{8}$

(　　　　　　　　)

플러스 유형 처방전

비율과 기준량을 알면 비교하는 양을 구할 수 있다능~ 알았어용?

(비교하는 양)=(기준량)×(비율)

플러스 유형 6 축적 알아보기

사고력 유형

6-1 현아네 집에서 학교까지 실제 거리는 800 m인데 지도에는 2 cm로 그렸습니다. 현아네 집에서부터 학교까지 실제 거리에 대한 지도에서 거리의 비율을 분수로 나타내어 보세요.

(　　　　　　　　)

서술형

6-2 수지네 집에서 공원까지 실제 거리는 600 m인데 지도에는 4 cm로 그렸습니다. 수지네 집에서부터 공원까지 실제 거리에 대한 지도에서 거리의 비율을 분수로 나타내는 풀이 과정을 쓰고 답을 구해 보세요.

풀이

답

6-3 인하네 집에서 도서관까지 실제 거리는 900 m인데 지도에는 5 cm로 그렸습니다. 인하네 집에서부터 도서관까지 실제 거리에 대한 지도에서 거리의 비율을 분수로 나타내어 보세요.

(　　　　　　　　)

비율을 나타낼 때 일단 단위를 맞추어야 하니까 m 단위를 cm 단위로 고쳐야 해~

정답 및 풀이 27쪽

플러스 유형 7 판매 가격 구하기

독해력 유형

7-1 마트에서 8000원짜리 과자 박스를 20 % 할인하여 판다고 합니다. 이 과자 박스의 판매 가격은 얼마인지 구해 보세요.

단계 1 할인하는 금액은 얼마인가요?

( )

단계 2 판매 가격은 얼마인가요?

( )

7-2 신발 가게에서 15000원짜리 운동화를 15 % 할인하여 판다고 합니다. 이 운동화의 판매 가격은 얼마인가요?

( )

7-3 문구점에서 2000원짜리 수첩에 10 %의 이익을 붙여서 판매하려고 합니다. 이 수첩의 판매 가격은 얼마인가요?

( )

플러스 유형 처방전

판매 가격 구하기

① (판매 가격)=(정가)−(할인 금액)

② (판매 가격)=(원가)+(이익 금액)

플러스 유형 8 소금물의 진하기 비교하기

독해력 유형

8-1 가는 물 285 g에 소금 15 g을 넣어 소금물을 만들었고, 나는 물 470 g에 소금 30 g을 넣어 소금물을 만들었습니다. 가와 나 중 더 진한 소금물을 찾아 기호를 써 보세요.

단계 1 가의 전체 소금물 양에 대한 소금 양의 비율은 몇 %인가요?

( )

단계 2 나의 전체 소금물 양에 대한 소금 양의 비율은 몇 %인가요?

( )

단계 3 가와 나 중 더 진한 소금물을 찾아 기호를 써 보세요.

( )

8-2 가는 소금 48 g과 물 352 g을 섞어 소금물을 만들었고, 나는 소금 33 g과 물 267 g을 섞어 소금물을 만들었습니다. 가와 나 중 더 진한 소금물을 찾아 기호를 써 보세요.

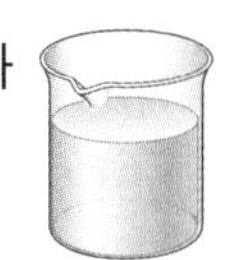

( )

1 그림을 보고 □ 안에 알맞은 수를 써넣으세요.

햄버거 수와 음료수 수의 비
➔ □ : □

2 다음 비를 보고 기준량과 비교하는 양을 각각 써 보세요.

7 : 4

기준량 (　　　　　　)
비교하는 양 (　　　　　　)

3 비율을 분수로 나타내어 보세요.

3 : 11

(　　　　　　)

4 빨간색 종이 6장과 초록색 종이 2장으로 배를 만들려고 합니다. 빨간색 종이 수와 초록색 종이 수를 나눗셈으로 비교해 보세요.

빨간색 종이 수는 초록색 종이 수의
6÷□=□(배)입니다.

5 다음 비율을 백분율로 나타내면 몇 %인가요?

$\frac{7}{20}$

(　　　　　　)

6 그림을 보고 전체에 대한 색칠한 부분의 비율을 백분율로 나타내어 보세요.

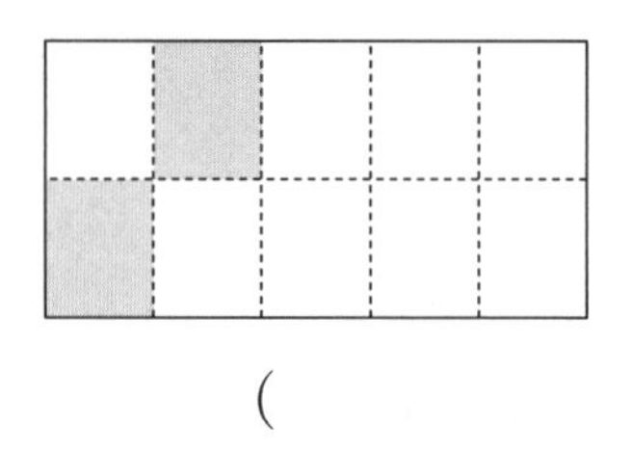

(　　　　　　)

7 다음의 비율을 분수로 나타내어 보세요.

8에 대한 5의 비

(　　　　　　)

8 전체에 대한 색칠한 부분의 비가 7 : 8이 되도록 색칠해 보세요.

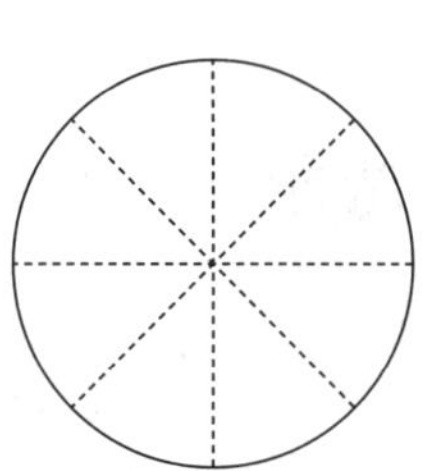

9 현서가 고리를 던졌습니다. 성공률은 몇 %인가요?

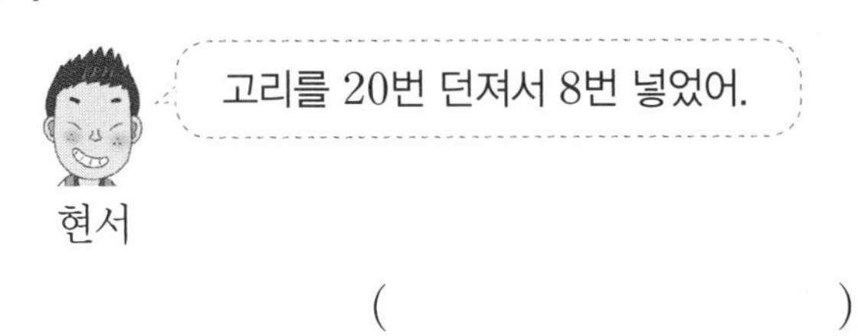

( )

10 직사각형의 가로에 대한 세로의 비율을 분수로 구해 보세요.

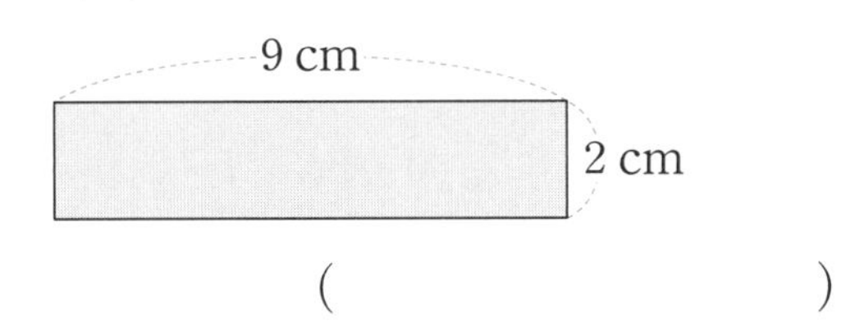

( )

11 기준량이 비교하는 양보다 작은 것을 찾아 기호를 써 보세요.

㉠ 7 : 6　　㉡ $\frac{6}{7}$

( )

12 공장에서 인형 600개를 만들면 불량품이 12개가 나온다고 합니다. 전체 만든 인형 수에 대한 불량품 수의 비율을 백분율로 나타내어 보세요.

( )

13 우리 반 전체 학생은 22명이고 여학생은 12명입니다. 여학생 수와 남학생 수의 비를 구해 보세요.

( )

14 유주는 100 m를 달리는데 21초가 걸렸습니다. 유주가 100 m를 달리는데 걸린 시간에 대한 달린 거리의 비율을 분수로 구해 보세요.

( )

15 마당의 넓이에 대한 화단의 넓이의 비율은 몇 % 인가요?

마당의 넓이: 10 m^2
화단의 넓이: 2 m^2

( )

16 물감을 섞었습니다. 흰색 물감 양에 대한 검은색 물감 양의 비율을 각각 구하여 누가 만든 회색 물감이 더 어두운지 구해 보세요.

지호
흰색 물감: 200 mL
검은색 물감: 5 mL

서아
흰색 물감: 250 mL
검은색 물감: 10 mL

( )

서술형 » 109쪽 4-2 유사 문제

17 비율이 가장 큰 것을 찾는 풀이 과정을 쓰고 답을 기호로 써 보세요.

㉠ $\frac{4}{5}$ ㉡ 0.89 ㉢ 74 %

풀이

답

서술형 » 110쪽 5-2 유사 문제

18 넓이에 대한 인구의 비율이 600인 마을이 있습니다. 이 마을의 넓이가 8 km^2일 때 인구는 몇 명인지 풀이 과정을 쓰고 답을 구해 보세요.

기준량: 8 km^2
비율: 600

풀이

답

서술형 » 111쪽 7-1 유사 문제

19 문구점에서 5000원짜리 훌라후프를 15 % 할인하여 판다고 합니다. 이 훌라후프의 판매 가격은 얼마인지 풀이 과정을 쓰고 답을 구해 보세요.

풀이

답

독해력 유형 서술형 » 111쪽 8-1 유사 문제

20 가는 소금 18 g과 물 282 g을 섞어 소금물을 만들었고, 나는 소금 25 g과 물 475 g을 섞어 소금물을 만들었습니다. 가와 나 중 더 진한 소금물을 찾는 풀이 과정을 쓰고 답을 구해 보세요.

가  나

소금: 18 g 소금: 25 g
물: 282 g 물: 475 g

풀이

답

앞 단원 유형 다시 보기

각 자리에서 나누어떨어지는 (소수) ÷ (자연수)

1 □ 안에 알맞은 수를 써넣으세요.

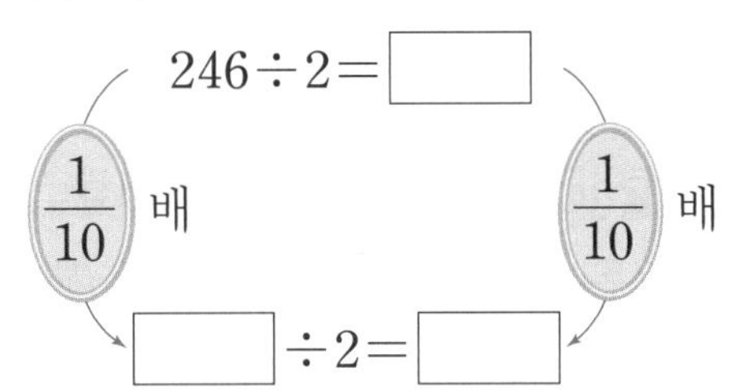

각 자리에서 나누어떨어지지 않는 (소수) ÷ (자연수)

2 빈 곳에 알맞은 수를 써넣으세요.

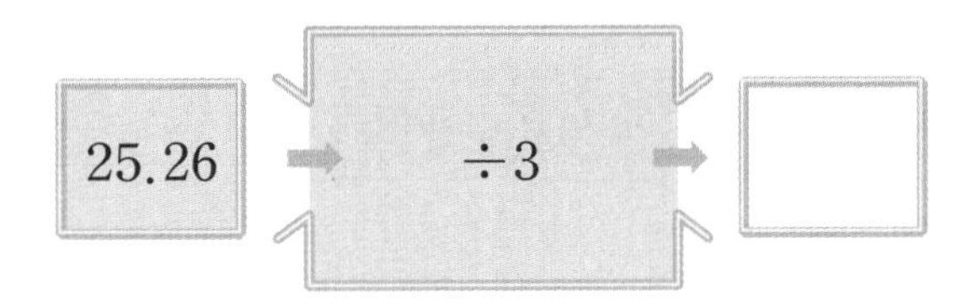

몫이 1보다 작은 (소수) ÷ (자연수)

3 계산이 잘못된 곳을 찾아 바르게 계산해 보세요.

```
      4.6
8) 3.6 8
   3 2
   ----
     4 8
     4 8
     ---
       0
```

➜

```
8) 3.6 8
```

(자연수) ÷ (자연수)

4 한 봉지에 사과가 4개씩 들어 있습니다. 사과 5봉지의 무게가 6 kg일 때 사과 한 개의 무게는 몇 kg인가요?

(　　　　　　　　)

코딩 1 정가와 할인율만 넣으면 할인 금액이 나오도록 코딩을 하였습니다. 정가가 20000원이고 할인율이 20 %인 물건은 얼마를 할인한 것인가요? (단, A에는 정가, B에는 할인 백분율을 넣습니다.)

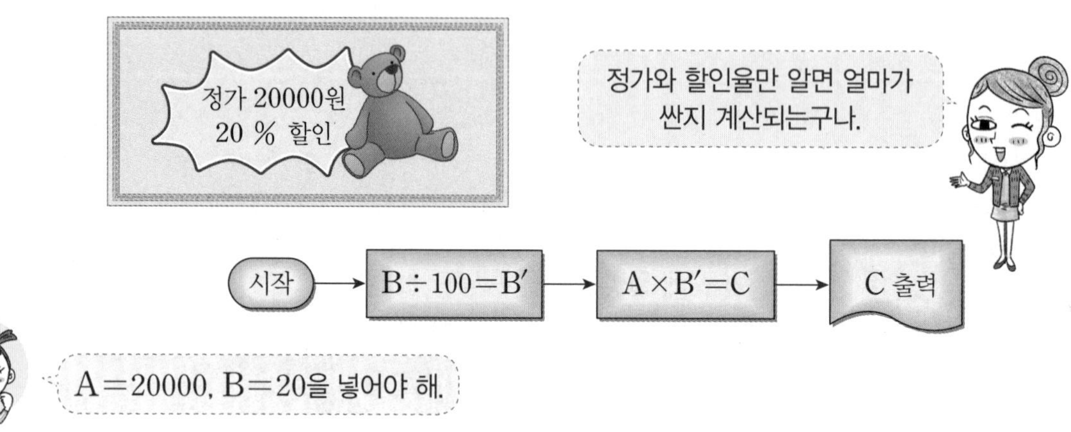

(　　　　　　　　　　)

코딩 2 비를 알면 전체에 대한 백분율이 나오도록 코딩을 하였습니다. 2 : 3을 입력하면 다음 흐름에 따라 출력된 값은 얼마인가요?

↓	A : B를 입력합니다.
↓	A+B=C $\frac{A}{C}\times 100=D$ $\frac{B}{C}\times 100=E$
D와 E를 출력합니다.	

D (　　　　　　　　) %, E (　　　　　　　　) %

비율을 이용한 타율 계산

김천재 선수의 기록은
24타수 9안타네 ~~

그건 24번 나가서 안타를
9개 쳤다는 뜻이지.

$(\text{타율})=\dfrac{(\text{안타 수})}{(\text{전체 타수})}$로 계산하여
소수 셋째 자리 또는 소수 넷째 자리까지
기록을 비교하기도 해.

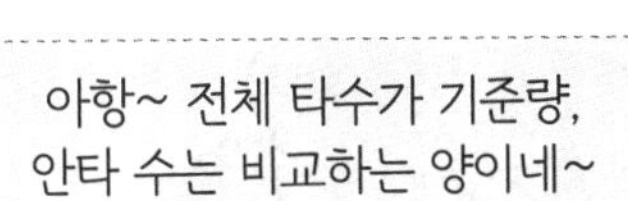

그럼 타율을 계산해 보자!

$(\text{타율})=\dfrac{9}{24}=0.375$
소수 첫째 자리는 '할',
소수 둘째 자리는 '푼',
소수 셋째 자리는 '리'로 읽어.

이렇게 계산한 자료들을 참고하여 스포츠 캐스터들이 다음과 같은 중계를 하는 것입니다.

김천재 선수 타석에 들어섰습니다.
타율은 3할 7푼 5리로 요즘 컨디션이 좋은 편입니다.

5 여러 가지 그래프

이 시간은 우리 병원 환자들의 건강에 도움이 되는 메뉴 개발에 대해 회의를 해야 하는 시간입니다.
아~ 넹~
의사 대표
영양사

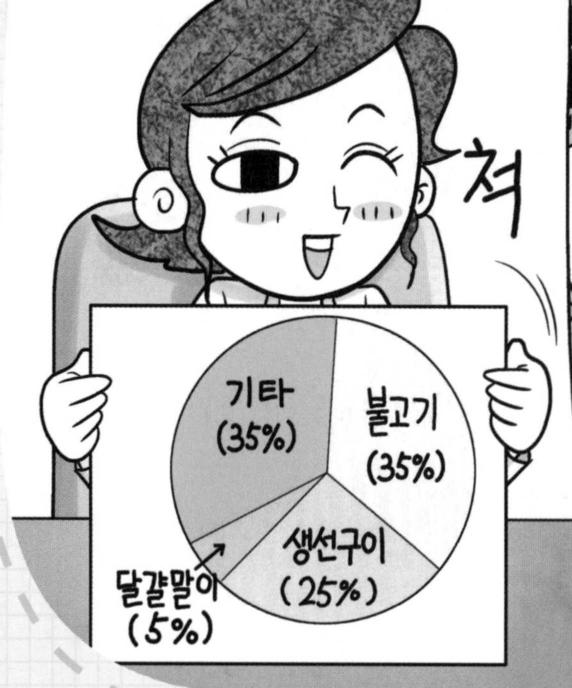
설문 조사를 해서 환자들이 원하고 건강에도 도움이 되는 음식을 원그래프로 구성해 봤습니다.
척
기타 (35%)
불고기 (35%)
생선구이 (25%)
달걀말이 (5%)

원그래프를 보니 불고기를 가장 많이 좋아하시네용.
네 그래서 불고기 메뉴를 다양하게 개발해 보려고 합니다.
기타 (35%)
불고기 (35%)
생선구이 (25%)
달걀말이 (5%)

Dr. 유형 처방전
* 기타는 여러 항목임을 알 것

근데요…… 원그래프를 보면 불고기와 기타가 똑같이 35 %인데 기타는 무슨 음식이에요?
크…… 기타는 음식 이름이 아니라 그 밖의 여러 가지 음식들이란 얘기라능~
아하~ 그렇군요! 그리고 제가 어린이 환자들에게 직접 선호하는 음식도 조사해 봤거든요.
병원 음식에도 이 의견을 반영해 줄 순 없나요?
하하하! 정말 조사한 거니? 네가 먹고 싶은 것들을 원그래프로 만든 것 같은데~
기타 (10%)
떡볶이 (15%)
피자 (50%)
치킨 (25%)
의사 대표
영양사

개념 1 그림그래프로 나타내기

• 진희네 학교 6학년 반별 책 수를 조사하였습니다.

반별 책 수

반	1	2	3
책 수(권)	42	53	26

① 그림그래프의 그림 정하기

2가지 ➔ 10권 그림: ▱, 1권 그림: ▫

② 그림그래프로 나타내기

반별 책 수

반	책 수
1	▱▱▱▱▫▫
2	▱▱▱▱▱▫▫▫
3	▱▱▫▫▫▫▫▫

— 책 수가 가장 많은 반은 2반입니다.

▱ 10권 ▫ 1권

그림그래프는 수량의 많고 적음을 한눈에 알 수 있어~

유형

[1~2] 어느 마을 가구별 배 생산량을 조사하여 나타낸 그림그래프입니다. 물음에 답하세요.

가구별 배 생산량

가	나
●●●••	●●●
다	**라**
●●●••	●●•••

● 10 kg • 1 kg

1 □ 안에 알맞은 수를 써넣으세요.

●은 □ kg, •은 □ kg을 나타냅니다.

2 다 가구의 배 생산량은 몇 kg인가요?

( )

[3~5] 진영이네 학교 6학년 학생들이 좋아하는 섬을 조사하여 나타낸 표입니다. 물음에 답하세요.

좋아하는 섬별 학생 수

섬	울릉도	제주도	독도	청산도
학생 수(명)	12	35	24	18

3 그림을 2가지로 나타내려고 합니다. □ 안에 알맞은 수를 써넣으세요.

☺은 □명, ☻은 □명으로 나타내면 편리합니다.

4 그림그래프로 나타내려고 합니다. 그림을 몇 개씩 그려야 하는지 □ 안에 알맞은 수를 써넣으세요.

울릉도: ☺ □개, ☻ □개

제주도: ☺ □개, ☻ □개

독도: ☺ □개, ☻ □개

청산도: ☺ □개, ☻ □개

5 다음 그림그래프를 완성해 보세요.

좋아하는 섬별 학생 수

섬	학생 수
울릉도	
제주도	☺☺☺☻☻☻☻☻
독도	
청산도	☺☻☻☻☻☻☻☻☻

☺ 10명 ☻ 1명

[6~7] 윤지네 학교 6학년 학생들이 좋아하는 동영상 분야를 조사하여 나타낸 표입니다. 물음에 답하세요.

좋아하는 동영상 분야별 학생 수

분야	음악	요리	공예	게임
학생 수(명)	32	22	54	36

6 그림그래프로 나타내어 보세요.

좋아하는 동영상 분야별 학생 수

분야	학생 수
음악	
요리	
공예	
게임	

◯10명 ○1명

7 가장 많은 학생이 좋아하는 동영상 분야는 무엇인가요?

( )

8 권역별 대학생 수를 조사하여 나타낸 그림그래프입니다. 대전·세종·충청 권역의 대학생 수는 몇 명인가요?

권역별 대학생 수

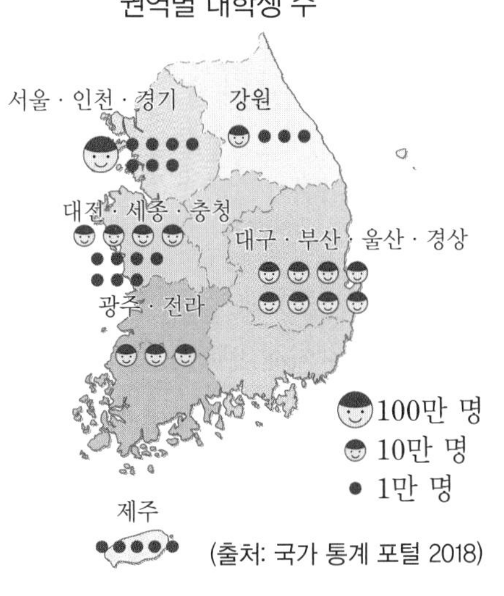

(출처: 국가 통계 포털 2018)

( )만 명

개념 2 띠그래프 알아보기

띠그래프: 전체에 대한 각 부분의 비율을 띠 모양에 나타낸 그래프

좋아하는 간식별 학생 수

0 10 20 30 40 50 60 70 80 90 100 (%)

피자 (30 %)	핫도그 (25 %)	햄버거 (20 %)	떡볶이 (15 %)	기타 (10 %)

가장 많은 학생이 좋아하는 간식은 피자입니다.
피자를 좋아하는 학생 수는 떡볶이를 좋아하는 학생 수의 $30 \div 15 = 2$(배)입니다.

띠그래프의 특징
① 전체에 대한 각 부분의 비율을 한눈에 알아보기 쉽다.
② 각 항목끼리 비율을 쉽게 비교할 수 있다.

유형

[9~10] 은주네 반 학생들이 좋아하는 계절을 조사하여 나타낸 표입니다. 물음에 답하세요.

좋아하는 계절별 학생 수

계절	봄	여름	가을	겨울	합계
학생 수(명)	2	4	8	6	20
백분율(%)	10	20		30	100

9 □ 안에 알맞은 수를 써넣으세요.

$$\text{가을: } \frac{8}{20} \times 100 = \square \ (\%)$$

10 위 표를 띠그래프로 나타낸 것입니다. □ 안에 알맞은 수를 써넣으세요.

좋아하는 계절별 학생 수

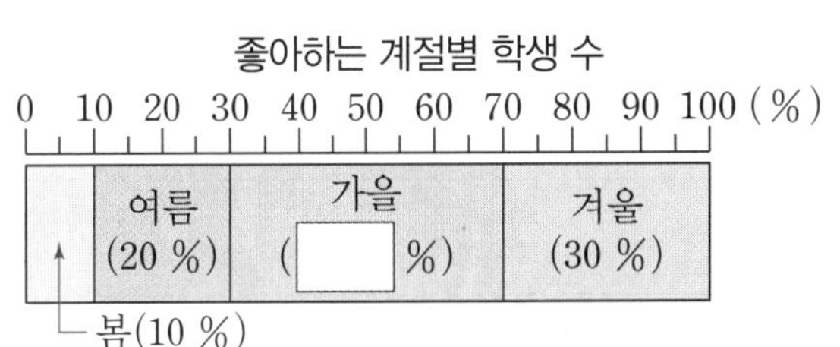

[11~12] 연수네 반 학생들의 취미 활동을 조사하여 나타낸 띠그래프입니다. 물음에 답하세요.

취미 활동별 학생 수

0 10 20 30 40 50 60 70 80 90 100 (%)

음악 듣기 (30 %)	운동하기 (25 %)	게임 (20 %)	영화보기 (15 %)	기타 (10 %)

11 운동하기가 취미인 학생은 전체의 몇 %인가요?

( )

12 가장 많은 학생의 취미 활동은 무엇인가요?

( )

[13~14] 준호네 학교 남학생들이 좋아하는 운동을 조사하여 나타낸 띠그래프입니다. 물음에 답하세요.

좋아하는 운동별 학생 수

0 10 20 30 40 50 60 70 80 90 100 (%)

농구 (30 %)	수영 (20 %)	축구 (25 %)	야구(10 %)	기타 (15 %)

13 농구를 좋아하는 학생 수는 야구를 좋아하는 학생 수의 몇 배인가요?

( )

서술형

14 띠그래프를 보고 알 수 있는 내용을 한 가지 써 보세요.

개념 3 띠그래프로 나타내기

• 유리네 반 학생들의 혈액형을 조사하였습니다.

혈액형별 학생 수

혈액형	A형	B형	O형	AB형	합계
학생 수(명)	8	5	6	1	20
백분율(%)	40	25	30	5	100

→① 백분율 구하기 ② 합계가 100 %인지 확인하기

A형: $\frac{8}{20} \times 100 = 40$ (%), B형: $\frac{5}{20} \times 100 = 25$ (%)

O형: $\frac{6}{20} \times 100 = 30$ (%), AB형: $\frac{1}{20} \times 100 = 5$ (%)

혈액형별 학생 수 →⑤ 제목 쓰기

0 10 20 30 40 50 60 70 80 90 100 (%)

A형 (40 %)	B형 (25 %)	O형 (30 %)	AB형(5 %)

→③ 백분율의 크기만큼 선을 그어 띠 나누기
④ 각 항목의 내용과 백분율 쓰기

유형

[15~16] 민주네 학교 학생들이 체험하고 싶은 장소를 조사하여 나타낸 표입니다. 물음에 답하세요.

체험하고 싶은 장소별 학생 수

장소	미술관	과학관	공예관	기타	합계
학생 수(명)	24	32	16	8	80
백분율(%)	30	40		10	100

15 □ 안에 알맞은 수를 써넣으세요.

공예관: $\frac{\square}{\square} \times 100 = \square$ (%)

16 띠그래프를 완성해 보세요.

체험하고 싶은 장소별 학생 수

0 10 20 30 40 50 60 70 80 90 100 (%)

미술관 (30 %)	

정답 및 풀이 30쪽

[17~18] 소미네 학교 학생들이 좋아하는 급식 메뉴를 조사하여 나타낸 표입니다. 물음에 답하세요.

좋아하는 급식 메뉴별 학생 수

메뉴	돈까스	닭강정	불고기	깐풍새우	기타	합계
학생 수(명)	15	12	18	9	6	60
백분율(%)						

17 표를 완성해 보세요.

18 띠그래프로 나타내어 보세요.

좋아하는 급식 메뉴별 학생 수

0 10 20 30 40 50 60 70 80 90 100 (%)

19 소은이네 동아리 학생들이 좋아하는 국악기를 조사하였습니다. 표를 완성하고, 띠그래프로 나타내어 보세요.

좋아하는 국악기별 학생 수

국악기	장구	대금	가야금	기타	합계
학생 수(명)	9	12	3	6	30
백분율(%)					

좋아하는 국악기별 학생 수

0 10 20 30 40 50 60 70 80 90 100 (%)

플러스 개념 4 **띠그래프에서 항목의 수 구하기**

$$(\text{비율})=\frac{(\text{항목의 수})}{(\text{전체 수})}$$

➜ (항목의 수)=(전체 수)×(비율)

예 사탕 통에 사탕이 200개 들어 있고, 사과 맛이 전체의 20 %일 때 사과 맛 사탕 수 구하기

➜ 사과 맛의 비율: 20 % → 0.2

사과 맛 사탕 수: 200×0.2=40(개)

(항목의 수)=(전체 수)×(항목의 비율)

유형

[20~21] 선아네 학교 학생 120명이 좋아하는 과목을 조사하여 나타낸 띠그래프입니다. 물음에 답하세요.

좋아하는 과목별 학생 수

0 10 20 30 40 50 60 70 80 90 100 (%)

체육 (25 %) | 과학 (20 %) | 음악 (15 %) | 미술 (30 %) | 기타 (10 %)

20 과학을 좋아하는 학생은 몇 명인가요?

( )

21 미술을 좋아하는 학생은 몇 명인가요?

( )

22 풍선 400개 중 색깔별로 수를 조사하여 나타낸 띠그래프입니다. 파란색 풍선은 몇 개 있나요?

색깔별 풍선 수

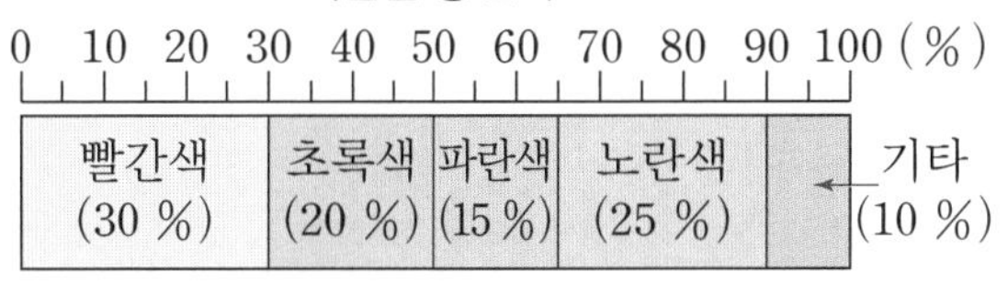

( )

개념 1 ~ 4 기초력 집중 연습

[1~2] 그림그래프로 나타내어 보세요.

1

아파트 동별 자동차 수

동	가	나	다	라
자동차 수(대)	51	20	43	32

아파트 동별 자동차 수

동	자동차 수
가	
나	
다	
라	

10대 1대

2

중국집별 팔린 짜장면 그릇 수

가게	가	나	다	라
그릇 수(그릇)	45	37	61	54

중국집별 팔린 짜장면 그릇 수

가게	그릇 수
가	
나	
다	
라	

10그릇 1그릇

[3~4] 각 항목의 백분율을 구하여 표를 완성하고, 띠그래프로 나타내어 보세요.

3

좋아하는 악기별 학생 수

악기	피아노	바이올린	플루트	기타	합계
학생 수(명)	8	16	10	6	40
백분율(%)					

피아노: $\frac{8}{40} \times 100 = \square$ (%)

바이올린: $\frac{16}{40} \times 100 = \square$ (%)

플루트: $\frac{10}{40} \times 100 = \square$ (%)

기타: $\frac{6}{40} \times 100 = \square$ (%)

좋아하는 악기별 학생 수

0 10 20 30 40 50 60 70 80 90 100 (%)

4

좋아하는 과일별 학생 수

과일	사과	귤	오렌지	파인애플	합계
학생 수(명)	12	8	20	10	50
백분율(%)					

사과: $\frac{12}{50} \times 100 = \square$ (%)

귤: $\frac{8}{50} \times 100 = \square$ (%)

오렌지: $\frac{20}{50} \times 100 = \square$ (%)

파인애플: $\frac{10}{50} \times 100 = \square$ (%)

좋아하는 과일별 학생 수

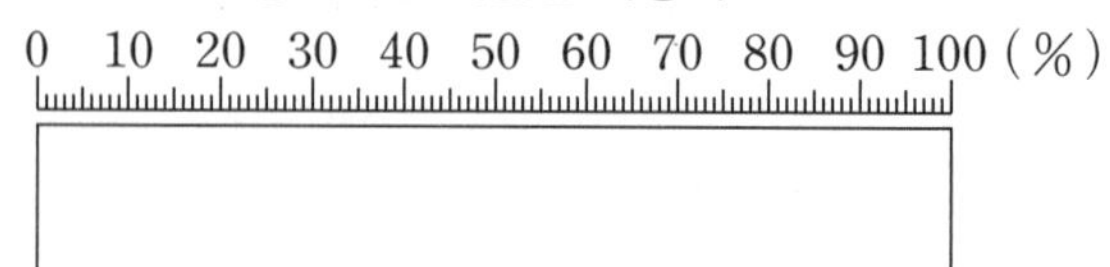

유형 진단 TEST

점수 /10점

[1~2] 지연이네 학교 6학년 학생 94명의 반별 학생 수를 조사하여 나타낸 그림그래프입니다. 물음에 답하세요.

6학년 반별 학생 수

반	학생 수
1	
2	● ● ●
3	● ●
4	● ● • • •

● 10명 • 1명

1 위의 그림그래프를 완성해 보세요. [1점]

2 학생 수가 가장 적은 반은 몇 반인가요? [1점]

( )

[3~4] 전교 학생 회장 후보자별 득표수를 조사하여 나타낸 표입니다. 물음에 답하세요.

전교 학생 회장 후보자별 득표수

후보자	은지	진아	현우	준오	합계
득표수(표)	80	20	68	32	200
백분율(%)					

3 위의 표를 완성해 보세요. [1점]

4 위의 표를 보고 띠그래프로 나타내어 보세요. [1점]

전교 학생 회장 후보자별 득표수

0 10 20 30 40 50 60 70 80 90 100 (%)

[5~6] 윤기네 반 학생들이 좋아하는 운동을 조사하여 나타낸 띠그래프입니다. 물음에 답하세요.

좋아하는 운동별 학생 수

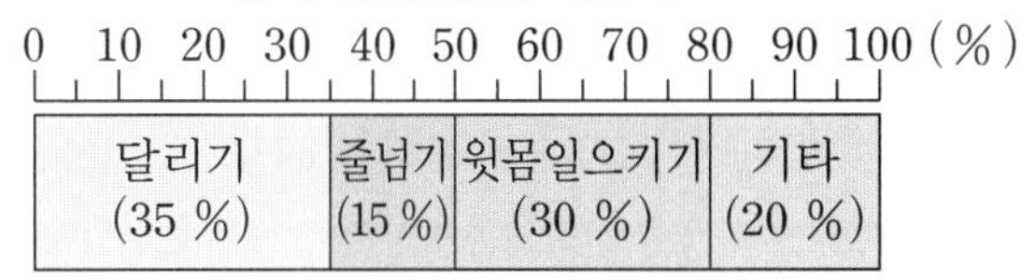

5 가장 많은 학생이 좋아하는 운동은 무엇인가요? [2점]

( )

6 윗몸일으키기를 좋아하는 학생 수는 줄넘기를 좋아하는 학생 수의 몇 배인가요? [2점]

( )

7 진수네 반 학생들이 좋아하는 전통놀이를 조사하여 나타낸 띠그래프입니다. 전체 반 학생 수가 20명일 때 윷놀이를 좋아하는 학생은 몇 명인가요? [2점]

좋아하는 전통놀이별 학생 수

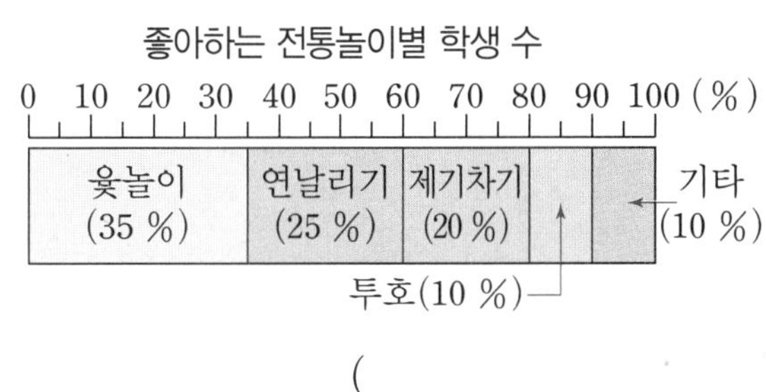

( )

개념 5 원그래프 알아보기

원그래프: 전체에 대한 각 부분의 비율을 원 모양에 나타낸 그래프

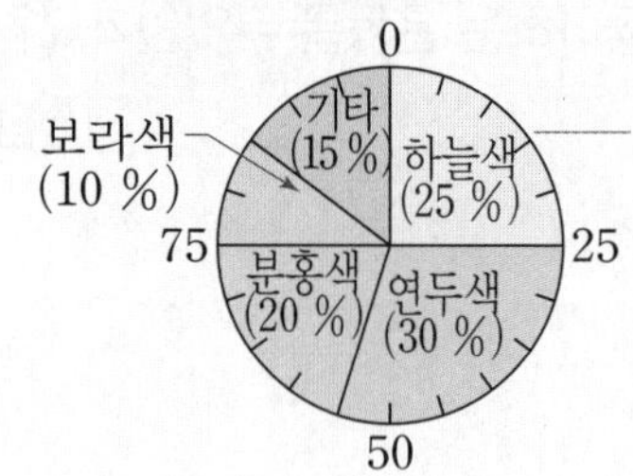

가장 많은 학생이 좋아하는 색은 연두색입니다.
분홍색을 좋아하는 학생 수는 보라색을 좋아하는 학생 수의 $20 \div 10 = 2$(배)입니다.

원그래프의 특징
① 각 부분의 비율을 한눈에 알아보기 쉽다.
② 각 항목끼리의 비율을 쉽게 비교할 수 있다.

유형

[1~2] 정아네 반 학생들이 좋아하는 음료수를 조사하여 나타낸 표입니다. 물음에 답하세요.

좋아하는 음료수별 학생 수

음료수	우유	탄산 음료	주스	기타	합계
학생 수(명)	8	4	5	3	20
백분율(%)	40	20	25		100

1 □ 안에 알맞은 수를 써넣으세요.

$$기타: \frac{3}{20} \times 100 = \square \ (\%)$$

2 원그래프에서 □ 안에 알맞은 수를 써넣으세요.

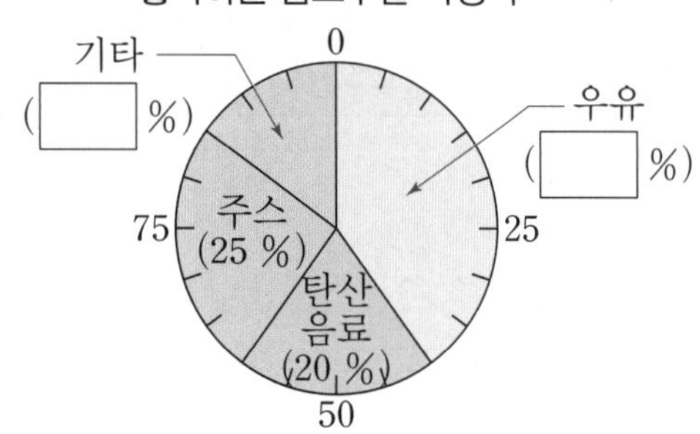

[3~4] 진우네 반 학생들이 여행 가고 싶어 하는 도시를 조사하여 나타낸 원그래프입니다. 물음에 답하세요.

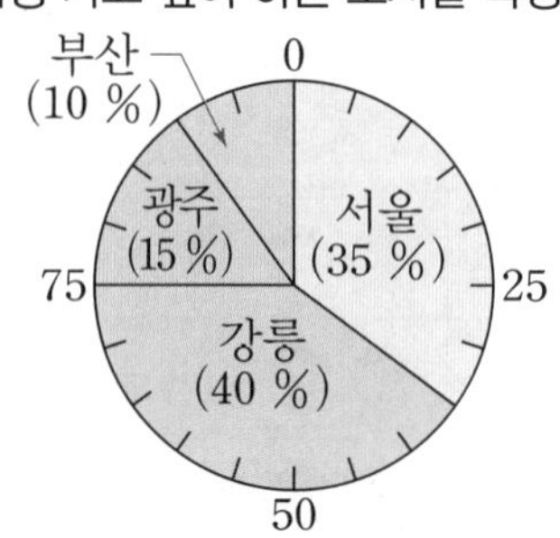

3 진우네 반 학생 중에 서울에 여행 가고 싶어 하는 학생은 전체의 몇 %인가요?

( )

4 가장 많은 학생이 가고 싶어 하는 도시는 어디인가요?

( )

5 준호네 반 학생들이 사고 싶은 학용품을 조사하여 나타낸 원그래프입니다. 공책을 사고 싶은 학생 수는 연필을 사고 싶은 학생 수의 약 몇 배인가요?

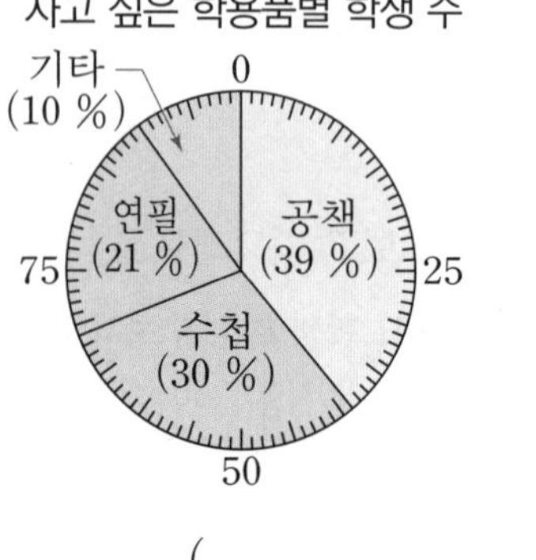

( )

개념 6 원그래프로 나타내기

• 윤수 친구들이 좋아하는 캐릭터를 조사하였습니다.

좋아하는 캐릭터별 학생 수

캐릭터	뽀로로	크롱	루피	에디	합계
학생 수(명)	9	8	1	2	20
백분율(%)	45	40	5	10	100

① 백분율 구하기 ② 합계가 100 %인지 확인하기

뽀로로: $\frac{9}{20} \times 100 = 45$ (%), 크롱: $\frac{8}{20} \times 100 = 40$ (%)

루피: $\frac{1}{20} \times 100 = 5$ (%), 에디: $\frac{2}{20} \times 100 = 10$ (%)

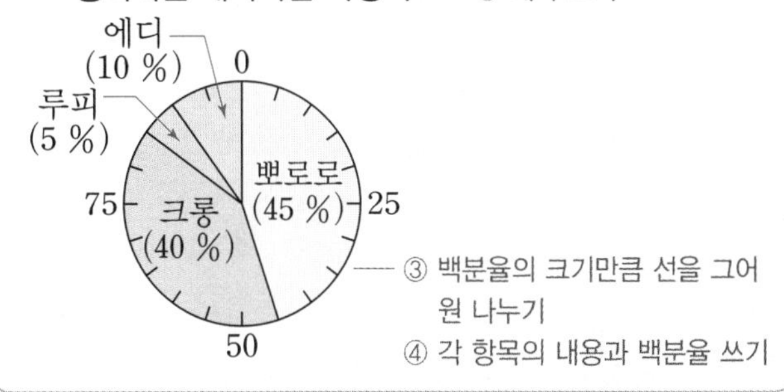

유형

[6~7] 어느 분식점에서 팔린 김밥의 종류를 조사하여 나타낸 표입니다. 물음에 답하세요.

종류별 팔린 김밥 수

종류	야채	멸치	고추	기타	합계
김밥 수(줄)	25	10	5	10	50
백분율(%)	50	20		20	100

6 □ 안에 알맞은 수를 써넣으세요.

고추 김밥: $\frac{\square}{\square} \times 100 = \square$ (%)

7 원그래프를 완성해 보세요.

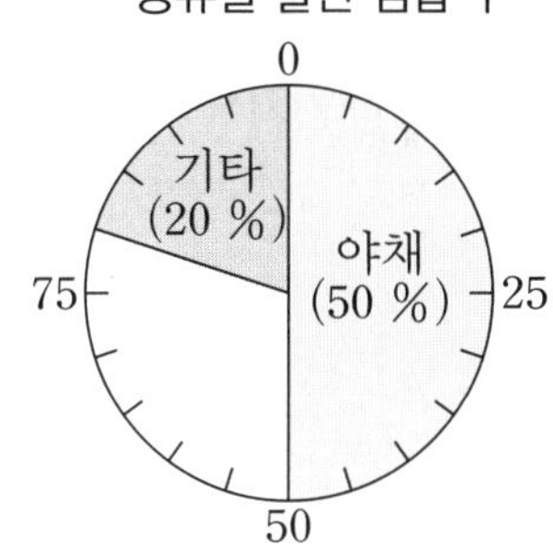

[8~9] 준혁이네 학급 문고에 있는 책 종류를 조사하여 나타낸 표입니다. 원그래프로 나타내어 보세요.

학급 문고의 종류별 권수

종류	동화책	과학책	위인전	역사책	기타	합계
권수(권)	32	16	8	8	16	80
백분율(%)						

8 위 표를 완성해 보세요.

9 원그래프로 나타내어 보세요.

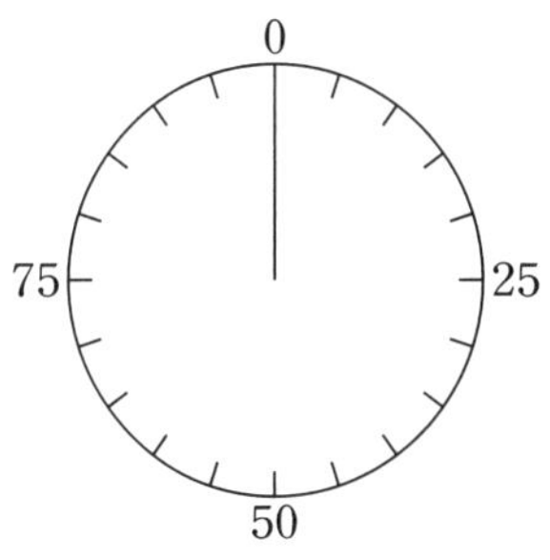

10 윤미네 학교 6학년 학생들이 존경하는 위인을 조사하였습니다. 표를 완성하고, 원그래프로 나타내어 보세요.

존경하는 위인별 학생 수

위인	이순신	세종대왕	허준	안중근	기타	합계
학생 수(명)	9	18	6	12	15	60
백분율(%)						

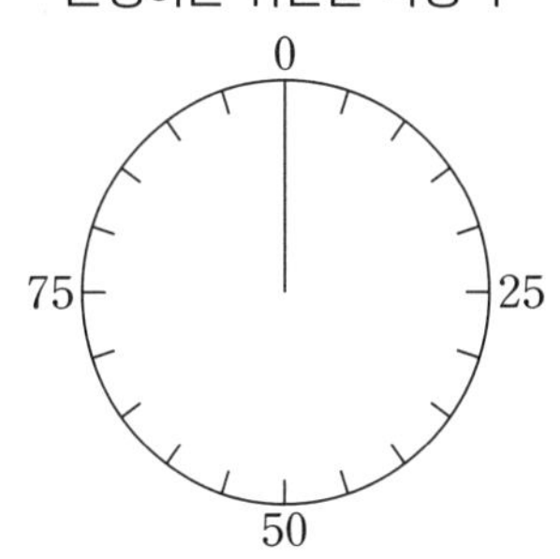

플러스 개념 7 **원그래프에서 항목의 수 구하기**

$(비율) = \frac{(항목의\ 수)}{(전체\ 수)}$

➔ (항목의 수)=(전체 수)×(비율)

예 편의점 냉장고에 우유가 160개 들어 있고, 바나나 우유가 전체의 15 %일 때 바나나 우유 수 구하기

➔ 바나나 우유의 비율: 15 % → 0.15

바나나 우유 수: 160×0.15=24(개)

(항목의 수)=(전체 수)×(항목의 비율)

개념 8 **그래프 해석하기 (1)** — 띠그래프

좋아하는 채소별 학생 수

오이 (30 %)	당근 (25 %)	호박 (20 %)	가지 (15 %)	기타 (10 %)

① 가장 많은 학생이 좋아하는 채소는 오이입니다.

② 오이를 좋아하는 학생 수는 가지를 좋아하는 학생 수의 30÷15=2(배)입니다.

③ 오이 또는 당근을 좋아하는 학생은 전체의 30+25=55 (%)입니다.

④ 조사한 학생 수가 80명이면 당근을 좋아하는 학생 수는 80×0.25=20(명)입니다.

유형

11 상자에 단추가 150개 들어 있습니다. 모양별 단추 수를 조사하여 나타낸 원그래프를 보고 동그라미 모양 단추는 몇 개인지 구해 보세요.

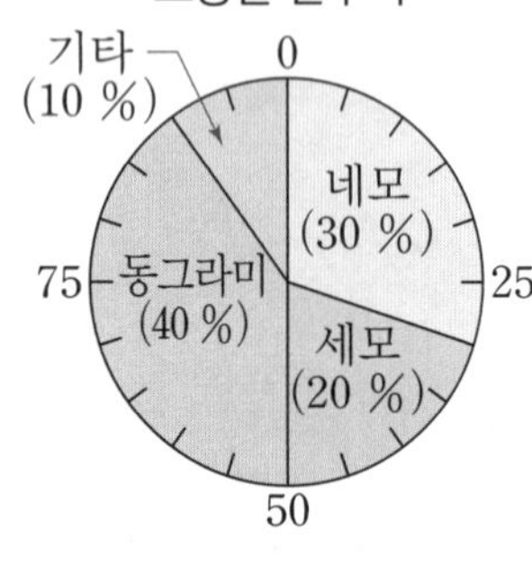

(　　　　　　)

12 우진이네 학교 6학년 학생 80명의 태어난 계절을 조사하여 나타낸 원그래프입니다. 여름에 태어난 학생은 몇 명인가요?

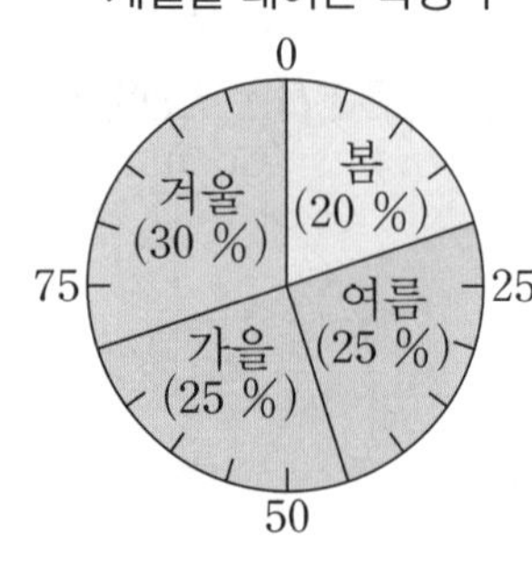

(　　　　　　)

유형

[13~14] 주영이네 반 학생들이 가고 싶은 나라를 조사하여 나타낸 띠그래프입니다. 물음에 답하세요.

가고 싶은 나라별 학생 수

영국 (25 %)	프랑스 (30 %)	스페인 (20 %)	미국 (10 %)	기타 (15 %)

13 가장 많은 학생이 가고 싶은 나라는 어디인가요?

(　　　　　　)

14 프랑스에 가고 싶은 학생 수는 미국에 가고 싶은 학생 수의 몇 배인가요?

□÷□=□(배)

[15~17] 수현이네 학교 학생들이 좋아하는 동물을 조사하여 나타낸 띠그래프입니다. 물음에 답하세요.

좋아하는 동물별 학생 수

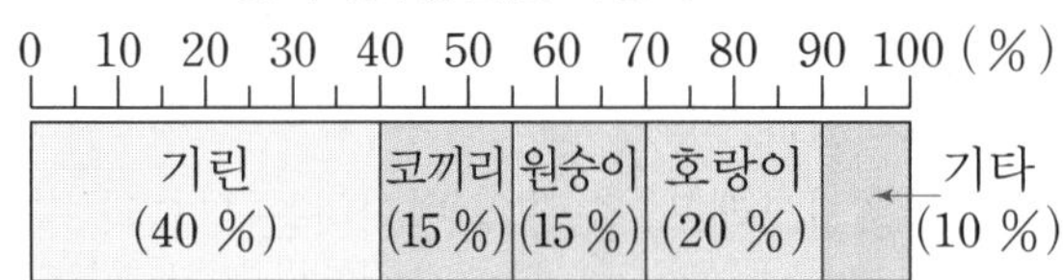

15 코끼리를 좋아하는 학생은 전체의 몇 %인가요?

( )

16 기린을 좋아하는 학생 수는 원숭이를 좋아하는 학생 수의 약 몇 배인가요?

( )

17 호랑이를 좋아하는 학생이 40명이라면 기타에 속하는 학생은 몇 명인가요?

( )

서술형

18 유진이네 학교 6학년 학생들이 좋아하는 분식을 조사하여 나타낸 띠그래프입니다. 그래프를 보고 알 수 있는 내용을 한 가지 써 보세요.

좋아하는 분식별 학생 수

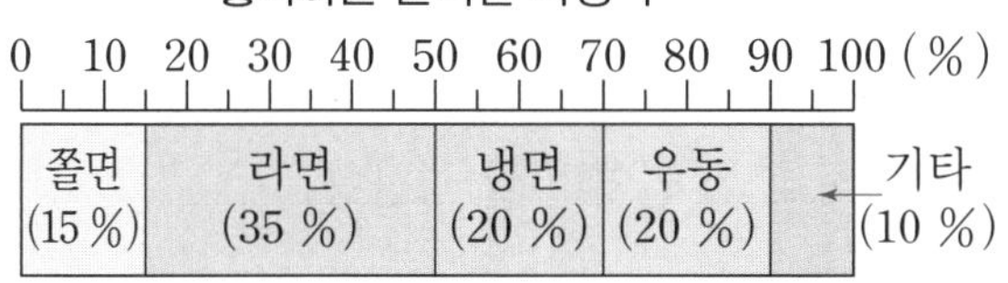

개념 9 **그래프 해석하기 (2)** — 원그래프

좋아하는 과일별 학생 수

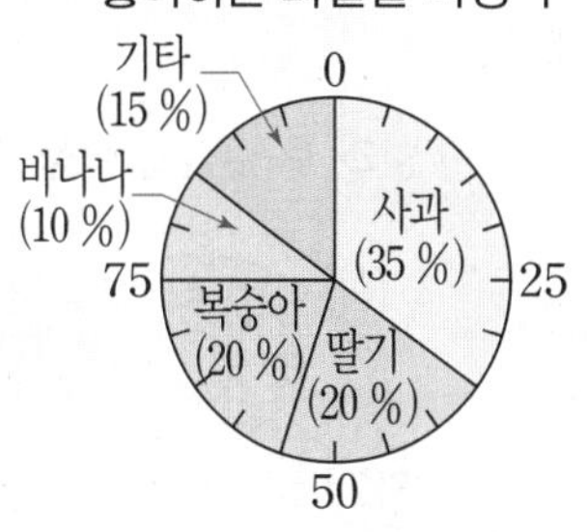

① 가장 많은 학생이 좋아하는 과일은 사과입니다.
② 딸기를 좋아하는 학생 수는 바나나를 좋아하는 학생 수의 $20 \div 10 = 2$(배)입니다.
③ 사과 또는 복숭아를 좋아하는 학생은 전체의 $35 + 20 = 55$ (%)입니다.
④ 조사한 학생 수가 120명이면 사과를 좋아하는 학생은 $120 \times 0.35 = 42$(명)입니다.

유형

[19~20] 형우네 반 학생들이 주말에 체험하고 싶은 것을 조사하여 나타낸 원그래프입니다. 물음에 답하세요.

체험하고 싶은 것별 학생 수

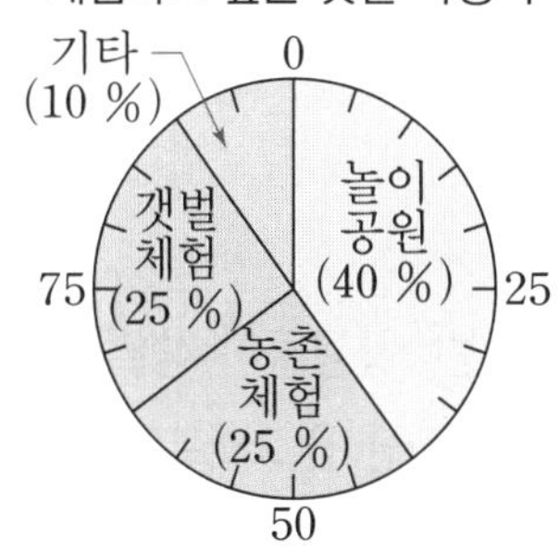

19 농촌 체험을 선택한 학생은 전체의 몇 %인가요?

( )

20 가장 많은 학생이 주말에 체험하고 싶은 것은 무엇인가요?

( )

[21~22] 수진이네 반 학생들이 참여하는 방과 후 수업을 조사하여 나타낸 원그래프입니다. 물음에 답하세요.

방과 후 수업별 학생 수

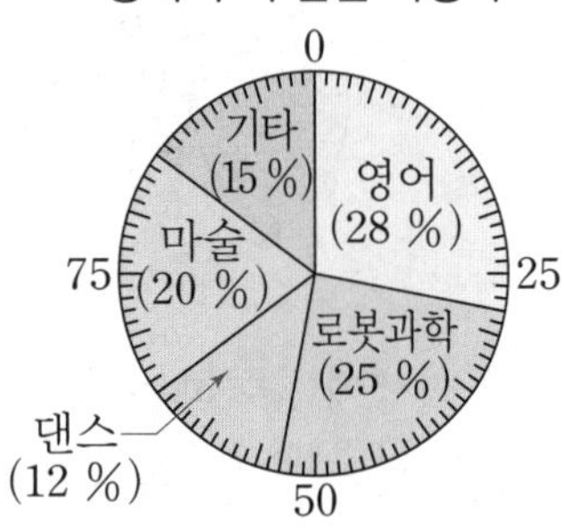

21 댄스 또는 마술 수업에 참여하는 학생은 전체의 몇 %인가요?

( )

22 영어 수업에 참여하는 학생 수는 댄스 수업에 참여하는 학생 수의 약 몇 배인가요?

( )

23 주원이네 반 학생들이 생일에 받고 싶은 선물을 조사하여 나타낸 원그래프입니다. 옷을 선택한 학생이 30명이라면 운동화를 선택한 학생은 몇 명인가요?

받고 싶은 선물별 학생 수

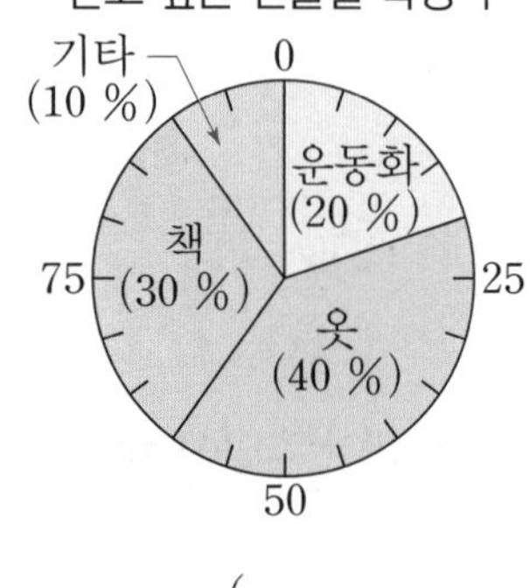

( )

개념 10 여러 가지 그래프 비교하기

(1) 그림그래프: 그림의 크기로 수량의 많고 적음을 쉽게 알 수 있습니다.

(2) 막대그래프: 수량의 많고 적음을 한눈에 비교하기 쉽습니다. — 각각의 크기를 비교할 때 편리함.

(3) 꺾은선그래프: 수량의 변화하는 모습과 정도를 쉽게 알 수 있습니다. — 시간에 따라 연속적 변하는 양을 나타내는 데 편리함.

(4) 띠그래프: 각 항목끼리의 비율을 쉽게 비교할 수 있습니다.

(5) 원그래프: 각 항목끼리의 비율을 쉽게 비교할 수 있습니다.

유형

[24~26] 다음의 내용은 어느 그래프로 나타내면 좋은지 기호를 써 보세요.

24 월별 내 몸무게의 변화

㉠ 꺾은선그래프 ㉡ 띠그래프

( )

25 우리 반 친구들이 좋아하는 과목

㉠ 꺾은선그래프 ㉡ 원그래프

( )

26 권역별 쌀 생산량

㉠ 그림그래프 ㉡ 꺾은선그래프

( )

[27~29] 경은이네 학교 학생들이 배우고 싶은 악기를 조사하여 나타낸 그림그래프입니다. 물음에 답하세요.

배우고 싶은 악기별 학생 수

기타 / 드럼 / 피아노 / 첼로

10명 1명

27 표를 완성해 보세요.

배우고 싶은 악기별 학생 수

악기	기타	드럼	피아노	첼로	합계
학생 수(명)	28	16			80
백분율(%)	35				

28 막대그래프로 나타내어 보세요.

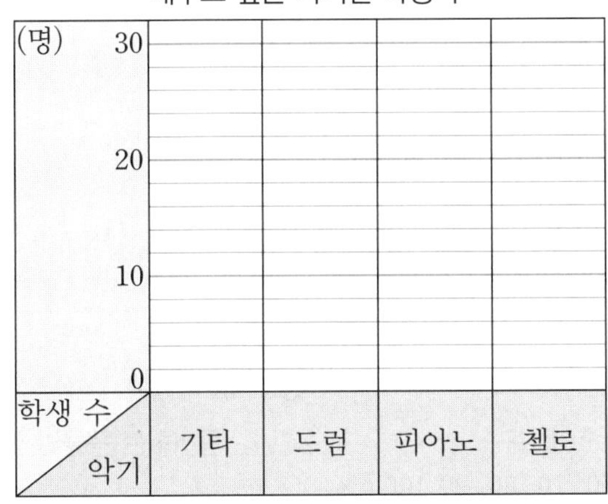

29 띠그래프로 나타내어 보세요.

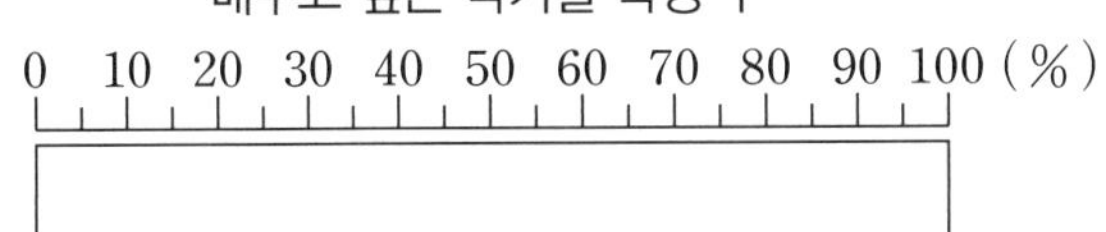

[30~32] 아파트 동별 쓰레기 배출량을 조사하여 나타낸 표입니다. 물음에 답하세요.

아파트 동별 쓰레기 배출량

동	가	나	다	라	합계
배출량(kg)	360	600	960		2400
백분율(%)					

30 표를 완성해 보세요.

31 그림그래프로 나타내어 보세요.

아파트 동별 쓰레기 배출량

동	배출량
가	
나	
다	
라	

◯100 kg ○10 kg

32 원그래프로 나타내어 보세요.

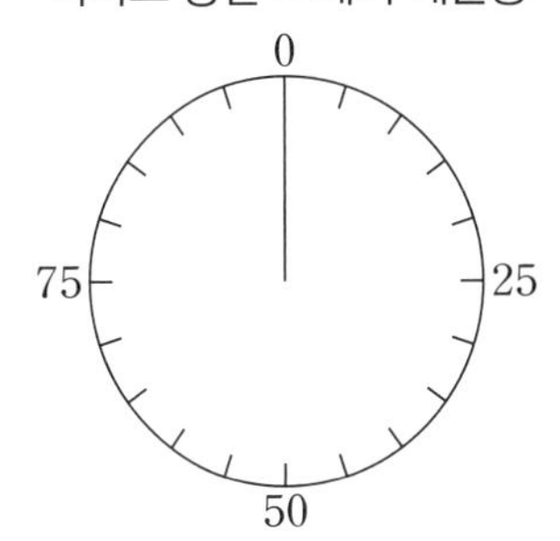

개념 5 ~ 10 기초력 집중 연습

[1~2] 각 항목의 백분율을 구하여 표를 완성하고 원그래프로 나타내어 보세요.

1

마을별 자전거 수

마을	가	나	다	라	합계
자전거 수(대)	14	12	8	6	40
백분율(%)					

가: $\frac{14}{40}\times100=\square$ (%)

나: $\frac{12}{40}\times100=\square$ (%)

다: $\frac{8}{40}\times100=\square$ (%)

라: $\frac{6}{40}\times100=\square$ (%)

마을별 자전거 수

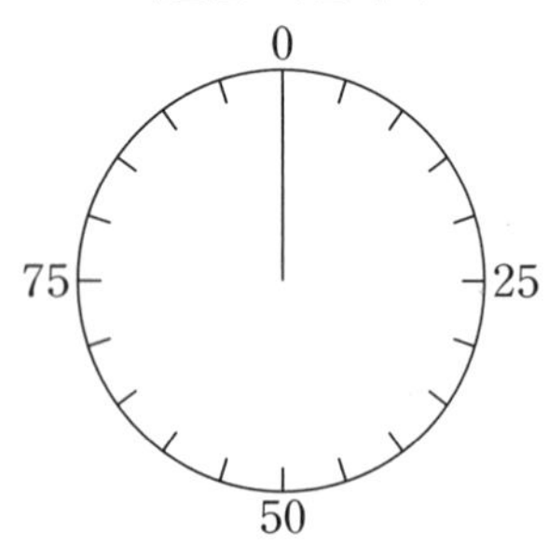

2

좋아하는 빙수별 학생 수

빙수	망고	팥	수박	기타	합계
학생 수(명)	20	16	32	12	80
백분율(%)					

망고: $\frac{20}{80}\times100=\square$ (%)

팥: $\frac{16}{80}\times100=\square$ (%)

수박: $\frac{32}{80}\times100=\square$ (%)

기타: $\frac{12}{80}\times100=\square$ (%)

좋아하는 빙수별 학생 수

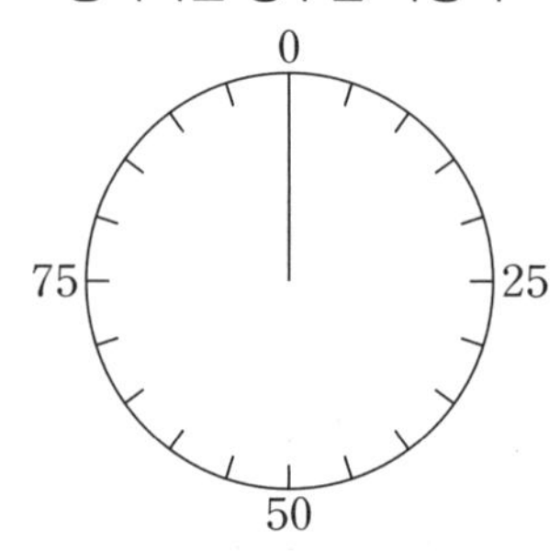

[3~6] 표를 완성하고 여러 가지 그래프로 나타내어 보세요.

3

좋아하는 동물별 학생 수

동물	개	고양이	햄스터	기타	합계
학생 수(명)	24	12	15	9	60
백분율(%)					

4 그림그래프

좋아하는 동물별 학생 수

동물	학생 수
개	
고양이	
햄스터	
기타	

◯ 10명 ○ 1명

5 띠그래프

좋아하는 동물별 학생 수

0 10 20 30 40 50 60 70 80 90 100 (%)

6 원그래프

좋아하는 동물별 학생 수

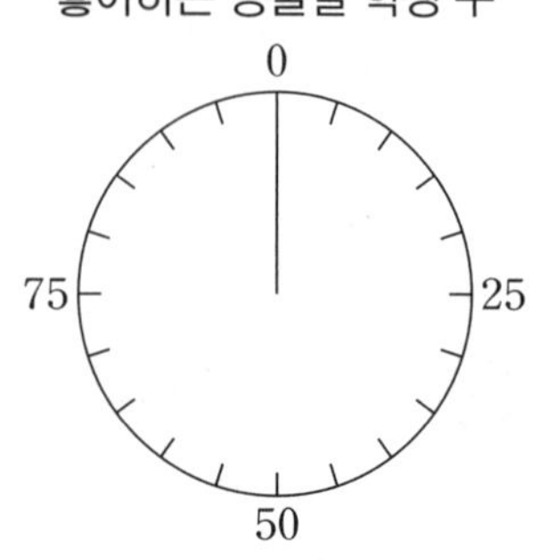

유형 진단 TEST

점수 /10점

정답 및 풀이 33쪽

[1~4] 준기네 학교 6학년 학생들이 좋아하는 바다 동물을 조사하여 나타낸 원그래프입니다. 물음에 답하세요.

좋아하는 바다 동물별 학생 수

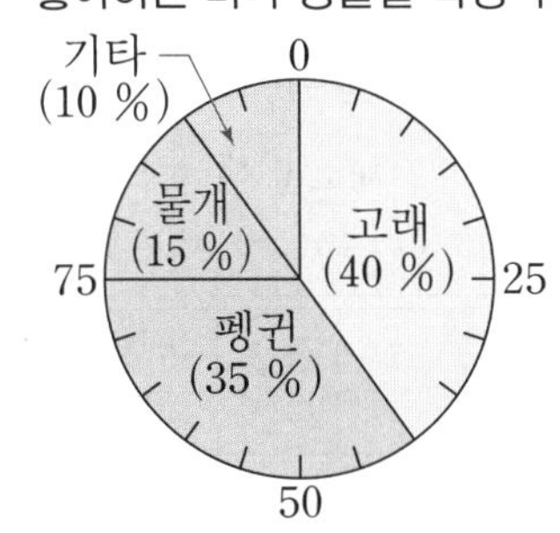

1 펭귄을 좋아하는 학생은 전체의 몇 %인가요? [1점]

( )

2 가장 많은 학생이 좋아하는 바다 동물은 무엇인가요? [1점]

( )

3 고래를 좋아하는 학생 수는 기타에 속하는 학생 수의 몇 배인가요? [1점]

( )

4 조사한 전체 학생 수가 80명일 때 물개를 좋아하는 학생은 몇 명인가요? [1점]

( )

[5~6] 수영이네 반 학생들의 장래 희망을 조사하여 나타낸 띠그래프와 원그래프입니다. 물음에 답하세요.

장래 희망별 학생 수

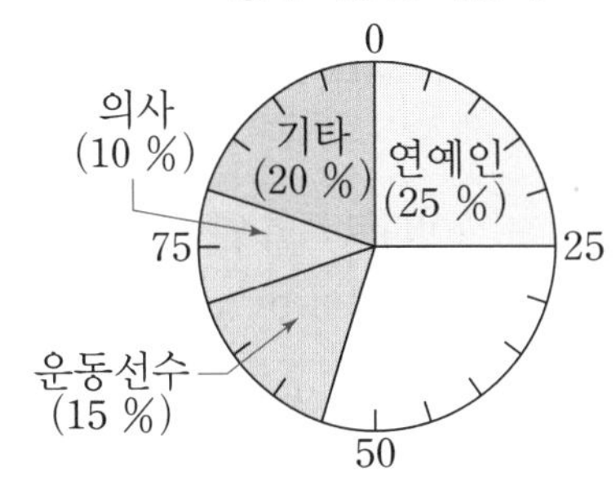

장래 희망별 학생 수

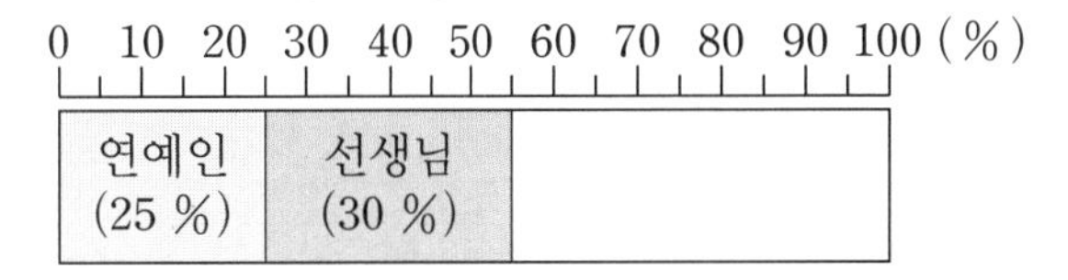

5 원그래프와 띠그래프를 완성해 보세요. [2점]

6 연예인 또는 운동 선수가 장래 희망인 학생은 전체의 몇 %인가요? [2점]

( )

7 띠그래프 또는 원그래프를 이용하면 편리하게 알 수 있는 것을 찾아 기호를 써 보세요. [2점]

㉠ 우리 반 교실의 온도 변화
㉡ 월별 준호의 수학 점수의 평균
㉢ 우리 반 친구들이 좋아하는 과목

( )

STEP 2 꼬리를 무는 유형

❶ 표와 그림그래프의 빈 곳 채우기

기본 유형 **1** 어느 아파트 동별 인구를 조사하여 나타낸 표와 그림그래프입니다. 표를 보고 그림그래프를 완성해 보세요.

아파트 동별 인구

동	1	2	3	4
인구(명)	210	220	160	150

아파트 동별 인구

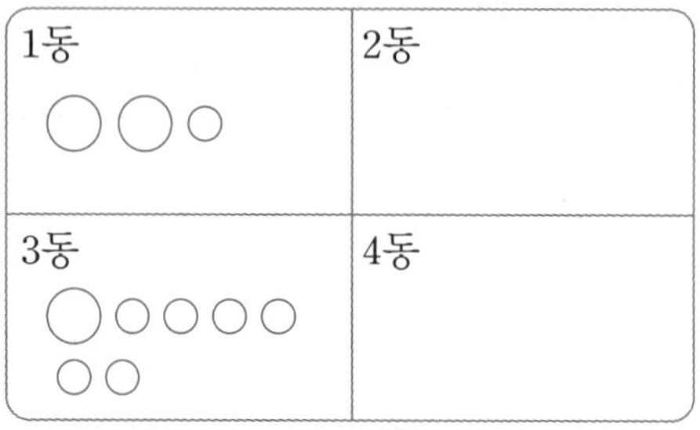

1동	2동
◯◯○	
3동	**4동**
◯○○○○○○	

◯100명 ○10명

변형 유형 **2** 어느 날 가게별 아이스크림 판매량을 조사하여 나타낸 그림그래프와 표입니다. 그림그래프를 보고 표를 완성해 보세요.

가게별 아이스크림 판매량

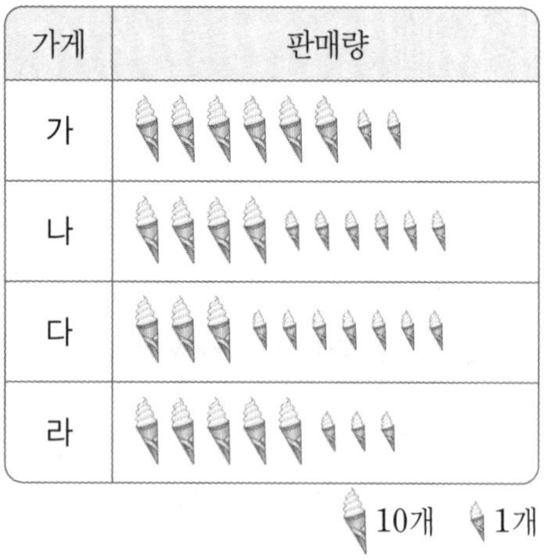

가게	판매량
가	🍦🍦🍦🍦🍦🍦 🍦🍦
나	🍦🍦🍦 🍦🍦🍦🍦🍦🍦
다	🍦🍦🍦 🍦🍦🍦🍦🍦🍦🍦
라	🍦🍦🍦🍦🍦 🍦🍦🍦

(큰 아이스크림) 10개 (작은 아이스크림) 1개

가게별 아이스크림 판매량

가게	가	나	다	라
판매량(개)	62	46		

❷ 차지하는 비율의 크기 비교하기

[3~5] 어느 농장의 채소별 생산량을 조사하여 나타낸 띠그래프입니다. 물음에 답하세요.

채소별 생산량

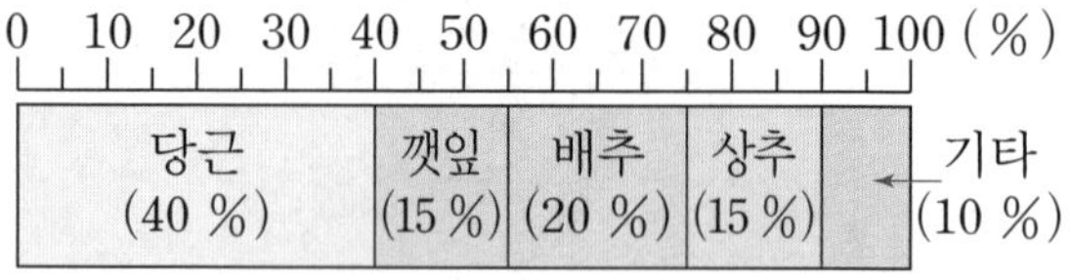

0 10 20 30 40 50 60 70 80 90 100 (%)

당근 (40 %)	깻잎 (15 %)	배추 (20 %)	상추 (15 %)	기타 (10 %)

기본 유형 **3** 생산량이 가장 많은 채소는 무엇인가요?

(　　　　　　　　)

변형 유형 **4** 생산량의 비율이 같은 채소를 써 보세요.

(　　　　　　　　), (　　　　　　　　)

변형 유형 **5** 생산량의 비율이 배추의 2배인 채소는 무엇인가요?

(　　　　　　　　)

실생활 유형 **6** 어느 빵 가게에서 오늘 종류별 팔린 빵 수를 조사하여 나타낸 띠그래프입니다. 내일 가장 많이 준비하면 좋은 빵 종류는 무엇인가요?

종류별 팔린 빵 수

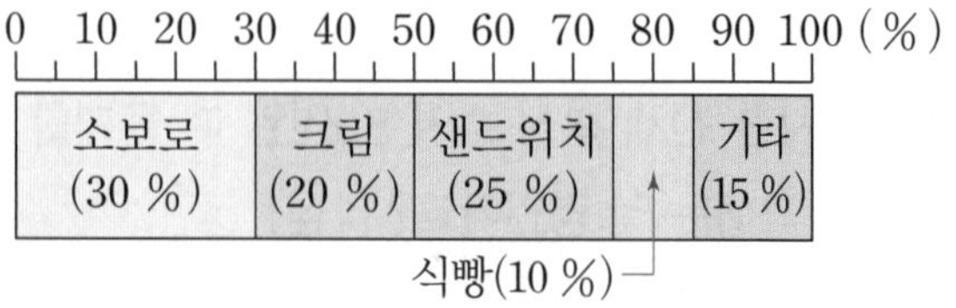

0 10 20 30 40 50 60 70 80 90 100 (%)

소보로 (30 %)	크림 (20 %)	샌드위치 (25 %)	식빵(10 %)	기타 (15 %)

(　　　　　　　　)

③ 그래프를 보고 비율 계산하기

[7~8] 민주네 반 학생들이 할 수 있는 운동을 조사하여 나타낸 원그래프입니다. 물음에 답하세요.

할 수 있는 운동별 학생 수

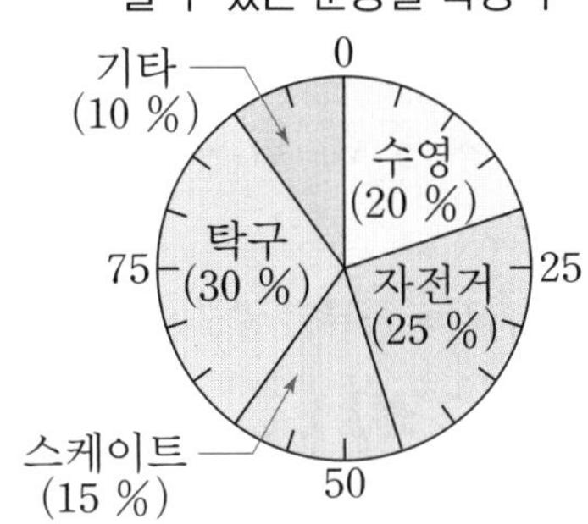

기본 유형

7 자전거 또는 스케이트를 탈 수 있는 학생은 전체의 몇 %인가요?

( )

변형 유형

8 탁구를 칠 수 있는 학생은 수영을 할 수 있는 학생보다 비율이 몇 % 더 큰가요?

( )

실생활 유형

9 정윤이네 반 학생들이 점심시간에 하고 싶은 것을 조사하여 나타낸 원그래프입니다. 축구 또는 야구를 하고 싶은 학생은 전체의 몇 %인가요?

점심시간에 하고 싶은 것별 학생 수

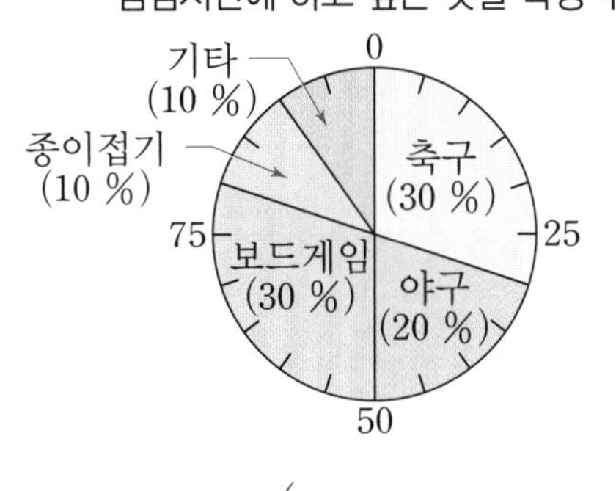

( )

④ 항목의 수 구하기

[10~11] 지호네 반 학생들이 좋아하는 허브를 조사하여 나타낸 띠그래프입니다. 물음에 답하세요.

좋아하는 허브별 학생 수

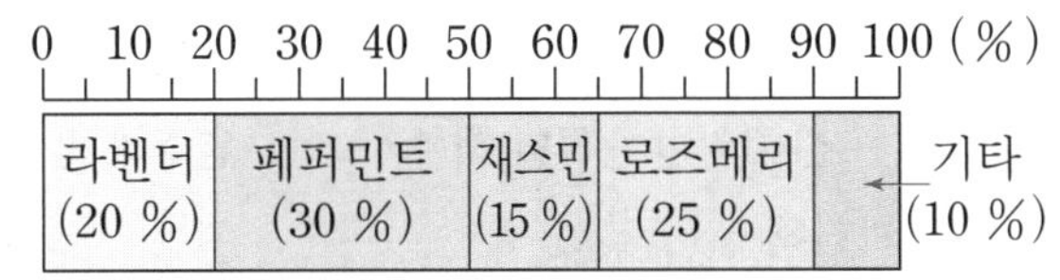

기본 유형

10 전체 조사한 학생이 60명일 때 라벤더를 좋아하는 학생은 몇 명인가요?

( )

변형 유형

11 페퍼민트를 좋아하는 학생이 18명일 때 재스민을 좋아하는 학생은 몇 명인가요?

( )

실생활 유형

12 양로원 어르신들이 좋아하는 색깔을 조사하여 나타낸 띠그래프입니다. 전체 조사한 어르신 80명에게 양말을 한 개씩 선물로 드린다면 빨간색 양말을 몇 개 준비하면 좋은가요?

좋아하는 색깔별 어르신 수

0 10 20 30 40 50 60 70 80 90 100 (%)

빨간색 (30 %)	초록색 (20 %)	회색 (20 %)	검은색 (15 %)	기타 (15 %)

( )

3 STEP 수학 독해력 유형

독해력 유형 1 두 원그래프에서 항목의 수 비교하기

학급 문고 책 수가 진호네 반은 50권, 영주네 반은 80권입니다. 두 반의 학급 문고 종류별 책 수를 나타낸 원그래프를 보고 누구네 반에 동화책이 더 많은지 구해 보세요.

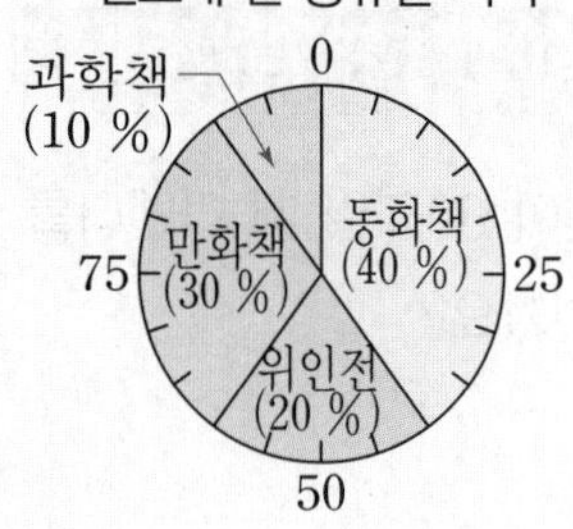

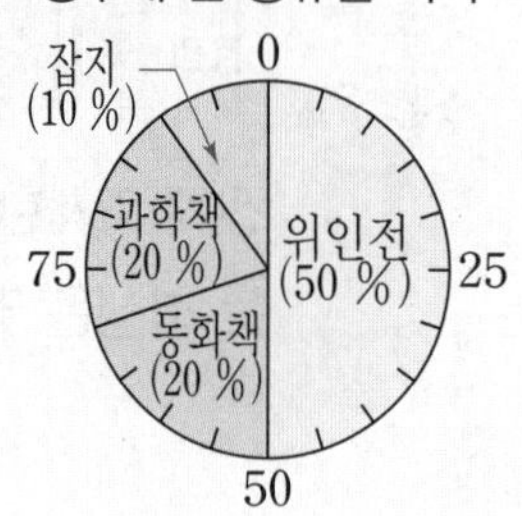

What? 구하려는 것을 찾아 밑줄을 그어 보세요.

How?
1. 진호네 반의 동화책 수 구하기
2. 영주네 반의 동화책 수 구하기
3. 1과 2를 비교하여 동화책 수가 더 많은 반 구하기

Solve
1. 진호네 반의 동화책은 몇 권인가요?
   (　　　　　　　)
2. 영주네 반의 동화책은 몇 권인가요?
   (　　　　　　　)
3. 누구네 반에 동화책이 더 많나요?
   (　　　　　　　)

구하려는 것을 찾아 밑줄을 그은 후 세운 계획에 따라 문제를 풀어 봐~.

쌍둥이 유형 1-1

주먹밥을 가 가게는 120개, 나 가게는 200개 팔았습니다. 두 가게의 종류별 팔린 주먹밥 수를 나타낸 원그래프를 보고 어느 가게가 멸치 주먹밥을 더 많이 팔았는지 구해 보세요.

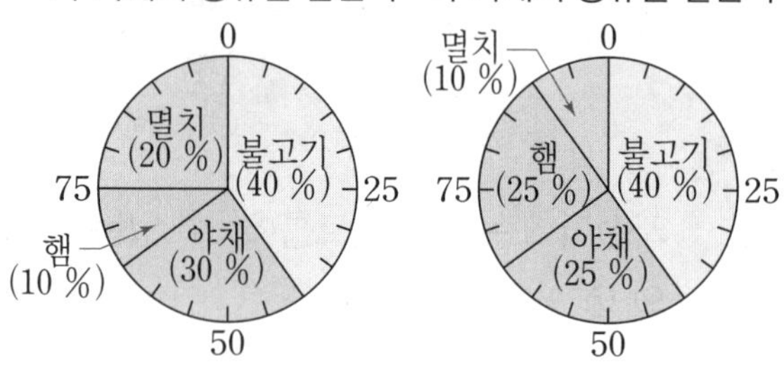

1.

2.

3.

답 ______________

쌍둥이 유형 1-2

1-1의 원그래프를 보고 어느 가게가 야채 주먹밥을 더 많이 팔았는지 구해 보세요.

1.

2.

3.

답 ______________

독해력 유형 2 띠그래프의 길이 구하기

민서네 반 학생들이 배우고 싶은 외국어를 조사하여 나타낸 띠그래프입니다. 전체 길이가 20 cm인 띠그래프로 나타낼 때 영어가 차지하는 부분의 길이는 몇 cm인지 구해 보세요.

배우고 싶은 외국어별 학생 수

0 10 20 30 40 50 60 70 80 90 100 (%)

중국어 (25 %)	영어	프랑스어 (15 %)	베트남어 (15 %)	기타 (10 %)

What? 구하려는 것을 찾아 밑줄을 그어 보세요.

How?
❶ 전체는 100 %이므로 영어가 차지하는 비율 알아보기
❷ 영어가 차지하는 비율을 소수로 나타내기
❸ 전체 길이에 비율을 곱하여 영어가 차지하는 부분의 길이 구하기

Solve
❶ 영어가 차지하는 비율은 전체의 몇 %인가요?
( )

❷ 영어가 차지하는 비율을 소수로 나타내어 보세요.
( )

❸ 영어가 차지하는 부분의 길이는 몇 cm인가요?
( )

구하려는 것은 띠그래프에서 영어가 차지하는 부분의 길이이죠~

먼저 영어가 차지하는 비율을 알아봐야 해요~

쌍둥이 유형 2-1

유주네 반 학생들이 배우고 싶은 악기를 조사하여 나타낸 띠그래프입니다. 전체 길이가 10 cm인 띠그래프로 나타낼 때 우쿨렐레가 차지하는 부분의 길이는 몇 cm인가요?

배우고 싶은 악기별 학생 수

0 10 20 30 40 50 60 70 80 90 100 (%)

우쿨렐레	오카리나 (25 %)	단소 (20 %)	리코더 (15 %)	기타 (10 %)

❶

❷

❸

답

쌍둥이 유형 2-2

선우네 학교 학생들이 좋아하는 연예인 분야를 조사하여 나타낸 띠그래프입니다. 전체 길이가 16 cm인 띠그래프로 나타낼 때 개그맨이 차지하는 부분의 길이는 몇 cm인가요?

좋아하는 연예인 분야별 학생 수

0 10 20 30 40 50 60 70 80 90 100 (%)

가수 (35 %)	개그맨	배우 (30 %)	기타 (15 %)

❶

❷

❸

답

4 STEP

사고력 플러스 유형

플러스 유형 ❶ 그림그래프에서 두 항목의 차 구하기

1-1 마을별 감자 생산량을 조사하여 나타낸 그림그래프입니다. 생산량이 가장 많은 마을과 가장 적은 마을의 생산량의 차는 몇 kg인가요?

마을별 감자 생산량

마을	생산량
가	큰 그림 3개, 작은 그림 3개
나	큰 그림 4개, 작은 그림 2개
다	큰 그림 3개, 작은 그림 4개
라	큰 그림 5개, 작은 그림 1개

(큰 그림) 100 kg (작은 그림) 10 kg

(   )

1-2 빌딩별 주차된 자동차 수를 조사하여 나타낸 그림그래프입니다. 주차된 자동차 수가 가장 많은 빌딩과 가장 적은 빌딩의 주차된 자동차 수의 차는 몇 대인가요?

빌딩별 주차된 자동차 수

가	나
큰 그림 2개, 작은 그림 1개	큰 그림 1개, 작은 그림 2개
다	**라**
큰 그림 2개, 작은 그림 3개	큰 그림 1개, 작은 그림 4개

(큰 그림) 100대 (작은 그림) 10대

(   )

플러스 유형 처방전

가장 많은 항목을 구하는 방법을 알아볼까용?
① 큰 그림의 개수가 가장 많은 것을 찾습니다.
② 큰 그림의 개수가 같은 경우 작은 그림의 개수를 비교합니다.

플러스 유형 ❷ 그래프 그리는 순서

2-1 띠그래프로 나타내는 순서를 바르게 써 보세요.

㉠ 각 항목이 차지하는 백분율의 크기만큼 선을 그어 띠를 나눕니다.
㉡ 띠그래프의 제목을 씁니다.
㉢ 나눈 부분에 각 항목의 내용과 백분율을 씁니다.
㉣ 각 항목의 백분율의 합계가 100 %가 되는지 확인합니다.
㉤ 자료를 보고 각 항목의 백분율을 구합니다.

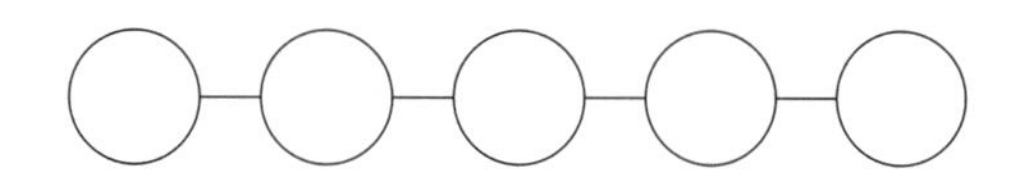

2-2 원그래프로 나타내는 순서를 바르게 써 보세요.

㉠ 각 항목의 백분율의 합계가 100 %가 되는지 확인합니다.
㉡ 자료를 보고 각 항목의 백분율을 구합니다.
㉢ 나눈 부분에 각 항목의 내용과 백분율을 씁니다.
㉣ 각 항목이 차지하는 백분율의 크기만큼 선을 그어 원을 나눕니다.
㉤ 원그래프의 제목을 씁니다.

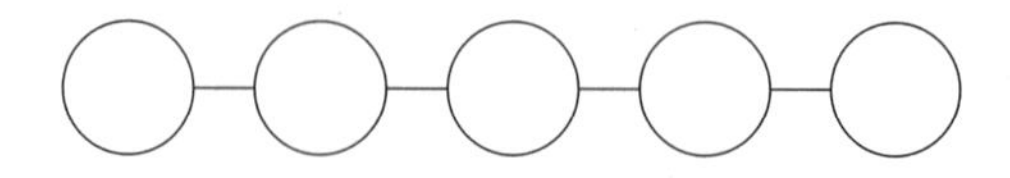

플러스 유형 처방전

각 항목의 백분율을 구하고 합계가 100 %가 되어야 하는 것도 잊지 말아용~

플러스 유형 3 몇 배인지 구하기

3-1 유민이네 반 학생들이 즐겨 보는 TV 프로그램을 조사하여 나타낸 띠그래프입니다. 만화를 즐겨 보는 학생 수는 예능을 즐겨 보는 학생 수의 몇 배인가요?

즐겨 보는 TV 프로그램별 학생 수

0 10 20 30 40 50 60 70 80 90 100 (%)

다큐	만화	예능	음악	기타
(20 %)	(30 %)	(15 %)	(20 %)	(15 %)

( )

[3-2~3-3] 지영이네 반 학생들이 좋아하는 고기 종류를 조사하여 나타낸 띠그래프입니다. 물음에 답해 보세요.

좋아하는 고기 종류별 학생 수

0 10 20 30 40 50 60 70 80 90 100 (%)

닭고기	돼지고기	소고기	기타
(40 %)	(20 %)	(30 %)	(10 %)

3-2 닭고기를 좋아하는 학생 수는 돼지고기를 좋아하는 학생 수의 몇 배인가요?

( )

3-3 소고기를 좋아하는 학생 수는 기타에 속하는 학생 수의 몇 배인가요?

( )

플러스 유형 처방전

몇 배인지 구하는 방법을 설명해 줄게용~
① 각 항목의 비율은 몇 %인지 알아봅니다.
② 비율을 나누어 몇 배인지 구합니다.

플러스 유형 4 알 수 있는 점 설명하기

서술형

4-1 시훈이의 용돈의 쓰임새를 조사하여 나타낸 띠그래프입니다. 그래프를 보고 알 수 있는 점을 두 가지 써 보세요.

용돈의 쓰임새별 금액

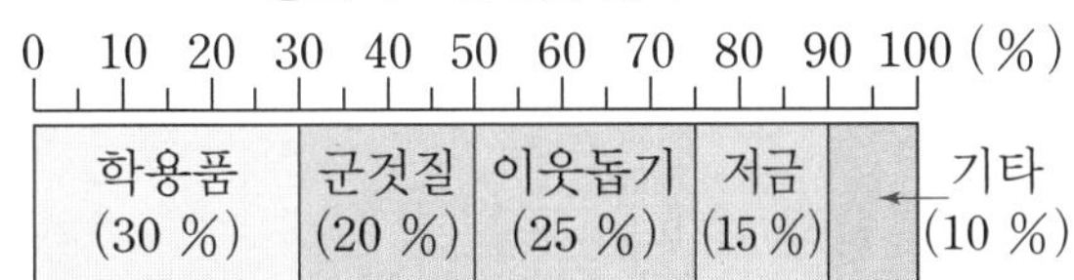

①

②

서술형

4-2 소정이네 반 학생들이 좋아하는 음식을 조사하여 나타낸 원그래프입니다. 그래프를 보고 알 수 있는 점을 두 가지 써 보세요.

좋아하는 음식별 학생 수

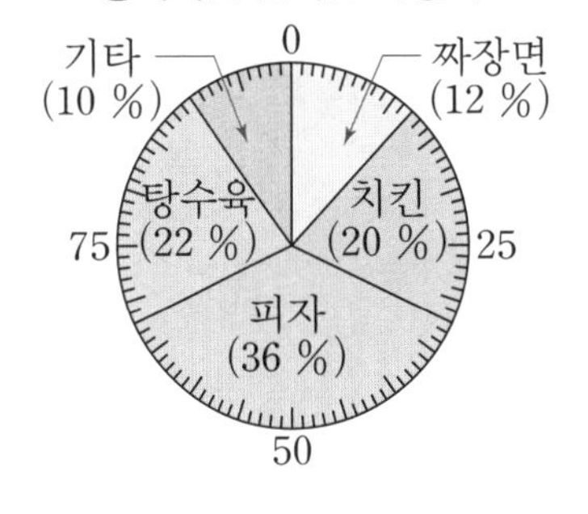

①

②

플러스 유형 5 한 항목의 수로 다른 항목의 수 구하기

5-1 진우네 학교 학생들이 좋아하는 나무를 조사하여 나타낸 원그래프입니다. 밤나무를 좋아하는 학생 수가 34명이라면 은행나무를 좋아하는 학생 수는 몇 명인가요?

좋아하는 나무별 학생 수

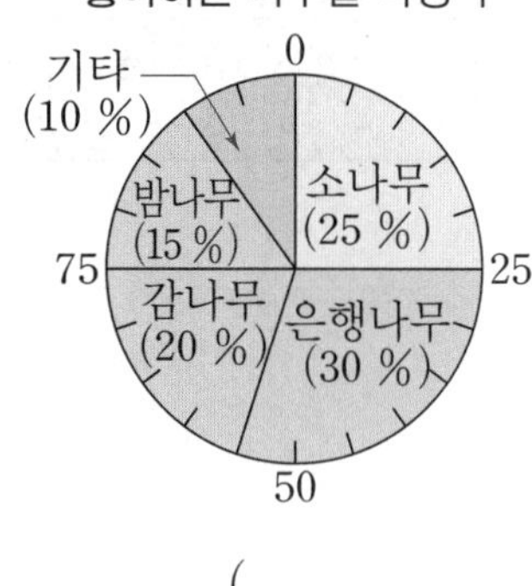

(　　　　　　　　)

서술형

5-2 어느 미술관의 요일별 관람객 수를 조사하여 나타낸 원그래프입니다. 수요일의 관람객 수가 240명이라면 토, 일요일의 관람객 수는 몇 명인지 풀이 과정을 쓰고 답을 구해 보세요.

요일별 관람객 수

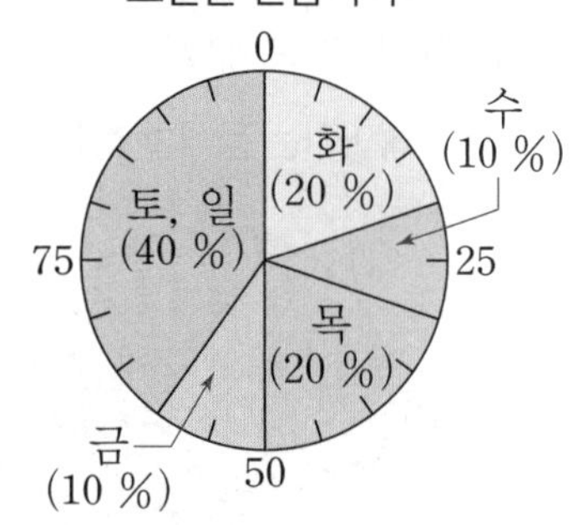

풀이

답

플러스 유형 6 두 띠그래프 비교하기

사고력 유형

6-1 어느 초등학교 방과 후 수업에 참여하는 학생 수를 조사하여 나타낸 띠그래프입니다. 물음에 답하세요.

방과 후 수업별 학생 수

2018년	공예 (18 %)	영어 회화 (25 %)	과학 (16 %)	댄스 (30 %)	기타 (11 %)
2019년	공예 (15 %)	영어 회화 (25 %)	과학 (15 %)	댄스 (35 %)	기타 (10 %)

(1) 2018년에 비해 2019년에 비율이 더 늘어난 수업은 무엇인가요?

(　　　　　　　　)

(2) 2018년과 2019년에 전체에 대한 참여하는 학생 수가 차지하는 비율이 같은 수업은 무엇인가요?

(　　　　　　　　)

6-2 어느 우산 가게에서 색깔별 팔린 우산 수를 조사하여 나타낸 띠그래프입니다. 물음에 답하세요.

색깔별 팔린 우산 수

5월	빨간색 (21 %)	초록색 (15 %)	남색 (26 %)	검은색 (28 %)	기타 (10 %)
6월	빨간색 (20 %)	초록색 (15 %)	남색 (30 %)	검은색 (26 %)	기타 (9 %)

(1) 5월에 비해 6월에 비율이 더 늘어난 우산의 색깔은 무엇인가요?

(　　　　　　　　)

서술형

(2) 띠그래프를 보고 알 수 있는 점을 써 보세요.

플러스 유형 7 항목의 수로 전체 수 구하기

독해력 유형

7-1 초록 마을의 과수원별 밤 생산량을 조사하여 나타낸 띠그래프입니다. 다 과수원의 밤 생산량이 120 kg이라면 초록 마을의 과수원 전체 밤 생산량은 몇 kg인지 구해 보세요.

과수원별 밤 생산량

0 10 20 30 40 50 60 70 80 90 100 (%)

가 (20 %)	나 (30 %)	다 (25 %)	라 (25 %)

단계 1 다 과수원의 밤 생산량의 비율은 전체의 몇 %인가요?

( )

단계 2 전체 밤 생산량은 다 과수원의 밤 생산량의 비율의 몇 배인가요?

( )

단계 3 초록 마을의 과수원 전체 밤 생산량은 몇 kg인가요?

( )

7-2 은지 마을의 과수원별 토마토 생산량을 조사하여 나타낸 띠그래프입니다. 라 과수원의 토마토 생산량이 90 kg이라면 은지 마을의 과수원 전체 토마토 생산량은 몇 kg인지 구해 보세요.

과수원별 토마토 생산량

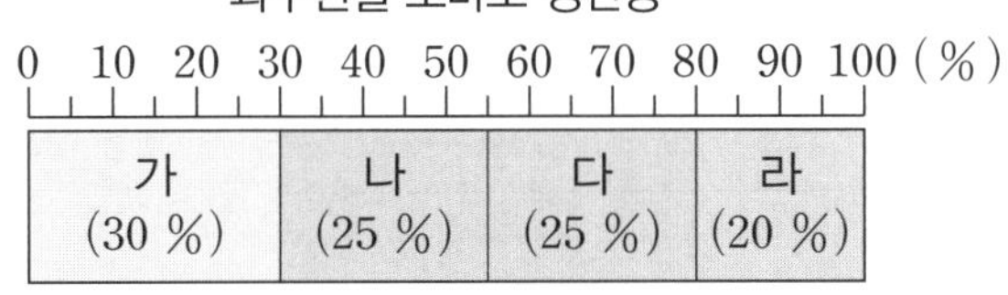

( )

플러스 유형 8 두 원그래프 활용하기

독해력 유형

8-1 은진이네 학교 학생 300명의 남녀 학생 수와 여학생 중 수영을 할 수 있는 학생 수를 조사하여 나타낸 원그래프입니다. 수영을 할 수 있는 여학생은 몇 명인지 구해 보세요.

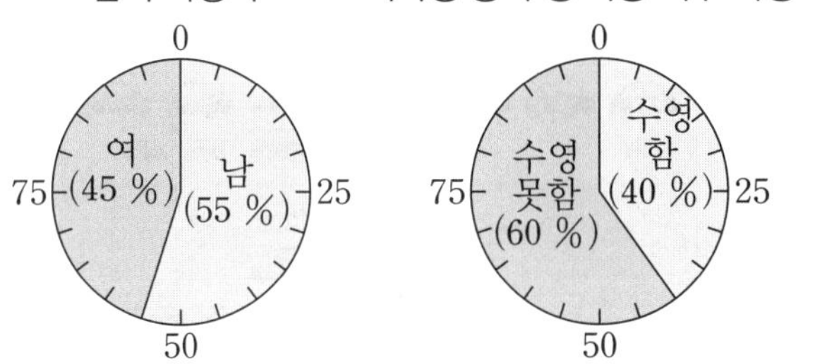

단계 1 전체 학생 중 여학생은 몇 명인가요?

( )

단계 2 여학생 중 수영을 할 수 있는 학생은 몇 명인가요?

( )

8-2 정민이네 학교 학생 200명의 남녀 학생 수와 남학생이 좋아하는 과목을 조사하여 나타낸 원그래프입니다. 음악을 좋아하는 남학생은 몇 명인지 구해 보세요.

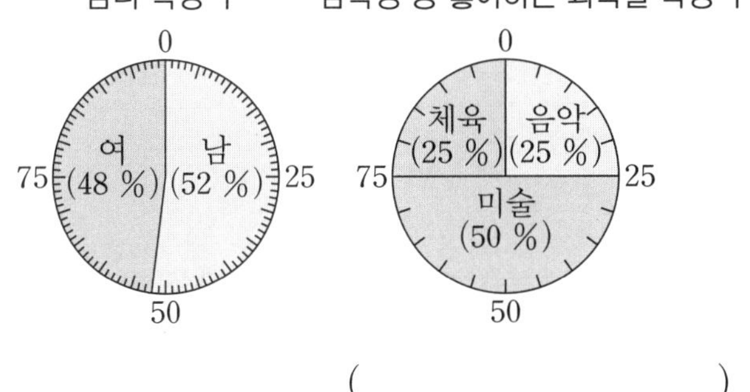

( )

[1~4] 어느 지역의 마을별 자동차 수를 조사하여 나타낸 표와 그림그래프입니다. 물음에 답하세요.

마을별 자동차 수

마을	가	나	다	라
자동차 수(대)	31	52	43	

마을별 자동차 수

가	나
🚗🚗🚗 🚙	🚗🚗🚗🚗🚗 🚙🚙
다	라
	🚗 🚙🚙🚙🚙🚙

🚗10대 🚙1대

1 🚗과 🚙은 각각 몇 대를 나타내나요?

🚗 (   )

🚙 (   )

2 라 마을은 자동차가 몇 대인가요?

(   )

3 위의 그림그래프를 완성해 보세요.

4 자동차 수가 가장 많은 마을은 어느 마을인가요?

(   )

[5~6] 영훈이네 반 학생들이 좋아하는 분식을 조사하여 나타낸 띠그래프입니다. 물음에 답하세요.

좋아하는 분식별 학생 수

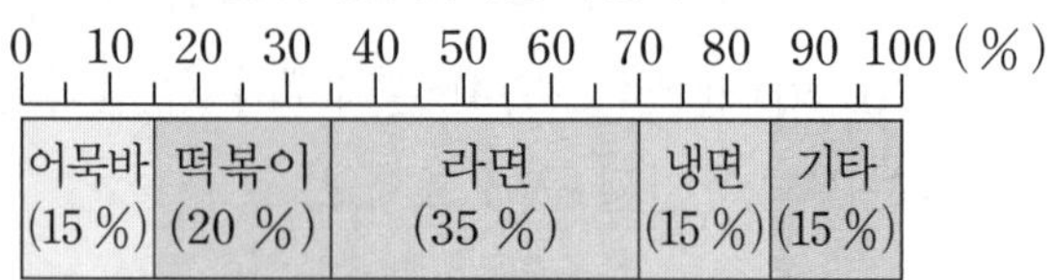

5 냉면을 좋아하는 학생 수는 전체의 몇 %인가요?

(   )

6 가장 많은 학생이 좋아하는 분식은 무엇인가요?

(   )

[7~8] 소은이네 반 학생들의 등교 방법을 조사하여 나타낸 원그래프입니다. 물음에 답하세요.

등교 방법별 학생 수

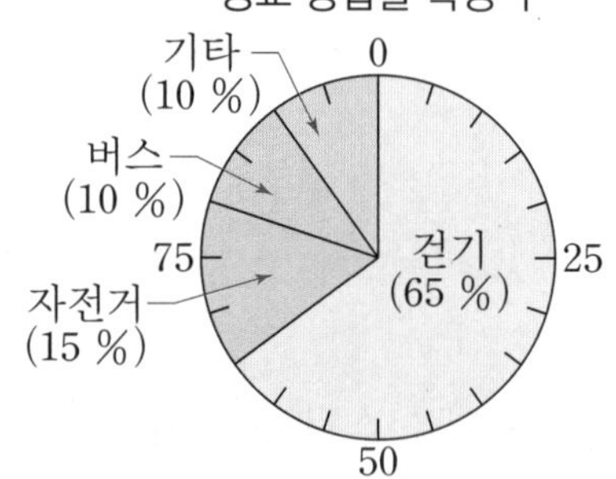

7 걸어서 등교하는 학생 수는 전체의 몇 %인가요?

(   )

8 걷거나 자전거를 타고 등교하는 학생은 전체의 몇 %인가요?

(   )

[9~10] 정우네 학교 6학년 학생들이 가고 싶은 수학 여행지를 조사하여 나타낸 표입니다. 물음에 답하세요.

가고 싶은 수학 여행지별 학생 수

여행지	경주	제주도	전주	기타	합계
학생 수(명)	16	32	24	8	80
백분율(%)					

9 위 표를 완성해 보세요.

10 띠그래프로 나타내어 보세요.

가고 싶은 수학 여행지별 학생 수

0 10 20 30 40 50 60 70 80 90 100 (%)

[11~12] 마을별 음식물 쓰레기 배출량을 조사하여 나타낸 표입니다. 물음에 답하세요.

마을별 음식물 쓰레기 배출량

마을	가	나	다	라	합계
배출량(kg)	150	120	240	90	600
백분율(%)					

11 위 표를 완성해 보세요.

12 원그래프로 나타내어 보세요.

마을별 음식물 쓰레기 배출량

0, 25, 50, 75

[13~14] 소현이네 학교 6학년 학생들의 취미를 조사하여 나타낸 원그래프입니다. 물음에 답하세요.

취미별 학생 수

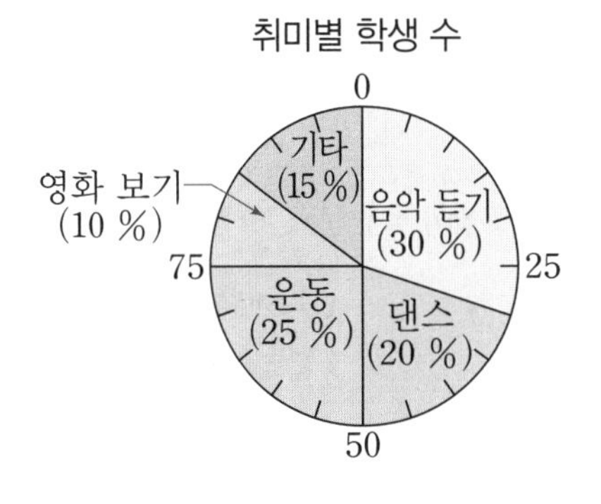

13 음악 듣기가 취미인 학생 수는 영화 보기가 취미인 학생 수의 몇 배인가요?

( )

14 댄스가 취미인 학생이 40명이라면 영화 보기가 취미인 학생은 몇 명인가요?

( )

15 자료를 그래프로 나타낼 때 어떤 그래프가 좋을지 모두 찾아 기호를 써 보세요.

권역별 초등학교 수

㉠ 원그래프 ㉡ 그림그래프 ㉢ 꺾은선그래프

( )

16 수현이네 반 학생들이 좋아하는 열대 과일을 조사하여 나타낸 띠그래프입니다. 전체 학생 수가 20명이라면 망고를 좋아하는 학생은 몇 명인가요?

좋아하는 열대 과일별 학생 수

0 10 20 30 40 50 60 70 80 90 100 (%)

망고 (20 %)	파인애플 (25 %)	아보카도 (30 %)	자몽 (15 %)	기타 (10 %)

( )

정답 및 풀이 35쪽

서술형 ≫ 139쪽 4-2 유사 문제

17 시영이네 반 학생들이 좋아하는 생선 반찬을 조사하여 나타낸 원그래프입니다. 그래프를 보고 알 수 있는 점을 두 가지 써 보세요.

좋아하는 생선 반찬별 학생 수

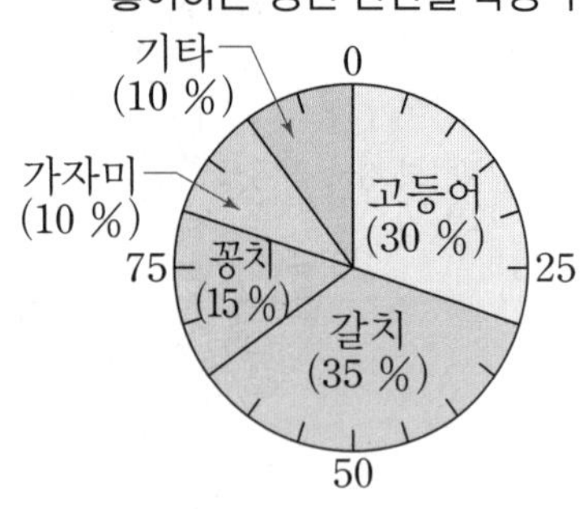

①

②

서술형 ≫ 140쪽 5-2 유사 문제

18 어느 지역의 11월 날씨를 조사하여 나타낸 띠그래프입니다. 비 온 날이 3일이라면 맑은 날은 며칠인지 풀이 과정을 쓰고 답을 구해 보세요.

11월 날씨별 날수

0 10 20 30 40 50 60 70 80 90 100 (%)

맑음 (60 %) | 흐림 (20 %) | 비 (10 %) | 눈 (10 %)

풀이

답

서술형 ≫ 140쪽 6-2 유사 문제

19 어느 마을의 농장별 포도 생산량을 조사하여 나타낸 띠그래프입니다. 물음에 답하세요.

농장별 포도 생산량

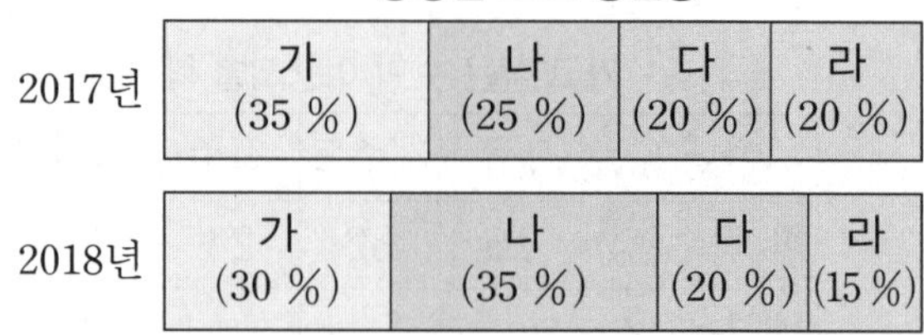

(1) 2018년의 생산량이 2017년의 생산량에 비해 차지하는 비율이 늘어난 농장은 어느 농장인가요?

( )

(2) 띠그래프를 보고 알 수 있는 점을 써 보세요.

독해력 유형 서술형 ≫ 141쪽 7-1 유사 문제

20 석현이네 학교 6학년 학생들이 좋아하는 견과류를 조사하여 나타낸 원그래프입니다. 아몬드를 좋아하는 학생이 16명이라면 6학년 전체 학생 수는 몇 명인지 풀이 과정을 쓰고 답을 구해 보세요.

좋아하는 견과류별 학생 수

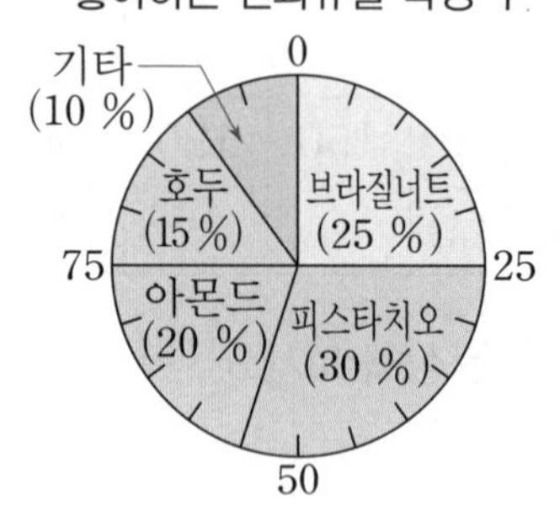

풀이

답

비 알아보기

1 그림을 보고 □ 안에 알맞은 수를 써넣으세요.

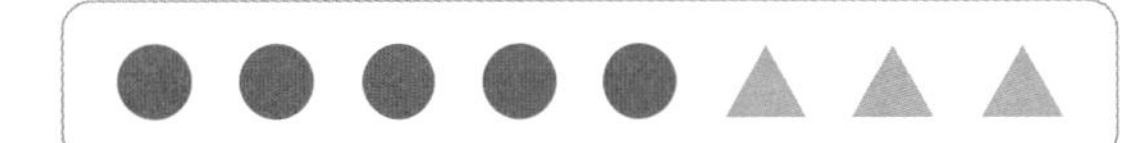

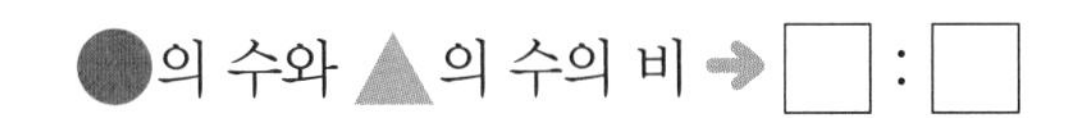

비율 알아보기

2 관계있는 것끼리 이어 보세요.

4 : 5 •	• $\frac{3}{4}$ •	• 0.8
4에 대한 3의 비 •	• $\frac{4}{5}$ •	• 0.75

백분율 알아보기

3 그림을 보고 전체에 대한 색칠한 부분의 비율을 백분율로 나타내어 보세요.

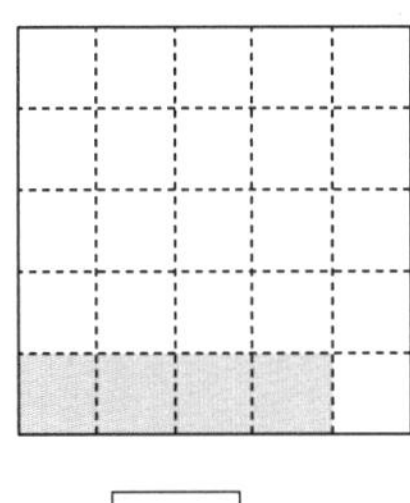

□ %

비율이 사용되는 경우

4 은정이는 100 m를 달리는 데 25초가 걸렸습니다. 은정이가 100 m를 달리는 데 걸린 시간에 대한 달린 거리의 비율을 구해 보세요.

(　　　　　　　　)

백분율 구하기

코딩 1

백분율 계산
50 의 3 은 몇 %? 계산
□ %

그 계산하는 과정은 다음과 같습니다. 출력되어 나오는 값은 얼마인가요?

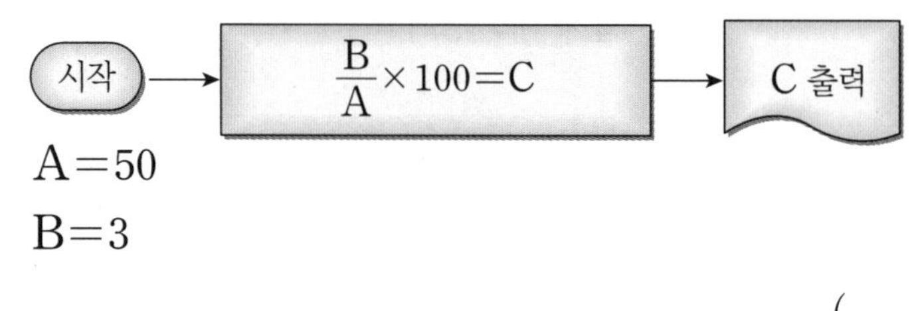

$A=50$

$B=3$

(　　　　　　　　　　)

코딩 2

전체 수와 백분율을 넣으면 항목의 수가 나오는 코딩 과정입니다. 200명의 23 %는 몇 명인지 구해 보세요.

↓	$A=200$, $B=23$
↓	$B \div 100 = B'$ $A \times B' = C$
C를 출력합니다.	

(　　　　　　　　　　)

파워포인트로 원그래프 그리기

파워포인트 프로그램을 열고~
오른쪽 그림에서 차트를 클릭!!!

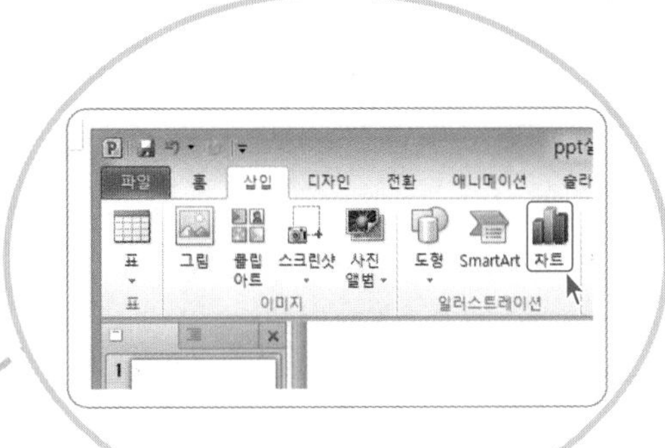

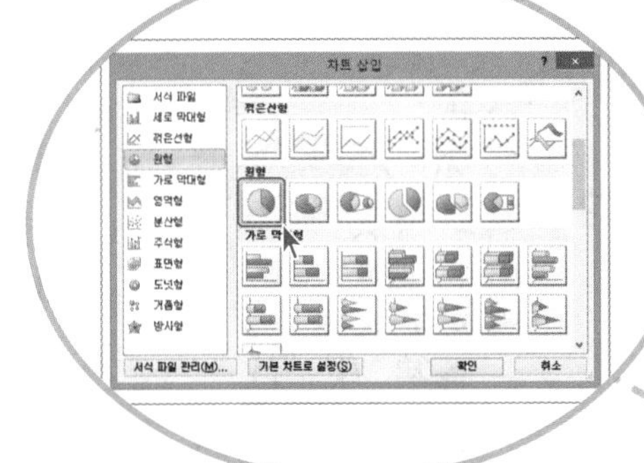

왼쪽 창이 뜨거든~~
원형을 또 클릭~~

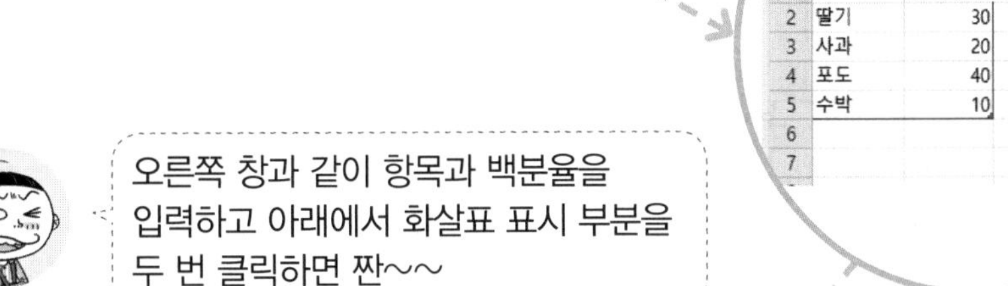

	A	B	C	D
1		좋아하는 과일별 학생 수		
2	딸기	30		
3	사과	20		
4	포도	40		
5	수박	10		
6				
7				

오른쪽 창과 같이 항목과 백분율을
입력하고 아래에서 화살표 표시 부분을
두 번 클릭하면 짠~~

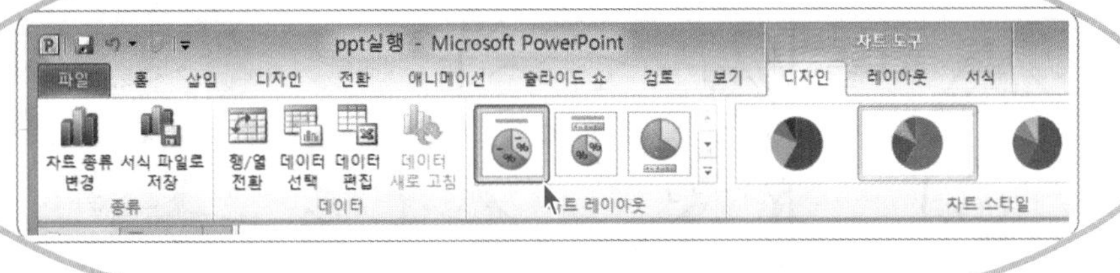

내가 그린 원그래프야.
신기하지?

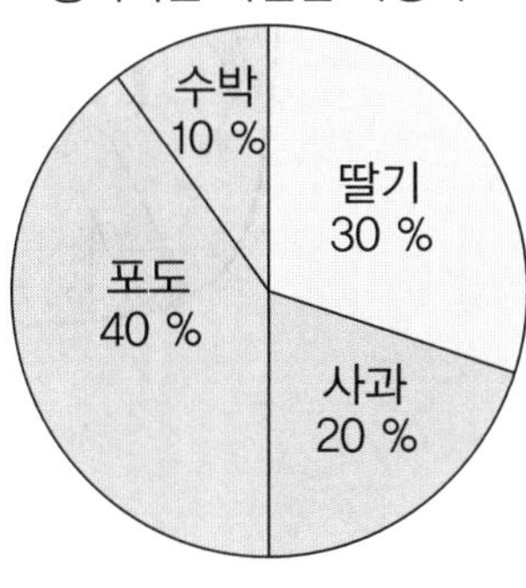

5 단원 여러 가지 그래프

6 직육면체의 부피와 겉넓이

Dr. 유형 처방전
(직육면체의 부피)=(가로)×(세로)×(높이)임을 기억하기!

이런! 부피를 겉넓이로
착각해서 주문했었네요~
50×50×50인데요.
어떡하죠?
큰 크기의 입원실은 남은 게
없는데……
하하하……
어떡하지……?
멍! 괜찮으면
이 개 입원실 같이 쓰면
안 될까요?
난 좋아~

개념 1 직육면체의 부피 비교하기

1. 상자의 부피 직접 비교하기

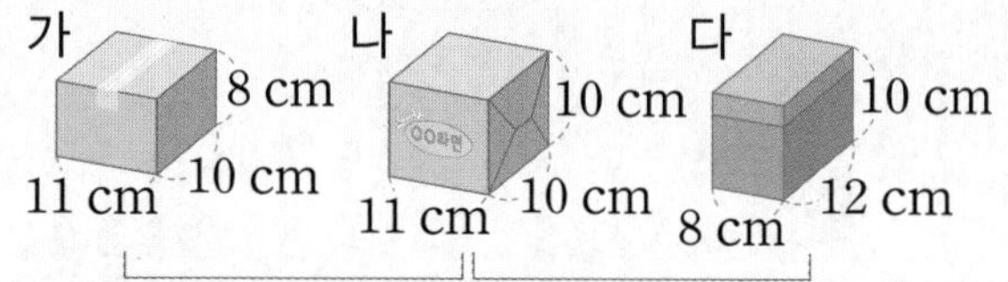

가와 나는 가로와 세로가 같으므로 높이를 비교하면 나의 부피가 더 큽니다.

나와 다는 높이만 같기 때문에 부피를 직접 비교하기 어렵습니다.

➜ 가의 부피 (<) 나의 부피

나와 다는 부피를 직접 비교할 수 없습니다.

2. 쌓기나무를 사용하여 상자의 부피 비교하기

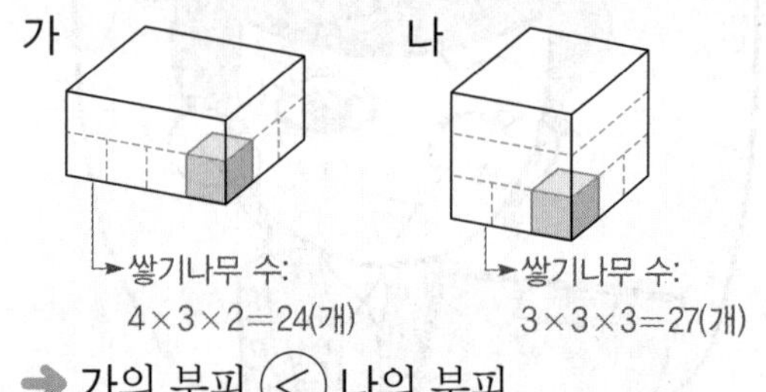

➜ 가의 부피 (<) 나의 부피

[1~2] 가와 나를 맞대어 부피를 비교해 보세요.

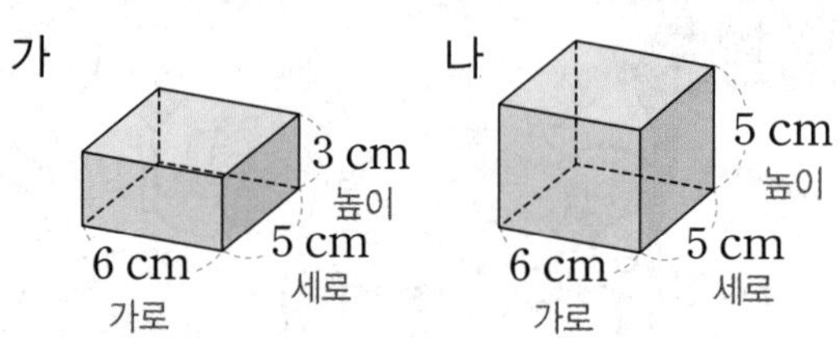

1 길이가 같은 것과 다른 것을 찾아 써 보세요.

길이가 같은 것: 가로와 ☐

길이가 다른 것: ☐

2 가와 나를 맞대어 부피를 비교할 수 (있습니다 , 없습니다).

3 가와 나 상자에 담을 수 있는 크기가 같은 과자 상자의 개수를 구하고 부피를 비교하여 ○ 안에 >, =, <를 알맞게 써넣으세요.

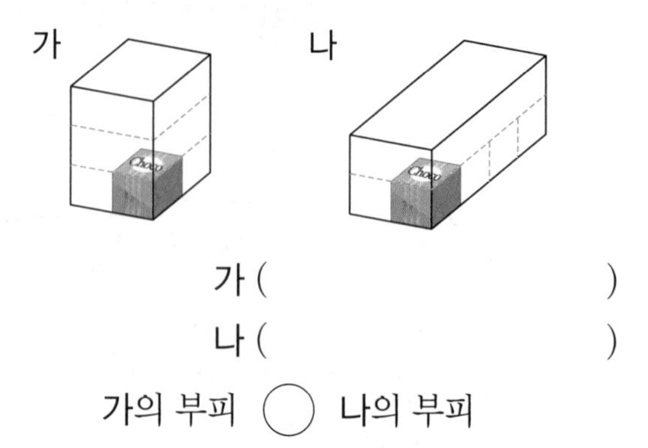

가 ( )

나 ( )

가의 부피 ○ 나의 부피

4 크기가 같은 쌓기나무로 만든 두 직육면체의 부피를 비교하여 ○ 안에 >, =, <를 알맞게 써넣으세요.

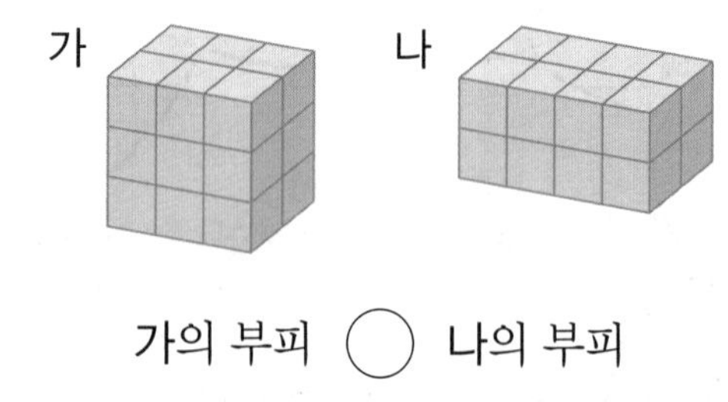

가의 부피 ○ 나의 부피

5 직접 맞대어 비교할 때 가와 나 중에서 부피가 더 큰 직육면체를 찾아 기호를 써 보세요.

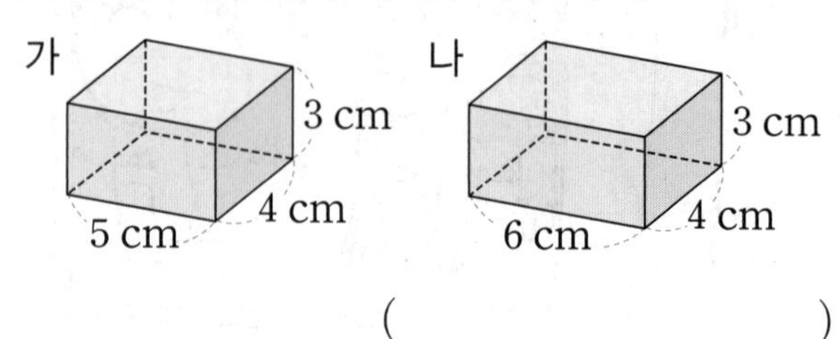

( )

정답 및 풀이 37쪽

개념 2 직육면체의 부피를 구하는 방법

1. 1 cm^3: 한 모서리의 길이가 1 cm인 정육면체의 부피

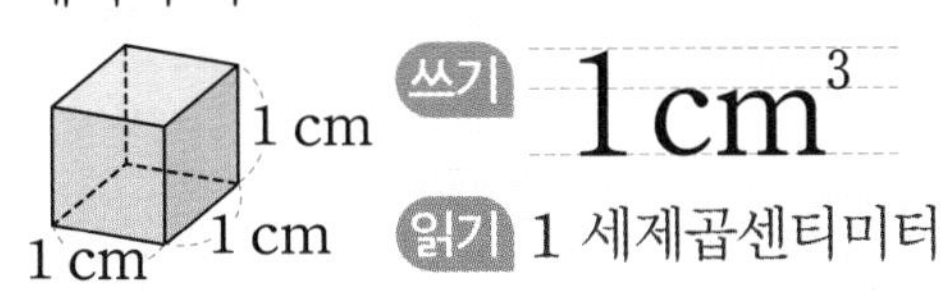

2. 부피가 1 cm^3인 쌓기나무를 사용하여 직육면체의 부피 구하기

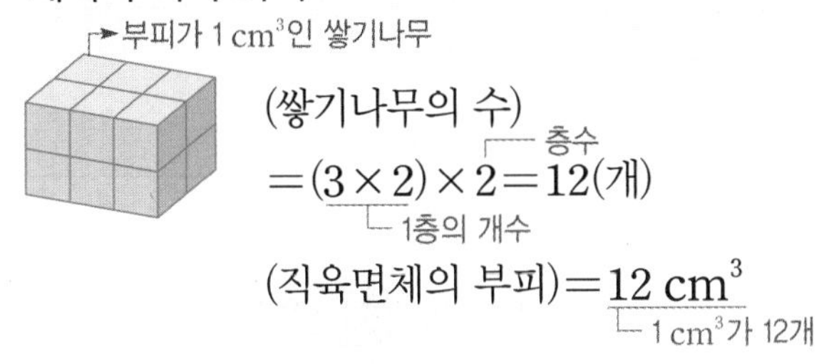

유형

6 한 모서리의 길이가 1 cm인 정육면체입니다. 이 정육면체의 부피를 쓰고 읽어 보세요.

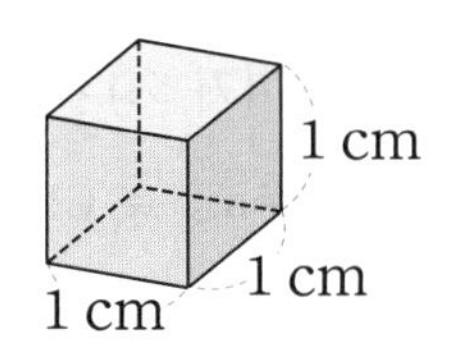

쓰기 (　　　　　　　　)

읽기 (　　　　　　　　)

7 부피가 1 cm^3인 쌓기나무로 다음과 같이 직육면체를 만들었습니다. 쌓기나무의 수와 부피를 구해 보세요.

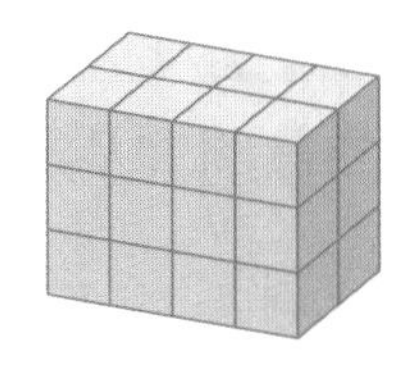

쌓기나무의 수 (개)	(□ × □) × □ = □ (1층의 개수, 층수)
부피(cm^3)	

[8~9] 부피가 1 cm^3인 쌓기나무로 만든 직육면체입니다. 직육면체의 부피는 몇 cm^3인지 구해 보세요.

8

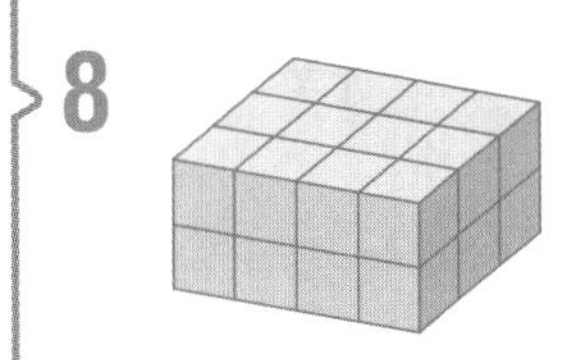

(　　　　　　　　)

9

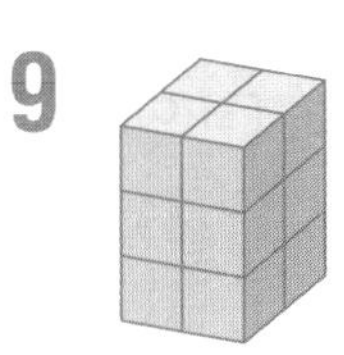

(　　　　　　　　)

10 부피가 1 cm^3인 쌓기나무로 만든 모양입니다. 이 모양을 3층으로 쌓아 직육면체를 만들었다면 이 직육면체의 부피는 몇 cm^3인가요?

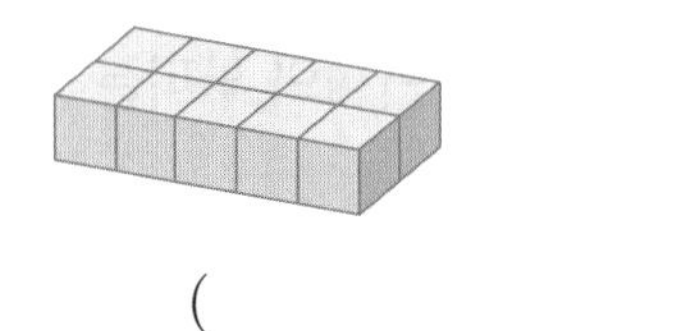

(　　　　　　　　)

11 부피가 1 cm^3인 쌓기나무로 다음과 같이 직육면체를 만들었습니다. 나의 부피가 가의 부피보다 몇 cm^3 더 큰지 구해 보세요.

가

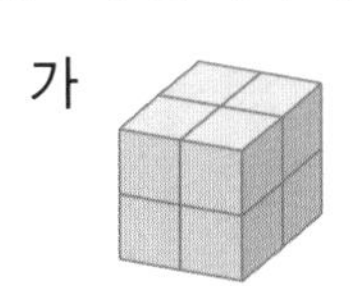

나

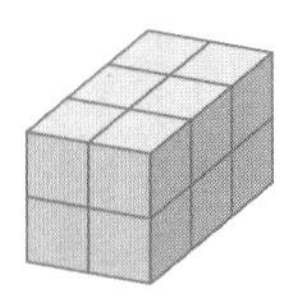

(　　　　　　　　)

개념 3 직육면체의 부피 구하기

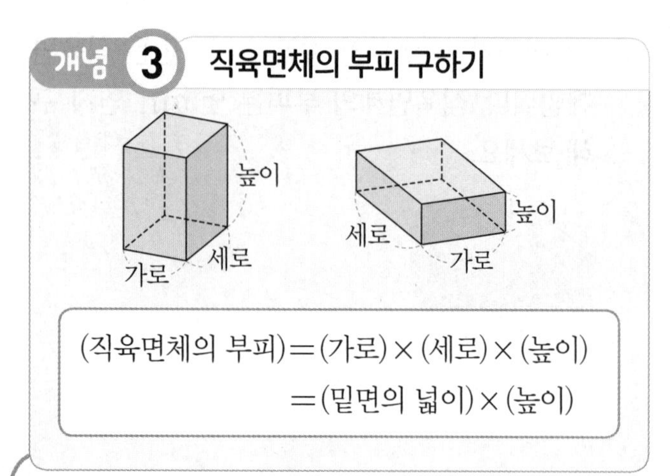

(직육면체의 부피)=(가로)×(세로)×(높이)
=(밑면의 넓이)×(높이)

유형

12 직육면체의 부피를 구하려고 합니다. □ 안에 알맞은 수를 써넣으세요.

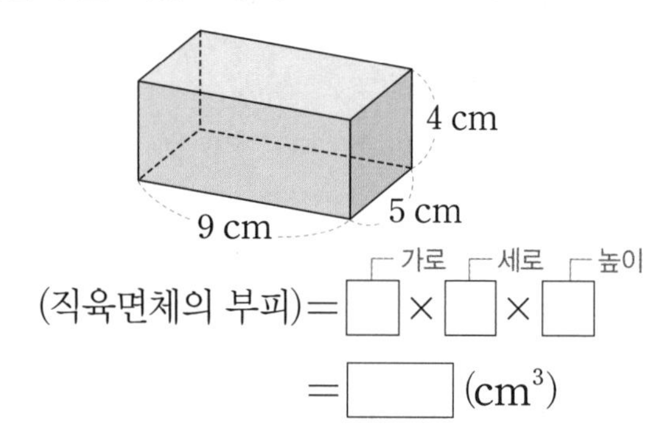

(직육면체의 부피)=□×□×□
=□ (cm^3)

[13~14] 직육면체의 부피는 몇 cm^3인지 구해 보세요.

13

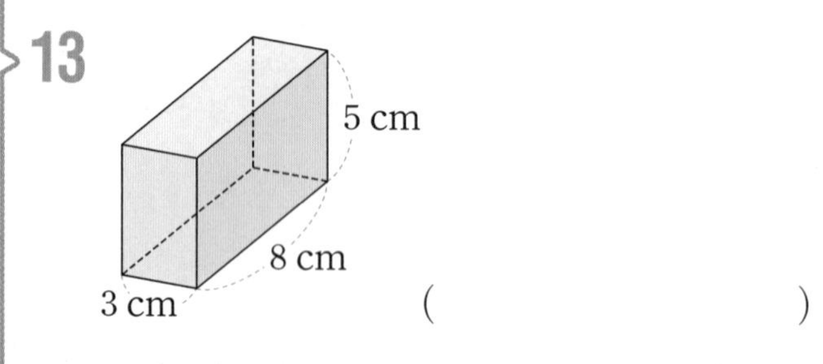

(　　　　　　)

14

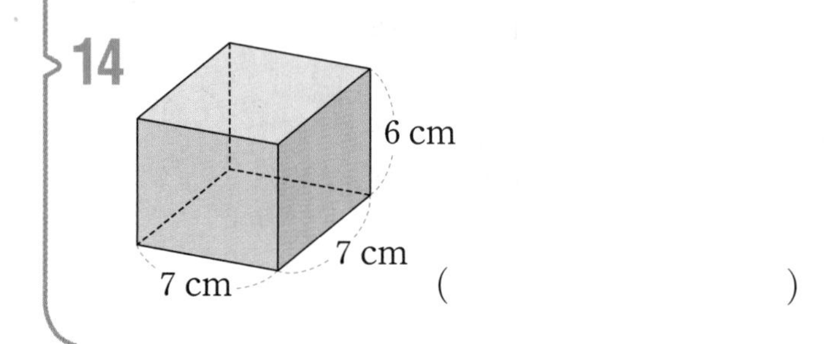

(　　　　　　)

15 가로가 10 cm, 세로가 2 cm, 높이가 7 cm인 직육면체의 부피는 몇 cm^3인가요?

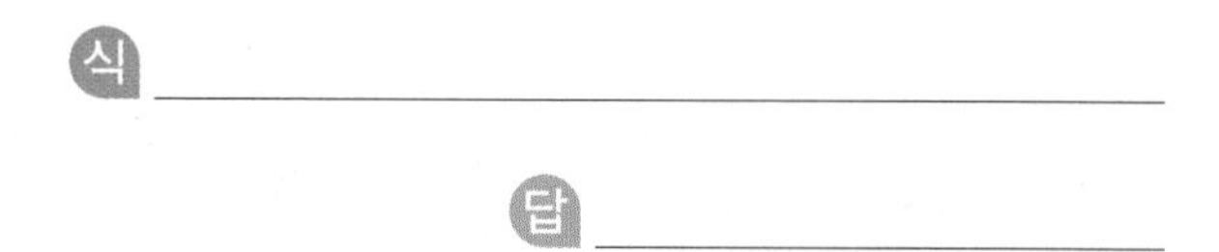

16 직육면체 모양인 택배 상자의 부피는 몇 cm^3인가요?

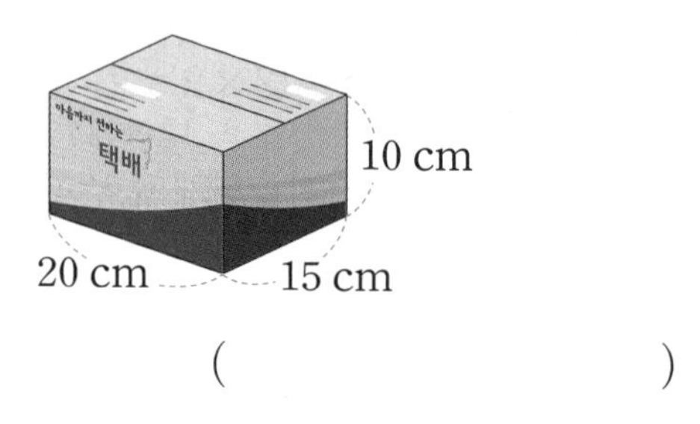

(　　　　　　)

17 색칠한 밑면의 넓이가 20 cm^2이고 높이가 9 cm인 직육면체의 부피는 몇 cm^3인가요?

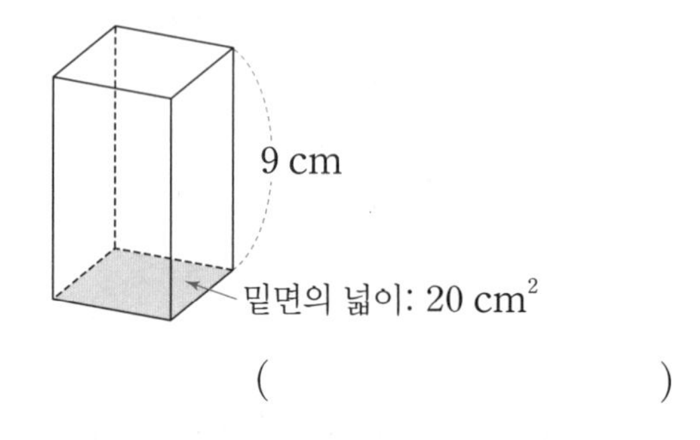

(　　　　　　)

18 직육면체 모양의 상자 가와 나 중 부피가 더 큰 것을 찾아 기호를 써 보세요.

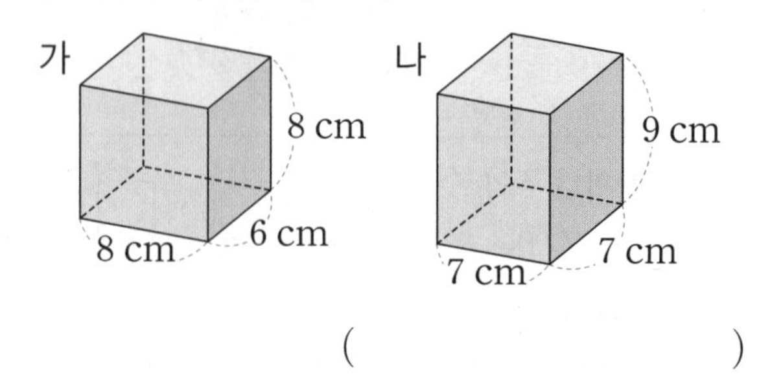

(　　　　　　)

개념 4 정육면체의 부피 구하기

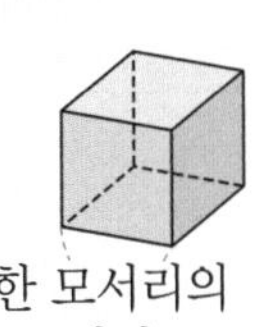

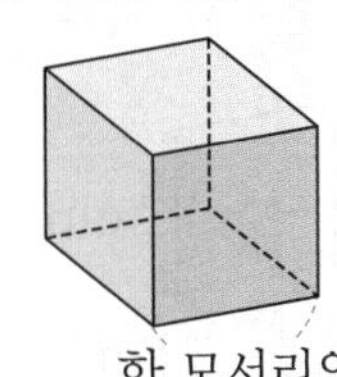

(정육면체의 부피)
=(한 모서리의 길이)×(한 모서리의 길이)
×(한 모서리의 길이)

정육면체의 부피는 한 모서리의 길이를 3번 곱하는 거구나~

유형

19 오른쪽 정육면체의 부피를 구하려고 합니다. □ 안에 알맞은 수를 써넣으세요.

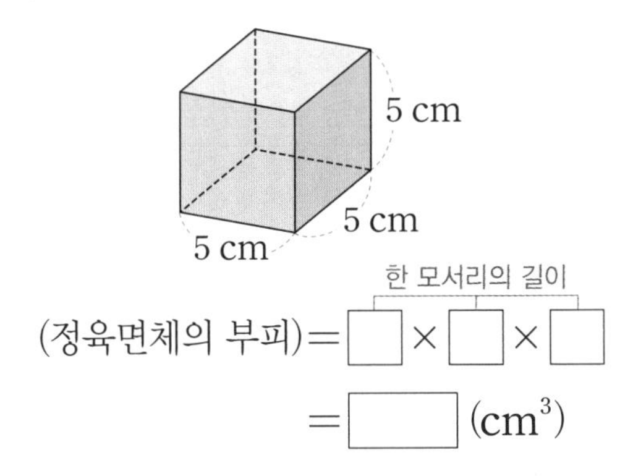

20 정육면체의 부피는 몇 cm^3인가요?

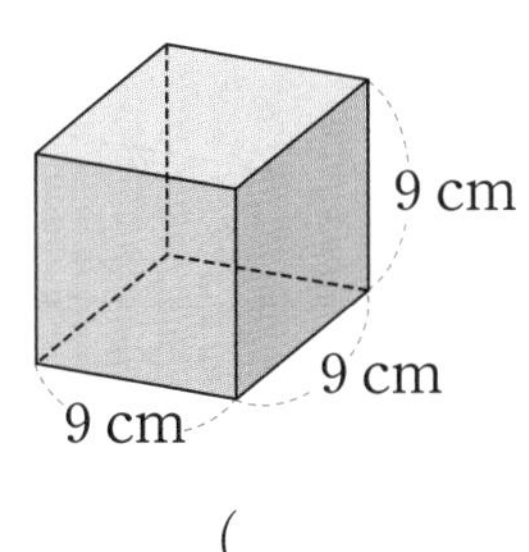

(　　　　　　　　)

21 정육면체 모양인 케이크 상자의 부피는 몇 cm^3인가요?

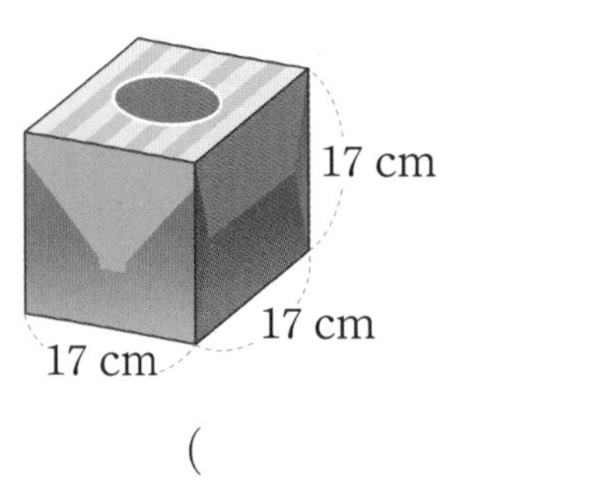

(　　　　　　　　)

22 한 모서리의 길이가 7 cm인 정육면체의 부피는 몇 cm^3인가요?

 식 ______________________

 답 ______________

23 색칠한 밑면의 넓이가 16 cm^2이고 높이가 4 cm인 정육면체의 부피는 몇 cm^3인가요?

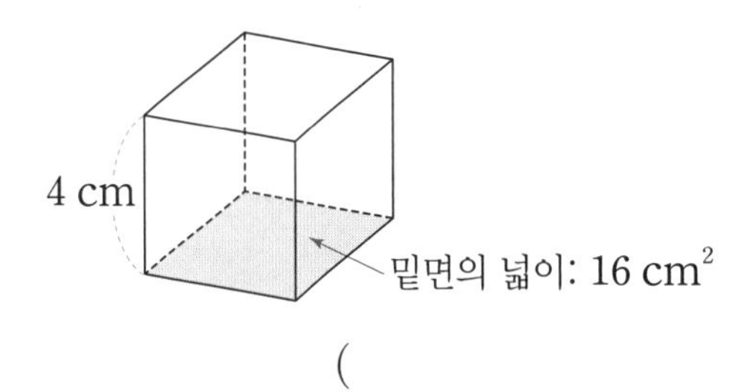

(　　　　　　　　)

24 전개도를 접어 정육면체를 만들려고 합니다. 만들려는 정육면체의 부피는 몇 cm^3인가요?

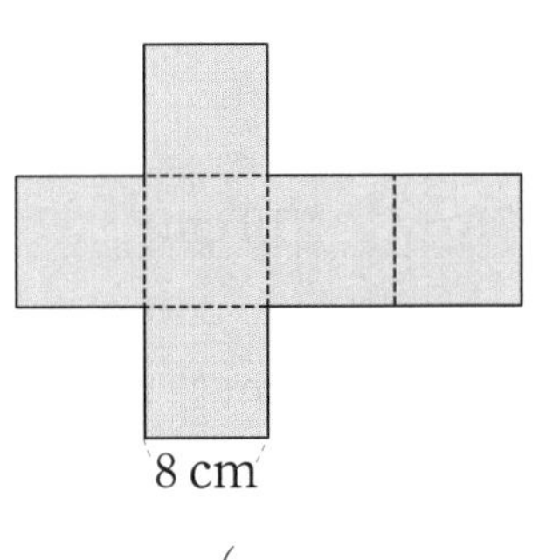

(　　　　　　　　)

개념 1 ~ 4 기초력 집중 연습

[1~2] 직육면체와 정육면체의 부피를 구하려고 합니다. □ 안에 알맞은 수를 써넣으세요.

1

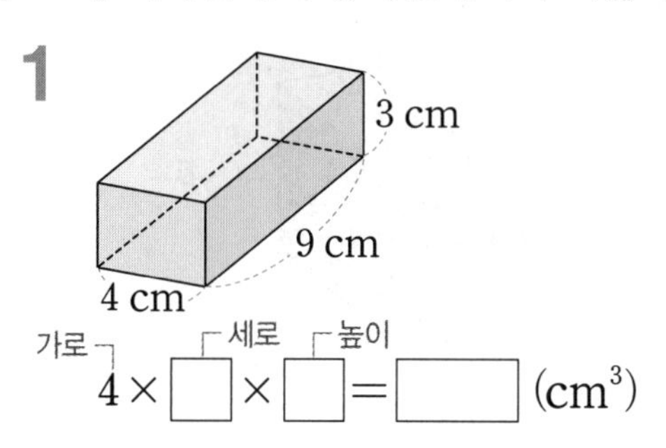

가로 세로 높이

$4 \times \square \times \square = \square$ (cm³)

2

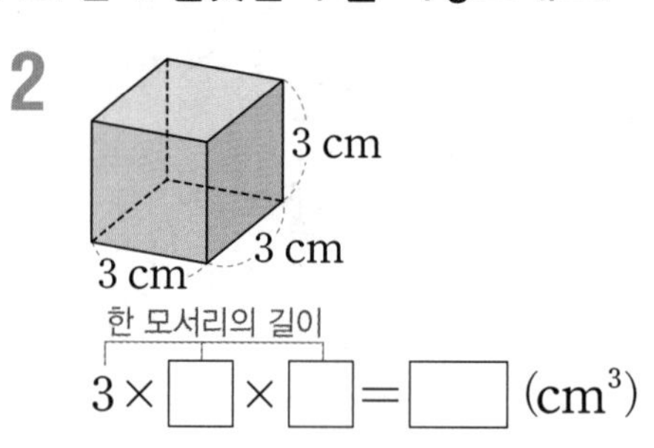

한 모서리의 길이

$3 \times \square \times \square = \square$ (cm³)

[3~6] 직육면체의 부피는 몇 cm³인지 구해 보세요.

3

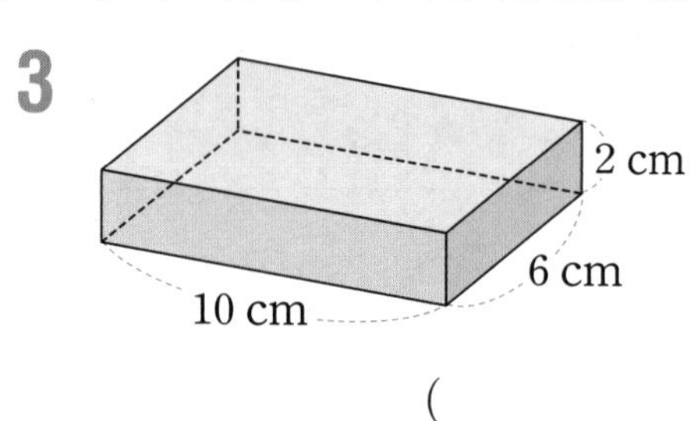

(　　　　　　)

4

8 cm
6 cm
5 cm

(　　　　　　)

5

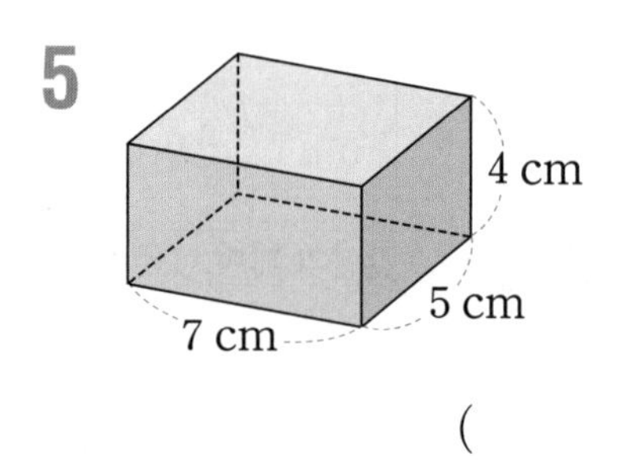

(　　　　　　)

6

5 cm
6 cm
12 cm

(　　　　　　)

[7~9] 정육면체의 부피는 몇 cm³인지 구해 보세요.

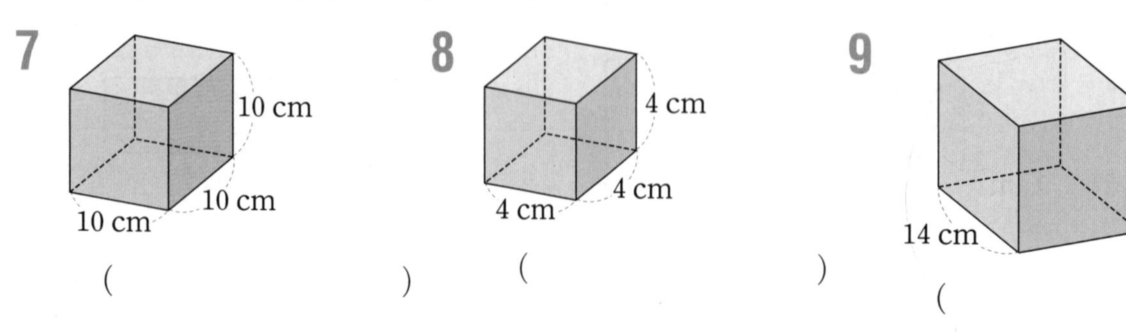

7 (　　　　　　)

8 (　　　　　　)

9 (　　　　　　)

유형 진단 TEST

점수 /10점

정답 및 풀이 38쪽

1 부피가 1 cm^3인 쌓기나무로 직육면체를 만들었습니다. 만든 직육면체의 부피는 몇 cm^3인가요? [1점]

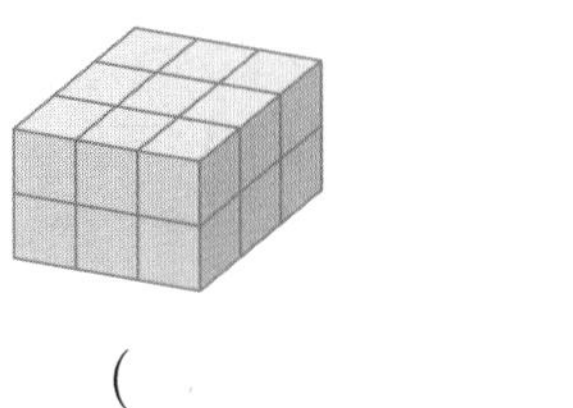

( )

2 정육면체의 부피는 몇 cm^3인가요? [1점]

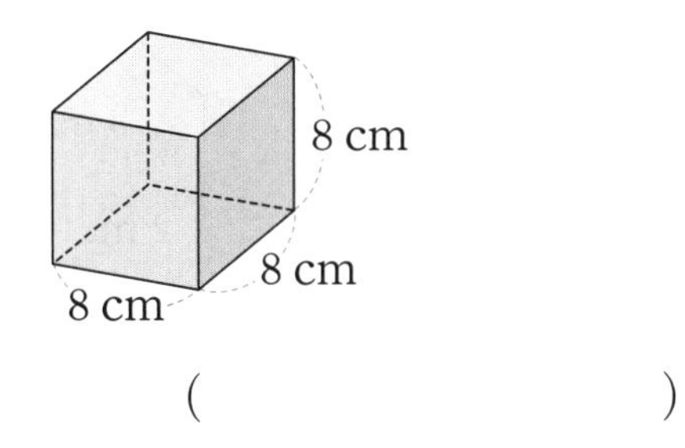

( )

3 직육면체의 부피는 몇 cm^3인가요? [1점]

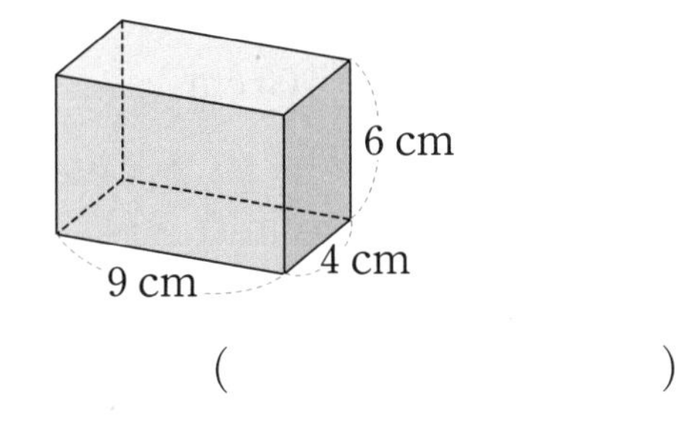

( )

4 두 직육면체의 부피를 직접 맞대어 비교할 수 있으면 ○표, 비교할 수 없으면 ×표 하세요. [1점]

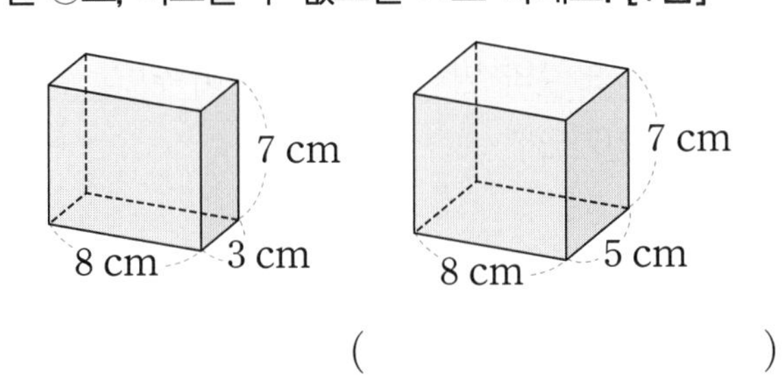

( )

5 부피가 1 cm^3인 쌓기나무로 만든 두 직육면체 중 부피가 더 큰 것을 찾아 기호를 써 보세요. [2점]

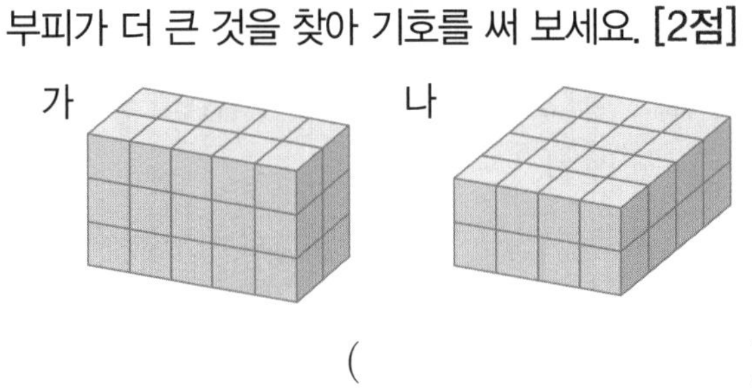

( )

6 두 정육면체의 부피의 합은 몇 cm^3인가요? [2점]

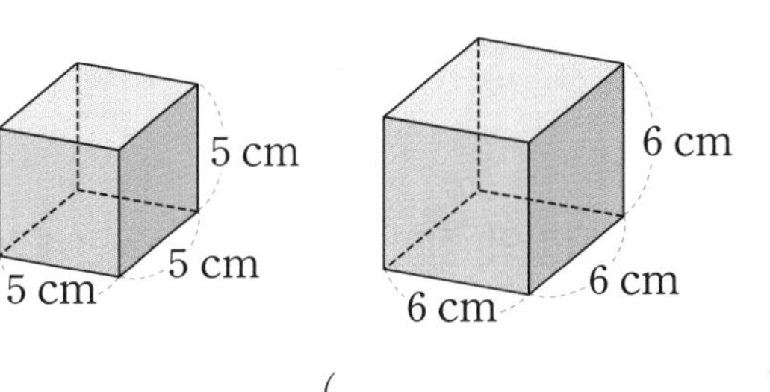

( )

7 색칠한 밑면의 넓이가 36 cm^2인 정육면체의 부피는 몇 cm^3인가요? [2점]

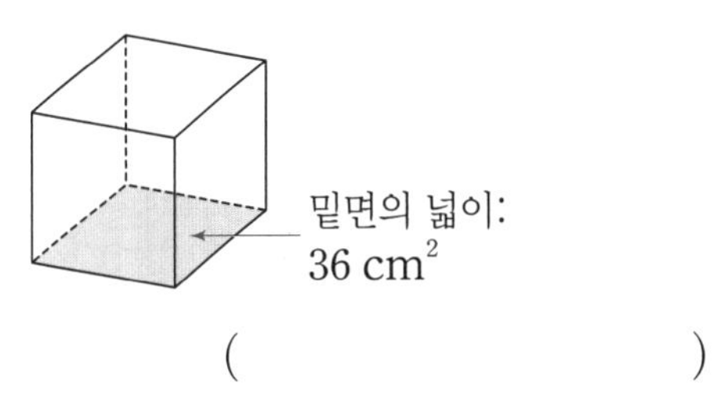

( )

개념 5 m^3 알아보기

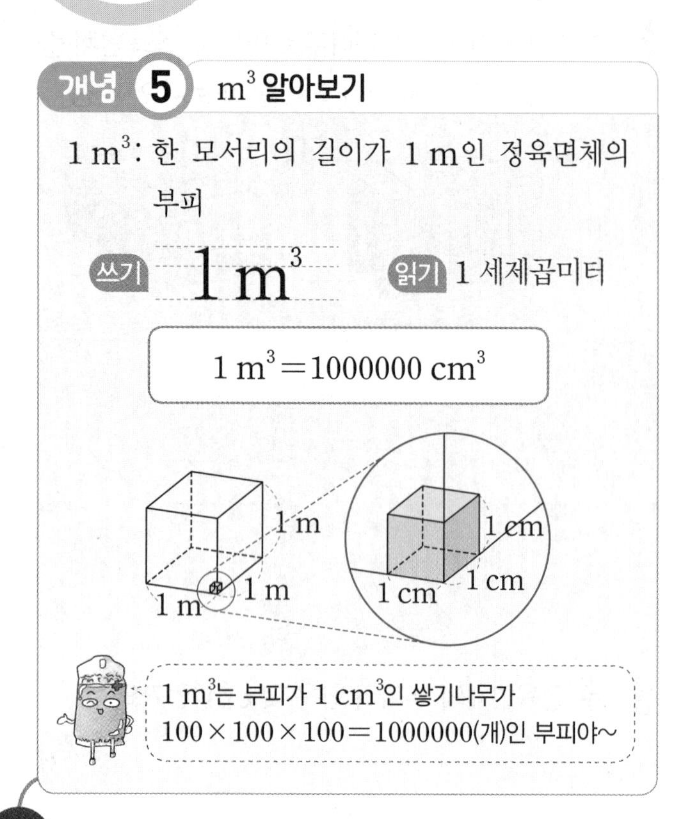

유형

1 한 모서리의 길이가 1 m인 정육면체의 부피를 쓰고 읽어 보세요.

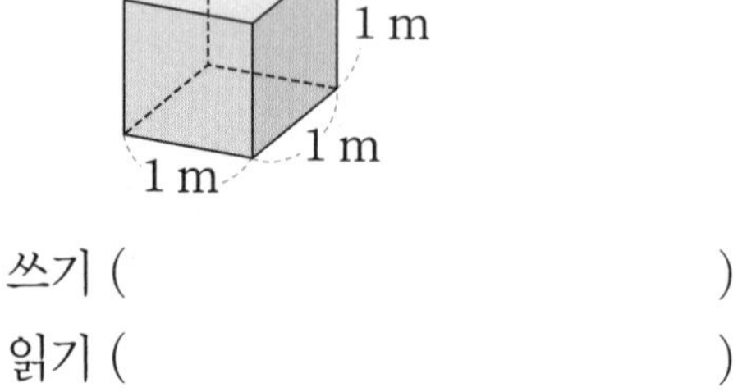

쓰기 (   )

읽기 (   )

2 직육면체의 부피는 몇 m^3인지 구해 보세요.

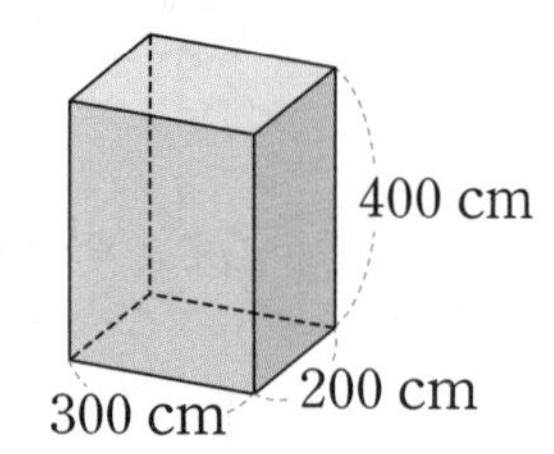

가로 □ m, 세로 □ m, 높이 □ m

➔ (부피)=□×□×□=□ (m^3)

3 □ 안에 알맞은 수를 써넣으세요.

(1) $5\ m^3$ = □ cm^3

(2) $6000000\ cm^3$ = □ m^3

[4~5] 직육면체의 부피는 몇 m^3인지 구해 보세요.

4

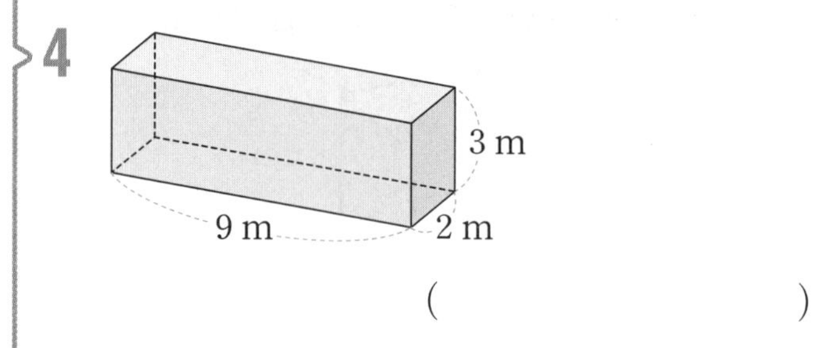

(   )

5

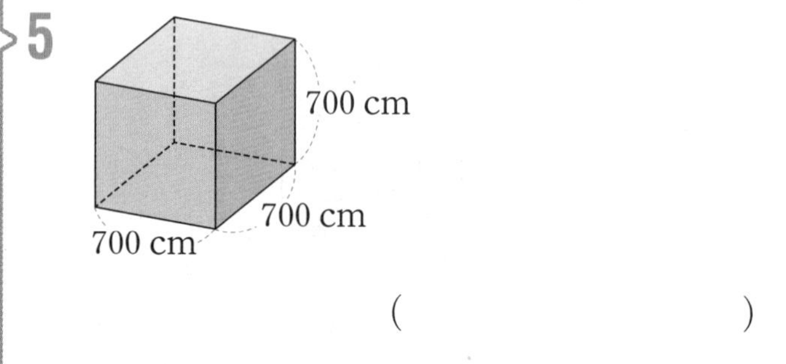

(   )

6 가로가 6 m, 세로가 3 m, 높이가 2 m인 직육면체 모양의 방이 있습니다. 이 방의 부피는 몇 m^3인가요?

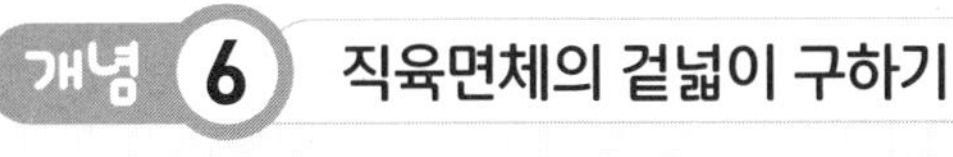

개념 6 직육면체의 겉넓이 구하기

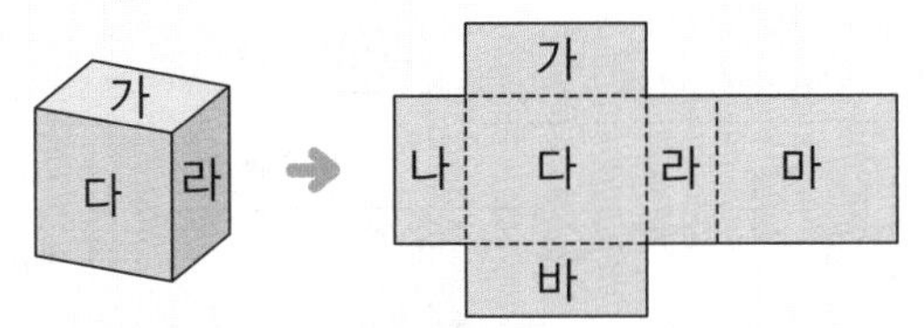

① (여섯 면의 넓이의 합)
$=$가$+$나$+$다$+$라$+$마$+$바

② (한 꼭짓점에서 만나는 세 면의 넓이의 합)$\times 2$
$=$(가$+$다$+$라)$\times 2$

③ (한 밑면의 넓이)$\times 2+$(옆면의 넓이)

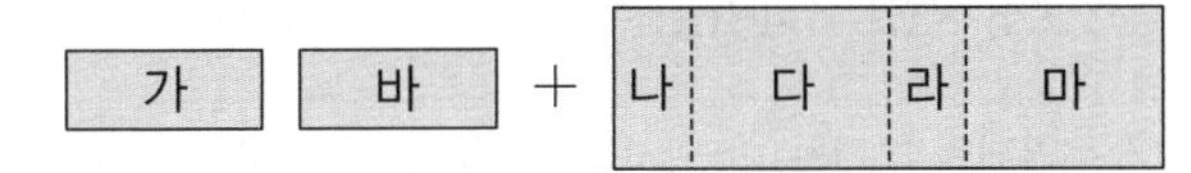

유형

[7~8] 전개도를 이용하여 직육면체의 겉넓이를 구하려고 합니다. □ 안에 알맞은 수를 써넣으세요.

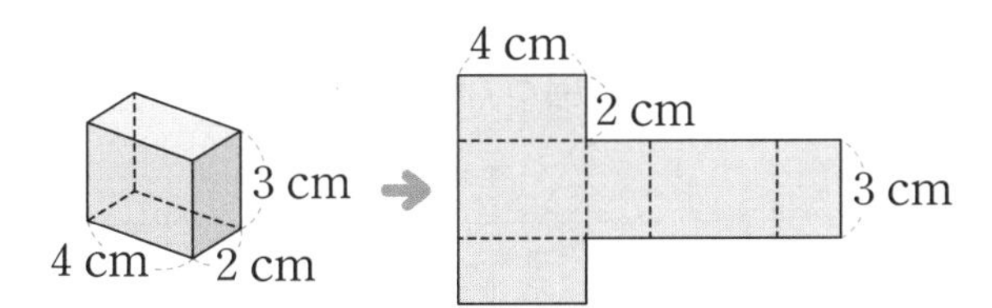

7 (여섯 면의 넓이의 합)
$=8+12+6+\square+\square+\square$
$=\square\ (\text{cm}^2)$

8 (한 꼭짓점에서 만나는 세 면의 넓이의 합)$\times 2$
$=(4\times 2+4\times 3+2\times\square)\times 2$
$=(8+12+\square)\times 2=\square\ (\text{cm}^2)$

9 전개도의 한 밑면의 넓이와 옆면의 넓이를 이용하여 직육면체의 겉넓이를 구해 보세요.

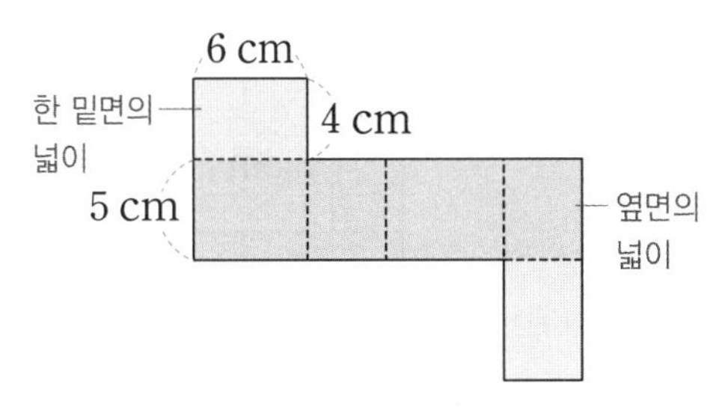

(한 밑면의 넓이)$\times 2+$(옆면의 넓이)
$=(6\times 4)\times 2+(6+4+6+\square)\times 5$
$=\square\times 2+\square=\square\ (\text{cm}^2)$

[10~11] 직육면체의 겉넓이는 몇 cm^2인지 구해 보세요.

10

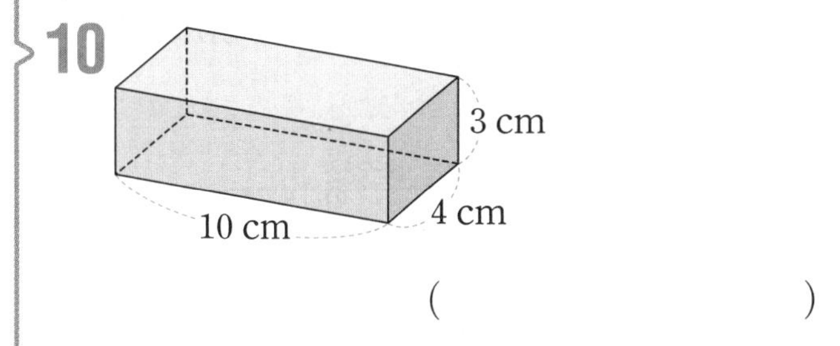

(　　　　　　　　)

11

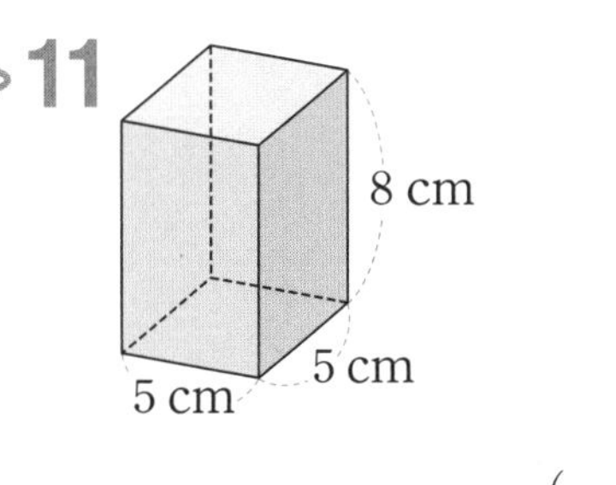

(　　　　　　　　)

12 가로가 9 cm, 세로가 5 cm, 높이가 10 cm인 직육면체의 겉넓이는 몇 cm^2인가요?

(　　　　　　　　)

13 전개도를 이용하여 만든 직육면체의 겉넓이는 몇 cm^2인가요?

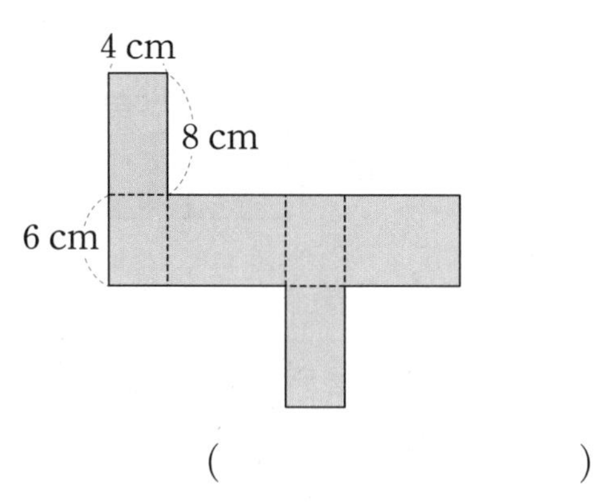

(   )

14 직육면체 모양의 선물 상자를 포장하려고 합니다. 필요한 포장지의 넓이는 적어도 몇 cm^2인가요?

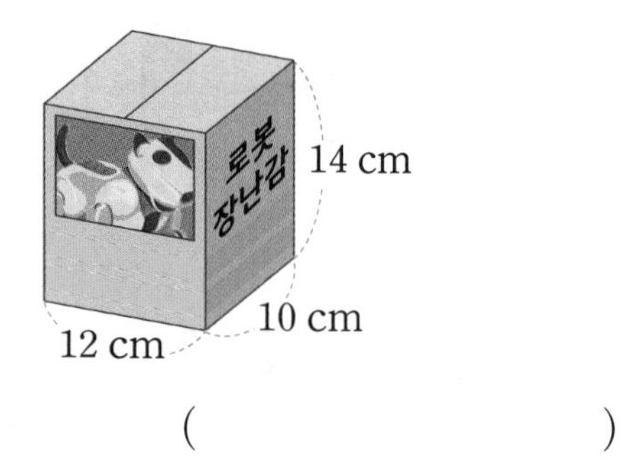

(   )

15 두 직육면체의 겉넓이를 비교하여 ○ 안에 >, =, <를 알맞게 써넣으세요.

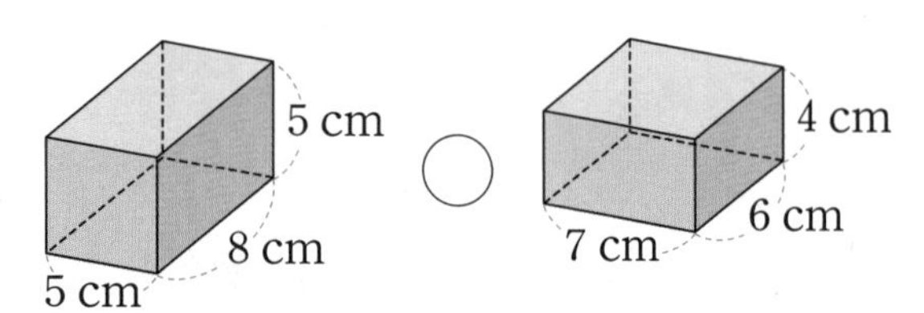

개념 7 정육면체의 겉넓이 구하기

3 cm, 3 cm, 3 cm → 3 cm, 3 cm, 3 cm

(정육면체의 겉넓이)

=(한 면의 넓이)×6

=(한 모서리의 길이)×(한 모서리의 길이)×6

$=3\times3\times6=54\ (cm^2)$

정육면체의 부피는 한 모서리의 길이를 3번 곱하고 겉넓이는 한 모서리의 길이를 2번 곱한 수에 6을 곱해~

유형

16 정육면체의 겉넓이를 구하려고 합니다. □ 안에 알맞은 수를 써넣으세요.

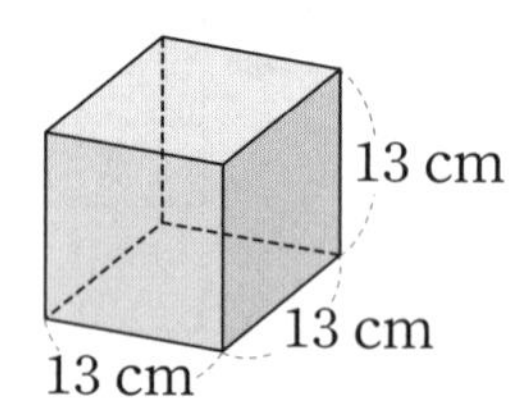

(정육면체의 겉넓이)=(한 면의 넓이)×6

=□×6

=□ (cm^2)

17 전개도를 이용하여 만든 정육면체의 겉넓이는 몇 cm^2인가요?

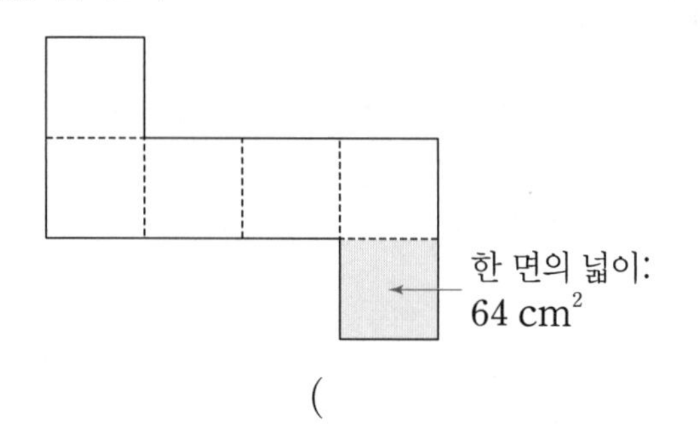

(   )

[18~19] 정육면체의 겉넓이는 몇 cm^2인지 구해 보세요.

18

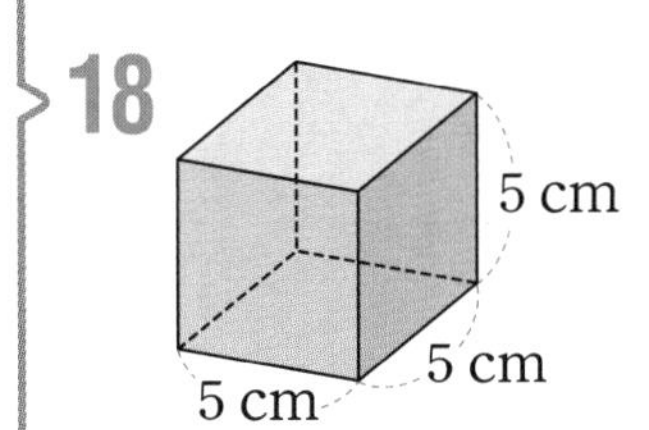

(　　　　　　　　)

19

8 cm
8 cm
8 cm

(　　　　　　　　)

20 지안이가 말한 오른쪽 정육면체의 겉넓이를 구하는 식에서 잘못된 곳을 찾아 바르게 써 보세요.

4 cm

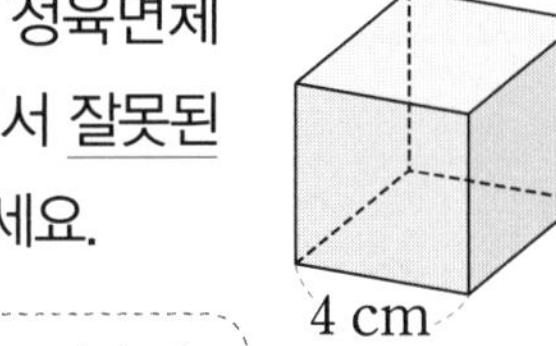

식 ________________

21 한 면의 넓이가 49 cm^2인 정육면체가 있습니다. 이 정육면체의 겉넓이는 몇 cm^2인가요?

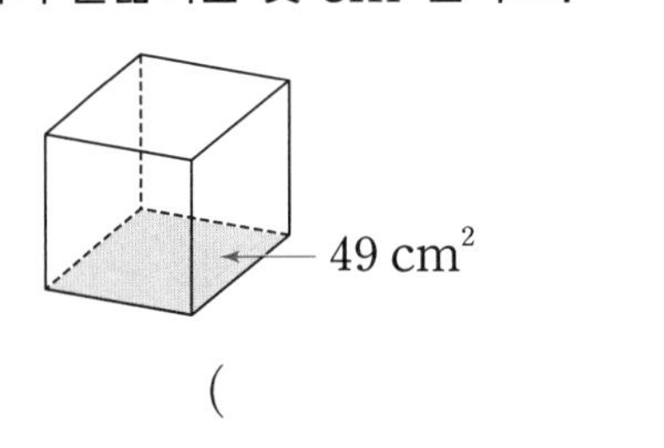

(　　　　　　　　)

22 전개도를 이용하여 정육면체 모양의 상자를 만들려고 합니다. 이 상자의 겉넓이는 몇 cm^2인가요?

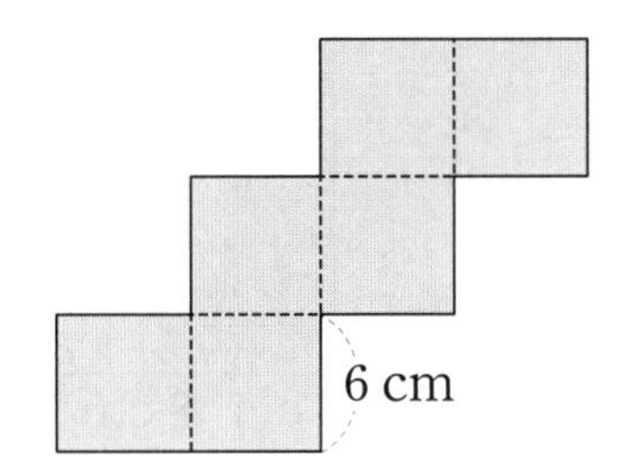

식 ________________

답 ________________

23 한 모서리의 길이가 9 cm인 정육면체의 겉넓이는 몇 cm^2인지 구해 보세요.

식 ________________

답 ________________

24 정육면체 모양의 상자를 그림과 같이 포장하려고 합니다. 상자를 겹치지 않고 빈틈없이 포장하려면 필요한 포장지의 넓이는 몇 cm^2인가요?

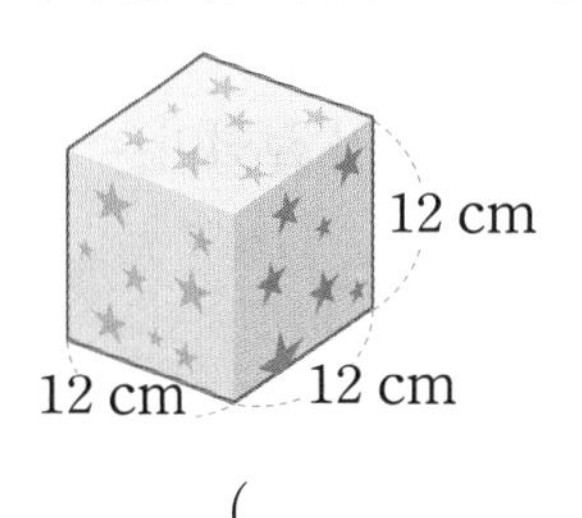

(　　　　　　　　)

개념 5 ~ 7 기초력 집중 연습

[1~2] 전개도를 이용해서 만든 직육면체의 겉넓이를 구해 보세요.

1

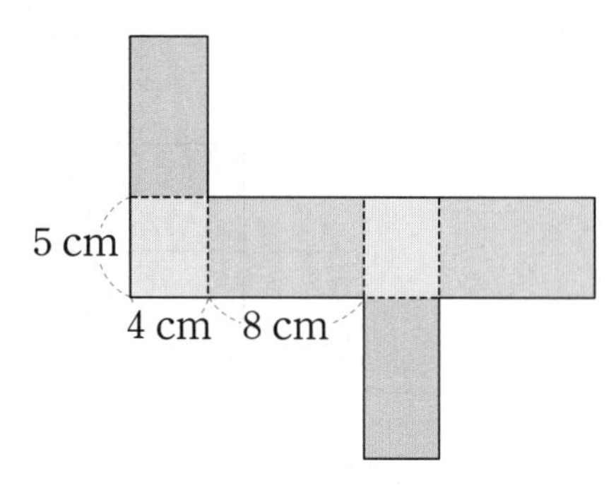

$(\square + \square + \square) \times 2 = \square$ (cm^2)

2

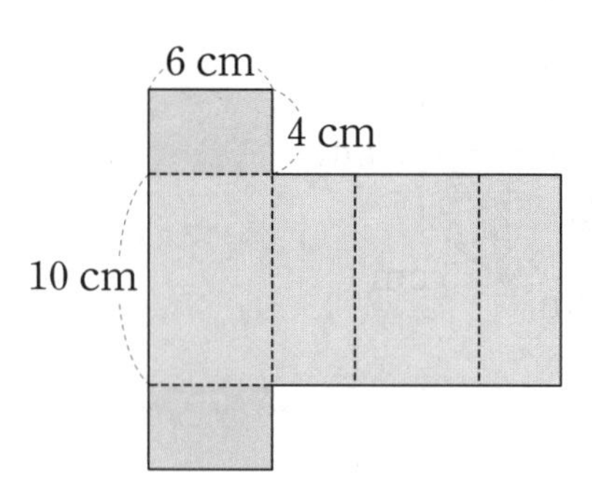

$\square \times 2 + \square = \square$ (cm^2)

[3~6] 직육면체의 겉넓이는 몇 cm^2인지 구해 보세요.

3

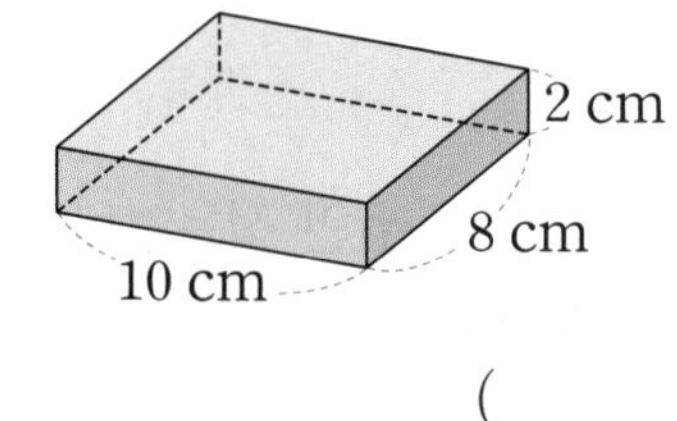

(　　　　　　　)

4

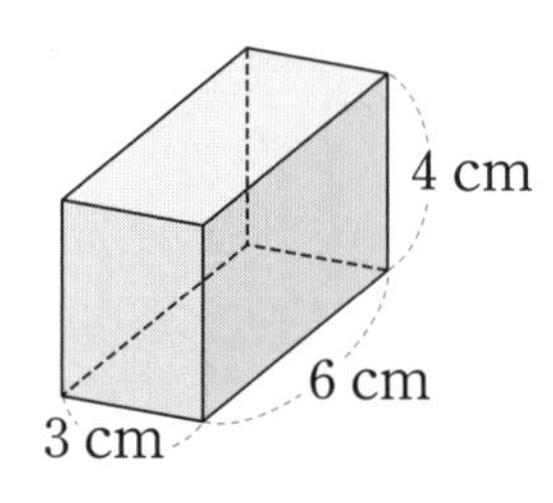

(　　　　　　　)

5

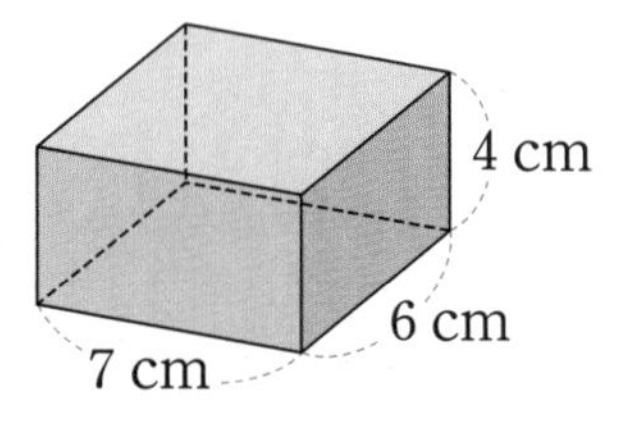

(　　　　　　　)

6

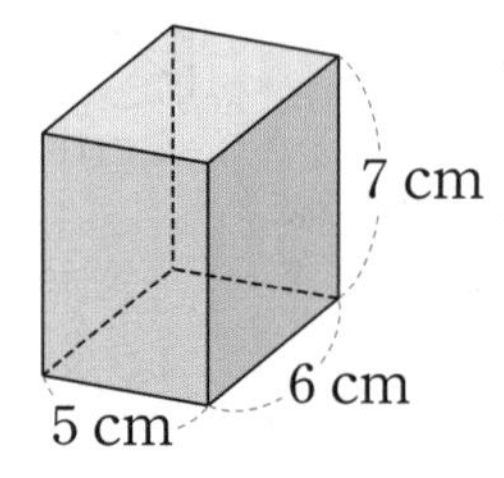

(　　　　　　　)

[7~9] 정육면체의 겉넓이는 몇 cm^2인지 구해 보세요.

7

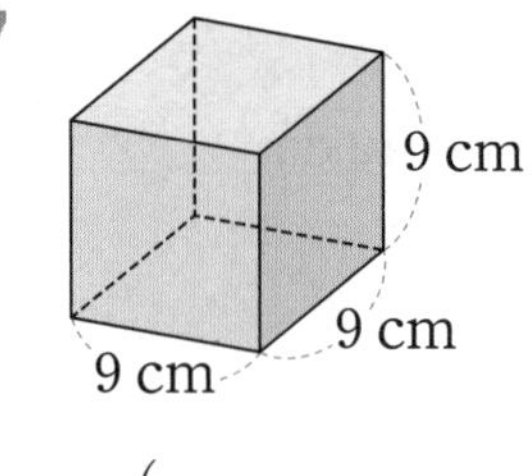

(　　　　　　　)

8

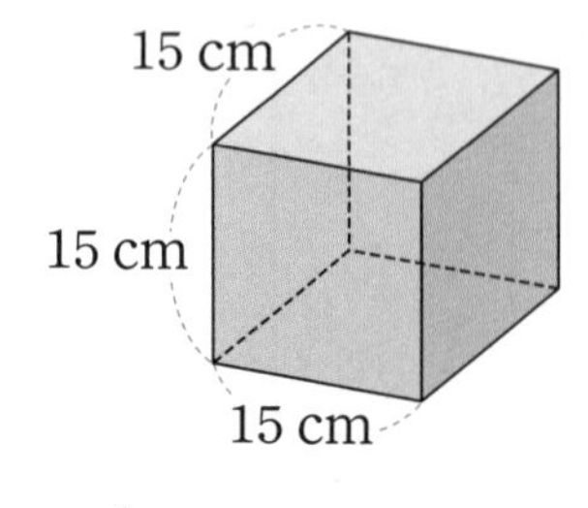

(　　　　　　　)

9

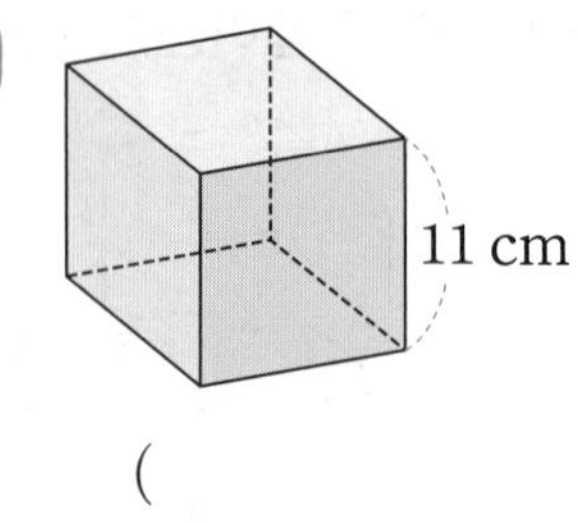

(　　　　　　　)

유형 진단 TEST

점수 /10점

1 전개도를 이용하여 만든 직육면체의 겉넓이를 구해 보세요. [1점]

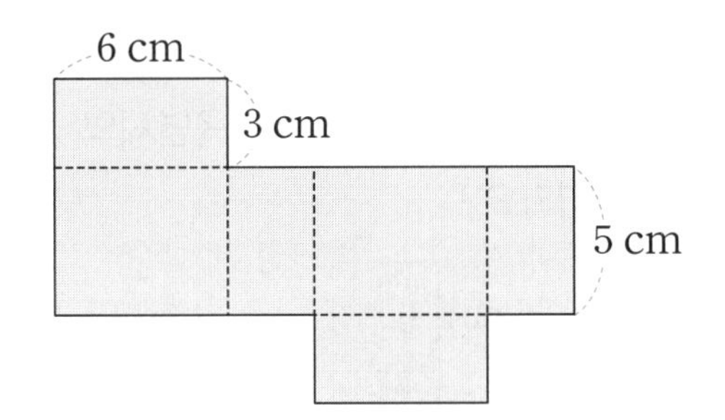

(한 꼭짓점에서 모이는 세 면의 넓이의 합)×2

$=(18+\square+\square)\times 2=\square\ (\text{cm}^2)$

2 □ 안에 알맞은 수를 써넣으세요. [1점]

$2.6\ \text{m}^3=\square\ \text{cm}^3$

3 정육면체의 겉넓이는 몇 cm^2인가요? [1점]

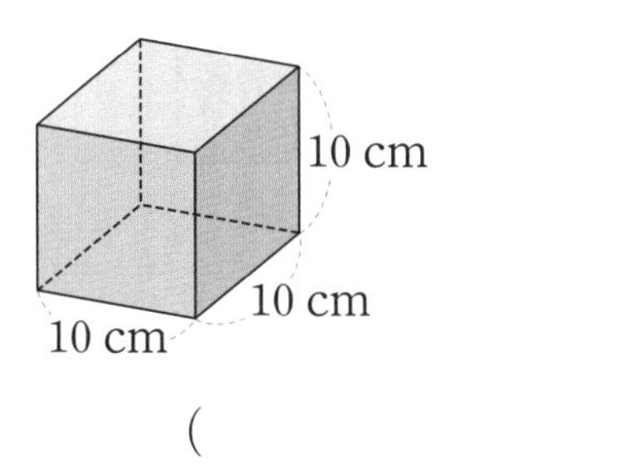

( )

4 직육면체의 겉넓이는 몇 cm^2인가요? [1점]

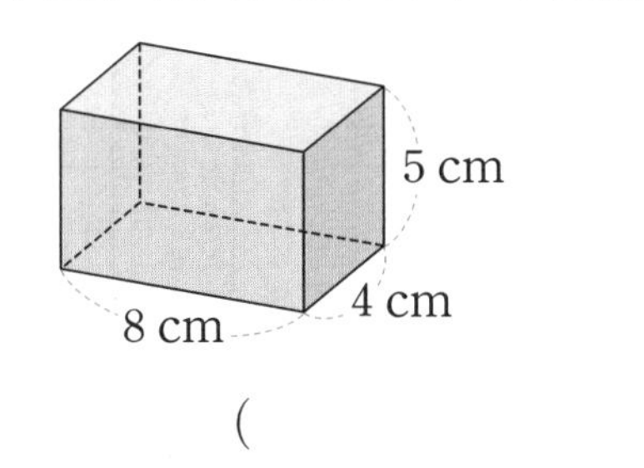

( )

5 전개도를 이용하여 정육면체 모양의 상자를 만들었습니다. 이 상자의 겉넓이는 몇 cm^2인가요? [2점]

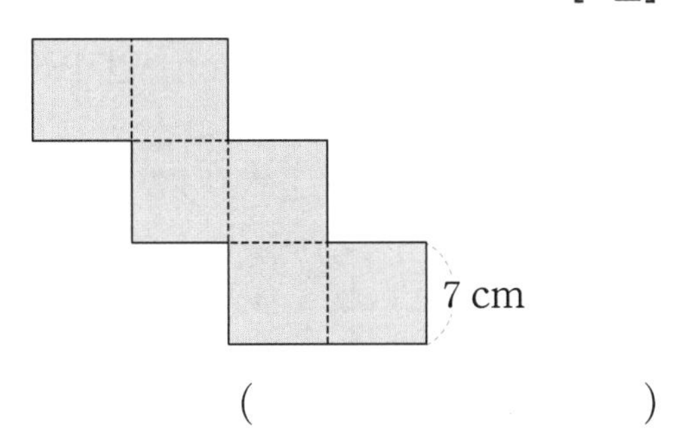

( )

6 직육면체의 부피는 몇 m^3인가요? [2점]

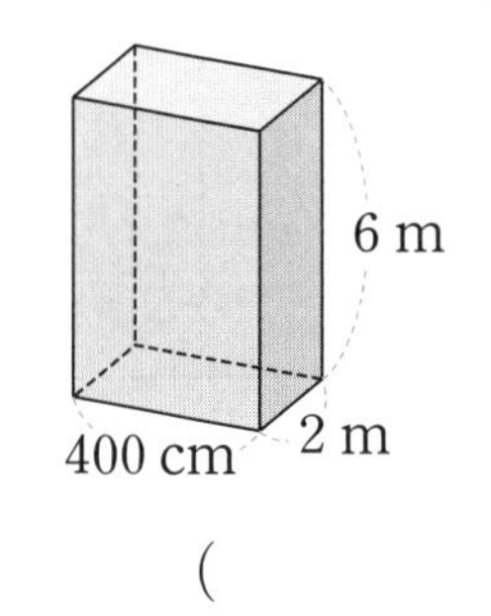

( )

7 겉넓이가 150 cm^2인 정육면체의 한 모서리의 길이는 몇 cm인지 구해 보세요. [2점]

(1) 한 면의 넓이는 몇 cm^2인가요?

( )

(2) 한 모서리의 길이는 몇 cm인가요?

( )

STEP 2 꼬리를 무는 유형

❶ 직육면체의 부피 구하기

기본 유형

1 직육면체의 부피는 몇 cm^3인가요?

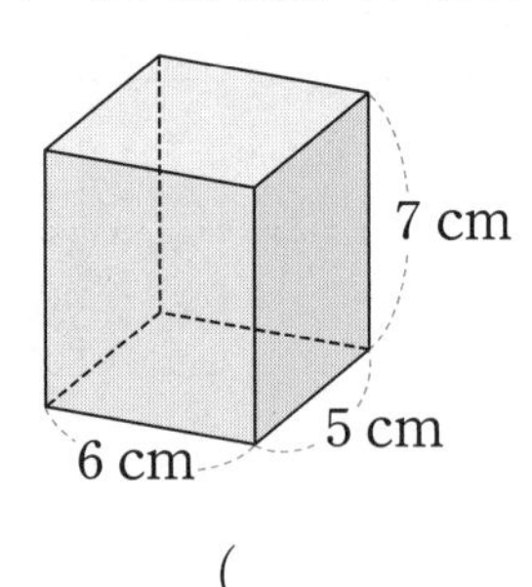

( )

변형 유형

2 전개도를 이용하여 만든 직육면체의 부피는 몇 cm^3인가요?

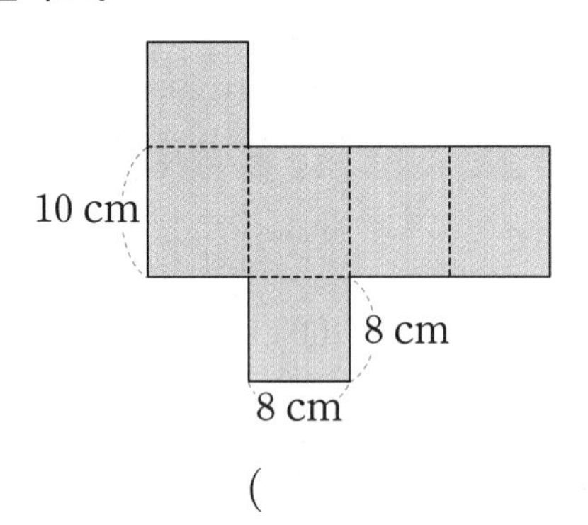

( )

문장제 유형

3 가로가 7 cm, 세로가 8 cm, 높이가 5 cm인 직육면체의 부피는 몇 cm^3인가요?

( )

실생활 유형

4 가로가 45 cm, 세로가 45 cm, 높이가 82 cm인 직육면체 모양의 미니 냉장고가 있습니다. 이 미니 냉장고의 부피는 몇 cm^3인가요?

( )

❷ 전개도를 보고 정육면체의 겉넓이 구하기

기본 유형

5 전개도를 이용하여 만든 정육면체의 겉넓이는 몇 cm^2인가요?

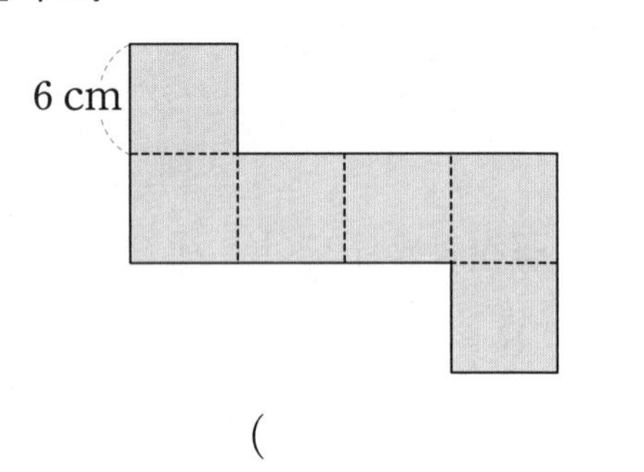

( )

변형 유형

6 전개도를 이용하여 만든 정육면체의 겉넓이는 몇 cm^2인가요?

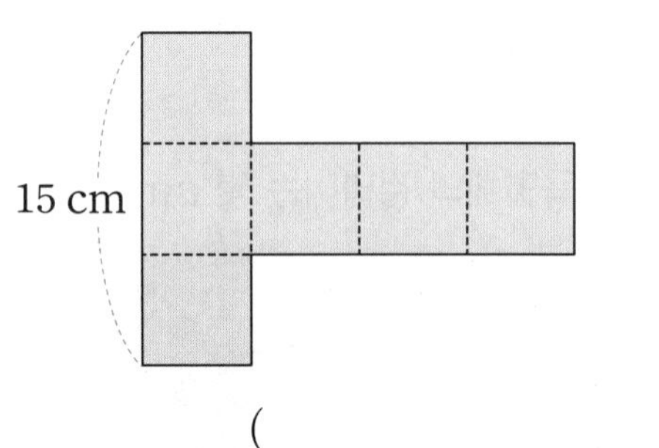

( )

실생활 유형

7 전개도를 이용하여 만든 정육면체 모양의 선물 상자의 겉넓이는 몇 cm^2인가요?

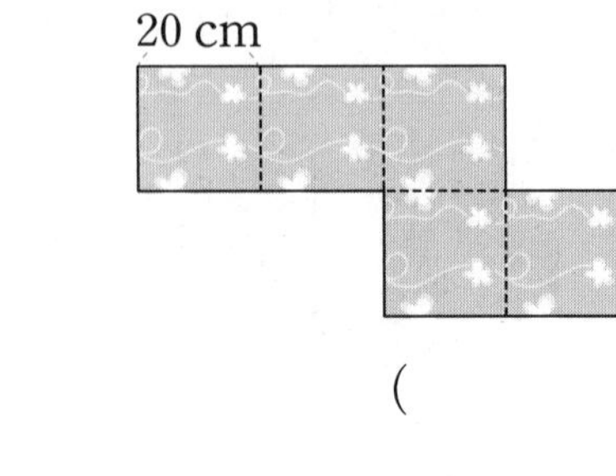

( )

❸ 부피가 주어진 직육면체의 한 모서리의 길이 구하기

기본 유형 **8** 직육면체의 부피는 $120\ cm^3$입니다. □ 안에 알맞은 수를 써넣으세요.

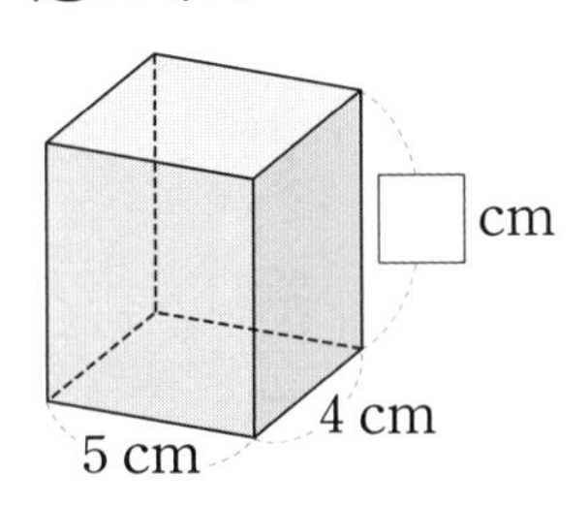

변형 유형 **9** 직육면체의 부피는 $150\ cm^3$입니다. 높이는 몇 cm인가요?

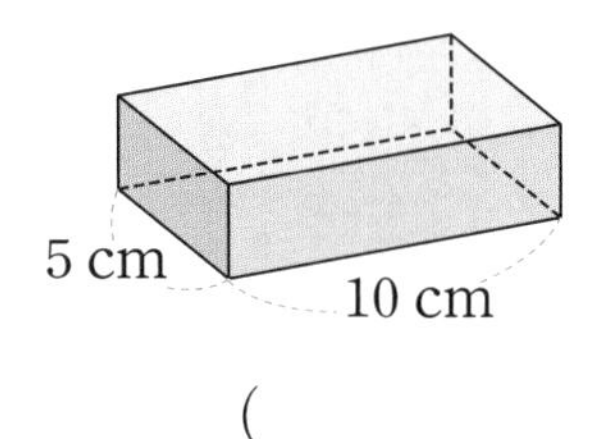

( )

변형 유형 **10** 직육면체의 부피는 $168\ cm^3$입니다. ㉠은 몇 cm인가요?

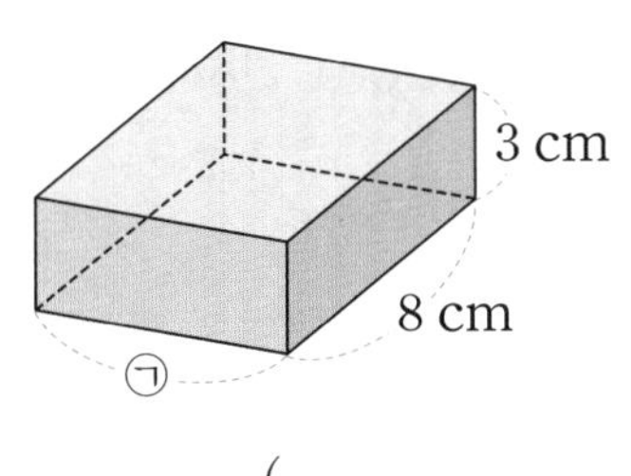

( )

문장제 유형 **11** 직육면체의 부피는 $200\ cm^3$입니다. 가로가 8 cm, 세로가 5 cm일 때, 높이는 몇 cm인가요?

( )

❹ 겉넓이가 주어진 정육면체의 한 모서리의 길이 구하기

기본 유형 **12** 정육면체의 겉넓이가 $384\ cm^2$입니다. □ 안에 알맞은 수를 써넣으세요.

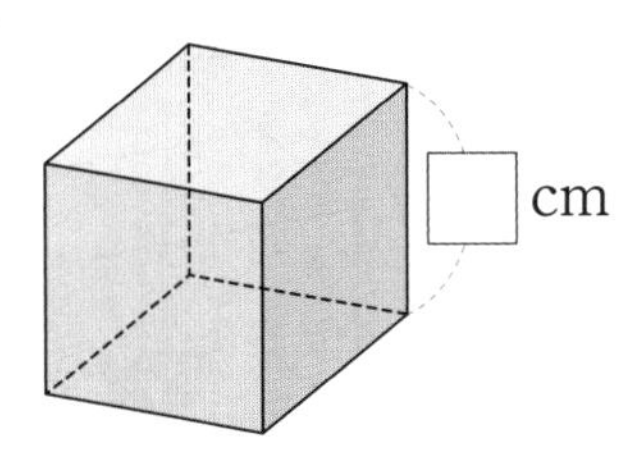

변형 유형 **13** 겉넓이가 $54\ cm^2$인 정육면체의 전개도입니다. □ 안에 알맞은 수를 써넣으세요.

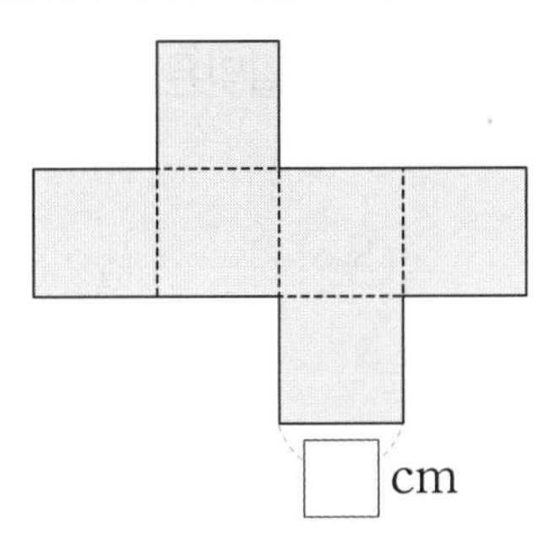

문장제 유형 **14** 정육면체의 겉넓이가 $150\ cm^2$입니다. 한 모서리의 길이는 몇 cm인가요?

( )

STEP 3 수학 독해력 유형

독해력 유형 1 수조에 넣은 돌의 부피 구하기

직육면체 모양의 수조에 돌을 넣었더니 물의 높이가 4 cm 높아졌습니다. 이 돌의 부피는 몇 cm^3인지 구해 보세요.

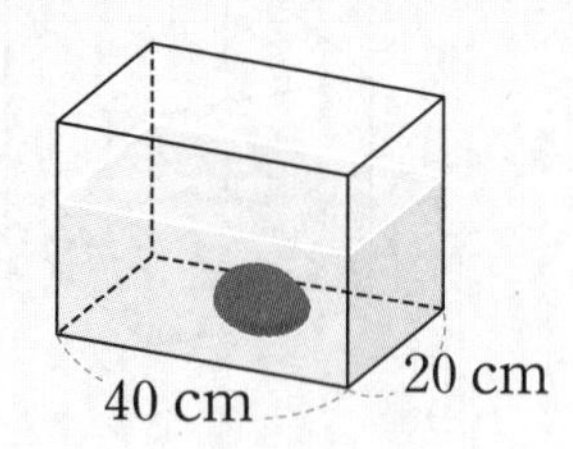

What? 구하려는 것을 찾아 밑줄을 그어 보세요.

How?
❶ 돌의 부피와 높아진 물 높이만큼의 부피의 관계 알기
❷ 높아진 물 높이만큼의 부피 구하기
❸ 돌의 부피 구하기

Solve
❶ □ 안에 알맞은 말을 써넣으세요.
(돌의 부피)
=(높아진 □ 높이만큼의 부피)

❷ 높아진 물 높이만큼의 부피는 몇 cm^3인가요?
( )

❸ 돌의 부피는 몇 cm^3인가요?
( )

수조에 돌을 넣으면 돌의 부피만큼 물이 올라오겠지?

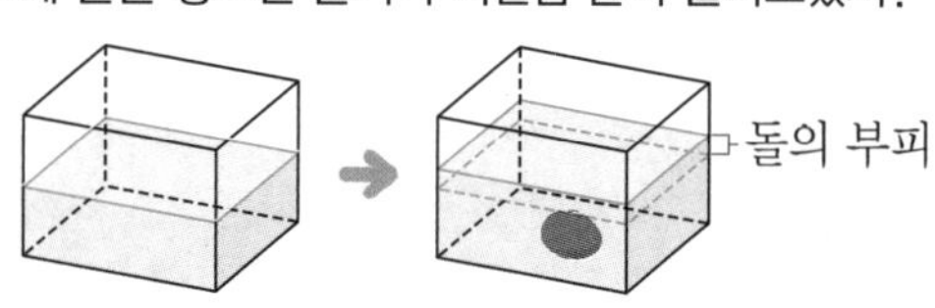

쌍둥이 유형 1-1

직육면체 모양의 수조에 돌을 넣었더니 물의 높이가 3 cm 높아졌습니다. 이 돌의 부피는 몇 cm^3인지 구해 보세요.

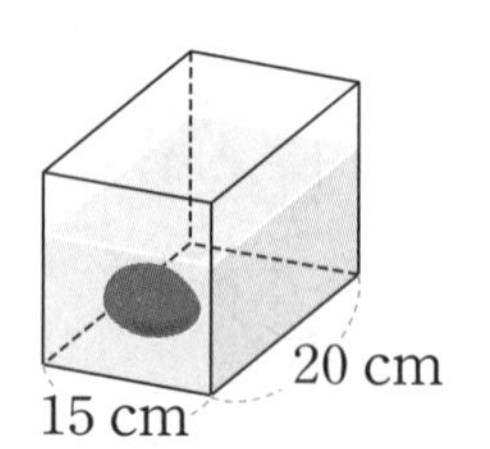

❶

❷

❸

답 ____________

쌍둥이 유형 1-2

직육면체 모양의 수조에 벽돌을 넣었더니 물의 높이가 5 cm 높아졌습니다. 이 벽돌의 부피는 몇 cm^3인지 구해 보세요.

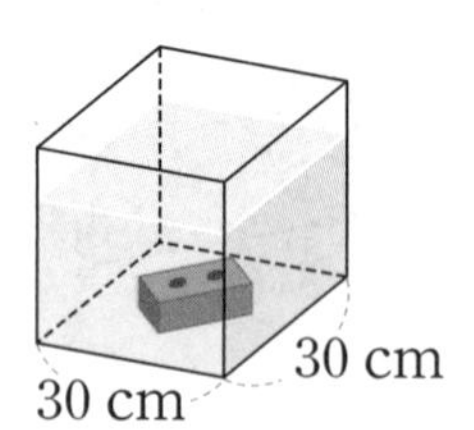

❶

❷

❸

답 ____________

독해력 유형 2 여러 가지 입체도형의 부피 구하기

입체도형의 부피는 몇 cm^3인지 구해 보세요.

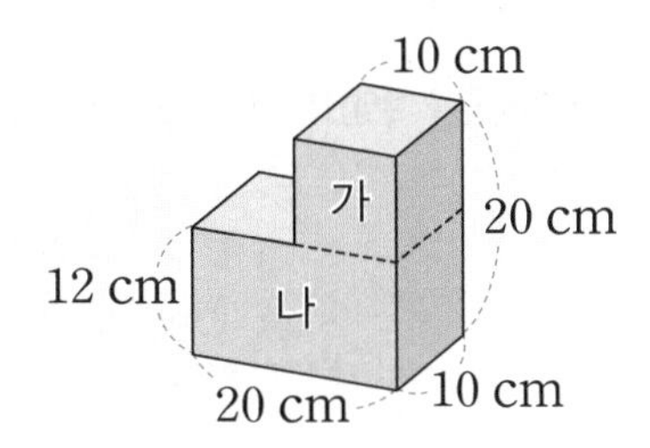

What? 구하려는 것을 찾아 밑줄을 그어 보세요.

How?
1. 입체도형을 잘라서 직육면체 모양 만들기
2. 두 직육면체의 부피 각각 구하기
3. 입체도형의 부피 구하기

Solve

1. 입체도형을 잘라서 직육면체 모양 □개를 만들었습니다.

2. 직육면체 가, 나의 부피는 각각 몇 cm^3인가요?

가 (　　　　　　)
나 (　　　　　　)

3. 입체도형의 부피는 몇 cm^3인가요?

(　　　　　　)

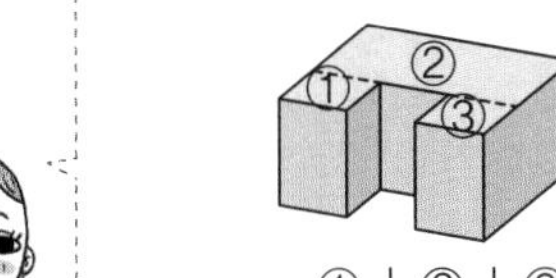

①+②+③
직육면체 3개로 나누어 구하기

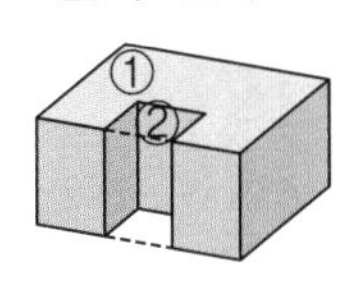

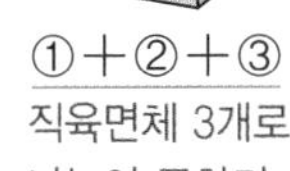

①−②
큰 직육면체에서 작은 직육면체 빼기

쌍둥이 유형 2-1

입체도형의 부피는 몇 cm^3인지 구해 보세요.

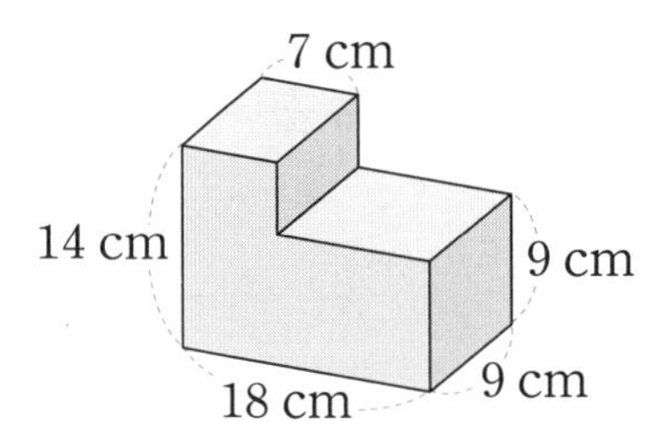

1.

2.

3.

답 ______________

쌍둥이 유형 2-2

입체도형의 부피는 몇 cm^3인지 구해 보세요.

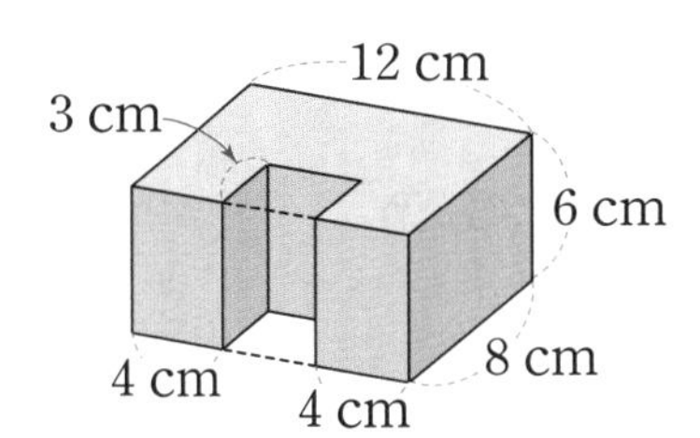

1.

2.

3.

답 ______________

플러스 유형 1 m^3와 cm^3의 관계 알아보기

1-1 □ 안에 알맞은 수를 써넣으세요.

$6.2\ m^3 = \square\ cm^3$

1-2 □ 안에 알맞은 수를 써넣으세요.

$2700000\ cm^3 = \square\ m^3$

1-3 부피를 비교하여 ○ 안에 $>$, $=$, $<$를 알맞게 써넣으세요.

$3.8\ m^3$ ○ $4200000\ cm^3$

1-4 부피를 비교하여 ○ 안에 $>$, $=$, $<$를 알맞게 써넣으세요.

$19000000\ cm^3$ ○ $22\ m^3$

플러스 유형 2 직육면체의 부피를 m^3 단위로 나타내기

2-1 직육면체의 부피는 몇 m^3인가요?

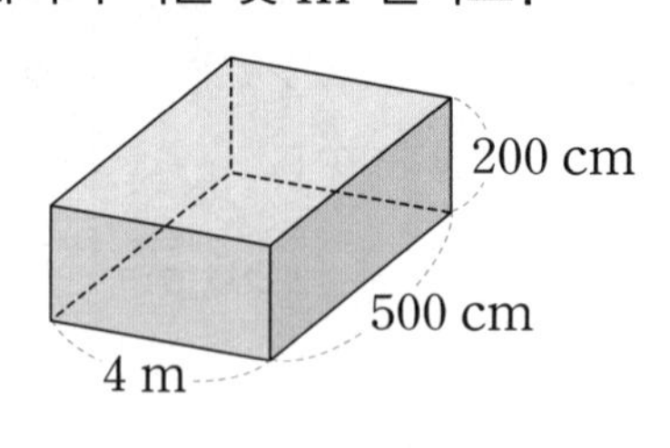

(　　　　　　　　)

2-2 직육면체의 부피는 몇 m^3인가요?

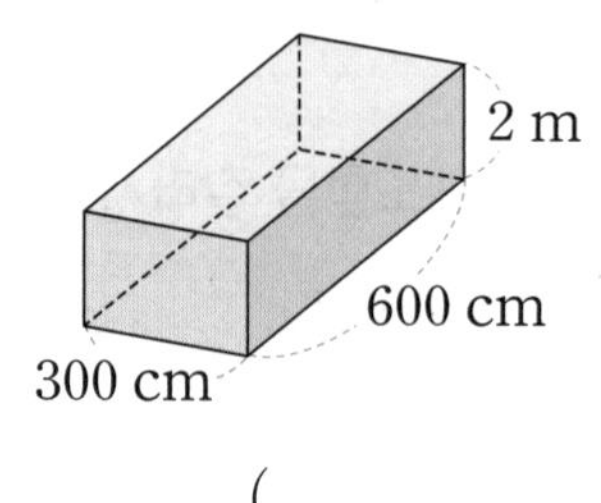

(　　　　　　　　)

2-3 직육면체의 부피는 몇 m^3인가요?

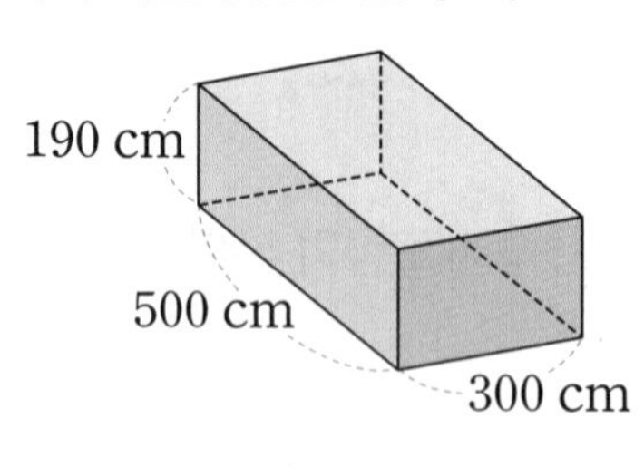

(　　　　　　　　)

플러스 유형 처방전

$100\ cm = 1\ m$이고
$1000000\ cm^3 = 1\ m^3$예용~

플러스 유형 3 전개도를 이용하여 만든 정육면체의 부피 구하기

3-1 전개도를 이용하여 만든 정육면체의 부피는 몇 cm^3인지 구해 보세요.

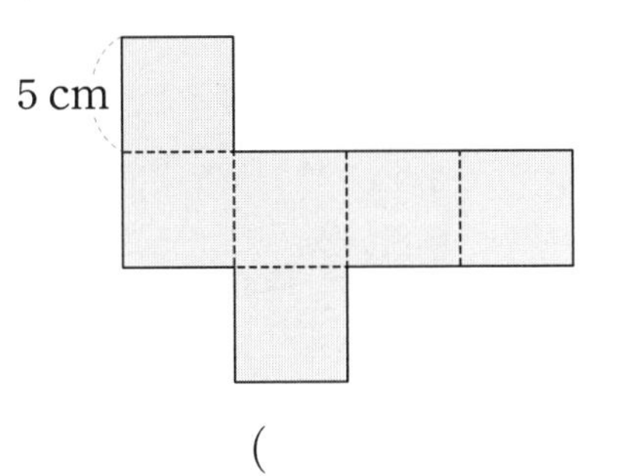

( )

3-2 전개도를 이용하여 만든 정육면체의 부피는 몇 cm^3인지 구해 보세요.

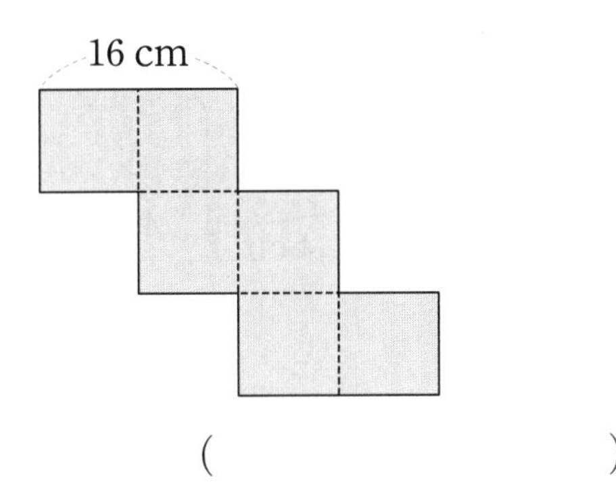

( )

3-3 전개도를 이용하여 만든 정육면체의 부피는 몇 cm^3인지 구해 보세요.

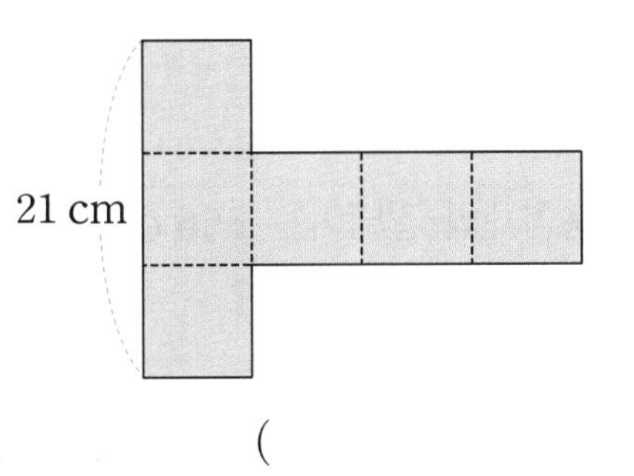

( )

플러스 유형 4 부피가 주어진 정육면체의 한 모서리의 길이 구하기

4-1 부피가 $343 cm^3$인 정육면체의 한 모서리의 길이는 몇 cm인가요?

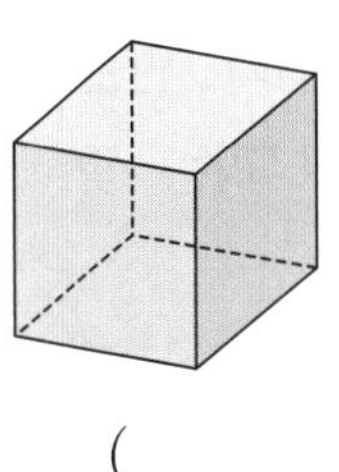

( )

서술형

4-2 부피가 $216 cm^3$인 정육면체의 한 모서리의 길이는 몇 cm인지 풀이 과정을 쓰고 답을 구해 보세요.

풀이

답

4-3 부피가 $64 cm^3$인 정육면체의 겉넓이는 몇 cm^2인가요?

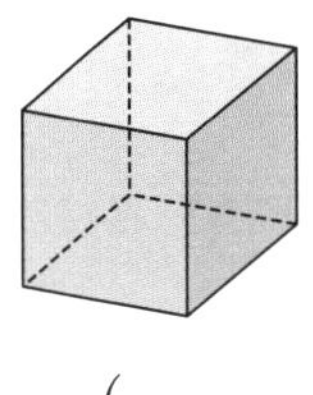

( )

플러스 유형 처방전

정육면체의 한 모서리의 길이를 □ cm라 하면
부피는 □×□×□ (cm^3)이에용~
□를 사용한 식을 만들어 □를 구해 봐용~

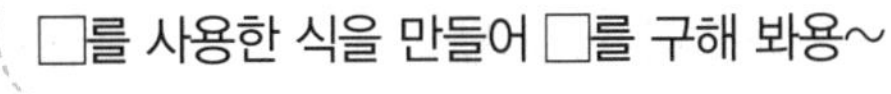

플러스 유형 5 직육면체를 잘라 가장 큰 정육면체 만들기

사고력 유형

5-1 오른쪽 직육면체를 잘라서 가장 큰 정육면체를 만들었습니다. 만든 정육면체의 부피는 몇 cm^3인가요?

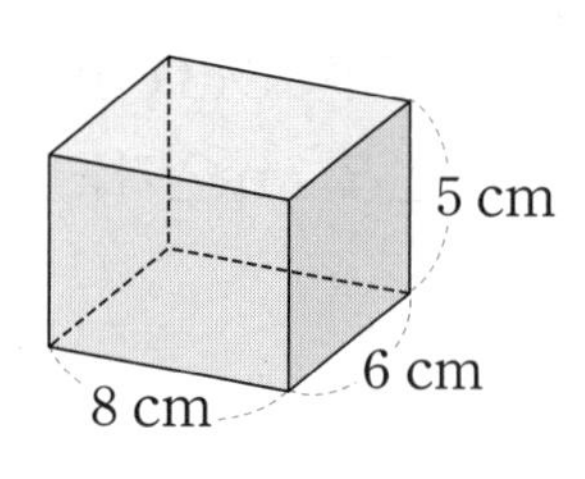

(　　　　　　　　)

5-2 오른쪽 직육면체를 잘라서 가장 큰 정육면체를 만들었습니다. 만든 정육면체의 부피는 몇 cm^3인가요?

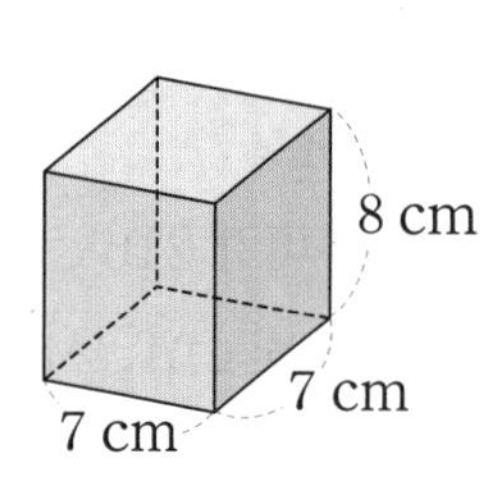

(　　　　　　　　)

서술형

5-3 오른쪽 직육면체를 잘라서 가장 큰 정육면체를 만들었습니다. 만든 정육면체의 부피는 몇 cm^3인지 풀이 과정을 쓰고 답을 구해 보세요.

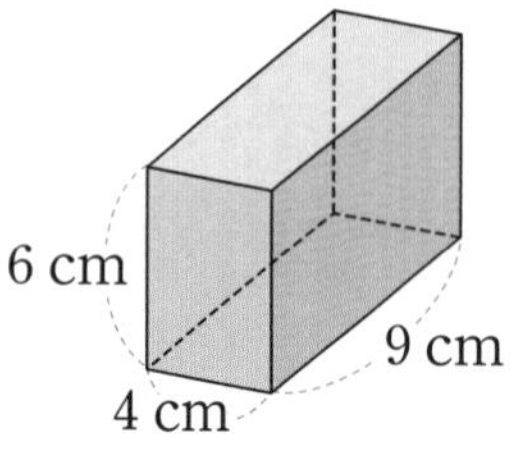

풀이

답

플러스 유형 처방전

직육면체를 잘라 가장 큰 정육면체 만들기
➡ 직육면체의 가장 짧은 모서리의 길이가 정육면체의 한 모서리의 길이가 되지용~

플러스 유형 6 겉넓이가 주어진 직육면체에서 길이 구하기

사고력 유형

6-1 직육면체의 겉넓이는 72 cm^2입니다. □ 안에 알맞은 수를 써넣으세요.

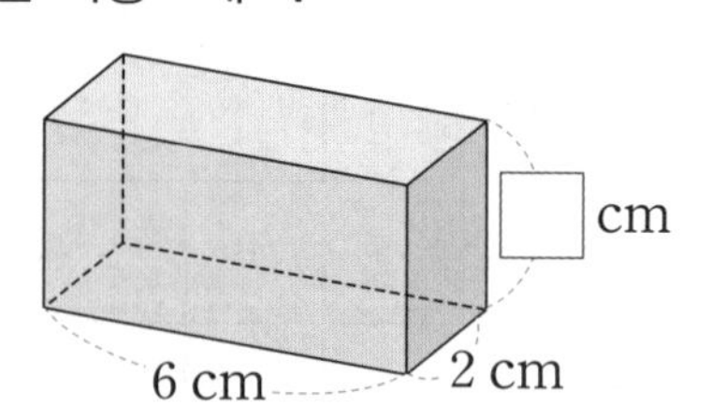

서술형

6-2 직육면체의 겉넓이는 128 cm^2입니다. □ 안에 알맞은 수를 구하는 풀이 과정을 쓰고 답을 구해 보세요.

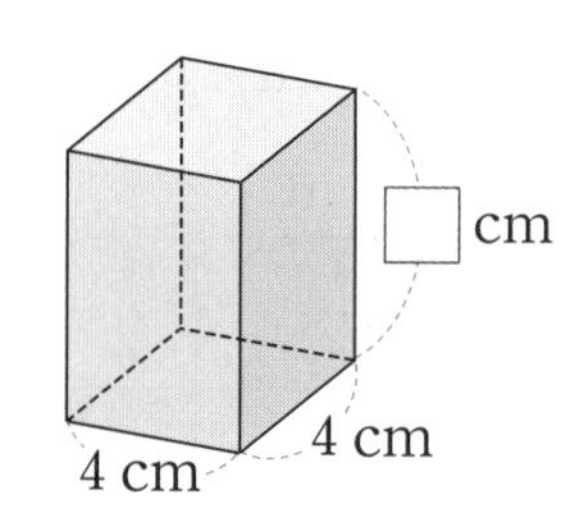

풀이

답

6-3 직육면체의 겉넓이는 166 cm^2입니다. □ 안에 알맞은 수를 써넣으세요.

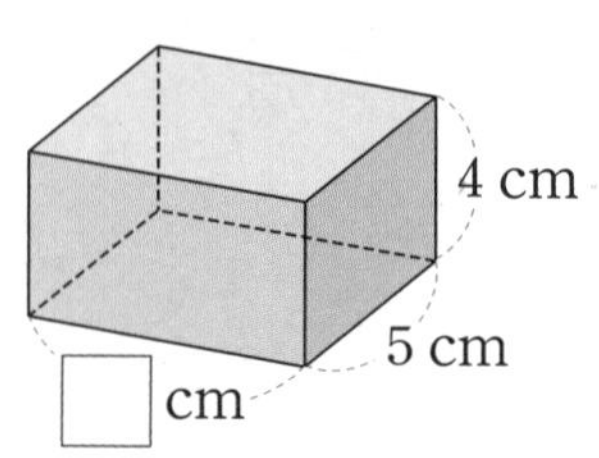

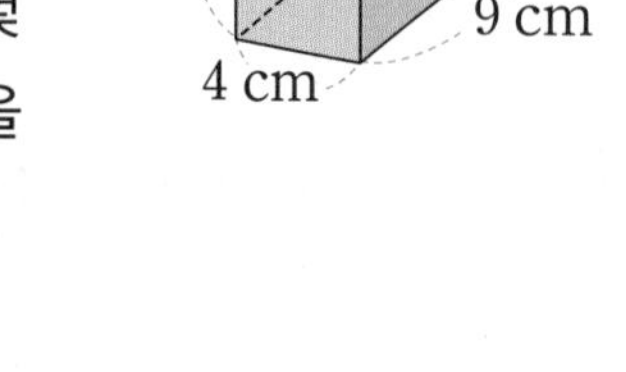

플러스 유형 7 직육면체와 겉넓이가 같은 정육면체의 한 모서리의 길이 구하기

독해력 유형

7-1 왼쪽 직육면체와 겉넓이가 같은 정육면체의 한 모서리의 길이는 몇 cm인지 구해 보세요.

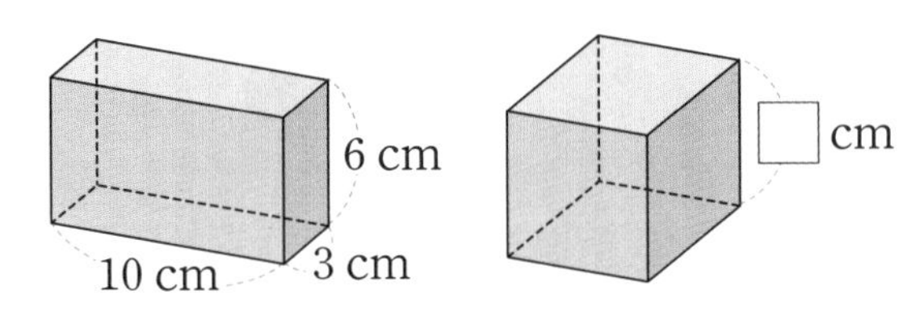

단계 1 왼쪽 직육면체의 겉넓이는 몇 cm^2인가요?

( )

단계 2 정육면체의 한 모서리의 길이를 □ cm라 하여 겉넓이를 구하는 식을 세워 보세요.

식 ______________________

단계 3 정육면체의 한 모서리의 길이는 몇 cm인가요?

( )

7-2 왼쪽 직육면체와 겉넓이가 같은 정육면체의 한 모서리의 길이는 몇 cm인가요?

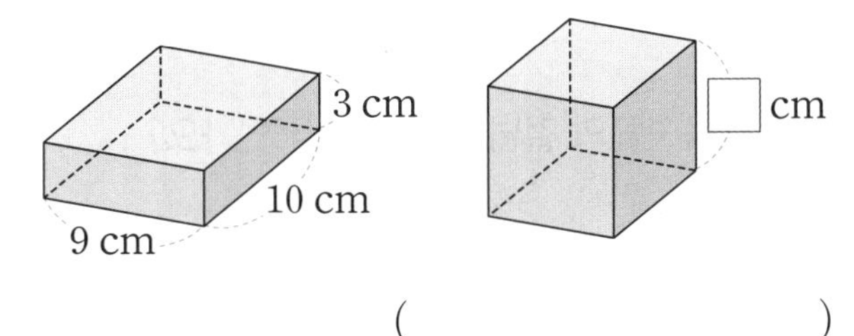

( )

플러스 유형 8 쌓을 수 있는 물건의 수 구하기

독해력 유형

8-1 가로가 5 m, 세로가 4 m, 높이가 3 m인 직육면체 모양의 창고가 있습니다. 이 창고에 한 모서리의 길이가 20 cm인 정육면체 모양의 상자를 빈틈없이 쌓으려고 합니다. 정육면체 모양의 상자를 몇 개까지 쌓을 수 있는지 구해 보세요.

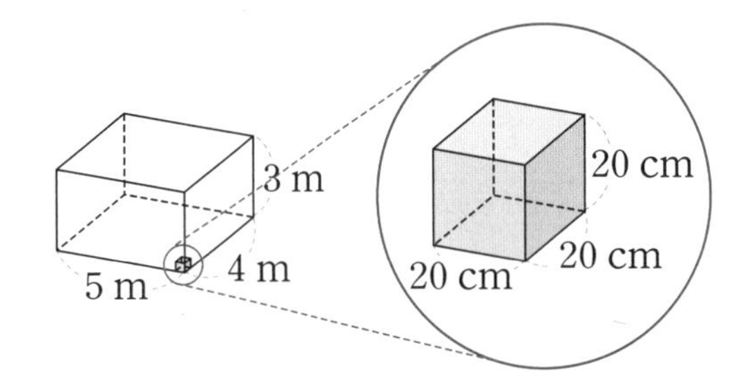

단계 1 창고의 가로, 세로, 높이는 각각 몇 cm인가요?

가로 ( )
세로 ( )
높이 ( )

단계 2 창고의 가로, 세로, 높이에 정육면체 모양의 상자가 몇 개씩 들어가나요?

가로 ( )
세로 ( )
높이 ( )

단계 3 정육면체 모양의 상자를 몇 개까지 쌓을 수 있나요?

( )

8-2 가로가 6 m, 세로가 3 m, 높이가 9 m인 직육면체 모양의 컨테이너가 있습니다. 이 컨테이너에 한 모서리의 길이가 30 cm인 정육면체 모양의 상자를 빈틈없이 쌓으려고 합니다. 정육면체 모양의 상자를 몇 개까지 쌓을 수 있나요?

( )

1 정육면체의 부피를 구해 보세요.

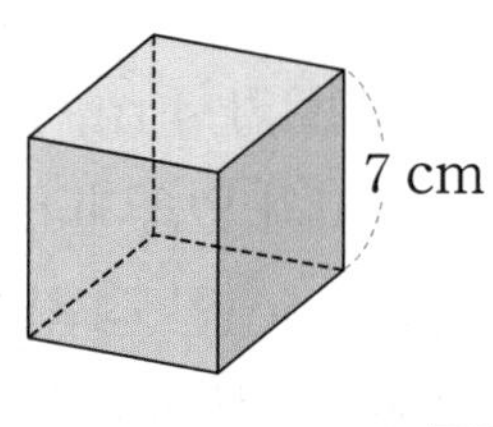

(정육면체의 부피)$=7\times\square\times\square$

$=\square$ (cm^3)

2 알맞은 말에 ○표 하세요.

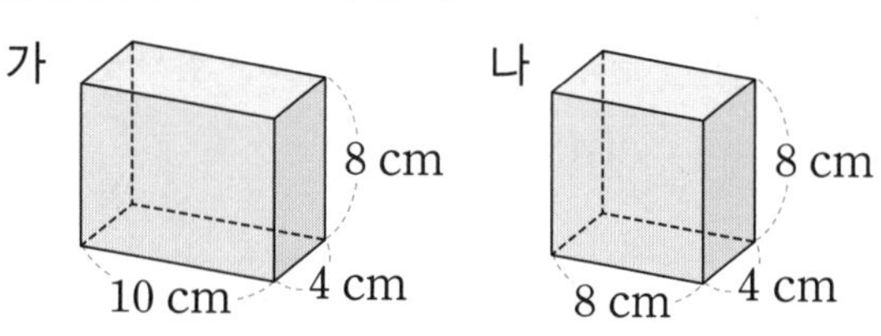

두 직육면체는 직접 맞대어 부피를 비교할 수 (있습니다 , 없습니다).

3 □ 안에 알맞은 수를 써넣으세요.

(1) $5\ \mathrm{m}^3=\square\ \mathrm{cm}^3$

(2) $12000000\ \mathrm{cm}^3=\square\ \mathrm{m}^3$

4 문장을 보고 맞으면 ○표, 틀리면 ×표 하세요.

> 한 모서리의 길이가 1 m인 정육면체를 만드는 데 부피가 $1\ \mathrm{cm}^3$인 쌓기나무가 10000개 필요합니다.

(　　　　　　)

5 부피가 $1\ \mathrm{cm}^3$인 쌓기나무로 만든 직육면체입니다. 부피는 몇 cm^3인가요?

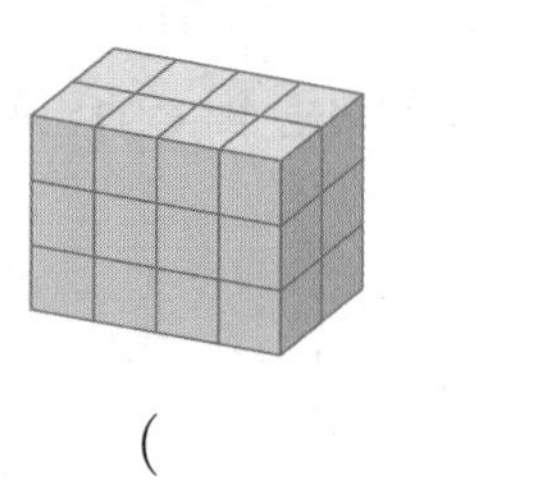

(　　　　　　)

6 직육면체의 부피는 몇 cm^3인가요?

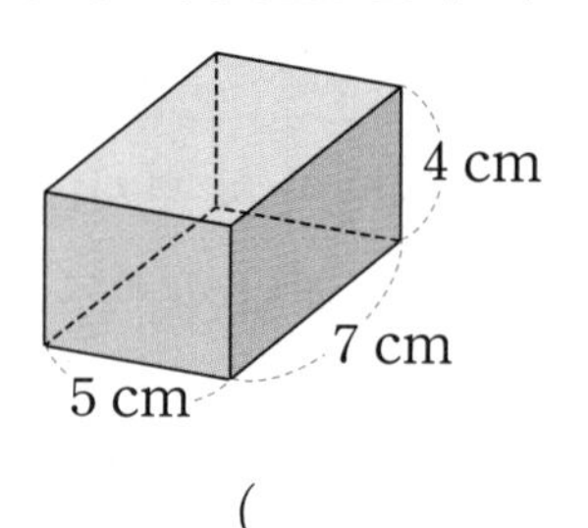

(　　　　　　)

7 직육면체의 겉넓이를 구하려고 합니다. 그림을 보고 □ 안에 알맞은 수를 써넣으세요.

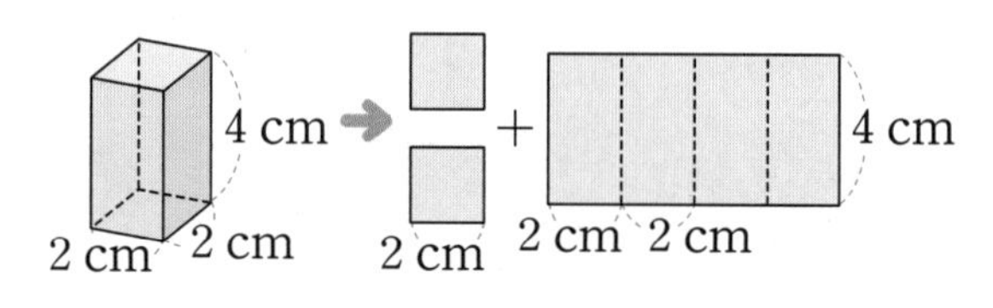

(한 밑면의 넓이)$\times2+$(옆면의 넓이)

$=\square\times2+\square=\square$ (cm^2)

8 직육면체의 겉넓이는 몇 cm^2인가요?

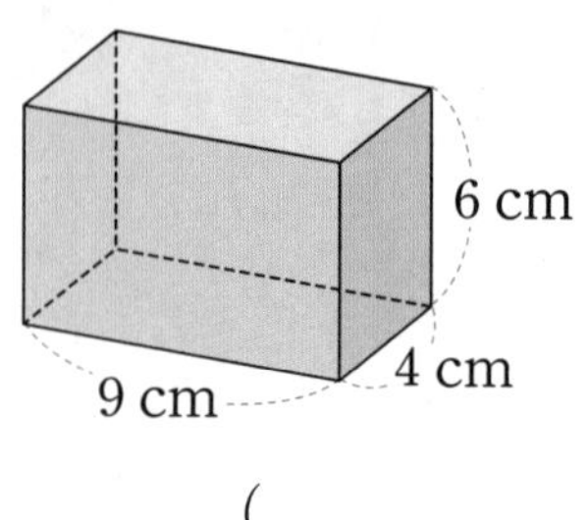

(　　　　　　)

9 크기가 같은 쌓기나무로 만든 두 직육면체의 부피를 비교하여 ◯ 안에 $>$, $=$, $<$를 알맞게 써넣으세요.

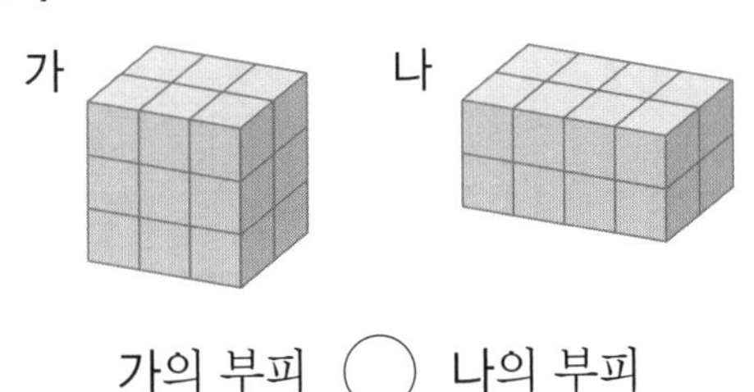

가의 부피 ◯ 나의 부피

10 부피가 더 큰 것에 ◯표 하세요.

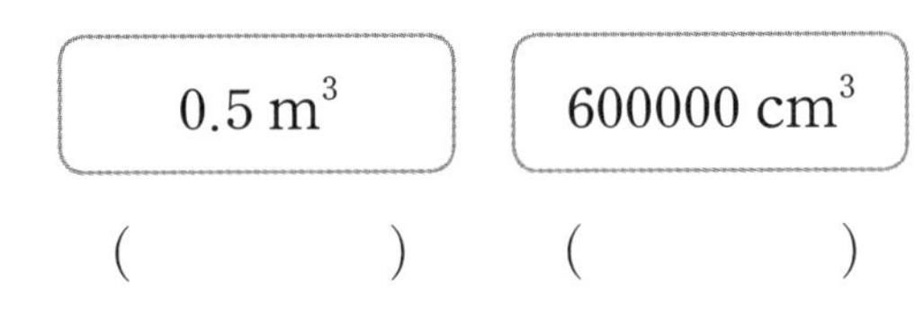

( ) ( )

11 전개도를 이용하여 만든 정육면체의 부피는 몇 cm^3인가요?

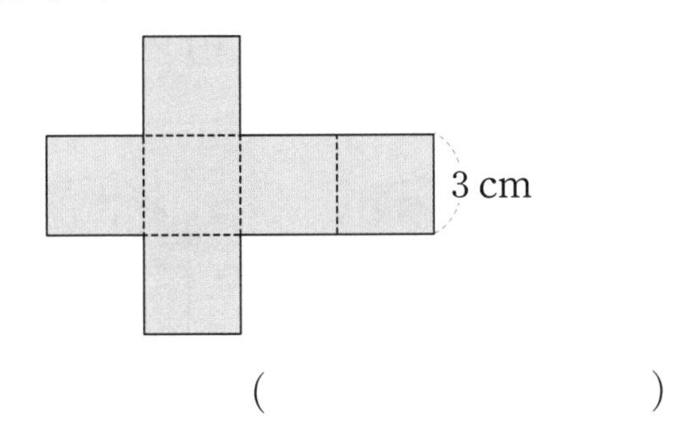

( )

12 직육면체의 부피는 몇 m^3인가요?

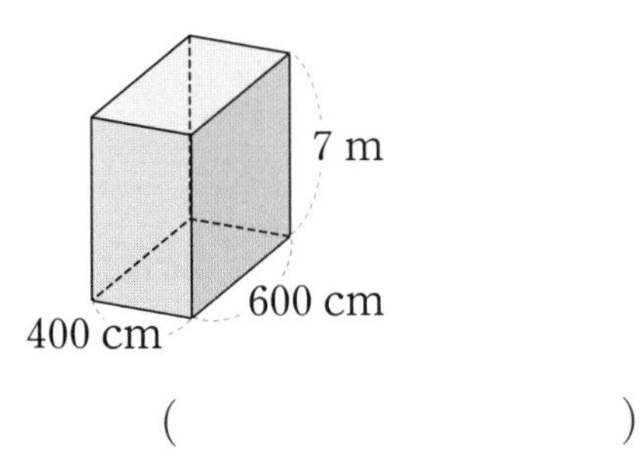

( )

13 한 모서리의 길이가 8 cm인 정육면체의 겉넓이는 몇 cm^2인가요?

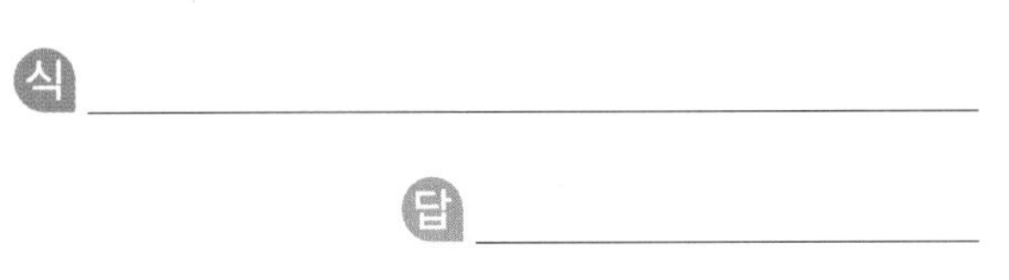

14 상자 가와 나에 크기가 같은 쌓기나무를 담아 부피를 비교하려고 합니다. 부피가 더 큰 상자의 기호를 써 보세요.

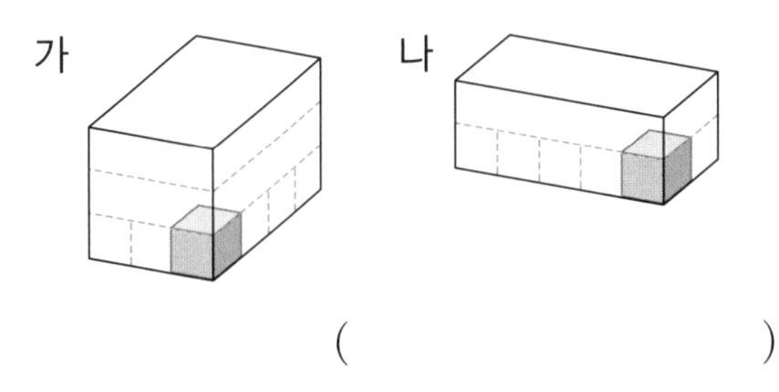

( )

15 겉넓이가 더 넓은 직육면체의 기호를 써 보세요.

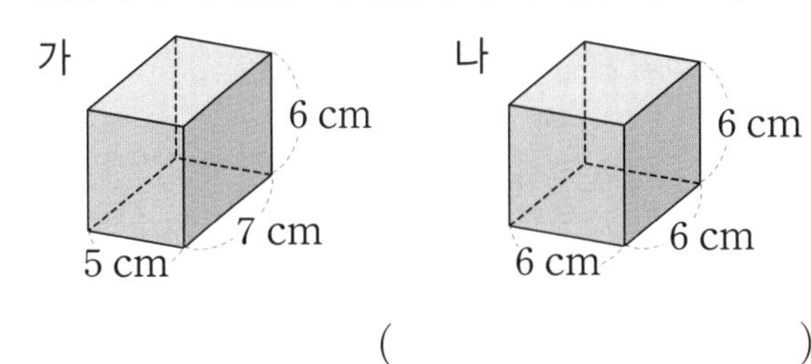

( )

16 부피가 360 cm^3인 직육면체입니다. □ 안에 알맞은 수를 써넣으세요.

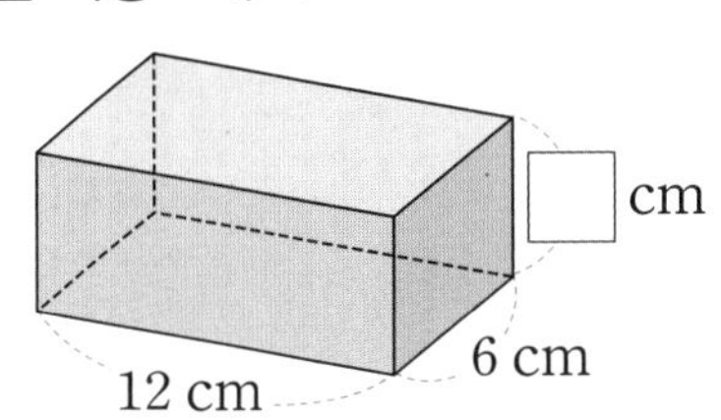

정답 및 풀이 41쪽

서술형 » 167쪽 4-2 유사 문제

17 부피가 27 cm^3인 정육면체의 한 모서리의 길이는 몇 cm인지 풀이 과정을 쓰고 답을 구해 보세요.

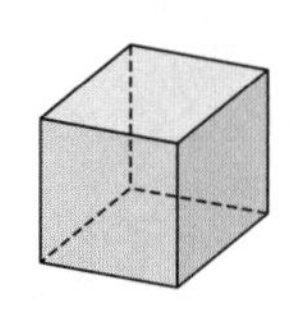

풀이

답

서술형 » 168쪽 5-3 유사 문제

18 직육면체를 잘라서 가장 큰 정육면체를 만들었습니다. 만든 정육면체의 부피는 몇 cm^3인지 풀이 과정을 쓰고 답을 구해 보세요.

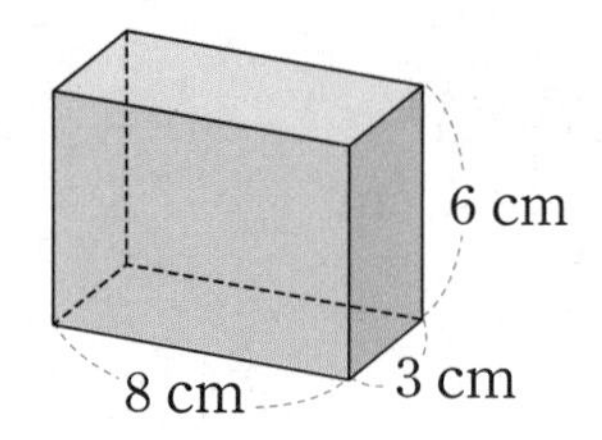

풀이

답 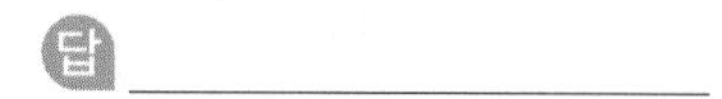

서술형 » 168쪽 6-2 유사 문제

19 직육면체의 겉넓이는 202 cm^2입니다. □ 안에 알맞은 수를 구하는 풀이 과정을 쓰고 답을 구해 보세요.

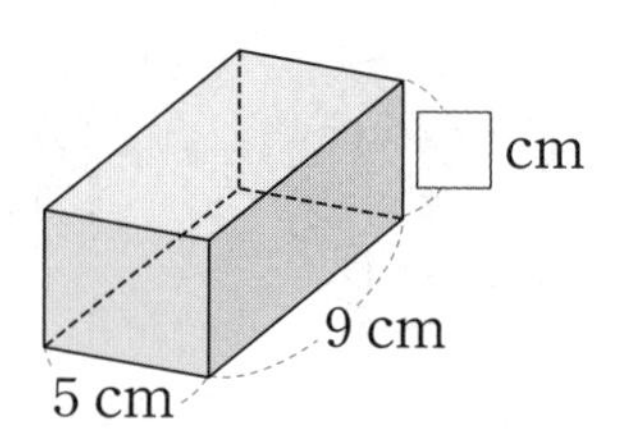

풀이

답

독해력 유형 서술형 » 169쪽 7-2 유사 문제

20 왼쪽 직육면체와 겉넓이가 같은 정육면체의 한 모서리의 길이는 몇 cm인지 풀이 과정을 쓰고 답을 구해 보세요.

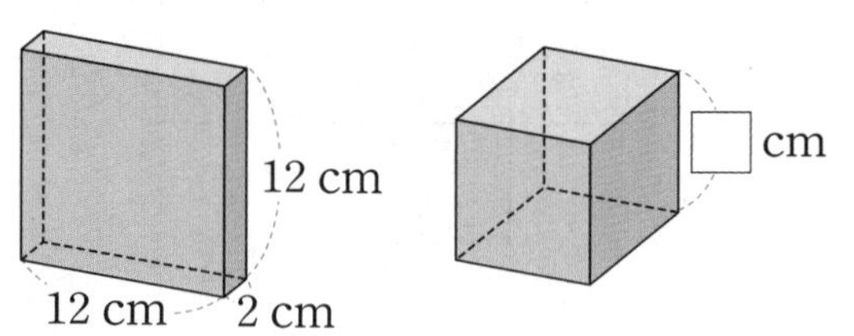

풀이

답 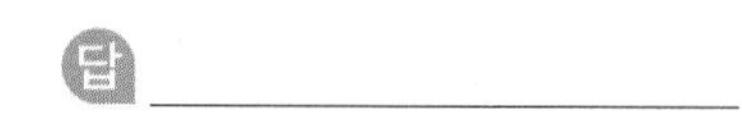

다시 보기

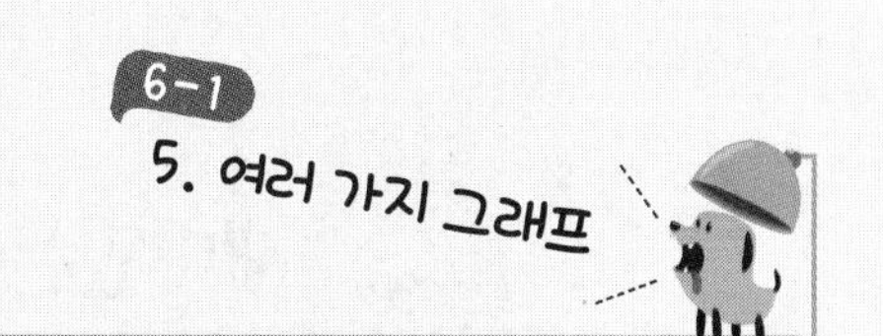

그림그래프로 나타내기

1 지역별 초등학생 수를 나타낸 그림그래프입니다. 나 지역의 초등학생은 몇 명인가요?

지역별 초등학생 수

지역	초등학생 수
가	
나	
다	

100명
10명

( )

[2~3] 지호네 반 학생들이 좋아하는 간식을 조사하여 나타낸 띠그래프입니다. 물음에 답하세요.

좋아하는 간식별 학생 수

0 10 20 30 40 50 60 70 80 90 100 (%)

떡볶이 (30 %)	어묵 (25 %)	샌드위치 (15 %)	핫도그(10 %)	기타 (20 %)

띠그래프 알아보기

2 가장 많은 학생이 좋아하는 간식은 무엇인가요?

( )

띠그래프 알아보기

3 떡볶이를 좋아하는 학생은 핫도그를 좋아하는 학생의 몇 배인가요?

( )

원그래프 알아보기

4 소영이네 학교 학생들이 태어난 계절을 조사하여 나타낸 원그래프입니다. 가을에 태어난 학생 수는 겨울에 태어난 학생 수의 몇 배인가요?

태어난 계절별 학생 수

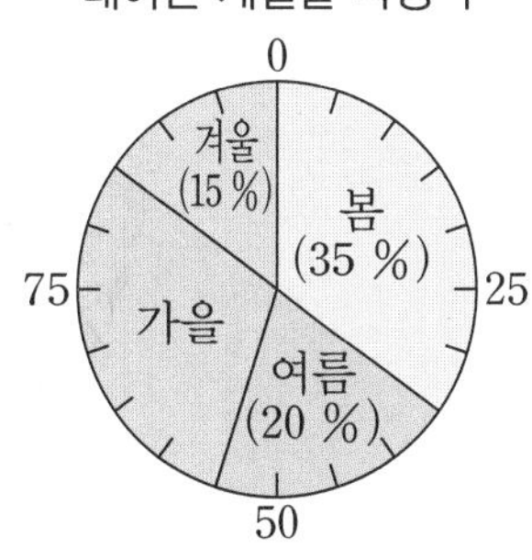

( )

원그래프에서
백분율의 합계는
100 %야~

코딩 1 다음은 cm^3 단위인 부피를 m^3 단위로 변환하는 순서도입니다. 200000 cm^3를 입력하면 몇 m^3로 출력되나요?

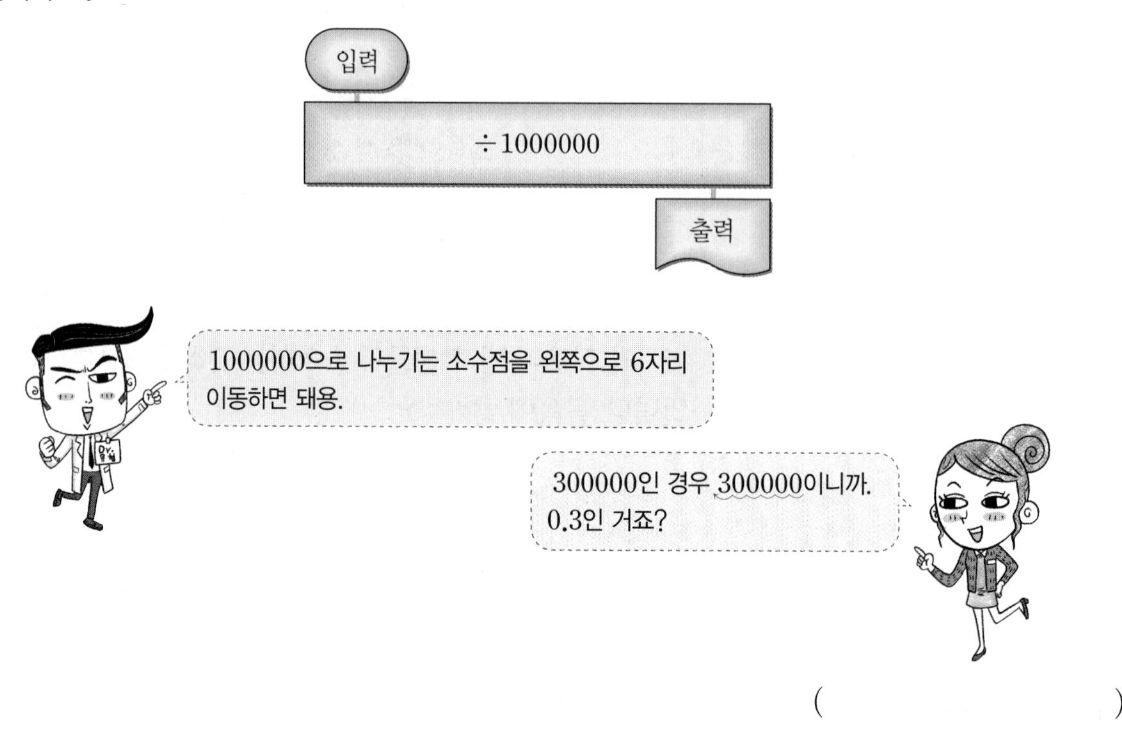

(　　　　　　　　)

코딩 2 정육면체의 한 모서리의 길이를 입력하면 각 모서리의 길이가 3배인 정육면체의 부피를 구할 수 있는 코딩입니다. 입력값 A가 2일 때 출력값 B를 구해 보세요.

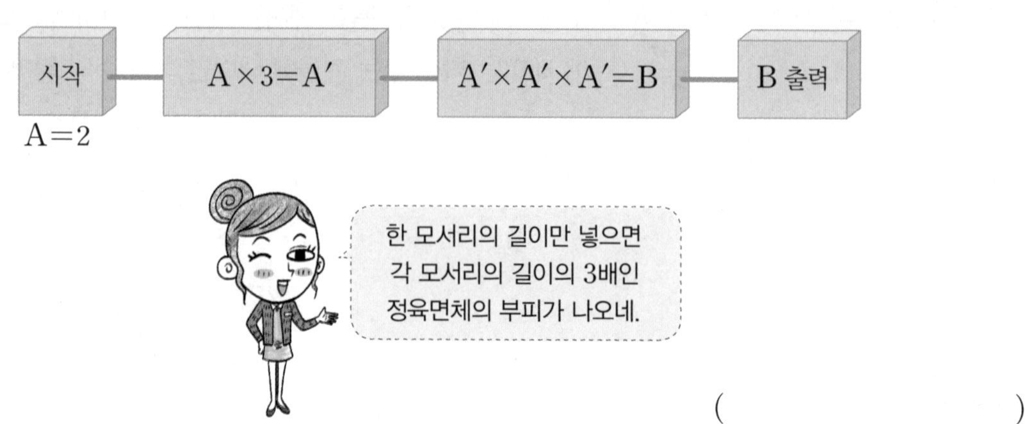

(　　　　　　　　)

선물 크기에 알맞은 택배 상자 찾기

규격에 따른 우체국 택배 상자 가격을 나타낸 표입니다.

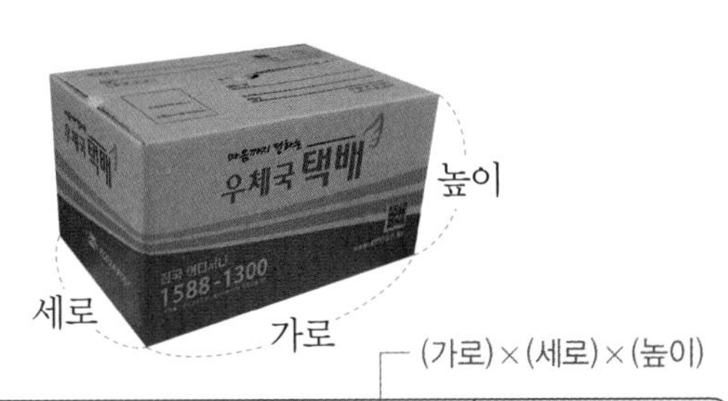

(가로)×(세로)×(높이)

호수	규격(cm)	가격
1호	22×19×9	400원
2호	27×18×15	500원
3호	34×25×21	800원
4호	41×31×28	1100원
5호	48×38×34	1700원
6호	52×48×40	2300원

※ 우체국 택배 상자 판매 가격은 지역마다 다를 수 있습니다.

하윤이가 할머니께 드릴 과자 상자를 만들어 우체국 택배로 보내려고 합니다. 위의 표를 보고 과자 상자를 담을 수 있는 택배 상자는 적어도 몇 호 상자여야 하는지 구하고 우체국 택배 상자의 길이를 □ 안에 써넣으세요.

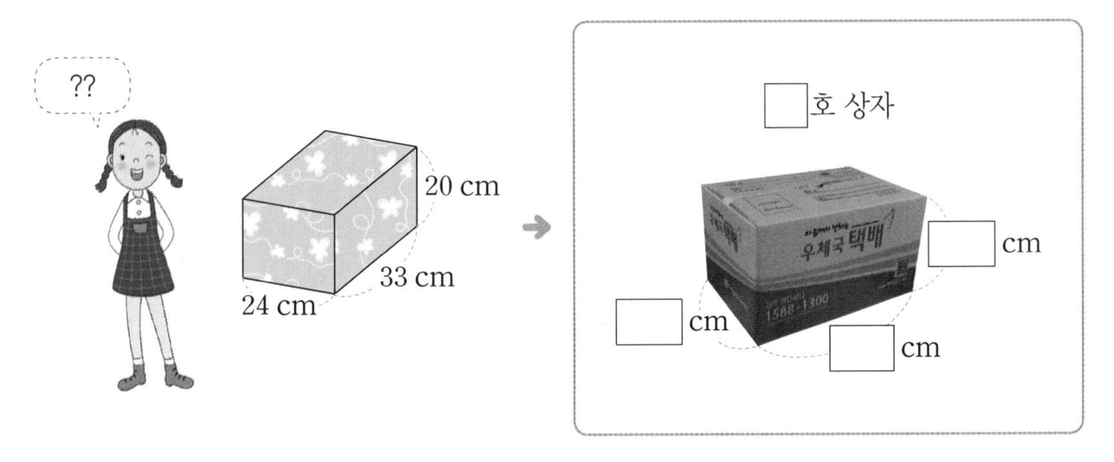

점선대로 잘라서 파이널 테스트지로 활용하세요.

단원평가

1. 분수의 나눗셈

6학년　　이름 :

날짜　　.　　.

점수

1 그림을 보고 □ 안에 알맞은 수를 써넣으세요.

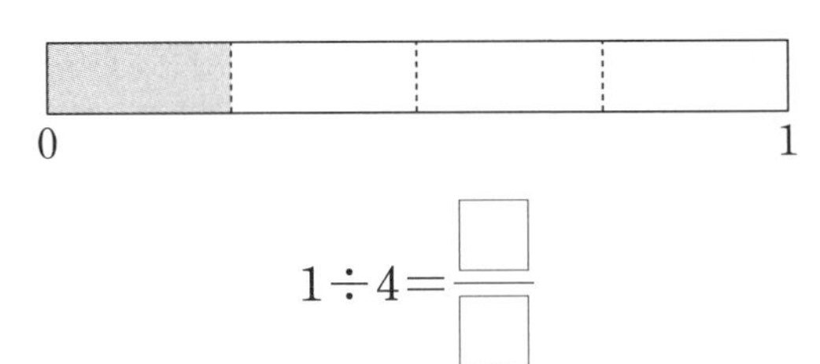

$1 \div 4 = \dfrac{\square}{\square}$

2 □ 안에 알맞은 수를 써넣으세요.

$\dfrac{8}{9} \div 2 = \dfrac{8 \div \square}{9} = \dfrac{\square}{9}$

3 나눗셈을 곱셈으로 바르게 나타낸 것에 ○표 하세요.

$\dfrac{9}{10} \div 3 = \dfrac{9}{10} \times 3$　　$\dfrac{6}{7} \div 2 = \dfrac{6}{7} \times \dfrac{1}{2}$

(　　　　)　　(　　　　)

4 보기와 같은 방법으로 계산해 보세요.

보기

$2\dfrac{4}{5} \div 7 = \dfrac{14}{5} \div 7 = \dfrac{14 \div 7}{5} = \dfrac{2}{5}$

$3\dfrac{4}{7} \div 5$

5 빈칸에 알맞은 분수를 써넣으세요.

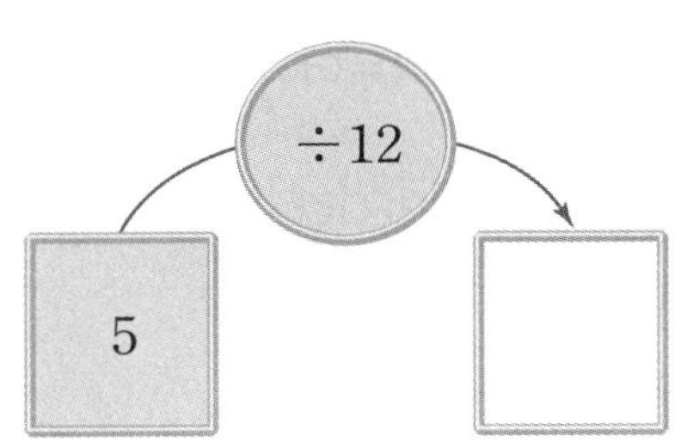

6 분수를 자연수로 나눈 몫을 구해 보세요.

$\dfrac{8}{15}$　　12

(　　　　　　　)

7 관계있는 것끼리 이어 보세요.

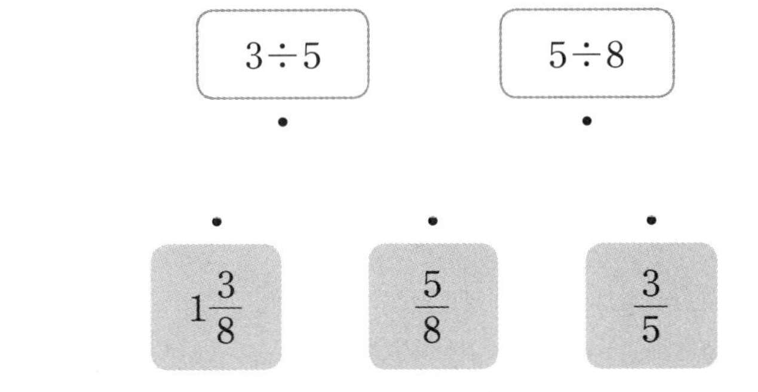

$1\dfrac{3}{8}$　　$\dfrac{5}{8}$　　$\dfrac{3}{5}$

8 계산이 잘못된 곳을 찾아 바르게 계산해 보세요.

$2\dfrac{2}{7} \div 2 = 2\dfrac{2}{7} \times \dfrac{1}{2} = 2\dfrac{1}{7}$

↓

$2\dfrac{2}{7} \div 2$

9 가장 큰 수를 가장 작은 수로 나눈 몫을 구해 보세요.

17　　9　　23

(　　　　　　　)

10 가의 길이는 나의 길이의 몇 배인지 기약분수로 나타내어 보세요.

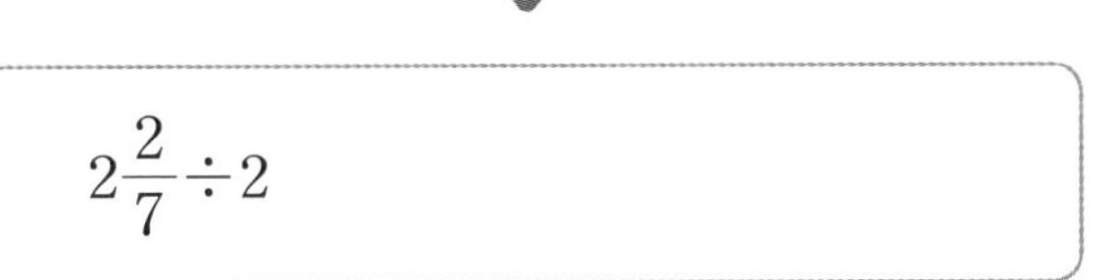

(　　　　　　　)

11 크기를 비교하여 ○ 안에 >, =, <를 알맞게 써넣으세요.

$6 \div 5$ ○ $\frac{9}{2} \div 2$

12 물 2 L를 모양과 크기가 같은 컵 5개에 남김없이 똑같이 나누어 담으려고 합니다. 컵 1개에 담아야 하는 물은 몇 L인지 분수로 나타내어 보세요.

( )

13 그림과 같이 삼각형을 4등분하였습니다. 큰 삼각형의 넓이가 $10\frac{2}{3}$ cm^2일 때 색칠한 부분의 넓이는 몇 cm^2인지 기약분수로 나타내어 보세요.

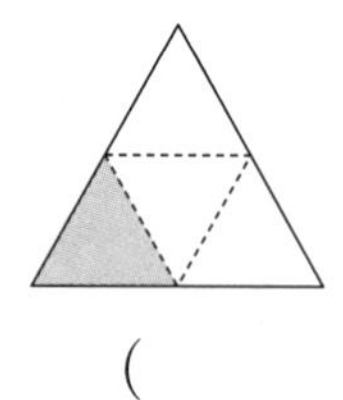

( )

14 끈 $\frac{9}{10}$ m를 겹치지 않게 모두 사용하여 정육각형을 1개 만들었습니다. 만든 정육각형의 한 변의 길이는 몇 m인가요?

( )

15 □ 안에 알맞은 수를 써넣으세요.

$8\frac{1}{6} \div \square = 14$

16 몫이 1보다 큰 것을 찾아 기호를 써 보세요.

㉠ $\frac{9}{10} \div 2$ ㉡ $4\frac{2}{5} \div 4$ ㉢ $6\frac{2}{3} \div 8$

( )

17 □ 안에 들어갈 수 있는 자연수는 모두 몇 개인가요?

$1\frac{1}{3} \div 2 \times 8 > \square$

( )

18 상추를 심은 밭이 더 넓은 사람의 이름을 써 보세요.

영하: 7 m^2의 땅에 상추, 무, 감자를 똑같은 넓이로 심었어.

민우: $\frac{5}{3}$ m^2의 땅에 모두 상추를 심었어.

( )

19 수 카드 3장을 모두 사용하여 계산 결과가 가장 작은 나눗셈식을 만들고 계산한 값을 구해 보세요.

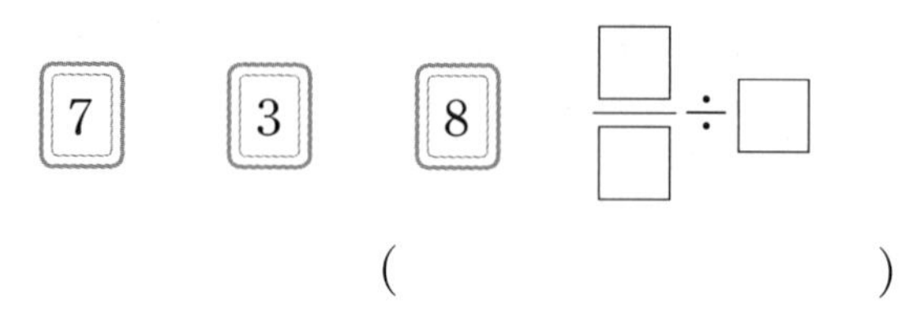

( )

20 어떤 수를 5로 나누어야 할 것을 잘못하여 5를 곱했더니 $1\frac{1}{2}$이 되었습니다. 바르게 계산한 값을 구해 보세요.

( )

2. 각기둥과 각뿔

6학년 이름 :

날짜 . .

점수

도형을 보고 물음에 답하세요. (1～3)

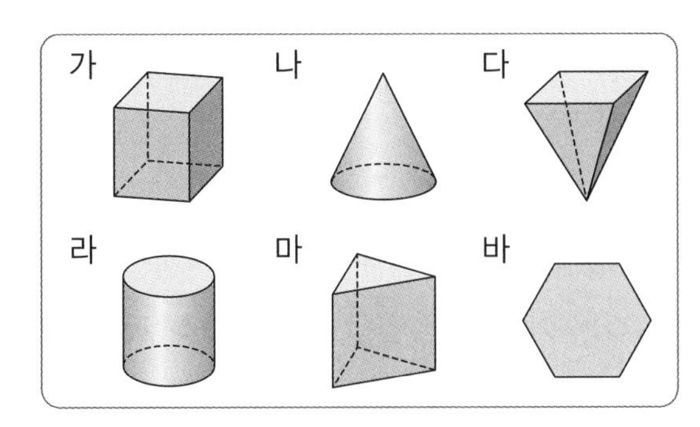

1 입체도형을 모두 찾아 기호를 써 보세요.

( )

2 각기둥을 모두 찾아 기호를 써 보세요.

( )

3 각뿔을 찾아 기호를 써 보세요.

( )

4 각뿔의 □ 안에 각 부분의 이름을 써넣으세요.

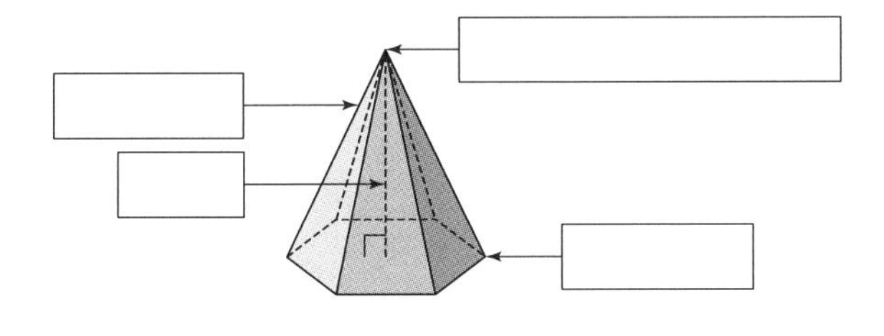

입체도형의 이름을 써 보세요. (5～6)

5

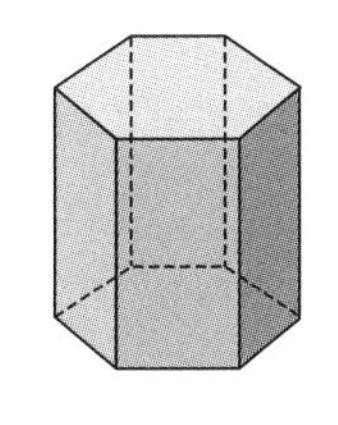

( )

6

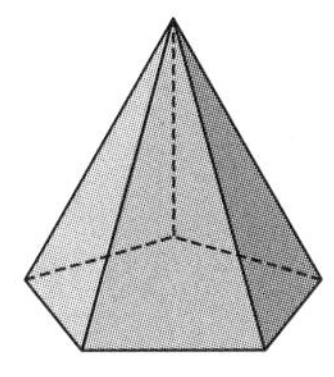

( )

7 각기둥의 높이는 몇 cm인가요?

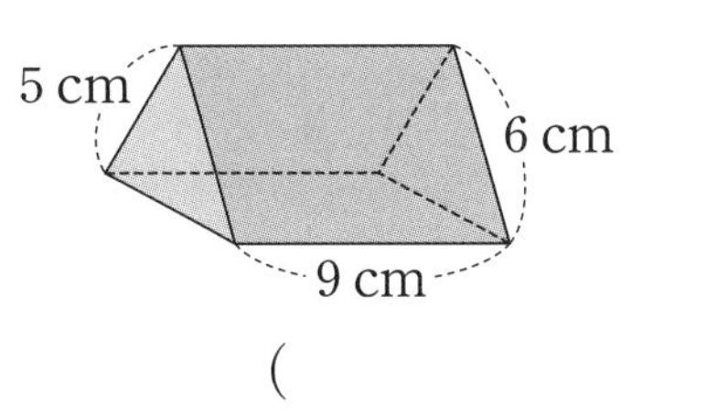

( )

8 색칠한 면이 밑면일 때 옆면이 <u>아닌</u> 것을 찾아 기호를 써 보세요.

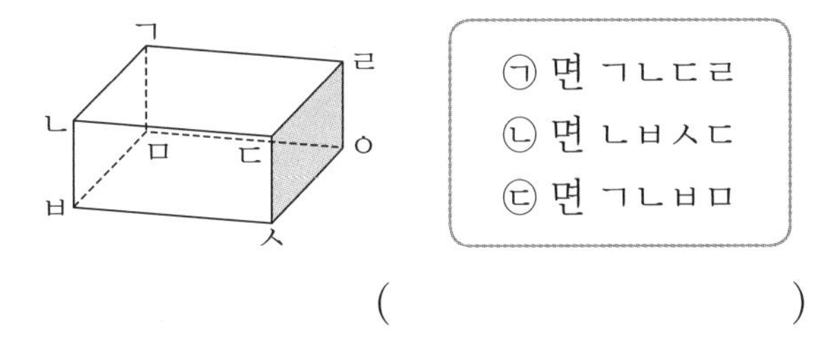

( )

9 각뿔에 대해 <u>잘못</u> 설명한 것을 찾아 기호를 써 보세요.

㉠ 밑면은 1개입니다.
㉡ 옆면은 항상 삼각형입니다.
㉢ 옆면과 밑면은 서로 수직입니다.

( )

전개도를 보고 물음에 답하세요. (10～11)

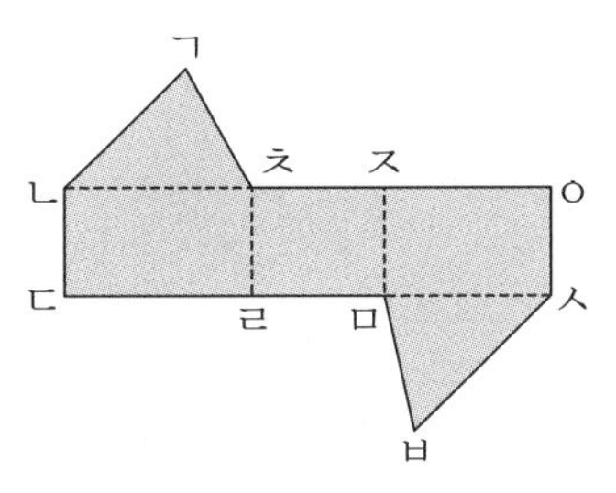

10 전개도를 접으면 어떤 도형이 만들어지나요?

( )

11 전개도를 접었을 때 만나는 점과 만나는 선분을 각각 찾아 써 보세요.

점 ㄱ ( )

선분 ㄴㄷ ( )

12 밑면의 모양이 오른쪽과 같은 각뿔의 옆면은 몇 개입니까?

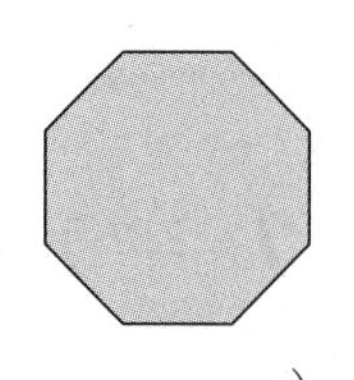

(　　　　　　　　　　)

13 빈칸에 알맞은 수를 써넣으세요.

도형	면의 수(개)	꼭짓점의 수(개)	모서리의 수(개)
육각기둥			
육각뿔			

서술형

14 도형이 각뿔이 아닌 이유를 써 보세요.

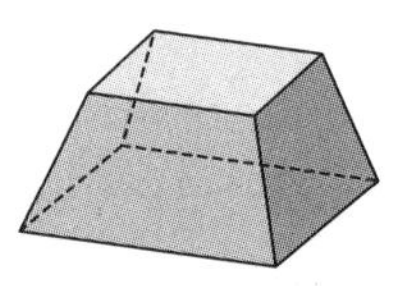

이유 ________________________________

____

15 각기둥의 전개도를 그려 보세요.

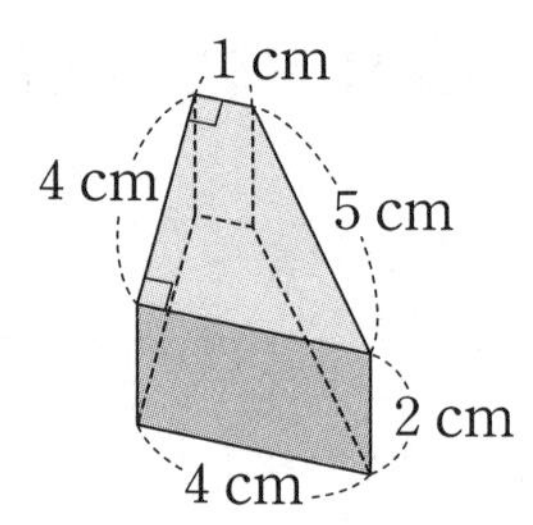

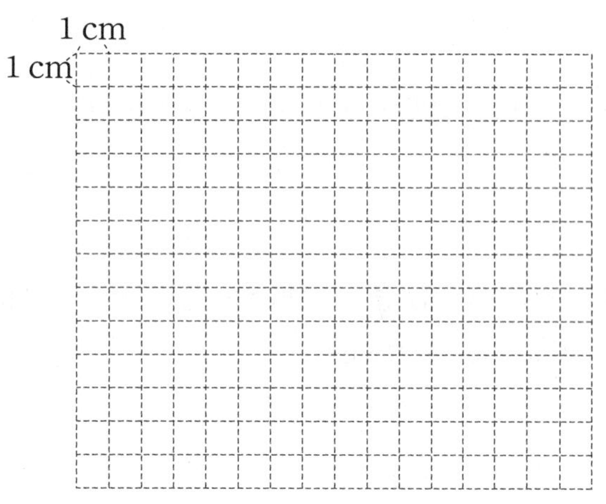

16 어떤 각기둥의 옆면만 그린 전개도의 일부분입니다. 이 각기둥의 밑면의 모양의 이름을 써 보세요.

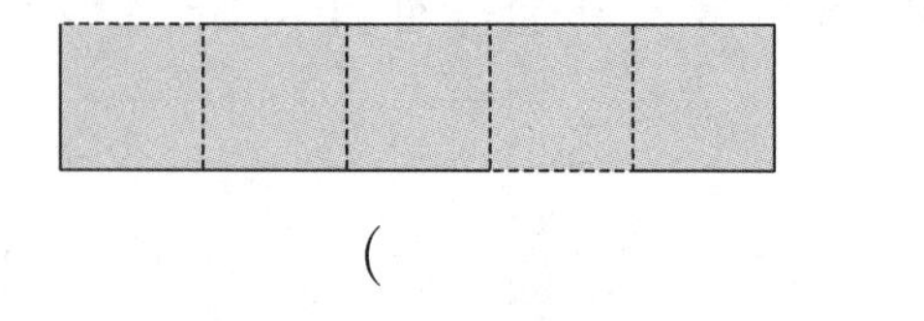

(　　　　　　　　　　)

17 수가 가장 많은 것을 찾아 기호를 써 보세요.

㉠ 육각뿔의 면의 수
㉡ 오각뿔의 모서리의 수
㉢ 칠각뿔의 꼭짓점의 수

(　　　　　　　　　　)

18 오른쪽 각뿔의 밑면이 정사각형일 때 모든 모서리의 길이의 합은 몇 cm인가요?

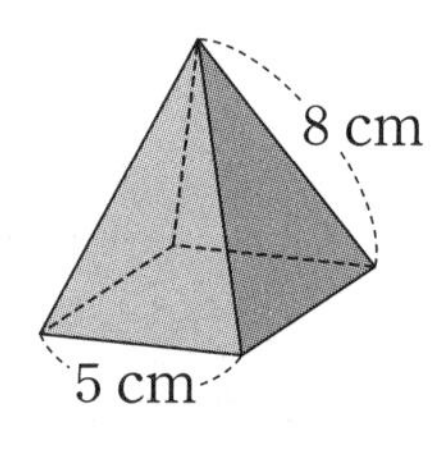

(　　　　　　　　　　)

19 모서리의 수가 24개인 각기둥의 꼭짓점은 몇 개인가요?

(　　　　　　　　　　)

20 오른쪽 전개도를 접어서 만든 각기둥이 다음을 만족할 때 밑면의 한 변의 길이는 몇 cm인지 구해 보세요.

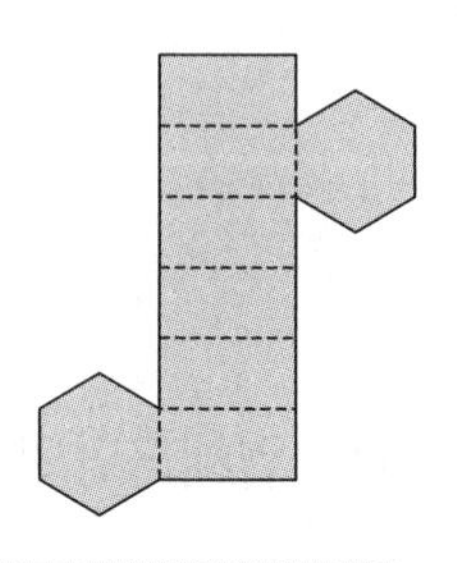

- 옆면은 모두 합동이고, 높이는 4 cm입니다.
- 전개도를 접어서 만든 각기둥의 모든 모서리의 길이의 합은 48 cm입니다.

(　　　　　　　　　　)

단원평가 3. 소수의 나눗셈

6학년 이름 :

날짜 . .

점수

1 □ 안에 알맞은 수를 써넣으세요.

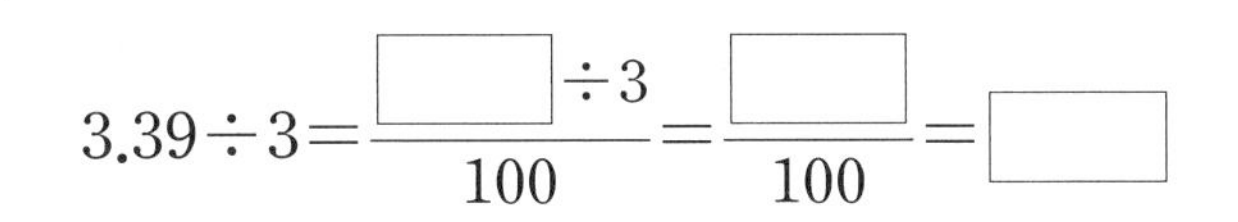

$$3.39 \div 3 = \frac{\square \div 3}{100} = \frac{\square}{100} = \square$$

2 계산해 보세요.

$$4\overline{)\,3.7\ 2}$$

3 어림셈하여 몫의 소수점의 위치를 찾아 표시해 보세요.

5.78÷2

어림 6÷2 ➔ 약 □

몫 2□8□9

4 소수의 나눗셈을 분수의 나눗셈으로 바꾸어 계산해 보세요.

17.45÷5 ____________________

____

5 빈 곳에 알맞은 수를 써넣으세요.

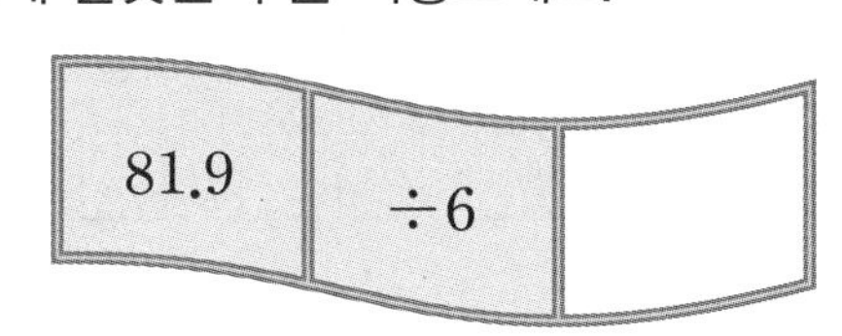

6 자연수의 나눗셈을 이용하여 소수의 나눗셈을 계산해 보세요.

488÷2 = □

48.8÷2= □

4.88÷2= □

7 계산이 잘못된 곳을 찾아 바르게 계산해 보세요.

```
      7.4
  5)3 5.2
    3 5
    ----
      2 0
      2 0
    ----
        0
```

➔ $5\overline{)\,3\ 5.2}$

8 큰 수를 작은 수로 나눈 몫을 소수로 나타내어 보세요.

10 8

( )

9 크기를 비교하여 ○ 안에 >, =, <를 알맞게 써넣으세요.

6.15÷3 ○ 2.4

10 수박의 무게는 멜론의 무게의 몇 배인가요?

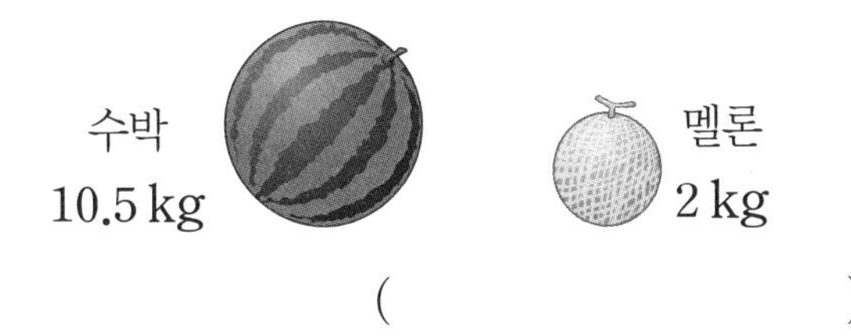

( )

11 $51.2 \div 8 = 6.4$를 이용하여 □ 안에 알맞은 수를 써넣으세요.

$\square \div 8 = 0.64$

12 빈칸에 알맞은 소수를 써넣으세요.

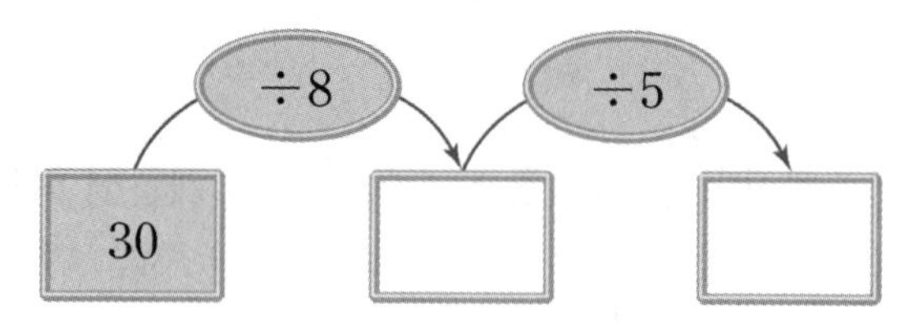

13 길이가 36.75 cm인 색 테이프를 7등분하였습니다. 한 도막의 길이는 몇 cm인가요?

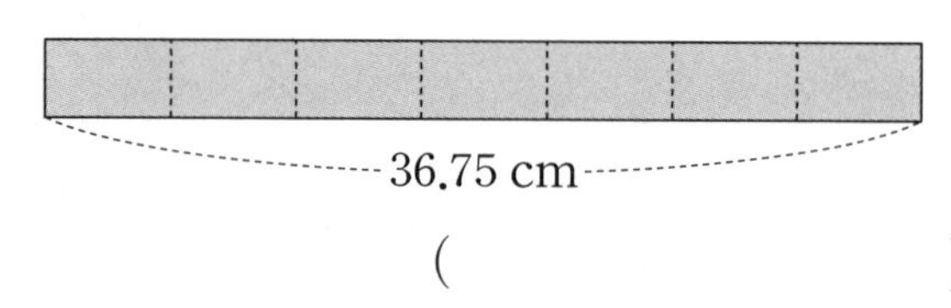

(　　　　　　　　　)

14 우유 2.7 L를 6명이 똑같이 나누어 마셨습니다. 한 사람이 마신 우유는 몇 L인가요?

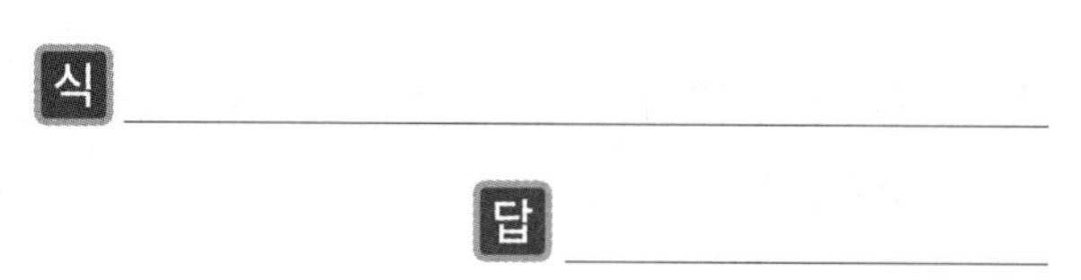

15 몫이 1보다 작은 나눗셈은 어느 것인가요? ············ (　　　)

① $22.5 \div 5$　　② $8.3 \div 2$
③ $12.84 \div 12$　　④ $4.25 \div 5$
⑤ $14.3 \div 13$

16 몫의 소수 첫째 자리 숫자가 0인 나눗셈을 찾아 기호를 써 보세요.

㉠ $28.08 \div 9$　㉡ $11.4 \div 6$　㉢ $16.12 \div 4$

(　　　　　　　　　)

17 1부터 9까지의 수 중에서 □ 안에 들어갈 수 있는 수를 모두 구해 보세요.

$12.6 \div 15 < 0.\square5$

(　　　　　　　　　)

18 그림과 같은 직사각형 모양의 벽에 페인트 15 L를 사용하여 칠했습니다. 1 m^2의 벽을 칠하는 데 사용한 페인트는 몇 L인가요?

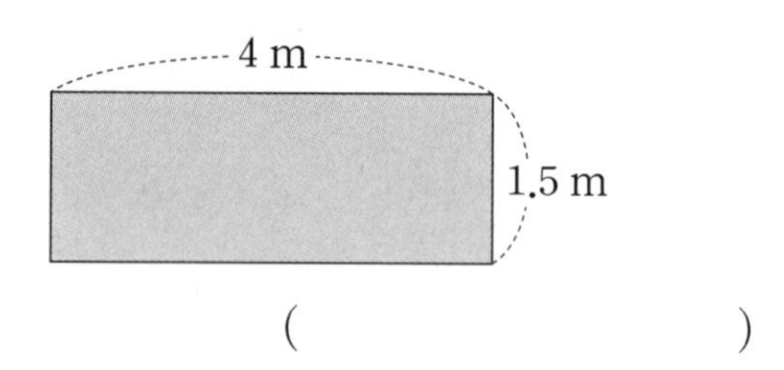

(　　　　　　　　　)

19 모든 모서리의 길이가 같은 사각뿔이 있습니다. 모든 모서리의 길이의 합이 64.96 cm일 때 한 모서리의 길이는 몇 cm인가요?

(　　　　　　　　　)

20 수 카드 4, 2, 7, 6을 □ 안에 한 번씩 써넣어 나눗셈식을 만들려고 합니다. 만들 수 있는 몫이 가장 큰 나눗셈식을 쓰고 몫을 구해 보세요.

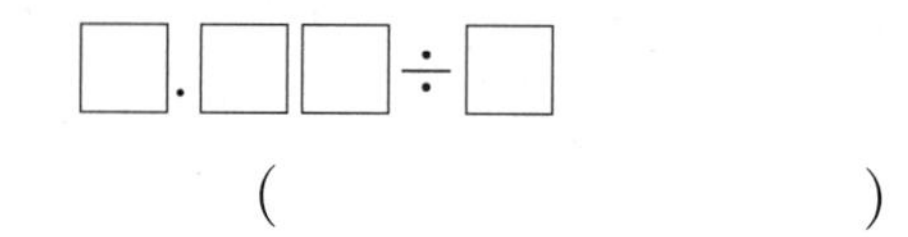

(　　　　　　　　　)

3 단원 소수의 나눗셈

단원평가

4. 비와 비율

6학년　　이름 :

날짜　　.　　.

점수

1 그림을 보고 □ 안에 알맞은 수를 써넣으세요.

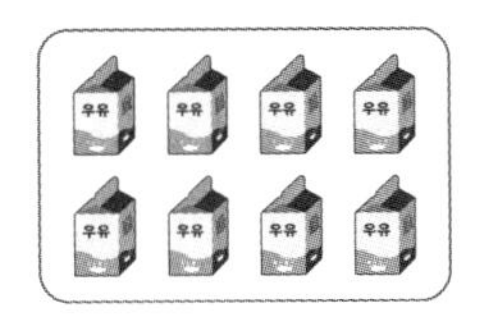

(우유 수) : (컵 수)=□ : □

2 비를 보고 비교하는 양과 기준량을 각각 찾아 써 보세요.

9 : 13

비교하는 양: □, 기준량: □

사탕 수와 초콜릿 수를 비교하려고 합니다. 물음에 답하세요. (3～4)

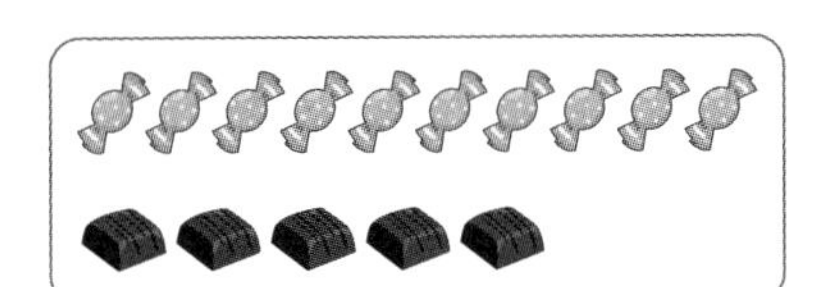

3 뺄셈을 이용하여 사탕 수와 초콜릿 수를 비교해 보세요.

사탕 수는 초콜릿 수보다 □개 더 많습니다.

4 나눗셈을 이용하여 사탕 수와 초콜릿 수를 비교해 보세요.

사탕 수는 초콜릿 수의 □배입니다.

5 비율을 분수와 소수로 나타내어 보세요.

11 : 20

분수 (　　　　　　　　)

소수 (　　　　　　　　)

6 비를 잘못 읽은 것을 찾아 기호를 써 보세요.

4 : 7

㉠ 4 대 7　　㉡ 4의 7에 대한 비

㉢ 7과 4의 비　　㉣ 7에 대한 4의 비

(　　　　　　　　)

7 비율을 %를 이용하여 백분율로 나타내어 보세요.

0.48

(　　　　　　　　)

8 전체에 대한 색칠한 부분의 비가 3 : 8이 되도록 색칠해 보세요.

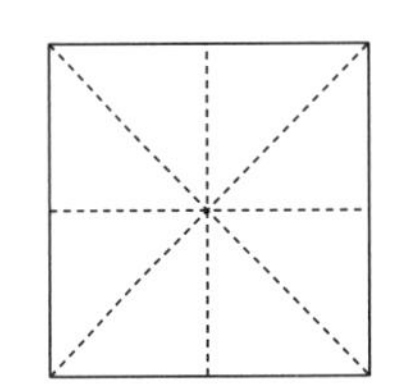

9 빈칸에 알맞은 수를 써넣으세요.

분수	소수	백분율(%)
$\frac{7}{10}$		
		64

10 직사각형의 세로에 대한 가로의 비를 써 보세요.

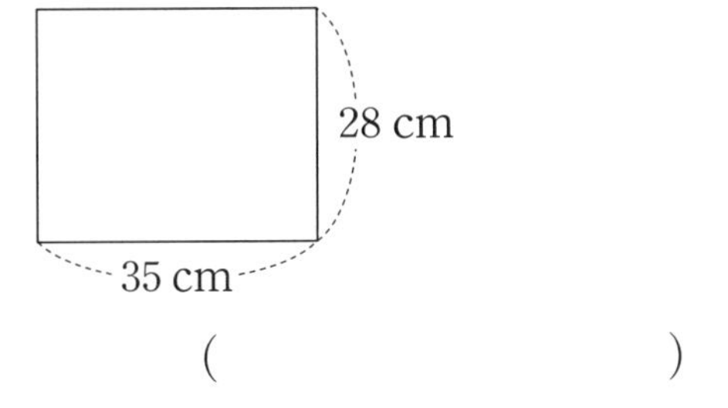

(　　　　　　　　)

11 기준량이 비교하는 양보다 작은 것을 찾아 기호를 써 보세요.

㉠ 11에 대한 9의 비 ㉡ 7의 5에 대한 비

( )

12 한 모둠에 색종이를 15장씩 나누어 주려고 합니다. 표를 완성하고 모둠원 수와 색종이 수를 나눗셈으로 비교해 보세요.

모둠 수	1	2	3	4	5
모둠원 수(명)	3	6	9	12	
색종이 수(장)	15				

➜ 색종이 수는 모둠원 수의

13 버스가 330 km를 달리는 데 3시간이 걸렸습니다. 버스의 걸린 시간에 대한 달린 거리의 비율을 구해 보세요.

( )

14 실제 거리 1 km를 지도에 2 cm로 그렸습니다. 실제 거리에 대한 지도에서 거리의 비율을 분수로 나타내어 보세요.

( )

서술형

15 시우의 이야기가 맞는지 틀린지 ○표 하고 이유를 써 보세요.

8 : 9와 9 : 8은 같아요.

시우

(맞습니다 , 틀립니다)

이유

16 비율이 큰 것부터 차례로 기호를 써 보세요.

㉠ $\frac{2}{5}$ ㉡ 0.39 ㉢ 42 %

( )

17 소금물 200 g에 소금 8 g이 녹아 있습니다. 소금물 양에 대한 소금 양의 비율은 몇 %인가요?

( )

18 가게에서 인형을 할인하여 팔고 있습니다. 인형의 할인율은 몇 %인가요?

정가	판매 가격
27000원	18900원

( )

19 두 마을의 인구와 넓이를 나타낸 것입니다. 더 밀집한 곳은 어느 마을인가요?

마을	해법 마을	천재 마을
인구(명)	10000	9100
넓이(km^2)	8	7

( )

20 한 변의 길이가 40 cm인 정사각형의 각 변의 길이를 20 %씩 줄였습니다. 처음 정사각형의 넓이와 줄인 정사각형의 넓이의 차는 몇 cm^2인가요?

( )

단원평가

5. 여러 가지 그래프

6학년 이름 :

날짜 . .

점수

국가별 1인당 이산화 탄소 배출량을 나타낸 표입니다. 물음에 답하세요. (1～3)

국가별 1인당 이산화 탄소 배출량

국가	대한민국	영국	미국
배출량(t)	12	6	15

1 미국의 1인당 이산화 탄소 배출량은 몇 t인가요?

( )

2 그림그래프로 나타낼 때 (이산화 탄소)은 10 t, (이산화 탄소)은 1 t을 나타냅니다. □ 안에 알맞은 수를 써넣으세요.

미국의 1인당 이산화 탄소 배출량은 (이산화 탄소) □개, (이산화 탄소) □개로 나타냅니다.

3 국가별 1인당 이산화 탄소 배출량을 그림그래프로 완성해 보세요.

국가별 1인당 이산화 탄소 배출량

국가	배출량
대한민국	(10 t) 1개, (1 t) 2개
영국	(1 t) 6개
미국	

(이산화 탄소) 10 t
(이산화 탄소) 1 t

선주네 학교 학생들이 좋아하는 계절을 조사하여 나타낸 띠그래프입니다. 물음에 답하세요. (4～5)

좋아하는 계절별 학생 수

0 10 20 30 40 50 60 70 80 90 100 (%)

봄 (20 %)	여름 (25 %)	가을 (35 %)	겨울 (20 %)

4 봄에 태어난 학생은 전체의 몇 %인가요?

( )

5 태어난 학생 수가 같은 계절을 찾아 쓰세요.

( )

인호네 학교 6학년 학생들이 도서관에서 빌려 간 책의 종류를 조사하여 나타낸 표입니다. 물음에 답하세요. (6～11)

빌려간 종류별 권수

종류	동화책	위인전	만화책	기타	합계
권수(권)	80	50	40	30	
백분율(%)	40			15	100

6 빌려간 책은 모두 몇 권인가요?

( )

7 위 표를 완성해 보세요.

8 위 표를 보고 원그래프로 나타내어 보세요.

빌려간 종류별 권수

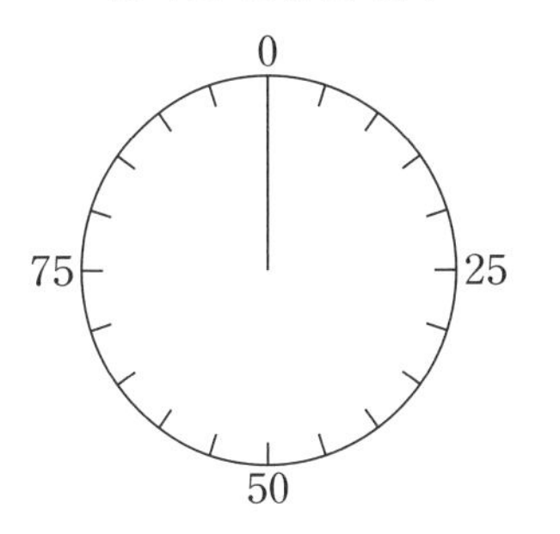

9 가장 많이 빌려간 책의 종류는 무엇인가요?

( )

10 학생들이 빌려간 위인전 수는 만화책 수보다 비율이 몇 % 더 큰가요?

( )

11 표와 원그래프 중 전체에 대한 각 항목의 비율을 쉽게 비교할 수 있는 것은 어느 것인가요?

( )

12 띠그래프나 원그래프로 나타내기에 가장 알맞은 것을 찾아 기호를 써 보세요.

> ㉠ 시간별 기온 변화
> ㉡ 용돈의 쓰임새별 금액

( )

지호네 학교 6학년 학생들이 가고 싶은 체험 학습 장소를 조사하여 나타낸 표입니다. 물음에 답하세요. (13~16)

체험 학습 장소별 학생 수

장소	놀이공원	체험관	박물관	기타	합계
학생 수(명)	81	63	27	9	180
백분율(%)					

13 위 표를 완성해 보세요.

14 위 표를 보고 띠그래프로 나타내어 보세요.

체험 학습 장소별 학생 수

0 10 20 30 40 50 60 70 80 90 100 (%)

15 놀이공원에 가고 싶은 학생 수는 박물관에 가고 싶은 학생 수의 몇 배인가요?

( )

16 위 띠그래프를 보고 잘못 설명한 것을 찾아 기호를 써 보세요.

> ㉠ 가장 많은 학생이 가고 싶은 장소는 놀이공원입니다.
> ㉡ 체험관 또는 박물관에 가고 싶은 학생 수는 60 %입니다.

( )

지혜네 학교 학생들의 등교 방법을 조사하여 나타낸 띠그래프입니다. 물음에 답하세요. (17~18)

등교 방법별 학생 수

0 10 20 30 40 50 60 70 80 90 100 (%)

도보 (50 %) | 자전거 (35 %) | 버스 (10 %) | 기타(5 %)

17 위 띠그래프를 보고 원그래프로 나타내어 보세요.

등교 방법별 학생 수

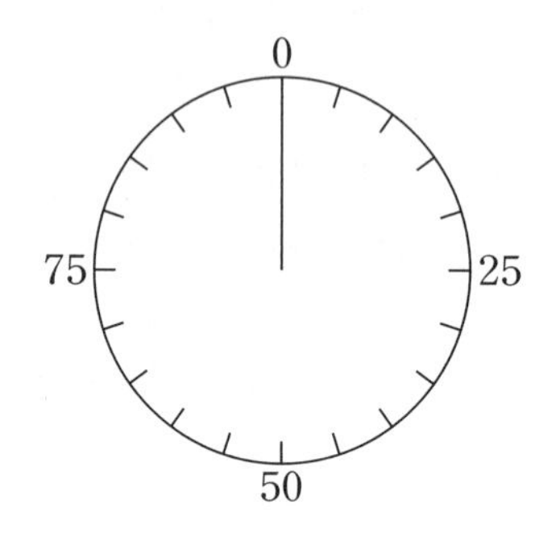

18 도보로 등교하는 학생 수가 450명이라면 조사한 전체 학생 수는 몇 명인가요?

( )

영호네 학교 학생 1500명의 취미와 그중 취미가 운동인 학생의 운동 종목을 조사하여 나타낸 그래프입니다. 물음에 답하세요. (19~20)

취미별 학생 수

0 10 20 30 40 50 60 70 80 90 100 (%)

컴퓨터 (35 %) | 운동 (32 %) | 독서 (21 %) | 음악 (9 %) | 기타(3 %)

운동 종목별 학생 수

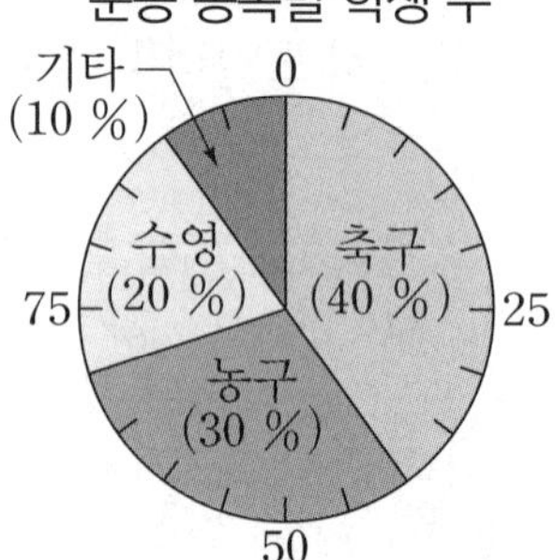

19 취미가 독서인 학생은 몇 명인가요?

( )

20 취미가 농구인 학생은 몇 명인가요?

( )

단원평가 6. 직육면체의 부피와 겉넓이

6학년 이름 :

날짜 . .

점수

1 정육면체의 부피를 쓰고 읽어 보세요.

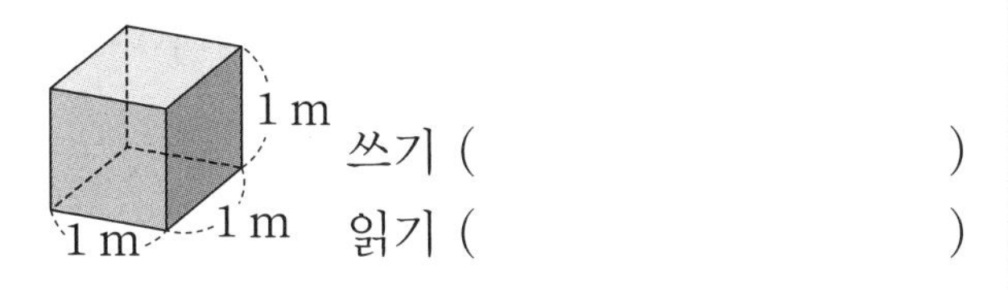

쓰기 (   )

읽기 (   )

2 □ 안에 알맞은 수를 써넣으세요.

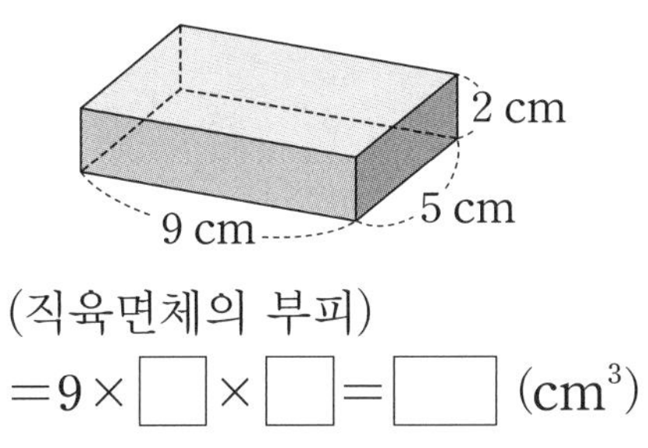

(직육면체의 부피)

$=9\times\square\times\square=\square$ (cm^3)

3 □ 안에 알맞은 수를 써넣으세요.

$7\ \mathrm{m}^3=\square\ \mathrm{cm}^3$

4 부피가 $1\ \mathrm{cm}^3$인 쌓기나무의 개수를 이용하여 직육면체의 부피를 구해 보세요.

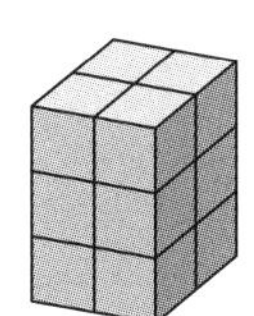

쌓기나무의 개수: □개

직육면체의 부피: □ cm^3

직육면체의 부피는 몇 cm^3인지 구해 보세요. (5~6)

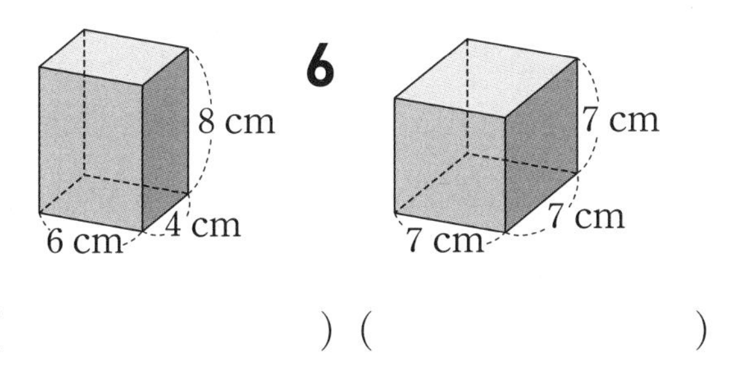

5 (   ) **6** (   )

7 직육면체의 겉넓이를 구하는 식을 잘못 쓴 사람의 이름을 써 보세요.

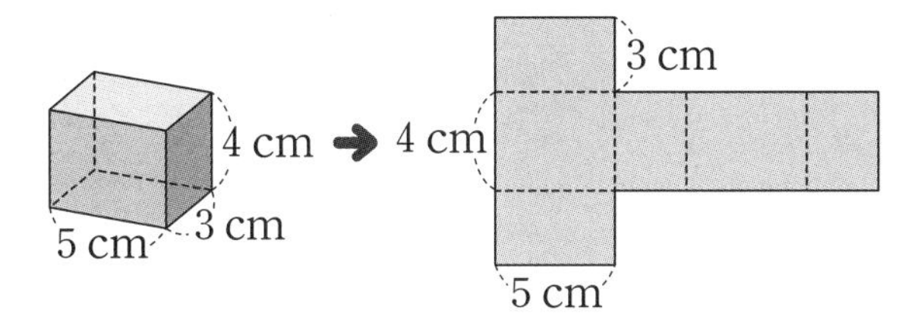

용주: 세 쌍의 면이 합동임을 이용하면 $(5\times4+3\times4+5\times3)\times2$야.

정하: 옆면과 두 밑면의 넓이의 합을 이용하면 $(5+3+5+3)\times4+5\times3$이야.

(   )

8 두 상자에 크기가 같은 주사위를 담아 부피를 비교하려고 합니다. 부피가 더 큰 상자를 찾아 기호를 써 보세요.

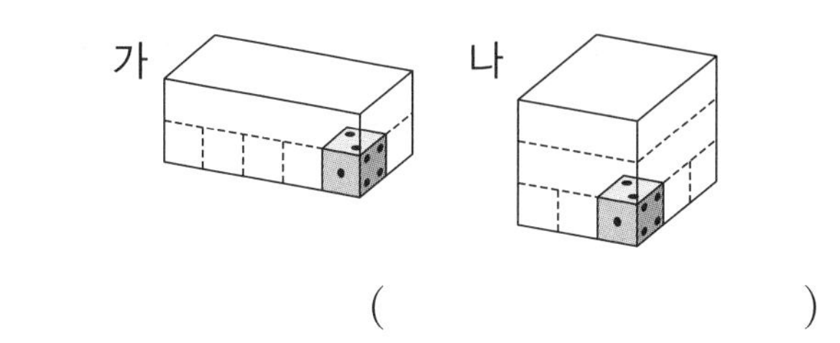

(   )

직육면체의 겉넓이는 몇 cm^2인지 구해 보세요. (9~10)

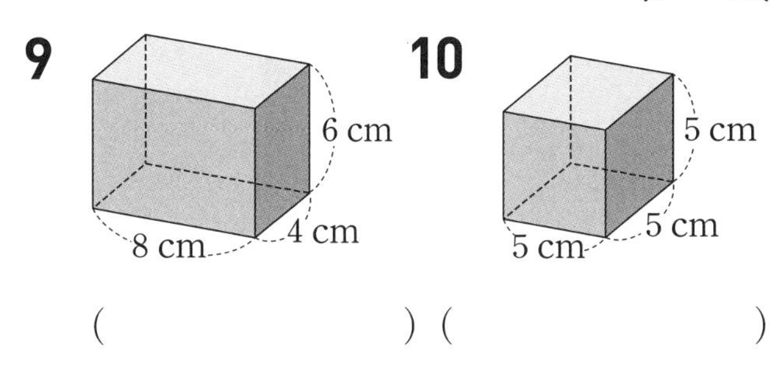

9 (   ) **10** (   )

11 한 모서리의 길이가 9 m인 정육면체의 부피는 몇 m^3인지 구해 보세요.

식 ______________________

답 ______________

6 단원 직육면체의 부피와 겉넓이

12 전개도를 이용하여 정육면체를 만들었습니다. 만든 정육면체의 겉넓이는 몇 cm^2인가요?

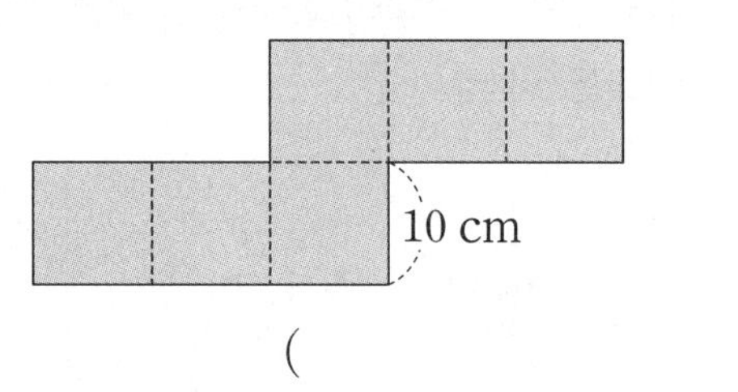

( )

13 직접 맞대었을 때 부피를 비교할 수 있는 상자를 짝지어 보세요.

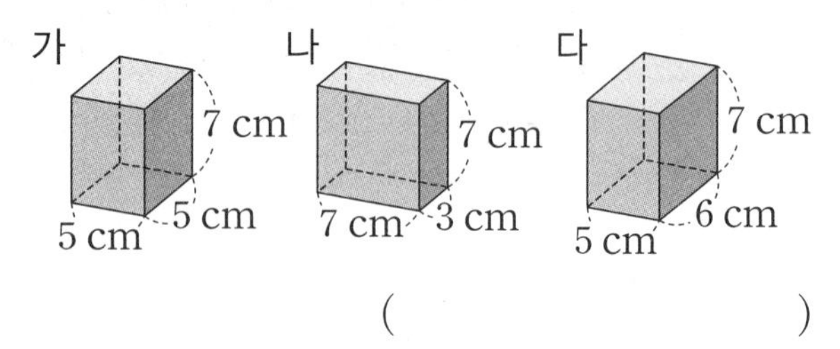

( )

14 오른쪽 직육면체의 부피를 cm^3와 m^3로 각각 구해 보세요.

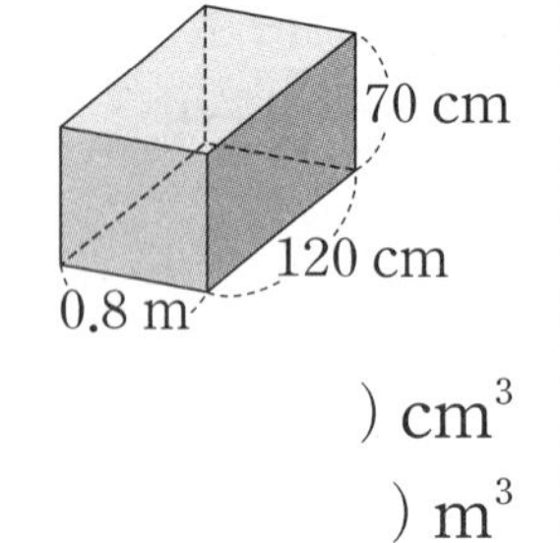

( ) cm^3

( ) m^3

15 직육면체의 부피는 270 cm^3입니다. □ 안에 알맞은 수를 써넣으세요.

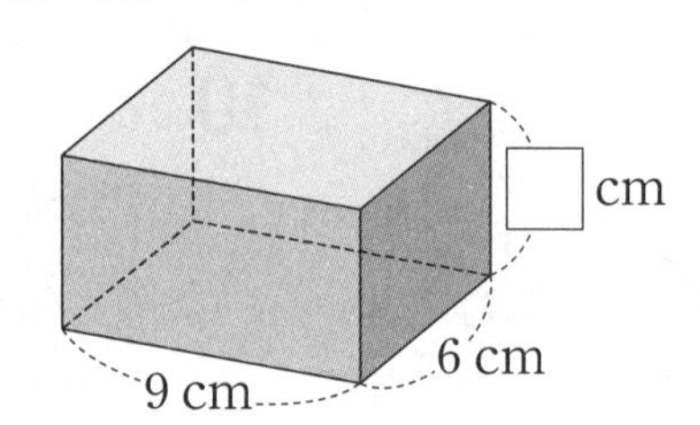

16 다음 직육면체 모양의 빵을 잘라서 만들 수 있는 가장 큰 정육면체 모양의 부피는 몇 cm^3인가요?

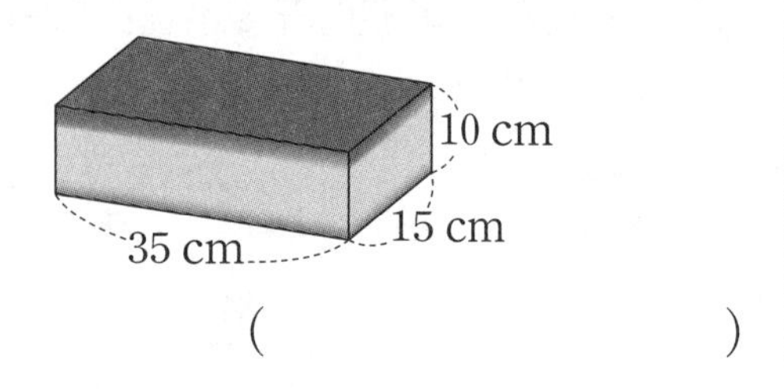

( )

17 부피가 큰 것부터 차례로 기호를 써 보세요.

㉠ 8700000 cm^3
㉡ 한 모서리의 길이가 200 cm인 정육면체의 부피
㉢ 가로가 1.5 m, 세로가 300 cm, 높이가 2 m인 직육면체의 부피

( )

18 입체도형의 부피는 몇 cm^3인지 구해 보세요.

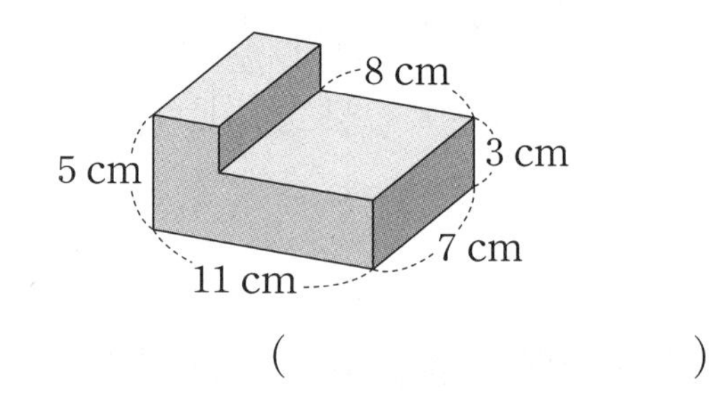

( )

19 직육면체 가와 정육면체 나의 겉넓이가 같습니다. 정육면체 나의 한 모서리의 길이는 몇 cm인가요?

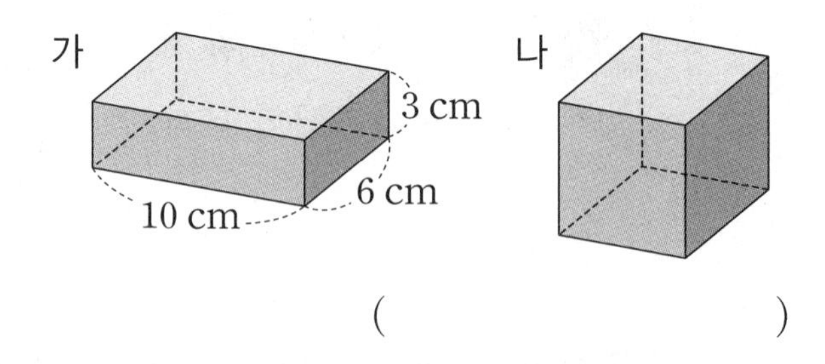

( )

20 부피가 512 cm^3인 정육면체의 겉넓이는 몇 cm^2인지 구해 보세요.

( )

6학년 1학기 과정을 모두 끝내셨나요?

한 학기 성취도를 확인해 볼 수 있도록 25문항으로 구성된 평가지입니다.
1학기 내용을 얼마나 이해했는지 평가해 보세요.

차세대 리더

반 .... 이름 ....

총정리

수학 성취도 평가
1단원 ~ 6단원

점수

1 그림을 보고 □ 안에 알맞은 수를 써넣으세요.

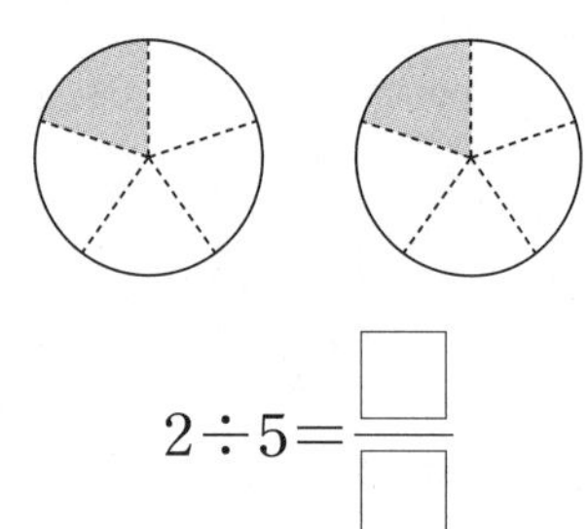

$2 \div 5 = \frac{\square}{\square}$

2 □ 안에 알맞은 수를 써넣으세요.

$5.12 \div 8 = \frac{\square}{100} \div 8 = \frac{\square \div 8}{100}$

$= \frac{\square}{100} = \square$

3 연필 수와 지우개 수의 비를 써 보세요.

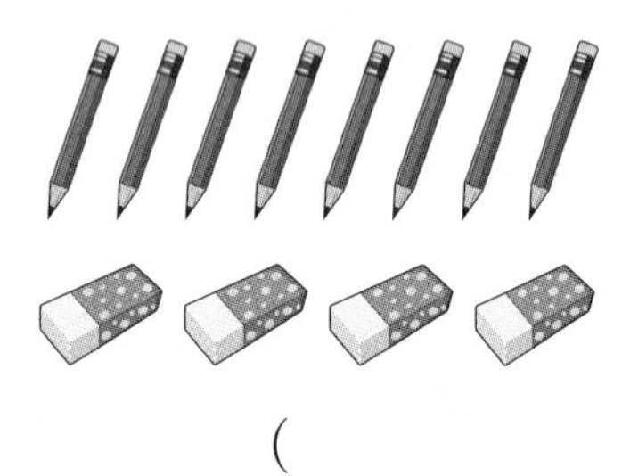

( )

4 각기둥의 이름을 써 보세요.

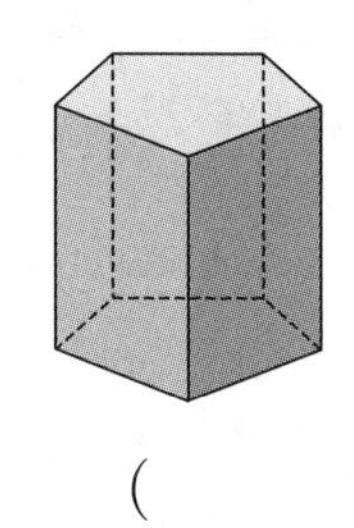

( )

5 빈칸에 알맞은 수를 써넣으세요.

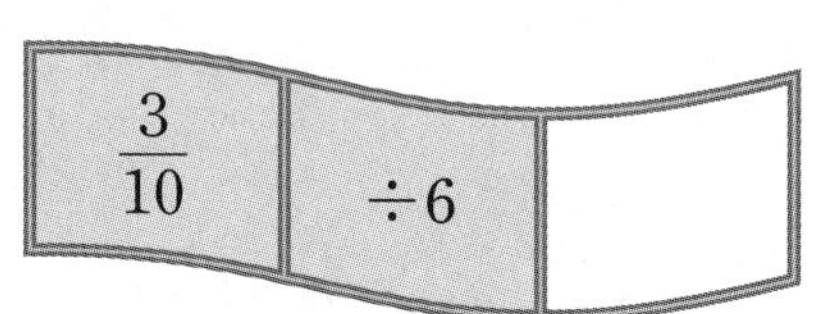

6 자연수의 나눗셈을 이용하여 소수의 나눗셈을 계산해 보세요.

$626 \div 2 = \square$

$62.6 \div 2 = \square$

$6.26 \div 2 = \square$

7 직육면체의 부피는 몇 cm^3인지 구해 보세요.

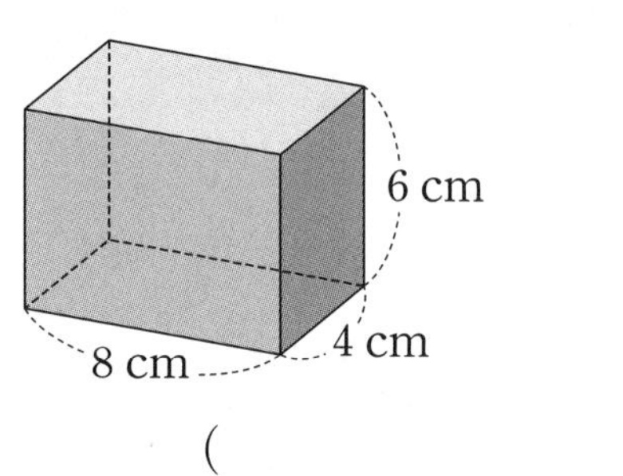

( )

8 빈칸에 알맞은 수를 써넣으세요.

비율	분수	소수
12와 16의 비		
5에 대한 11의 비		

9 그림을 보고 전체에 대한 색칠한 부분의 비율을 백분율로 나타내어 보세요.

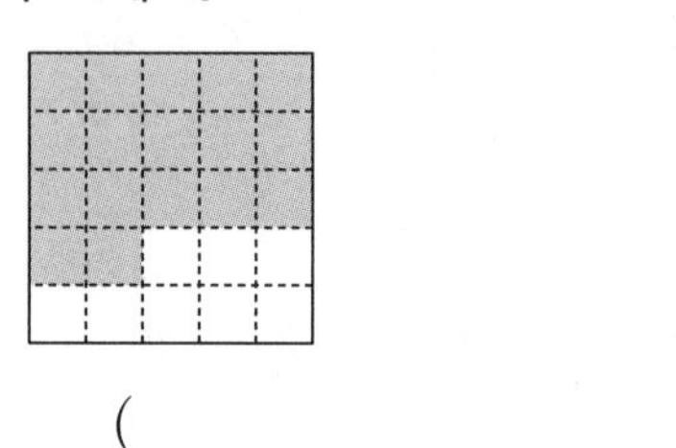

( )

10 각기둥과 각뿔의 높이의 차는 몇 cm인가요?

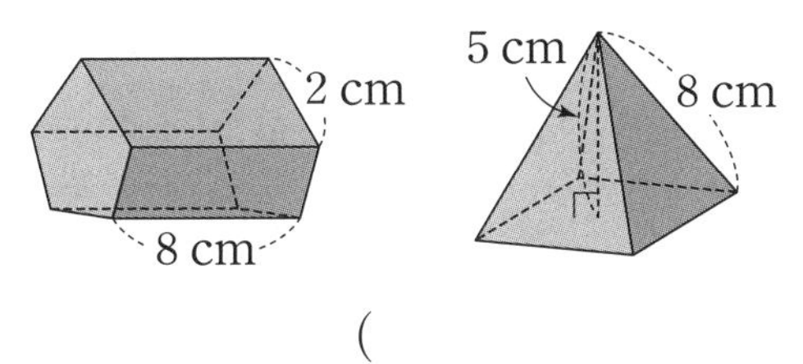

(　　　　　　　　　　)

11 부피가 큰 것부터 차례로 기호를 써 보세요.

㉠ 3.6 m^3　㉡ 2900000 cm^3　㉢ 5 m^3

(　　　　　　　　　　)

윤후네 학교 회장 선거에서 후보자별 득표수를 나타낸 표입니다. 물음에 답하세요. (12～14)

후보자별 득표수

후보자	윤후	호진	지수	은미	합계
득표수(표)	225	288	252	135	
백분율(%)	25				

12 위 표를 완성해 보세요.

13 위 표를 보고 띠그래프로 나타내어 보세요.

후보자별 득표수

0　10　20　30　40　50　60　70　80　90　100 (%)

14 득표수가 가장 많은 친구가 회장이 되었습니다. 회장이 된 친구는 누구인지 이름을 써 보세요.

(　　　　　　　　　　)

15 정육면체 모양 상자의 부피와 겉넓이를 각각 구해 보세요.

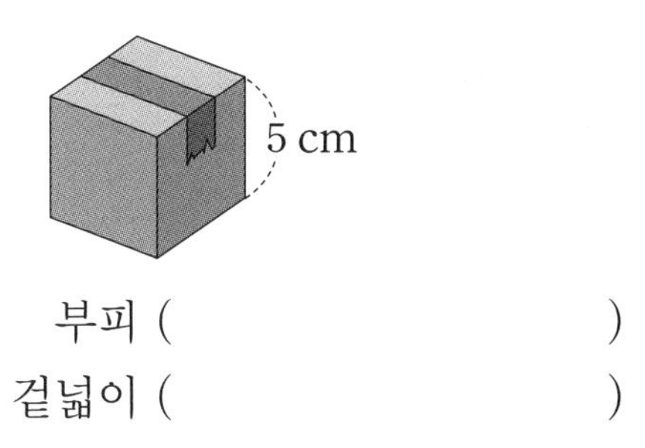

부피 (　　　　　　　　　　)

겉넓이 (　　　　　　　　　　)

16 크기를 비교하여 ○ 안에 $>$, $=$, $<$를 알맞게 써넣으세요.

$$\frac{8}{9} \div 16 \bigcirc \frac{5}{6} \div 10$$

17 모든 모서리의 길이가 같은 사각뿔이 있습니다. 모든 모서리의 길이의 합이 12.16 m일 때 한 모서리의 길이는 몇 m인가요?

(　　　　　　　　　　)

서술형

18 사각기둥의 전개도입니다. 선분 ㄷㅋ의 길이는 몇 cm인지 풀이 과정을 쓰고 답을 구해 보세요.

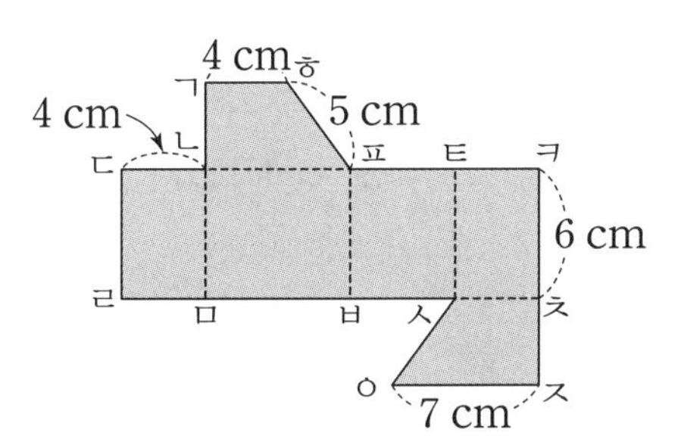

풀이

답 ______________

19 □ 안에 들어갈 수 있는 자연수를 모두 구해 보세요.

$$\frac{25}{7} \div 15 > \frac{\square}{21}$$

(　　　　　　　　　　)

20 직육면체의 겉넓이는 72 cm^2입니다. □ 안에 알맞은 수를 써넣으세요.

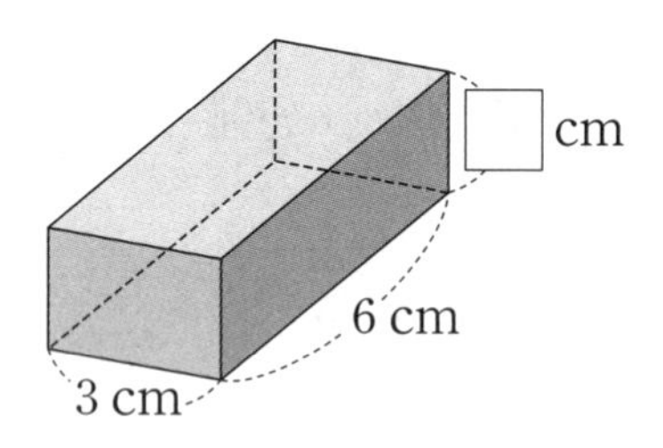

21 모서리의 수가 14개인 각뿔이 있습니다. 이 각뿔의 꼭짓점은 몇 개인가요?

(　　　　　　　　　　)

서술형

22 길이가 24 km인 도로에 그림과 같이 가로등 16개를 같은 간격으로 처음부터 끝까지 세우려고 합니다. 가로등 사이의 간격을 몇 km로 해야 하는지 풀이 과정을 쓰고 답을 소수로 나타내어 보세요. (단, 가로등의 두께는 생각하지 않습니다.)

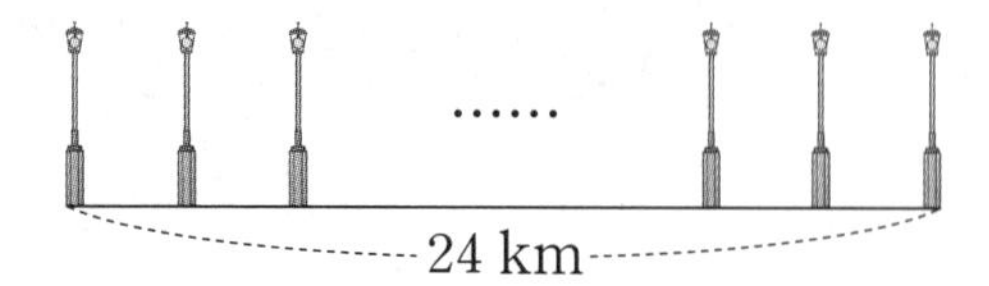

풀이

 답 ______________

서술형

23 봉사 활동에 참여하는 학생 수를 조사하여 표로 나타내었습니다. 참여율이 가장 낮은 반은 몇 반인지 풀이 과정을 쓰고 답을 구해 보세요.

	1반	2반	3반
반 전체 학생 수(명)	24	22	25
참여하는 학생 수(명)	18	11	12

풀이

 답 ______________

24 그림과 같은 직육면체 모양의 수조에 돌을 넣었더니 물의 높이가 2 cm 늘어났습니다. 이 돌의 부피는 몇 cm^3인지 구해 보세요.

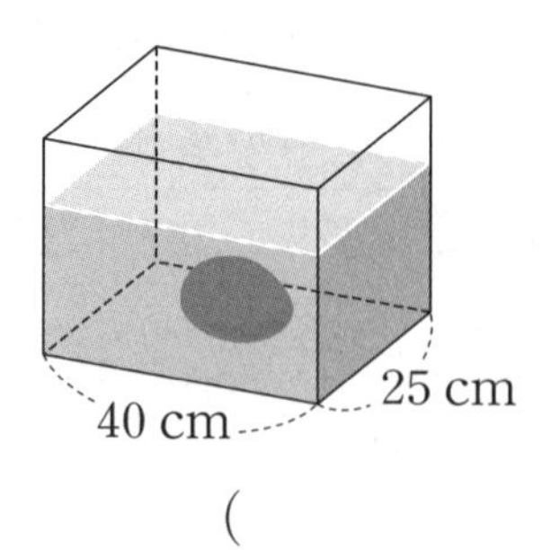

(　　　　　　　　　　)

25 현우네 반 학생들이 즐겨 보는 프로그램을 조사하여 나타낸 원그래프입니다. 음악 프로그램을 즐겨 보는 학생이 5명일 때 현우네 반 전체 학생은 몇 명인지 구해 보세요.

즐겨 보는 프로그램별 학생 수

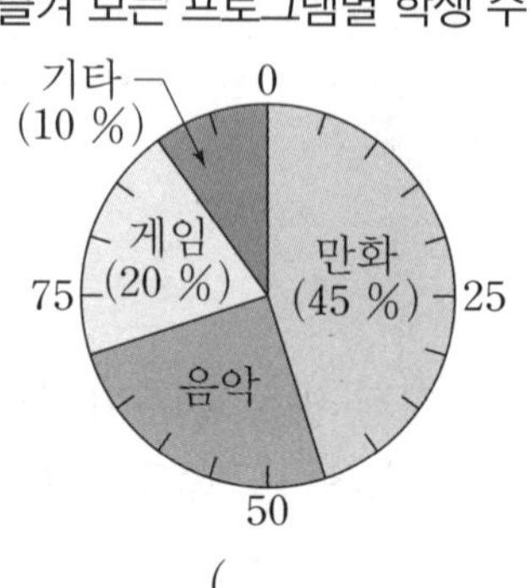

(　　　　　　　　　　)

찐 천재님들의 거짓없는 솔직 후기

천재교육 도서의 사용 후기를 남겨주세요!

#차원이_다른_클라쓰
#강의전문교재
#초등교재

수학교재

●수학리더 시리즈

– 수학리더 [연산]	예비초~6학년/A·B단계
– 수학리더 [개념]	1~6학년/학기별
– 수학리더 [기본]	1~6학년/학기별
– 수학리더 [유형]	1~6학년/학기별
– 수학리더 [기본＋응용]	1~6학년/학기별
– 수학리더 [응용·심화]	1~6학년/학기별
신간 수학리더 [최상위]	3~6학년/학기별

●수학도 독해가 힘이다 *문제해결력	1~6학년/학기별
신간 **독해가 힘이다** [수학 문장제]	1~6학년/총 12권

●수학의 힘 시리즈

– 수학의 힘 알파[실력]	3~6학년/학기별
– 수학의 힘 베타[유형]	1~6학년/학기별
– 수학의 힘 감마[최상위]	3~6학년/학기별

●Go! 매쓰 시리즈

– Go! 매쓰(Start) *교과서 개념	1~6학년/학기별
– Go! 매쓰(Run A/B/C) *교과서+사고력	1~6학년/학기별
– Go! 매쓰(Jump) *유형 사고력	1~6학년/학기별
●계산박사	1~12단계

전과목교재

●리더 시리즈

– 국어	1~6학년/학기별
– 사회	3~6학년/학기별
– 과학	3~6학년/학기별

시험 대비교재

●올백 전과목 단원평가	1~6학년/학기별 (1학기는 2~6학년)
●HME 수학 학력평가	1~6학년/상·하반기용
●HME 국어 학력평가	1~6학년

수학리더 유형

해법 전략

BOOK 2

6-1

리더가 되기 위한
공부 비법

라이트 유형서

개념별 유형
+ 꼬리를 무는 유형
+ 수학 독해력 유형
+ 사고력 플러스 유형

천재교육

해법전략
포인트 3가지

- 혼자서도 이해할 수 있는 친절한 문제 풀이
- 참고, 주의 등 자세한 풀이 제시
- 다른 풀이를 제시하여 다양한 방법으로 문제 풀이 가능

정답 및 풀이

1. 분수의 나눗셈

1 STEP 개념별 유형 6~9쪽

1 예 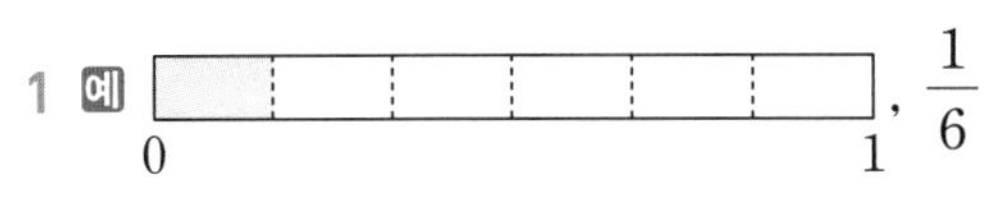 , $\frac{1}{6}$

2 (1) $\frac{1}{8}$ (2) $\frac{1}{50}$　　3 ④　　4 $\frac{5}{9}$

5 예 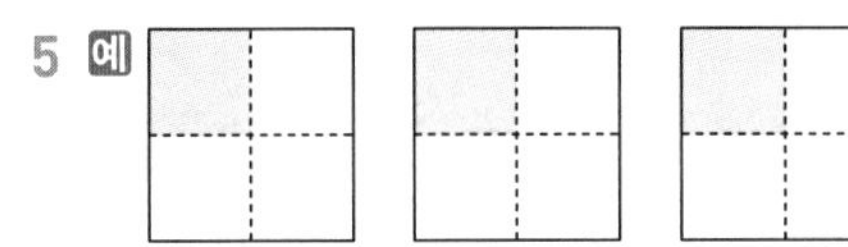 , $\frac{3}{4}$

6 (1) $\frac{3}{10}$ (2) $\frac{4}{15}$　　7 $\frac{9}{13}$, $\frac{11}{15}$

8 호영, $\frac{5}{8}$　　9 $\frac{3}{5}$ L

10 $4\div7=\frac{4}{7}$, $\frac{4}{7}$ kg　　11 8, $2\frac{2}{3}\left(=\frac{8}{3}\right)$

12 (1) $4\frac{2}{3}\left(=\frac{14}{3}\right)$ (2) $1\frac{1}{7}\left(=\frac{8}{7}\right)$

13

14 ㉡, ㉢

15 <

16 $2\frac{1}{7}$ cm$\left(=\frac{15}{7}\text{ cm}\right)$

17 $\frac{10}{11}\div5=\frac{10\div5}{11}=\frac{2}{11}$

18 예 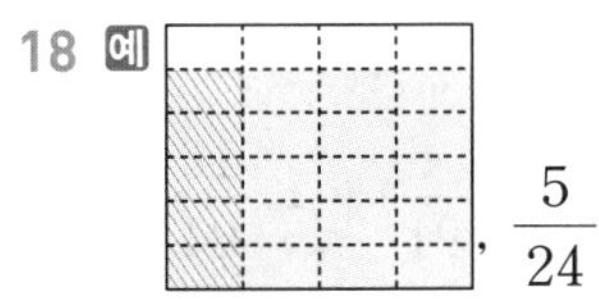 , $\frac{5}{24}$

19 (1) $\frac{10}{39}$ (2) $\frac{2}{21}$　　20 $\frac{1}{17}$　　21 $\frac{5}{32}$

22 예 $\frac{5}{8}\div2=\frac{10}{16}\div2=\frac{10\div2}{16}=\frac{5}{16}$

23 $\frac{3}{40}\div4$에 ○표　　24 $\frac{8}{25}$ m

25 하윤　　26 $\frac{5}{7}\div4=\frac{5}{28}$, $\frac{5}{28}$ kg

4 참고
(자연수)÷(자연수)의 몫을 분수로 나타내는 방법은
▲÷●=$\frac{▲}{●}$입니다.

9 (병 한 개에 담긴 물의 양)=(물의 양)÷(병의 수)

10 (철근 1 m의 무게)=(철근의 무게)÷(철근의 길이)
$=4\div7=\frac{4}{7}$ (kg)

14 ㉠ $5\div6=\frac{5}{6}<1$　㉡ $13\div11=\frac{13}{11}=1\frac{2}{11}>1$
㉢ $16\div3=\frac{16}{3}=5\frac{1}{3}>1$

15 $6\div7=\frac{6}{7}$
$7\div6=\frac{7}{6}=1\frac{1}{6}$
→ $6\div7$ ⓒ< $7\div6$

16 (높이)=(평행사변형의 넓이)÷(밑변의 길이)
$=15\div7=\frac{15}{7}=2\frac{1}{7}$ (cm)

18 $\frac{5}{6}$를 4로 나누려면 $\frac{5}{6}$를 $\frac{20}{24}$으로 만듭니다. 이를 네 부분으로 나누면 $\frac{5}{24}$입니다.

19 (1) $\frac{10}{13}\div3=\frac{30}{39}\div3=\frac{30\div3}{39}=\frac{10}{39}$
(2) $\frac{2}{3}\div7=\frac{14}{21}\div7=\frac{14\div7}{21}=\frac{2}{21}$

21 (분수)÷(자연수)$=\frac{5}{8}\div4=\frac{5}{32}$

23 $\frac{3}{5}\div2=\frac{3}{10}$, $\frac{9}{10}\div3=\frac{3}{10}$, $\frac{3}{40}\div4=\frac{3}{160}$

24 (색칠한 부분의 길이)
=(전체 색 테이프의 길이)÷(등분 수)
$=\frac{24}{25}\div3=\frac{24\div3}{25}=\frac{8}{25}$ (m)

25 하윤: $\frac{4}{9}\div2=\frac{2}{9}$
지호: $\frac{1}{3}\div3=\frac{1}{9}$
→ $\frac{2}{9}>\frac{1}{9}$

26 (한 덩어리의 무게)
=(전체 점토의 무게)÷(덩어리 수)
$=\frac{5}{7}\div4=\frac{20}{28}\div4=\frac{20\div4}{28}=\frac{5}{28}$ (kg)

개념 1 ~ 4 기초력 집중 연습 10쪽

1 $\frac{1}{7}$ 2 $\frac{1}{11}$ 3 $\frac{1}{20}$

4 $\frac{6}{17}$ 5 $\frac{8}{9}$ 6 $\frac{12}{25}$

7 $2\frac{1}{6}\left(=\frac{13}{6}\right)$ 8 $1\frac{1}{9}\left(=\frac{10}{9}\right)$

9 $2\frac{2}{11}\left(=\frac{24}{11}\right)$ 10 4, 1

11 45, 45, 5 12 $\frac{3}{14}$ 13 $\frac{5}{18}$

14 $\frac{2}{15}$ 15 $\frac{3}{20}$ 16 $\frac{1}{24}$

17 $\frac{7}{36}$ A. 아마도

유형 진단 TEST 11쪽

1 ㉠ 2 $\frac{3}{20}$ 3 $\frac{9}{40}$

4 ( )( )(○) 5 $\frac{4}{7}\div 4=\frac{1}{7}$, $\frac{1}{7}$ m

6 1, 2, 3에 ○표 7 (1) 4 L (2) $\frac{4}{7}$ L

3 $4>\frac{9}{10}$ ➜ $\frac{9}{10}\div 4=\frac{36}{40}\div 4=\frac{36\div 4}{40}=\frac{9}{40}$

4 • $6\div 13=\frac{6}{13}<1$ • $5\div 18=\frac{5}{18}<1$

• $12\div 7=\frac{12}{7}=1\frac{5}{7}>1$

참고
(나누어지는 수)>(나누는 수)이면 몫은 1보다 큽니다.

5 정사각형의 네 변의 길이는 모두 같습니다.

(한 변의 길이)$=\frac{4}{7}\div 4=\frac{4\div 4}{7}=\frac{1}{7}$ (m)

6 $23\div 7=\frac{23}{7}=3\frac{2}{7}$

➜ $3\frac{2}{7}>\square$에서 □ 안에 들어갈 수 있는 수는 1, 2, 3입니다.

7 (1) (5병에 들어 있는 우유의 양)

=(한 병에 들어 있는 우유의 양)×(병의 수)

$=\frac{4}{\cancel{5}_1}\times\cancel{5}^1=4$ (L)

(2) (하루에 마셔야 할 우유의 양)

=(5병에 들어 있는 우유의 양)÷(날수)

$=4\div 7=\frac{4}{7}$ (L)

1 STEP 개념별 유형 12~15쪽

1 $\frac{1}{2}$, $\frac{5}{12}$ 2 $\frac{4}{7}\div 6=\frac{4}{7}\times\frac{1}{6}=\frac{4}{42}=\frac{2}{21}$

3 $\frac{3}{4}\div 9=\frac{3}{4}\times\frac{1}{9}=\frac{3}{36}=\frac{1}{12}$

4 $\frac{1}{10}\left(=\frac{3}{30}\right)$ 5 ㉡ 6 <

7 $\frac{6}{11}\div 3=\frac{2}{11}\left(=\frac{6}{33}\right)$, $\frac{2}{11}$ m$\left(=\frac{6}{33}\text{ m}\right)$

8 9, 63 9 (1) $\frac{17}{18}$ (2) $\frac{11}{15}$

10 예 $\frac{11}{9}\div 5=\frac{11}{9}\times\frac{1}{5}=\frac{11}{45}$

11

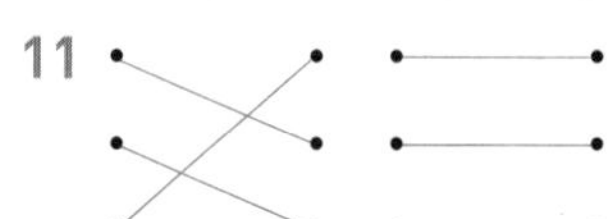

12 $1\frac{13}{40}$ cm$\left(=\frac{53}{40}\text{ cm}\right)$

13 $\frac{16}{7}\div 12=\frac{4}{21}\left(=\frac{16}{84}\right)$, $\frac{4}{21}$배$\left(=\frac{16}{84}\text{배}\right)$

14 예 $3\frac{2}{9}\div 4=\frac{29}{9}\div 4=\frac{116}{36}\div 4=\frac{116\div 4}{36}$
$=\frac{29}{36}$

15 예 $3\frac{2}{9}\div 4=\frac{29}{9}\div 4=\frac{29}{9}\times\frac{1}{4}=\frac{29}{36}$

16 $\frac{2}{3}\left(=\frac{14}{21}\right)$ 17 $\frac{13}{35}$

18 $\frac{3}{5}\left(=\frac{27}{45}\right)$ 19 $\frac{15}{16}$

20 21 ㉡

22 서준, $\frac{9}{56}$

23 $1\frac{5}{8}$ cm$\left(=\frac{13}{8}\text{ cm}\right)$

24 $1\frac{2}{7}\div3=\frac{3}{7}\left(=\frac{9}{21}\right)$, $\frac{3}{7}$ kg$\left(=\frac{9}{21}\text{ kg}\right)$

25 $\frac{5}{9}\left(=\frac{10}{18}\right)$ 26 $\frac{3}{64}$

27 $11\frac{1}{5}$ cm$^2\left(=\frac{56}{5}\text{ cm}^2\right)$

4 $\frac{3}{5}\div6=\frac{3}{5}\times\frac{1}{6}=\frac{3}{30}=\frac{1}{10}$

5 ㉠ $\frac{1}{8}$ ㉡ $\frac{1}{18}$ ㉢ $\frac{1}{8}$

6 $\frac{9}{14}\div4=\frac{9}{56}$, $\frac{9}{10}\div5=\frac{9}{50}$

➡ 분자가 같을 때 분모가 작을수록 큰 수이므로

$\frac{9}{56}<\frac{9}{50}$입니다.

7 정삼각형의 세 변의 길이는 모두 같습니다.

(한 변의 길이)$=\frac{6}{11}\div3=\frac{6}{11}\times\frac{1}{3}=\frac{6}{33}=\frac{2}{11}$ (m)

8 $\frac{10}{7}\div9=\frac{10}{7}\times\frac{1}{9}=\frac{10}{63}$ (9: ㉠, 63: ㉡)

9 (1) $\frac{17}{3}\div6=\frac{17}{3}\times\frac{1}{6}=\frac{17}{18}$

(2) $\frac{11}{3}\div5=\frac{11}{3}\times\frac{1}{5}=\frac{11}{15}$

10 ÷(자연수)를 $\times\frac{1}{(\text{자연수})}$로 바꾸어 계산합니다.

주의

나누어지는 수의 분모와 분자를 바꾸어 계산하지 않도록 주의합니다.

12 (동전의 반지름)=(동전의 지름)÷2

$=\frac{53}{20}\div2=\frac{53}{20}\times\frac{1}{2}=\frac{53}{40}$

$=1\frac{13}{40}$ (cm)

13 (빨간색 리본의 길이)÷(파란색 리본의 길이)

$=\frac{16}{7}\div12=\frac{16}{7}\times\frac{1}{12}=\frac{16}{84}=\frac{4}{21}$(배)

16 $4\frac{2}{3}\div7=\frac{14}{3}\div7=\frac{14\div7}{3}=\frac{2}{3}$

17 $2\frac{3}{5}\div7=\frac{13}{5}\div7=\frac{13}{5}\times\frac{1}{7}=\frac{13}{35}$

18 $5\frac{2}{5}\div9=\frac{27}{5}\div9=\frac{27}{5}\times\frac{1}{9}=\frac{27}{45}=\frac{3}{5}$

19 $3\frac{3}{4}<4$이므로 작은 수를 큰 수로 나눈 몫은

$3\frac{3}{4}\div4=\frac{15}{4}\div4=\frac{15}{4}\times\frac{1}{4}=\frac{15}{16}$입니다.

20 • $1\frac{7}{8}\div6=\frac{15}{8}\div6=\frac{15}{8}\times\frac{1}{6}=\frac{15}{48}=\frac{5}{16}$

• $1\frac{5}{13}\div6=\frac{18}{13}\div6=\frac{18\div6}{13}=\frac{3}{13}$

21 ㉠ $5\frac{1}{3}\div8=\frac{16}{3}\div8=\frac{16\div8}{3}=\frac{2}{3}$

㉡ $2\frac{2}{3}\div2=\frac{8}{3}\div2=\frac{8\div2}{3}=\frac{4}{3}=1\frac{1}{3}$

22 지안: $5\frac{1}{4}\div7=\frac{21}{4}\div7=\frac{21\div7}{4}=\frac{3}{4}$

서준: $1\frac{2}{7}\div8=\frac{9}{7}\div8=\frac{9}{7}\times\frac{1}{8}=\frac{9}{56}$

23 (세로의 길이)=(직사각형의 넓이)÷(가로의 길이)

$=6\frac{1}{2}\div4=\frac{13}{2}\div4=\frac{13}{2}\times\frac{1}{4}$

$=\frac{13}{8}=1\frac{5}{8}$ (cm)

24 $1\frac{2}{7}\div3=\frac{9}{7}\div3=\frac{9}{7}\times\frac{1}{3}=\frac{9}{21}=\frac{3}{7}$ (kg)

25 $\frac{5}{6}\div3\times2=\frac{5}{6}\times\frac{1}{3}\times2=\frac{5}{18}\times2=\frac{10}{18}=\frac{5}{9}$

26 $\frac{3}{8}\div2\div4=\frac{3}{8}\times\frac{1}{2}\div4=\frac{3}{16}\div4$

$=\frac{3}{16}\times\frac{1}{4}=\frac{3}{64}$

27 $5\frac{3}{5}\times4\div2=\frac{28}{5}\times4\div2=\frac{112}{5}\div2$

$=\frac{112\div2}{5}=\frac{56}{5}=11\frac{1}{5}$ (cm^2)

개념 5 ~ 8 기초력 집중 연습 16쪽

1 $\frac{5}{24}$ 2 $\frac{4}{15}$ 3 $\frac{7}{8}$ 4 $\frac{3}{16}$

5 $\frac{2}{3}$ 6 $1\frac{1}{20}\left(=\frac{21}{20}\right)$ 7 $\frac{2}{25}$ 8 $\frac{9}{35}$

9 $\frac{1}{3}$ 10 $\frac{3}{40}$ 11 $\frac{13}{50}$ 12 $\frac{11}{45}$

유형 진단 TEST 17쪽

1 $\frac{7}{45}$ 2 수현 3 ㉢ 4 $>$

5 방법 1 예 $3\frac{3}{7}\div6=\frac{24}{7}\div6=\frac{24\div6}{7}=\frac{4}{7}$

방법 2 예 $3\frac{3}{7}\div6=\frac{24}{7}\div6=\frac{24}{7}\times\frac{1}{6}$

$=\frac{24}{42}=\frac{4}{7}$

6 $\frac{7}{8}$ 7 $\frac{3}{64}$ m

2 수현: $\frac{17}{9}\div3=\frac{17}{9}\times\frac{1}{3}=\frac{17}{27}$(×)

정호: $\frac{13}{4}\div2=\frac{13}{4}\times\frac{1}{2}=\frac{13}{8}$(○)

3 $\underbrace{2\frac{5}{8}\div4}_{㉠}=\frac{21}{8}\div4=\underbrace{\frac{21}{8}\times\frac{1}{4}}_{㉡}$

4 $\frac{8}{3}\div2=1\frac{1}{3}$, $4\frac{1}{2}\div12=\frac{3}{8}$ ➔ $1\frac{1}{3}>\frac{3}{8}$

6 (어떤 기약분수)$\times7=\frac{49}{8}$,

(어떤 기약분수)$=\frac{49}{8}\div7=\frac{49\div7}{8}=\frac{7}{8}$

7 $\frac{3}{8}\div2\div4=\frac{3}{8}\times\frac{1}{2}\div4=\frac{3}{16}\div4=\frac{3}{64}$ (m)

다른 풀이

만들어지는 변이 모두 8개이므로 정사각형의 한 변의 길이는 $\frac{3}{8}\div8=\frac{3}{8}\times\frac{1}{8}=\frac{3}{64}$ (m)입니다.

2 STEP 꼬리를 무는 유형 18~19쪽

1 $\frac{4}{21}\left(=\frac{20}{105}\right)$ 2 $\frac{1}{4}\left(=\frac{7}{28}\right)$

3 $\frac{3}{7}$배$\left(=\frac{6}{14}\text{배}\right)$ 4 $\frac{3}{10}$ L$\left(=\frac{9}{30}\text{ L}\right)$

5 ㉢ 6 2개 7 재석

8 $\frac{4}{25}$ m 9 $\frac{1}{4}$ m$\left(=\frac{3}{12}\text{ m}\right)$

10 $6\frac{5}{9}$ cm$\left(=\frac{59}{9}\text{ cm}\right)$ 11 3, $\frac{1}{3}$

12 10, $\frac{1}{10}$ 13 9, 2, $4\frac{1}{2}\left(=\frac{9}{2}\right)$

1 (작은 수)÷(큰 수)$=\frac{20}{21}\div5=\frac{4}{21}\left(=\frac{20}{105}\right)$

2 (대분수)÷(자연수)$=1\frac{3}{4}\div7=\frac{1}{4}\left(=\frac{7}{28}\right)$

3 (소방서에서 학교까지의 거리)÷(소방서에서 도서관까지의 거리)

$=\frac{6}{7}\div2=\frac{6}{7}\times\frac{1}{2}=\frac{6}{14}=\frac{3}{7}$(배)

4 (한 명이 마실 수 있는 우유의 양)

=(전체 우유의 양)÷(사람 수)

$=\frac{9}{10}\div3=\frac{9}{10}\times\frac{1}{3}=\frac{9}{30}=\frac{3}{10}$ (L)

5 ㉠ $6\div13=\frac{6}{13}<1$ ㉡ $2\div15=\frac{2}{15}<1$

㉢ $13\div12=\frac{13}{12}=1\frac{1}{12}>1$

6 • $1\div100=\frac{1}{100}<1$ • $20\div13=\frac{20}{13}>1$

• $\frac{29}{12}\div2=\frac{29}{12}\times\frac{1}{2}=\frac{29}{24}=1\frac{5}{24}>1$

• $5\frac{3}{4}\div6=\frac{23}{4}\div6=\frac{23}{4}\times\frac{1}{6}=\frac{23}{24}<1$

7 (재석이가 하루에 뛴 거리)

$=\frac{70}{9}\div7=\frac{70}{9}\times\frac{1}{7}=\frac{70}{63}=\frac{10}{9}=1\frac{1}{9}$ (km)

➔ $1\frac{1}{9}>1$이므로 하루에 뛴 거리가 더 긴 사람은 재석입니다.

8 정사각형의 네 변의 길이는 모두 같습니다.

(한 변의 길이)$=\frac{16}{25}\div4=\frac{16\div4}{25}=\frac{4}{25}$ (m)

9 (색칠한 부분의 길이)

=(전체 종이의 길이)÷(등분 수)

$=1\frac{1}{2}\div6=\frac{3}{2}\div6=\frac{3}{2}\times\frac{1}{6}=\frac{3}{12}=\frac{1}{4}$ (m)

10 정삼각형의 세 변의 길이는 모두 같습니다.

(한 변의 길이)$=19\frac{2}{3}\div3=\frac{59}{3}\div3=\frac{59}{3}\times\frac{1}{3}$

$=\frac{59}{9}=6\frac{5}{9}$ (cm)

11 참고

몫이 가장 크려면 나누어지는 수는 가장 크고, 나누는 수는 가장 작아야 합니다.

3 STEP 수학 독해력 유형 20~21쪽

독해력 유형 1 ❶ 바구니 ❷ $2\frac{7}{9}$ kg ❸ $\frac{5}{9}$ kg

쌍둥이 유형 1-1 $\frac{2}{3}$ kg 쌍둥이 유형 1-2 $\frac{1}{4}$ kg

독해력 유형 2 ❶ $\square\times8=\frac{32}{5}$ ❷ $\frac{4}{5}$ ❸ $\frac{1}{10}$

쌍둥이 유형 2-1 $\frac{3}{5}$ 쌍둥이 유형 2-2 $\frac{9}{25}$

독해력 유형 1 ❶ 전체 무게 3 kg은 토마토 5개의 무게에 바구니의 무게가 더해져 있습니다.

❷ (토마토 5개의 무게)

=(전체 무게)−(바구니만의 무게)$=2\frac{7}{9}$ (kg)

❸ (토마토 한 개의 무게)

$=2\frac{7}{9}\div5=\frac{25}{9}\div5=\frac{25}{9}\times\frac{1}{5}=\frac{25}{45}=\frac{5}{9}$ (kg)

쌍둥이 유형 1-1 ❶ 전체 무게 6 kg은 사과 8개의 무게와 쟁반의 무게의 합입니다.

❷ (사과 8개의 무게)$=5\frac{1}{3}$ (kg)

❸ (사과 한 개의 무게)

$=5\frac{1}{3}\div8=\frac{16}{3}\div8=\frac{16}{3}\times\frac{1}{8}=\frac{16}{24}=\frac{2}{3}$ (kg)

쌍둥이 유형 1-2 ❶ 전체 무게 $3\frac{3}{4}$ kg은 감자 9개의 무게와 상자의 무게의 합입니다.

❷ (감자 9개의 무게)$=2\frac{1}{4}$ (kg)

❸ (감자 한 개의 무게)

$=2\frac{1}{4}\div9=\frac{9}{4}\div9=\frac{9}{4}\times\frac{1}{9}=\frac{9}{36}=\frac{1}{4}$ (kg)

독해력 유형 2 ❷ $\square=\frac{32}{5}\div8=\frac{32}{5}\times\frac{1}{8}=\frac{32}{40}=\frac{4}{5}$

❸ $\frac{4}{5}\div8=\frac{4}{5}\times\frac{1}{8}=\frac{4}{40}=\frac{1}{10}$

쌍둥이 유형 2-1 ❶ 어떤 수를 □라 하여 잘못 계산한 식을 세우면 $\square\times2=\frac{12}{5}$입니다.

❷ $\square=\frac{12}{5}\div2=\frac{12}{5}\times\frac{1}{2}=\frac{12}{10}=\frac{6}{5}=1\frac{1}{5}$

❸ 따라서 바르게 계산한 값을 기약분수로 나타내면

$1\frac{1}{5}\div2=\frac{6}{5}\div2=\frac{6}{5}\times\frac{1}{2}=\frac{6}{10}=\frac{3}{5}$입니다.

쌍둥이 유형 2-2 ❶ 어떤 수를 □라 하여 잘못 계산한 식을 세우면 $\square\times5=9$입니다.

❷ $\square=9\div5=\frac{9}{5}=1\frac{4}{5}$

❸ 따라서 바르게 계산한 값을 기약분수로 나타내면

$1\frac{4}{5}\div5=\frac{9}{5}\div5=\frac{9}{5}\times\frac{1}{5}=\frac{9}{25}$입니다.

4 STEP 사고력 플러스 유형 22~25쪽

1-1 $\frac{2}{19}$, $\frac{2}{95}$ 1-2 $\frac{8}{25}$, $\frac{2}{25}$ 1-3 $\frac{13}{125}$

2-1 $\frac{3}{64}$ 2-2 $\frac{13}{54}$ 2-3 $\frac{5}{24}$

2-4 $\frac{2}{7}\left(=\frac{22}{77}\right)$ 3-1 예 $\frac{1}{7}\div7=\frac{1}{7}\times\frac{1}{7}=\frac{1}{49}$

3-2 예 $\frac{20}{3}\div15=\frac{20}{3}\times\frac{1}{15}=\frac{20}{45}=\frac{4}{9}$

3-3 예 ÷12를 $\times\frac{1}{12}$로 계산해야 하는데 분모에 나누었기 때문입니다.

3-4 예 대분수를 가분수로 바꾸어 계산하지 않았기 때문입니다.

4-1 $4\frac{4}{5}$ cm$\left(=\frac{24}{5}\text{ cm}\right)$

4-2 예 (가로의 길이)

=(직사각형의 넓이)÷(세로의 길이)

$=\frac{28}{3}\div4=\frac{28}{3}\times\frac{1}{4}=\frac{28}{12}$

$=\frac{7}{3}=2\frac{1}{3}$ (cm) 　답 $2\frac{1}{3}$ cm$\left(=\frac{7}{3}\text{ cm}\right)$

4-3 $5\frac{1}{7}$ cm$\left(=\frac{36}{7}\text{ cm}\right)$

5-1 1, 2, 3, 4

5-2 예 $1\frac{3}{4}\div2=\frac{7}{4}\div2=\frac{7}{4}\times\frac{1}{2}=\frac{7}{8}$

➔ $\frac{\square}{8}<\frac{7}{8}$이므로 □<7입니다.

따라서 □ 안에 들어갈 수 있는 자연수는 1, 2, 3, 4, 5, 6입니다. 　답 1, 2, 3, 4, 5, 6

5-3 3

6-1 식혜

6-2 예 (정사각형의 한 변)$=3\div4=\frac{3}{4}$ (m)

(정육각형의 한 변)$=2\frac{4}{7}\div6=\frac{18}{7}\div6$

$=\frac{18}{7}\times\frac{1}{6}=\frac{18}{42}=\frac{3}{7}$ (m)

➔ $\frac{3}{4}>\frac{3}{7}$이므로 정사각형의 한 변의 길이가 더 깁니다. 　답 정사각형

6-3 재호

7-1 단계 1 $\frac{㉠}{㉡}\times\frac{1}{㉢}$ 　단계 2 ㉡, ㉢

단계 3 $\frac{2}{5}\div7=\frac{2}{35}\left(\text{또는 }\frac{2}{7}\div5=\frac{2}{35}\right)$

7-2 $\frac{4}{7}\div9=\frac{4}{63}\left(\text{또는 }\frac{4}{9}\div7=\frac{4}{63}\right)$

8-1 단계 1 $2\frac{8}{15}$ kg$\left(=\frac{38}{15}\text{ kg}\right)$

단계 2 2봉지 　단계 3 $5\frac{1}{15}$ kg$\left(=\frac{76}{15}\text{ kg}\right)$

8-2 $1\frac{1}{4}$ kg$\left(=\frac{5}{4}\text{ kg}\right)$

1-3 $\frac{26}{25}\div5\div2=\frac{26}{25}\times\frac{1}{5}\div2=\frac{26}{125}\div2$

$=\frac{26}{125}\times\frac{1}{2}=\frac{26}{250}=\frac{13}{125}$

2-1 $\square\times8=\frac{3}{8}$, $\square=\frac{3}{8}\div8=\frac{3}{8}\times\frac{1}{8}=\frac{3}{64}$

2-3 $4\times\square=\frac{5}{6}$, $\square=\frac{5}{6}\div4=\frac{5}{6}\times\frac{1}{4}=\frac{5}{24}$

2-4 $11\times\square=3\frac{1}{7}$,

$\square=3\frac{1}{7}\div11=\frac{22}{7}\div11=\frac{22}{7}\times\frac{1}{11}=\frac{22}{77}=\frac{2}{7}$

3-3 평가 기준

÷12를 $\times\frac{1}{12}$로 계산해야 하는데 분모에 나누었기 때문이라고 썼으면 정답입니다.

3-4 평가 기준

대분수를 가분수로 바꾸어 계산하지 않았기 때문이라고 썼으면 정답입니다.

4-1 (가로의 길이)=(직사각형의 넓이)÷(세로의 길이)

$=14\frac{2}{5}\div3=\frac{72}{5}\div3=4\frac{4}{5}$ (cm)

4-2 평가 기준

(가로의 길이)=(직사각형의 넓이)÷(세로의 길이)를 이용하여 (가분수)÷(자연수)의 계산을 바르게 했으면 정답입니다.

4-3 (밑변의 길이)=(삼각형의 넓이)×2÷(높이)

$=7\frac{5}{7}\times2\div3=\frac{54}{7}\times2\div3=5\frac{1}{7}$ (cm)

5-1 $4\frac{2}{7}\div6=\frac{30}{7}\div6=\frac{30\div6}{7}=\frac{5}{7}$

➔ $\frac{\square}{7}<\frac{5}{7}$이므로 □<5입니다. 따라서 □ 안에 들어갈 수 있는 자연수는 1, 2, 3, 4입니다.

5-2 평가 기준

$1\frac{3}{4}\div2$를 계산하고 분모가 같은 분수의 크기 비교를 바르게 했으면 정답입니다.

5-3 $4\frac{2}{3}\div2=\frac{14}{3}\div2=\frac{14\div2}{3}=\frac{7}{3}=2\frac{1}{3}$

➔ $2\frac{1}{3}<\square$이므로 □ 안에 들어갈 수 있는 자연수 중에서 가장 작은 수는 3입니다.

6-1 우유: $5\div8=\frac{5}{8}$ (L)

식혜: $\frac{27}{4}\div6=1\frac{1}{8}$ (L)

➔ $\frac{5}{8}<1\frac{1}{8}$

6-2 평가 기준

두 정다각형의 한 변의 길이를 각각 구해 길이 비교를 바르게 했으면 정답입니다.

6-3 재호: $17\div3=\frac{17}{3}=5\frac{2}{3}$ (m²)

정수: $21\frac{1}{3}\div4=5\frac{1}{3}$ (m²)

➜ $5\frac{2}{3}>5\frac{1}{3}$

7-1 단계3 5와 7의 곱이 가장 크므로 계산 결과가 가장 작도록 만들면 $\frac{2}{5}\div7=\frac{2}{5}\times\frac{1}{7}=\frac{2}{35}$ 또는 $\frac{2}{7}\div5=\frac{2}{7}\times\frac{1}{5}=\frac{2}{35}$입니다.

7-2 7과 9의 곱이 가장 크므로 계산 결과가 가장 작도록 만들면 $\frac{4}{7}\div9=\frac{4}{7}\times\frac{1}{9}=\frac{4}{63}$ 또는 $\frac{4}{9}\div7=\frac{4}{9}\times\frac{1}{7}=\frac{4}{63}$입니다.

8-1 단계1 $12\frac{2}{3}\div5=\frac{38}{3}\div5=2\frac{8}{15}$ (kg)

단계2 $5-3=2$(봉지)

단계3 $2\frac{8}{15}\times2=\frac{38}{15}\times2=\frac{76}{15}=5\frac{1}{15}$ (kg)

8-2 (한 봉지에 담긴 콩의 무게)$=4\frac{3}{8}\div7=\frac{5}{8}$ (kg)

(팔고 남은 콩의 봉지 수)$=7-5=2$(봉지)

(팔고 남은 콩의 무게)$=\frac{5}{\cancel{8}_4}\times\cancel{2}^1=\frac{5}{4}=1\frac{1}{4}$ (kg)

유형 TEST 26~28쪽

1 예 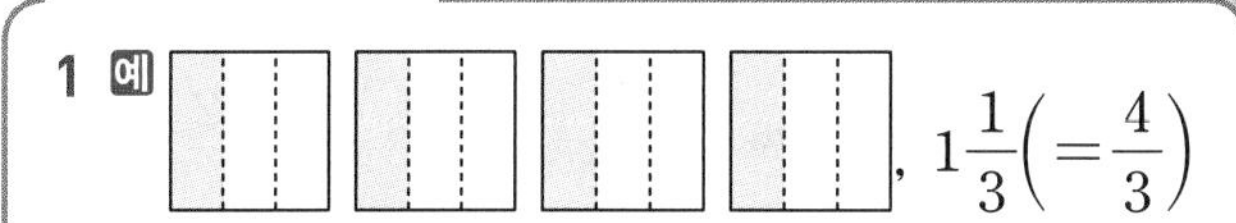 , $1\frac{1}{3}\left(=\frac{4}{3}\right)$

2 (1) $\frac{5}{8}\left(=\frac{15}{24}\right)$ (2) $\frac{4}{5}\left(=\frac{32}{40}\right)$ 3 ②

4 $\frac{5}{68}$ 5 $\frac{1}{42}\left(=\frac{9}{378}\right)$

6 ㉡ 7 (선 잇기)

8 예 $2\frac{3}{4}\div2=\frac{11}{4}\div2=\frac{11}{4}\times\frac{1}{2}=\frac{11}{8}=1\frac{3}{8}$

9 주하 10 $=$ 11 $2\frac{1}{3}$ kg$\left(=\frac{7}{3}\text{ kg}\right)$

12 방법1 예 $2\frac{5}{8}\div7=\frac{21}{8}\div7=\frac{21\div7}{8}=\frac{3}{8}$

방법2 예 $2\frac{5}{8}\div7=\frac{21}{8}\div7=\frac{21}{8}\times\frac{1}{7}$
$=\frac{21}{56}=\frac{3}{8}$

13 $\frac{1}{180}$ kg 14 $15\frac{5}{9}\div30=\frac{14}{27}$, $\frac{14}{27}$ kg

15 ㉣ 16 $\frac{17}{36}$

17 예 ❶ (가로의 길이)
=(직사각형의 넓이)÷(세로의 길이)이므로
❷ 직사각형의 가로는
$9\frac{4}{5}\div7=\frac{49}{5}\div7=\frac{49}{5}\times\frac{1}{7}=\frac{49}{35}$
$=\frac{7}{5}=1\frac{2}{5}$ (cm)입니다.

답 $1\frac{2}{5}$ cm$\left(=\frac{7}{5}\text{ cm}\right)$

18 예 ❶ $2\frac{2}{13}\div7=\frac{28}{13}\div7=\frac{28\div7}{13}=\frac{4}{13}$

❷ $\frac{\square}{13}<\frac{4}{13}$이므로 $\square<4$입니다.

❸ 따라서 □ 안에 들어갈 수 있는 자연수는 1, 2, 3입니다. 답 1, 2, 3

19 예 ❶물: $2\frac{3}{8}\div4=\frac{19}{8}\div4=\frac{19}{8}\times\frac{1}{4}=\frac{19}{32}$ (L)

❷ 식혜: $1\frac{1}{16}\div2=\frac{17}{16}\div2=\frac{17}{16}\times\frac{1}{2}$
$=\frac{17}{32}$ (L)

❸ $\frac{19}{32}>\frac{17}{32}$이므로 물을 담은 병의 음료 양이 더 많습니다. 답 물

20 예 ❶ 6과 8의 곱이 가장 크므로
❷ 계산 결과가 가장 작도록 만들면
$\frac{5}{6}\div8=\frac{5}{6}\times\frac{1}{8}=\frac{5}{48}$입니다.
$\left(\text{또는 }\frac{5}{8}\div6=\frac{5}{8}\times\frac{1}{6}=\frac{5}{48}\right)$

답 $\frac{5}{6}\div8=\frac{5}{48}\left(\text{또는 }\frac{5}{8}\div6=\frac{5}{48}\right)$

6 $\underbrace{\frac{17}{14}}_{㉠}\div7=\frac{17}{14}\times\frac{1}{7}=\underbrace{\frac{17}{14\times7}}_{㉢}$

정답 및 풀이

7 $\frac{9}{14}\div 6=\frac{9}{14}\times\frac{1}{6}=\frac{9}{84}=\frac{3}{28}$,

$\frac{5}{12}\div 5=\frac{5}{12}\times\frac{1}{5}=\frac{5}{60}=\frac{1}{12}$

9 주하: $1\frac{1}{8}\div 3=\frac{9}{8}\div 3=\frac{9}{8}\times\frac{1}{3}=\frac{9}{24}=\frac{3}{8}$

민정: $\frac{14}{3}\div 2=\frac{14\div 2}{3}=\frac{7}{3}=2\frac{1}{3}$

10 $\frac{5}{6}\div 15=\frac{5}{6}\times\frac{1}{15}=\frac{5}{90}=\frac{1}{18}$

$1\div 18=\frac{1}{18}$] ㊁

11 (한 사람이 가지게 되는 찰흙의 무게)

=(찰흙의 무게)÷(나누어 가지는 사람 수)

$=7\div 3=\frac{7}{3}=2\frac{1}{3}$ (kg)

13 2주일은 14일입니다.

(하루에 사용한 소금의 양)$=\frac{7}{90}\div 14=\frac{1}{180}$ (kg)

14 4월은 30일까지 있습니다.

(하루에 먹는 쌀의 양)

$=15\frac{5}{9}\div 30=\frac{140}{9}\div 30=\frac{14}{27}$ (kg)

15 ㉠ $\frac{4}{9}$ ㉡ $\frac{4}{9}$ ㉢ $\frac{4}{9}$ ㉣ $\frac{7}{9}$

16 $3\frac{7}{9}\div 2=\frac{34}{9}\div 2=\frac{34\div 2}{9}=\frac{17}{9}$,

$\square\times 4=\frac{17}{9}$, $\square=\frac{17}{9}\div 4=\frac{17}{9}\times\frac{1}{4}=\frac{17}{36}$

17 채점 기준

❶ (가로의 길이) =(직사각형의 넓이)÷(세로의 길이)임을 앎.	1점	5점
❷ (대분수)÷(자연수)의 계산을 바르게 함.	4점	

18 채점 기준

❶ $2\frac{2}{13}\div 7$의 계산을 바르게 함.	1점	5점
❷ 분모가 같은 분수는 분자끼리 비교할 수 있음을 앎.	1점	
❸ □ 안에 들어갈 수 있는 자연수를 모두 구함.	3점	

19 채점 기준

❶ 한 병에 담긴 물의 양을 구함.	2점	5점
❷ 한 병에 담긴 식혜의 양을 구함.	2점	
❸ 한 병에 더 많이 담긴 음료수의 종류를 구함.	1점	

20 채점 기준

❶ 곱이 큰 두 수를 구함.	1점	5점
❷ 계산 결과가 가장 작은 나눗셈식을 쓰고 몫을 구함.	4점	

앞 단원 유형 다시 보기 — 29쪽

① 44초 ② 43초

③ 반반이다, $\frac{1}{2}$ ④ 예

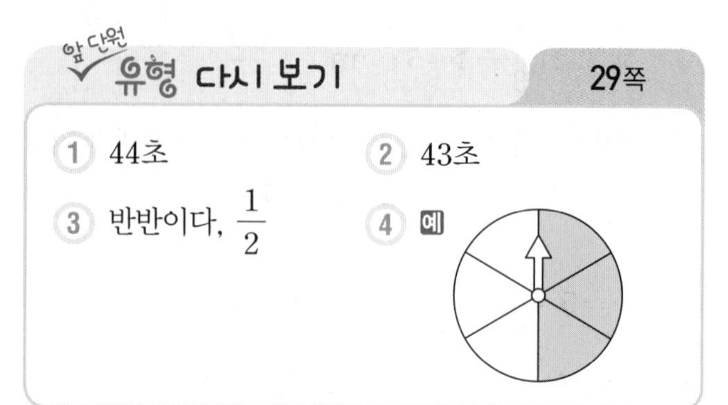

① (서우의 훌라후프 기록의 평균)$=(45+38+49)\div 3$
$=132\div 3=44$(초)

② (서윤이의 훌라후프 기록의 합)$=44\times 4=176$(초)

➔ (서윤이의 3회 때 훌라후프 기록)
$=176-(43+39+51)=43$(초)

④ 회전판에서 3칸을 노란색으로 색칠하면 주사위를 굴려 나온 눈의 수가 홀수일 가능성과 화살이 노란색에 멈출 가능성이 같습니다.

재미있는 창의·융합·코딩 — 30~31쪽

코딩1 $\frac{1}{21}$ 창의2 $7\frac{1}{2}\left(=\frac{15}{2}\right)$

코딩1 첫 번째에 나오는 기약분수

➔ 분자가 짝수이므로 $\frac{6}{7}\div 2=\frac{6\div 2}{7}=\frac{3}{7}$

두 번째에 나오는 기약분수

➔ 분자가 홀수이므로 $\frac{3}{7}\div 3=\frac{3\div 3}{7}=\frac{1}{7}$

세 번째에 나오는 기약분수

➔ 분자가 홀수이므로 $\frac{1}{7}\div 3=\frac{1}{7}\times\frac{1}{3}=\frac{1}{21}$

창의2 (달에서의 몸무게)=(지구에서의 몸무게)÷6

$=45\div 6=\frac{45}{6}$

$=\frac{15}{2}=7\frac{1}{2}$ (kg)

2. 각기둥과 각뿔

1 STEP 개념별 유형 34~39쪽

1 가, 나, 다, 마, 바

2 나, 마, 바

3 각기둥

4 예 서로 평행한 두 면이 다각형이 아니기 때문입니다.

5 밑면, 옆면

6 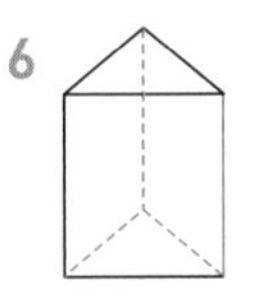

7 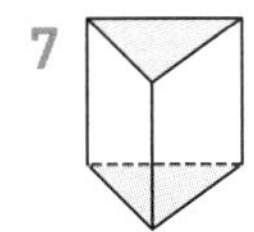

8 (1) ○ (2) ○

9 4개

10 면 ㄱㄴㄷㄹ, 면 ㄴㅂㅅㄷ, 면 ㅁㅂㅅㅇ, 면 ㄱㅁㅇㄹ

11 예 나머지 면들과 모두 수직으로 만나지 않기 때문입니다.

12 삼각기둥

13 팔각기둥

14 ③

15 칠각형

16 ③

17 , 12개

18 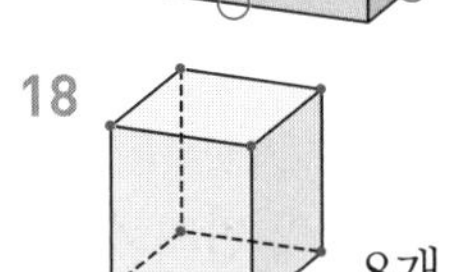, 8개

19

3	6	5	9
4	8	6	12

20 ① 2 ② 2 ③ 3

21 전개도

22 라

23 가

24 오각기둥

25 ㉡, ㉣ / ㉠, ㉢, ㉤

26 예 접었을 때 두 면이 서로 겹치기 때문입니다.

27 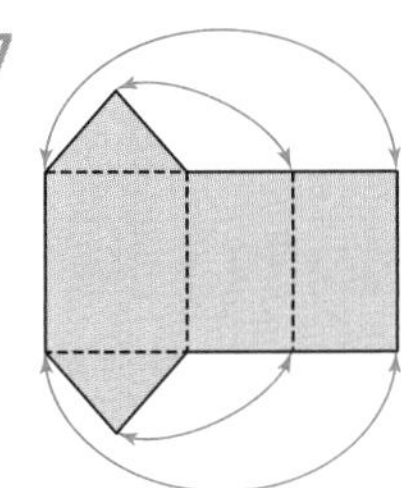

28 5개

29

30 점 ㄷ, 점 ㅅ

31 4 cm

32 5 cm, 4 cm, 8 cm

33 예 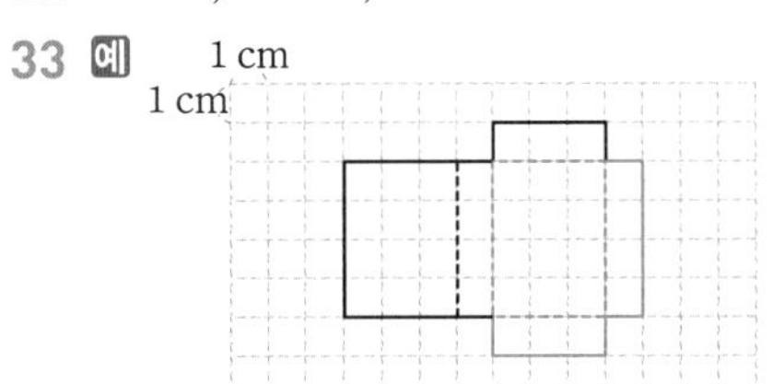

34 예 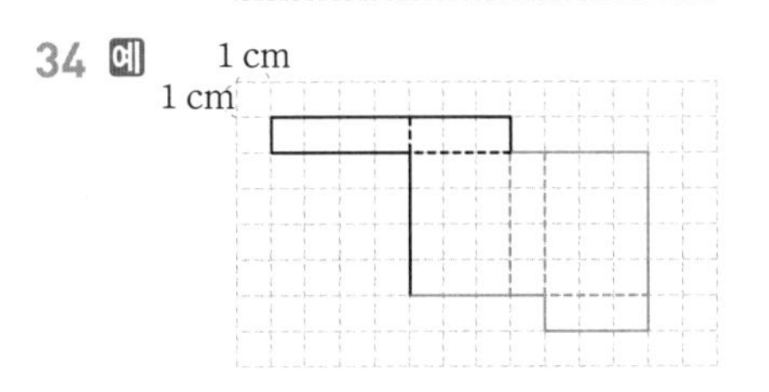

35 예 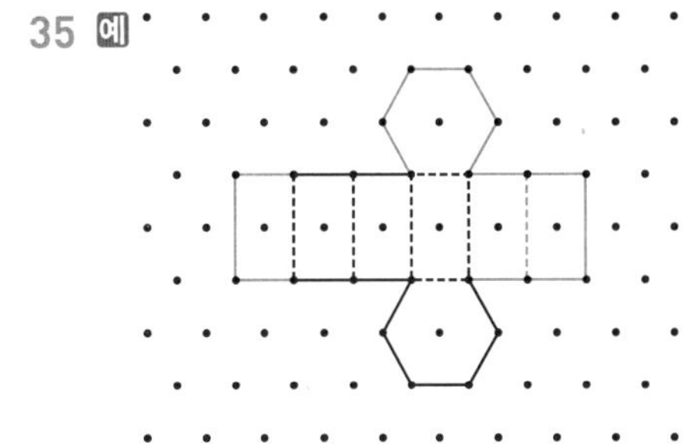

36 예 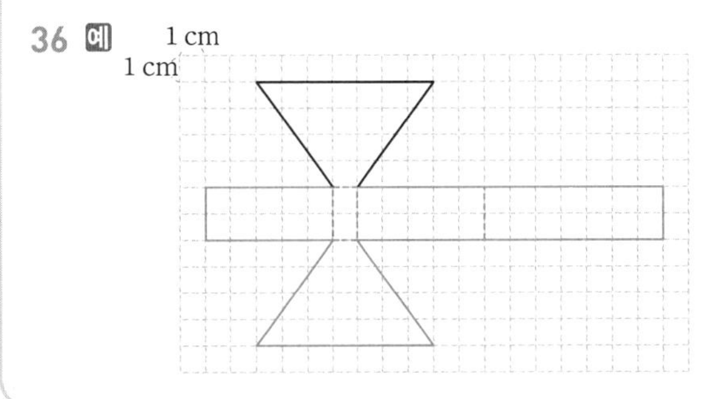

4 **평가 기준**
서로 평행한 두 면이 다각형이 아니기 때문이라는 이유를 썼으면 정답입니다.

9 밑면에 수직인 면은 옆면이므로 4개입니다.

10 **참고**
면을 기호로 표시하는 방법은 다양하므로 기호의 순서가 달라도 정답입니다.

11 **평가 기준**
나머지 면들과 모두 수직으로 만나지 않기 때문이라는 이유를 썼으면 정답입니다.

15 칠각기둥의 밑면의 모양은 칠각형입니다.

16 높이는 두 밑면 사이의 거리입니다.

17 그림에서 점선, 실선으로 표시된 부분에 모두 ○표 하고 세어 보면 모두 12개입니다.

18 모서리와 모서리가 만나는 점을 모두 찾아 세어 보면 모두 8개입니다.

22 밑면인 삼각형이 2개, 옆면인 직사각형이 3개인 것을 찾으면 라입니다.

23 밑면인 사각형이 2개, 옆면인 직사각형이 4개인 것을 찾으면 가입니다.

24 밑면의 모양이 오각형이고 옆면이 모두 직사각형이므로 오각기둥의 전개도입니다.

25 삼각기둥의 전개도에는 밑면인 삼각형이 2개, 옆면인 직사각형이 3개 있습니다.

26 평가 기준

접었을 때 두 면이 서로 겹치기 때문이라는 이유를 썼으면 정답입니다.

28 면 ㉠은 밑면이고, 밑면과 만나는 면은 옆면이므로 오각기둥의 옆면이 되는 면을 모두 찾으면 ㉡, ㉢, ㉣, ㉤, ㉥입니다. ➔ 5개

29 전개도를 접었을 때 면 ㉡이 면 ㉥과 만납니다.

30 점 ㅁ은 점 ㄷ, 점 ㅅ과 만납니다.

31 전개도를 접었을 때 점 ㄱ은 점 ㅍ과 점 ㄴ은 점 ㅌ과 각각 만나므로 선분 ㄱㄴ과 선분 ㅍㅌ이 서로 맞닿아 길이가 같습니다.

➔ (선분 ㄱㄴ)=(선분 ㅍㅌ)=4 cm

32 각기둥의 전개도를 점선을 따라 접을 때 서로 맞닿는 선분의 길이는 같습니다.

33 잘린 모서리는 실선으로, 잘리지 않은 모서리는 점선으로 그리며 서로 맞닿는 부분의 길이가 같게 그립니다.

36 각기둥의 두 밑면은 서로 합동이므로 그려져 있는 한 밑면과 모양이 같게 다른 한 밑면을 그립니다.

개념 1 ~ 7 기초력 집중 연습 40쪽

1 (삼각기둥 그림), 3개
2 (오각기둥 그림), 5개
3 (육각기둥 그림), 6개
4 오각형, 오각기둥
5 육각형, 육각기둥
6 5, 10, 7, 15
7 6, 12, 8, 18
8 삼각기둥
9 오각기둥

유형 진단 TEST 41쪽

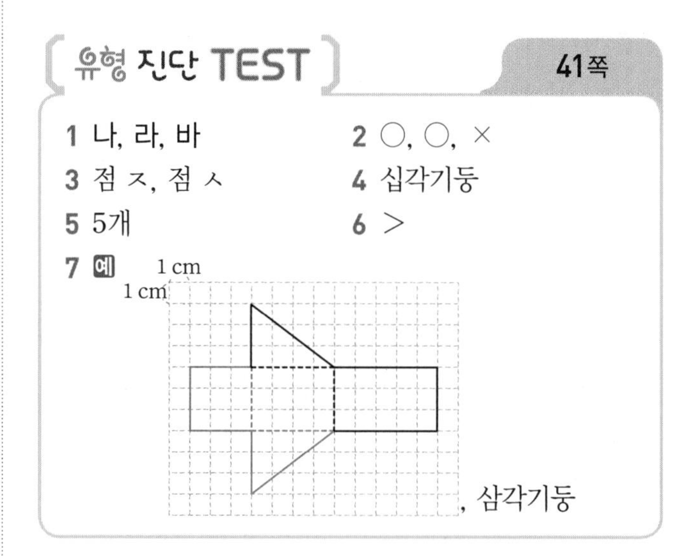

1 나, 라, 바
2 ○, ○, ×
3 점 ㅈ, 점 ㅅ
4 십각기둥
5 5개
6 >
7 예 1 cm 1 cm (전개도 그림), 삼각기둥

1 가: 두 밑면이 다각형이 아닙니다.
다: 서로 평행한 두 면이 없습니다.
마: 평면도형입니다.

2 (사각기둥의 모서리의 수)=(한 밑면의 변의 수)×3
$=4\times3=12$(개)

4 한 밑면의 변이 10개이면 밑면의 모양은 십각형입니다.
밑면의 모양이 십각형인 각기둥은 십각기둥입니다.

5 변의 수가 가장 적은 다각형은 삼각형이고 밑면의 모양이 삼각형인 각기둥은 삼각기둥이므로 삼각기둥의 면의 수를 구합니다. ➔ $3+2=5$(개)

6 (오각기둥의 모서리의 수)$=5\times3=15$(개)
(오각기둥의 꼭짓점의 수)$=5\times2=10$(개)
➔ $15>10$

7 전개도의 한 밑면의 모양이 삼각형이므로 삼각기둥의 전개도입니다.

1 STEP 개념별 유형 42~45쪽

1 가, 바 2 각뿔
3 예 옆으로 둘러싼 면이 삼각형이 아니기 때문입니다.
4 1개 5 4개
6 (풀이 참조) 7 면 ㄴㄷㄹㅁㅂ
8 면 ㄱㄴㄷ, 면 ㄱㄷㄹ, 면 ㄱㄹㅁ, 면 ㄱㅂㅁ, 면 ㄱㄴㅂ
9 ㉢ 10 5개 11 삼각뿔
12 육각뿔 13 팔각형 14 칠각뿔
15 사각뿔 16 4개 17 6개
18 3 cm 19 ④
20 (위에서부터) 4, 6 / 5, 5, 8 / 5, 6, 6, 10
21 ① 1 ② 1 ③ 2
22 나, 라, 마 / 가, 다, 바
23 △ 24 □ 25 □ 26 △
27 팔각기둥, 팔각뿔 28 삼각뿔
29 오각기둥
30 예 밑면의 모양이 사각형입니다.
/ 예 사각기둥의 옆면의 모양은 직사각형이고 사각뿔의 옆면의 모양은 삼각형입니다.

3 **평가 기준**
옆으로 둘러싼 면이 삼각형이 아니라는 이유를 썼으면 정답입니다.

6 각뿔의 옆면의 모양은 모두 삼각형입니다.
주의
밑면의 모양으로 선택하지 않도록 주의합니다.

9 ㉢ 옆면이 밑면과 수직으로 만나는 입체도형은 각기둥입니다.

10 (밑면의 수)=1개, (옆면의 수)=6개
➔ 6−1=5(개)

14 옆면이 7개이면 밑면은 칠각형입니다.
밑면의 모양이 칠각형인 각뿔은 칠각뿔입니다.

15 옆면이 삼각형이므로 각뿔이고 밑면이 사각형이므로 사각뿔입니다.

18 각뿔의 꼭짓점에서 밑면에 수직인 선분의 길이는 3 cm입니다.

19 ④ 밑면이 옆면에 수직인 입체도형은 각기둥입니다.

27 밑면의 모양이 팔각형인 각기둥은 팔각기둥이고 밑면의 모양이 팔각형인 각뿔은 팔각뿔입니다.

28 삼각기둥의 밑면의 모양은 삼각형입니다. 밑면의 모양이 삼각형인 각뿔은 삼각뿔입니다.

29 오각뿔의 밑면의 모양은 오각형입니다. 밑면의 모양이 오각형인 각기둥은 오각기둥입니다.

30 **평가 기준**
공통점과 차이점을 각각 1가지씩 썼으면 정답입니다.
다른 풀이
[공통점] 옆면의 수가 같습니다.
[차이점] 사각기둥의 밑면은 2개이고, 사각뿔의 밑면은 1개입니다.

개념 8 ~ 12 기초력 집중 연습 46쪽

1 사각형, 사각뿔 2 오각형, 오각뿔
3 칠각형, 칠각뿔 4 팔각형, 팔각뿔
5 7, 7, 12 6 8, 8, 14
7 9, 9, 16

유형 진단 TEST 47쪽

1 육각뿔 2 (그림: 삼각형), 삼각형
3 ㉠ 4 ㉠ 5 4개
6 ㉠ 7 30 cm

3 오각뿔의 밑면의 변의 수가 5개이므로 면은 5+1=6(개)입니다.

4 오각기둥과 오각뿔의 밑면의 모양은 오각형입니다.

5 변의 수가 가장 적은 다각형은 삼각형이고 밑면의 모양이 삼각형인 각뿔은 삼각뿔이므로 삼각뿔의 면의 수를 구합니다. ➔ 3+1=4(개)

6 ■각뿔에서 면의 수는 (■+1)개입니다.
㉠ 꼭짓점의 수: (■+1)개
㉡ 모서리의 수: (■×2)개
㉢ 밑면의 변의 수: ■개

7 옆면이 5개이므로 밑면의 변의 수는 5개이고 옆면이 모두 합동이므로 밑면의 모든 변이 6 cm입니다.
➜ $6\times5=30$ (cm)

2 STEP 꼬리를 무는 유형 48~49쪽

1 삼각기둥, 삼각뿔
2 육각뿔
3 칠각기둥
4 사각기둥
5 3 cm
6 4 cm
7 8 cm
8 14개, 9개, 21개
9 ① 2, 16 ② 2, 10 ③ 3, 24
10 <
11
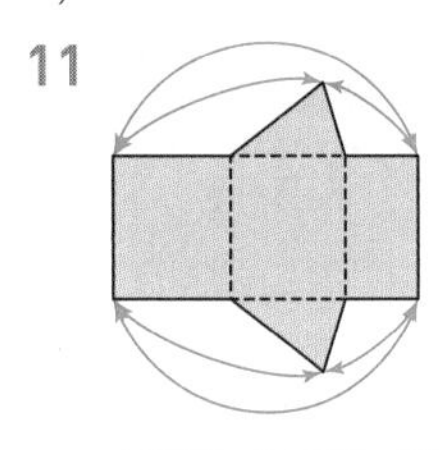
12 점 ㅍ, 점 ㅈ
13 (왼쪽에서부터) ㅊ, ㅍ

4 사각뿔의 밑면의 모양은 사각형입니다. 밑면의 모양이 사각형인 각기둥은 사각기둥입니다.

5 주의
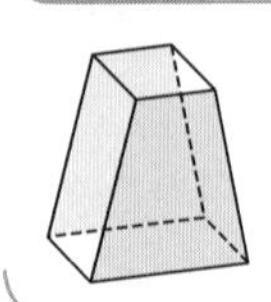
색칠한 두 면이 밑면이므로 높이는 3 cm임에 주의합니다.

6 높이는 두 밑면 사이의 거리인데 옆면이 두 밑면과 수직으로 만나므로 이 각기둥의 높이는 옆면의 한 모서리의 길이와 같습니다. ➜ 4 cm

8 (칠각기둥의 꼭짓점의 수)$=7\times2=14$(개)
(칠각기둥의 면의 수)$=7+2=9$(개)
(칠각기둥의 모서리의 수)$=7\times3=21$(개)

10 (삼각기둥의 꼭짓점의 수)$=3\times2=6$(개)
(삼각기둥의 모서리의 수)$=3\times3=9$(개)
➜ $6<9$

3 STEP 수학 독해력 유형 50~51쪽

독해력 유형 1 ❶ 4개 ❷ 2 ❸ 6개
쌍둥이 유형 1-1 7개 쌍둥이 유형 1-2 16개
독해력 유형 2 ❶ 3개 ❷ 삼각형 ❸ 삼각기둥
쌍둥이 유형 2-1 칠각기둥 쌍둥이 유형 2-2 구각기둥

독해력 유형 1 ❶ 밑면의 모양이 사각형이므로 각기둥의 한 밑면의 변의 수는 4개입니다.
❸ ❷에 의해 주어진 각기둥의 면의 수는 $4+2=6$(개)입니다.

쌍둥이 유형 1-1 ❶ 밑면의 모양이 오각형이므로 각기둥의 한 밑면의 변의 수는 5개입니다.
❷ (각기둥의 면의 수)=(한 밑면의 변의 수)+2
❸ ❷에 의해 주어진 각기둥의 면의 수는 $5+2=7$(개)입니다.

쌍둥이 유형 1-2 ❶ 밑면의 모양이 팔각형이므로 각기둥의 한 밑면의 변의 수는 8개입니다.
❷ (각기둥의 꼭짓점의 수)=(한 밑면의 변의 수)×2
❸ ❷에 의해 주어진 각기둥의 꼭짓점의 수는 $8\times2=16$(개)입니다.

독해력 유형 2 ❶ 각뿔의 밑면의 변의 수를 ■개라 하면 꼭짓점의 수는 (■+1)개입니다.
➜ ■+1=4, ■=3
❷ 각뿔의 밑면의 변의 수가 3개이므로 밑면의 모양은 삼각형입니다.
❸ 밑면의 모양이 삼각형인 각기둥은 삼각기둥입니다.

쌍둥이 유형 2-1 ❶ 각뿔의 밑면의 변의 수를 ■개라 하면 꼭짓점의 수는 (■+1)개입니다.
➜ ■+1=8, ■=7이므로 밑면의 변의 수는 7개입니다.
❷ 각뿔의 밑면의 변의 수가 7개이므로 밑면의 모양은 칠각형입니다.
❸ 밑면의 모양이 칠각형인 각기둥은 칠각기둥입니다.

쌍둥이 유형 2-2 ❶ 각뿔의 밑면의 변의 수를 ■개라 하면 꼭짓점의 수는 (■+1)개입니다.
➜ ■+1=10, ■=9이므로 밑면의 변의 수는 9개입니다.
❷ 각뿔의 밑면의 변의 수가 9개이므로 밑면의 모양은 구각형입니다.
❸ 밑면의 모양이 구각형인 각기둥은 구각기둥입니다.

4 STEP 사고력 플러스 유형 52~55쪽

1-1 선분 ㅋㅊ　1-2 선분 ㅁㄹ　1-3 6 cm
2-1 ㉡　2-2 ㉠　2-3 ㉠
3-1 예 밑면이 다각형이 아니기 때문입니다.
3-2 예 서로 평행한 두 면이 합동이 아니기 때문입니다.
3-3 예 옆면이 삼각형이 아니고 한 점에서 만나지 않기 때문입니다.
4-1 예

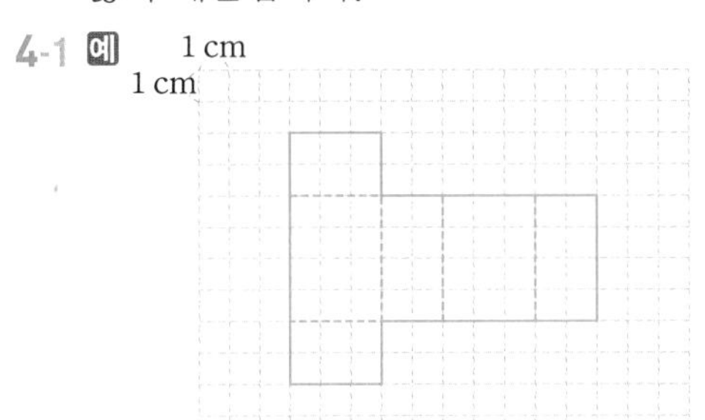

4-2 예

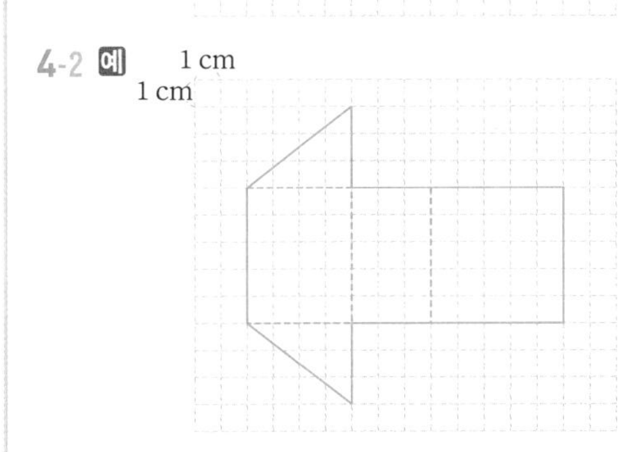

5-1 삼각기둥
5-2 예 옆면이 직사각형 5개이므로 밑면의 모양은 변이 5개인 오각형입니다.
밑면의 모양이 오각형인 각기둥은 오각기둥입니다.
답 오각기둥
5-3 육각기둥　6-1 육각기둥
6-2 예 각기둥의 한 밑면의 변의 수를 ■개라 하면 꼭짓점의 수는 (■×2)개이므로 ■×2=20, ■=10입니다.
한 밑면의 변의 수가 10개이므로 밑면의 모양은 십각형입니다. 따라서 '나'는 십각기둥입니다.
답 십각기둥
6-3 팔각기둥
7-1 단계1 3개　단계2 삼각뿔
단계3 6개
7-2 12개　7-3 16개
8-1 단계1 18 cm　단계2 9 cm
단계3 3 cm
8-2 5 cm

1-1 전개도를 접었을 때 점 ㄱ은 점 ㅋ과 만나고 점 ㄴ은 점 ㅊ과 만납니다.

1-2 전개도를 접었을 때 점 ㄱ은 점 ㅁ과 만나고 점 ㄴ은 점 ㄹ과 만납니다.

1-3 전개도를 접었을 때 점 ㄱ은 점 ㅁ과 만나고 점 ㄴ은 점 ㄹ과 만나므로 선분 ㄱㄴ과 맞닿는 선분은 선분 ㅁㄹ입니다.

2-1

도형	밑면의 수	옆면의 수
육각기둥	2개	6개
육각뿔	1개	6개

2-2

도형	밑면의 모양	옆면의 모양
삼각기둥	삼각형	직사각형
삼각뿔	삼각형	삼각형

2-3

도형	밑면의 수	밑면의 모양	옆면의 수
팔각기둥	2개	팔각형	8개
팔각뿔	1개	팔각형	8개

3-1 평가 기준
밑면이 다각형이 아니라고 쓰거나 옆면이 모두 직사각형이 아니라는 이유를 썼으면 정답입니다.

3-2 평가 기준
서로 평행한 두 면이 합동이 아니라는 이유를 썼으면 정답입니다.

3-3 평가 기준
옆면이 삼각형이 아니라고 쓰거나 옆면이 한 점에서 만나지 않았다는 이유를 썼으면 정답입니다.

5-1 옆면이 직사각형 3개이므로 밑면의 모양은 변이 3개인 삼각형입니다.
밑면의 모양이 삼각형인 각기둥은 삼각기둥입니다.

5-2 평가 기준
옆면의 수로 밑면의 모양을 알고 각기둥의 이름을 썼으면 정답입니다.

5-3 옆면이 직사각형이므로 각기둥이고 밑면이 육각형이므로 육각기둥입니다.

6-1 각기둥의 한 밑면의 변의 수를 ■개라 하면 면의 수는 (■$+2$)개이므로 ■$+2=8$, ■$=6$입니다.
한 밑면의 변의 수가 6개이므로 밑면의 모양은 육각형입니다. 따라서 '나'는 육각기둥입니다.

6-2 평가 기준
각기둥의 한 밑면의 변의 수와 꼭짓점의 수의 관계를 알아 밑면의 모양을 구하고 각기둥의 이름을 썼으면 정답입니다.

6-3 옆면이 모두 직사각형이고 두 밑면이 서로 평행하고 합동이므로 각기둥입니다. 옆면이 8개이므로 밑면의 모양은 팔각형입니다. 따라서 팔각기둥에 대한 설명입니다.

7-1 단계 1 각뿔의 밑면의 변의 수를 ■개라 하면 꼭짓점의 수는 (■$+1$)개이므로 ■$+1=4$, ■$=3$입니다.
단계 2 밑면의 변의 수가 3개이므로 밑면의 모양이 삼각형인 삼각뿔입니다.
단계 3 (삼각뿔의 모서리의 수)$=3\times2=6$(개)

7-2 각뿔의 밑면의 변의 수를 ■개라 하면 꼭짓점의 수는 (■$+1$)개이므로 ■$+1=7$, ■$=6$입니다.
밑면의 변의 수가 6개이므로 밑면의 모양이 육각형인 육각뿔입니다.
➔ (육각뿔의 모서리의 수)$=6\times2=12$(개)

7-3 각뿔의 밑면의 변의 수를 ■개라 하면 면의 수는 (■$+1$)개이므로 ■$+1=9$, ■$=8$입니다.
밑면의 변의 수가 8개이므로 밑면의 모양이 팔각형인 팔각뿔입니다.
➔ (팔각뿔의 모서리의 수)$=8\times2=16$(개)

8-1 단계 1 삼각기둥이므로 높이를 나타내는 모서리는 3개입니다.
➔ $33-5\times3=18$ (cm)
단계 2 $18\div2=9$ (cm)
단계 3 옆면이 모두 합동이므로 밑면은 정삼각형입니다. ➔ $9\div3=3$ (cm)

8-2 육각기둥이므로 높이를 나타내는 모서리는 6개입니다.
(두 밑면의 모서리의 길이의 합)
$=102-7\times6=60$ (cm)
(한 밑면의 모서리의 길이의 합)$=60\div2=30$ (cm)
옆면이 모두 합동이므로 밑면은 정육각형입니다.
(한 밑면의 한 변의 길이)$=30\div6=5$ (cm)

유형 TEST

56~58쪽

1 ㉢ **2** 나, 라, 바 **3** 다, 마
4 ② **5**

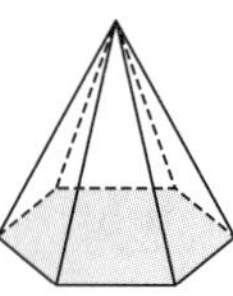

6 사각기둥
7 오각기둥
8 면 ㄱㅂㅅㄴ, 면 ㄴㅅㅇㄷ, 면 ㄷㅇㅈㄹ, 면 ㄹㅈㅊㅁ, 면 ㅁㅊㅂㄱ
9 ① **10** 6, 4 **11** 구각뿔
12 (위에서부터) 12, 8, 18 / 5, 5, 8
13 예

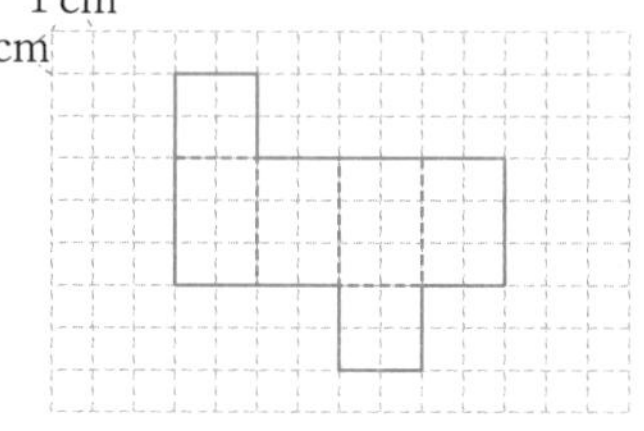

14 예 전개도를 접었을 때 두 면이 서로 겹치기 때문입니다. **15** ㉡ **16** 71 cm
17 예

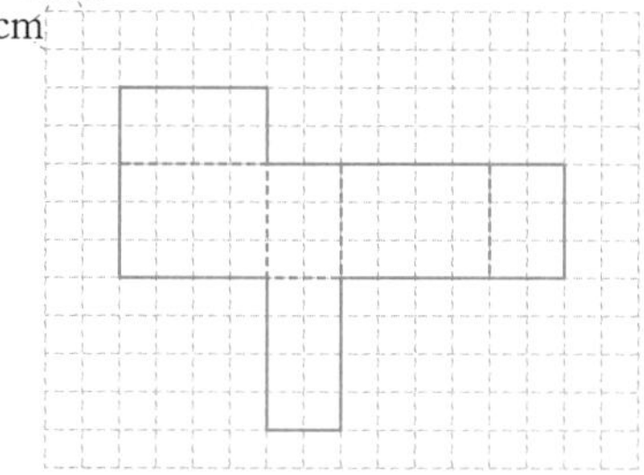

18 예 ❶ 옆면이 직사각형 8개이므로
❷ 밑면의 모양은 변이 8개인 팔각형입니다.
❸ 밑면의 모양이 팔각형인 각기둥은 팔각기둥입니다.
답 팔각기둥

19 예 ❶ 각기둥의 한 밑면의 변의 수를 ■개라 하면 모서리의 수는 (■$\times3$)개이므로 ■$\times3=15$, ■$=5$입니다.
❷ 한 밑면의 변의 수가 5개이므로 밑면의 모양은 오각형입니다.
❸ 따라서 '나'는 오각기둥입니다. 답 오각기둥

20 예 ❶ 각뿔의 밑면의 변의 수를 ■개라 하면 꼭짓점의 수는 (■$+1$)개이므로 ■$+1=6$, ■$=5$입니다.
❷ 밑면의 변의 수가 5개이므로 밑면의 모양이 오각형인 오각뿔입니다.
❸ (오각뿔의 모서리의 수)$=5\times2=10$(개)
답 10개

1 각뿔의 꼭짓점에서 밑면에 수직인 선분을 찾습니다.

2 서로 평행하고 합동인 두 다각형이 있는 입체도형은 나, 라, 바입니다.

3 밑면이 다각형이고 옆면이 모두 삼각형인 입체도형은 다, 마입니다.

4 ② 높이는 두 밑면 사이의 거리입니다.

5 각뿔에서 밑에 놓인 면이 밑면입니다.

6 밑면의 모양이 사각형인 각기둥은 사각기둥입니다.

7 밑면의 모양이 오각형이므로 오각기둥입니다.

8 오각기둥의 옆면은 모두 5개입니다.

9 ① 각기둥의 옆면은 직사각형입니다.

10 각기둥의 전개도를 점선을 따라 접었을 때 서로 맞닿는 선분의 길이는 같습니다.

11 옆면이 모두 삼각형이므로 각뿔이고, 밑면이 구각형이므로 구각뿔입니다.

14 **평가 기준**

접었을 때 두 면이 서로 겹치기 때문이라는 이유를 썼으면 정답입니다.

15 ㉠ (오각뿔의 꼭짓점의 수)$=5+1=6$(개)

㉡ (칠각기둥의 면의 수)$=7+2=9$(개)

16

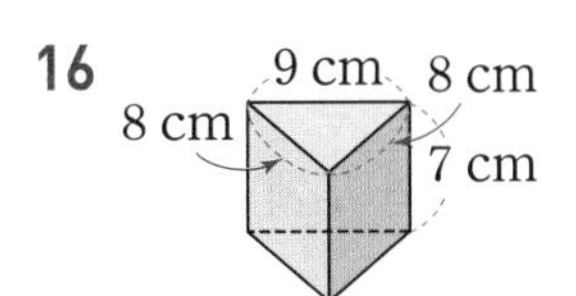

➔ $8\times4+9\times2+7\times3=71$ (cm)

18 **채점 기준**

❶ 옆면의 수를 구함.	1점	5점
❷ 밑면의 모양을 구함.	2점	
❸ 밑면의 모양으로 각기둥의 이름을 앎.	2점	

19 **채점 기준**

❶ 각기둥의 한 밑면의 변의 수와 모서리의 수의 관계를 알아 한 밑면의 변의 수를 구함.	2점	5점
❷ 한 밑면의 변의 수로 밑면의 모양을 구함.	1점	
❸ 밑면의 모양으로 각기둥의 이름을 앎.	2점	

20 **채점 기준**

❶ 각뿔의 밑면의 변의 수와 꼭짓점의 수의 관계를 알아 밑면의 변의 수를 구함.	1점	5점
❷ 밑면의 변의 수로 각뿔의 이름을 앎.	2점	
❸ 각뿔의 모서리의 수를 구함.	2점	

앞 단원 유형 다시 보기 59쪽

① $\frac{3}{14}$ ② $>$

③ $1\frac{1}{8}\div3=\frac{3}{8}$, $\frac{3}{8}$ L

④ $12\div7=1\frac{5}{7}\left(=\frac{12}{7}\right)$, $1\frac{5}{7}$ kg$\left(=\frac{12}{7}\text{ kg}\right)$

① $\frac{9}{14}\div3=\frac{9\div3}{14}=\frac{3}{14}$

② $\frac{15}{8}\div4=\frac{15}{8}\times\frac{1}{4}=\frac{15}{32}$ ➔ $\frac{15}{32}>\frac{13}{32}$

③ (한 사람이 마신 주스의 양)

$=$(전체 주스의 양)$\div$(사람 수)

$=1\frac{1}{8}\div3=\frac{9}{8}\div3=\frac{9\div3}{8}=\frac{3}{8}$ (L)

④ (철근 1 m의 무게)$=$(철근의 무게)$\div$(철근의 길이)

$=12\div7=\frac{12}{7}=1\frac{5}{7}$ (kg)

재미있는 창의·융합·코딩 61쪽

코딩1 예

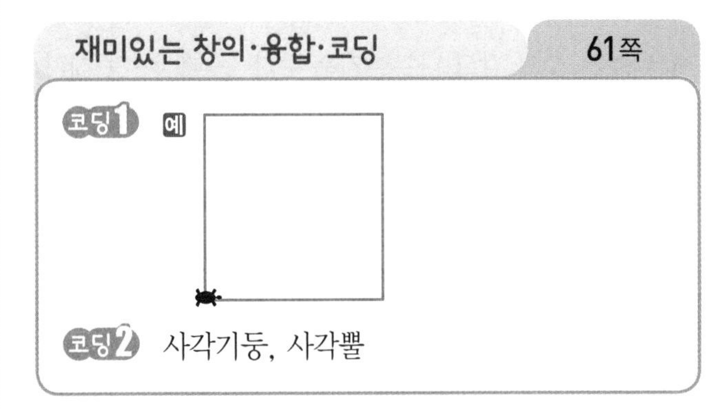

코딩2 사각기둥, 사각뿔

코딩1 앞으로 같은 수만큼 이동하고 왼쪽으로 90°씩 4번 회전했으므로 정사각형으로 그려야 합니다.

코딩2 밑면의 모양이 사각형인 각기둥은 사각기둥이고, 밑면의 모양이 사각형인 각뿔은 사각뿔입니다.

3. 소수의 나눗셈

1 STEP 개념별 유형 64~67쪽

1 (1) 예

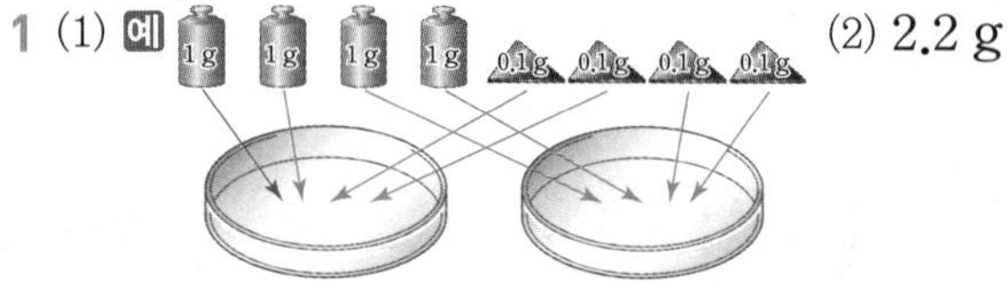

(2) 2.2 g

2 14.3　　3 ① 123 ② 123, 1.23

4 12.4, 1.24

5 21.3, 2.13, 예 몫도 $\frac{1}{10}$배, $\frac{1}{100}$배가 됩니다.

6 4⊡1□2　　7 13.6

8 $90.4 \div 4 = \frac{904}{10} \div 4 = \frac{904 \div 4}{10} = \frac{226}{10} = 22.6$

9 (1) 12.7 (2) 2.36　　10 7.45

11 (선 잇기)　　12 >

13 $58.8 \div 4 = 14.7$, 14.7 cm

14 6.67 km

15 100, 100, $\frac{53}{100}$, 0.53　　16 0.53

17 $3.45 \div 5 = \frac{345}{100} \div 5 = \frac{345 \div 5}{100} = \frac{69}{100} = 0.69$

18 (1) 0.17 (2) 0.26　　19 0.76

20
```
   0.7 3
6)4.3 8
  4 2
    1 8
    1 8
      0
```

21 지호

22 0.95 m

23 $1.65 \div 5 = 0.33$, 0.33 L

24 0.46 kg

4 나누는 수가 같고 나누어지는 수가 $\frac{1}{10}$배, $\frac{1}{100}$배가 되면 몫도 $\frac{1}{10}$배, $\frac{1}{100}$배가 됩니다.

9 (1)
```
   1 2.7
6)7 6.2
  6
  1 6
  1 2
    4 2
    4 2
      0
```

(2)
```
    2.3 6
9)2 1.2 4
  1 8
    3 2
    2 7
      5 4
      5 4
        0
```

참고

나누어지는 수의 소수점 위치에 맞춰 결괏값에 소수점을 올려 찍습니다.

11 $7.71 \div 3 = 2.57$, $12.35 \div 5 = 2.47$

12 $135.8 \div 7 = 19.4$ ➔ $19.4 > 18.3$

13 (한 도막의 길이)
=(색 테이프 전체의 길이)÷(도막 수)
$= 58.8 \div 4 = 14.7$ (cm)

14 (한 시간 동안 달린 거리)
=(달린 전체 거리)÷(달린 시간)
$= 13.34 \div 2 = 6.67$ (km)

16 $371 \div 7$의 몫은 53이고 3.71은 371의 $\frac{1}{100}$배이므로 $3.71 \div 7$의 몫은 53의 $\frac{1}{100}$배인 0.53이 됩니다.

18 몫의 자연수 부분에 0을 쓰고 소수점을 올려 찍습니다.

19 $6.08 < 8$ ➔ $6.08 \div 8 = 0.76$

20 나누어지는 수 4.38의 자연수 부분 4는 나누는 수 6보다 작으므로 몫의 자연수 부분에 0을 쓰고 계산해야 합니다.

21 지호: $2.37 \div 3 = 0.79$
다은: $5.25 \div 7 = 0.75$
➔ $0.79 > 0.75$이므로 계산 결과가 더 큰 식을 들고 있는 학생은 지호입니다.

22 (세로의 길이)=(직사각형의 넓이)÷(가로의 길이)
$= 2.85 \div 3 = 0.95$ (m)

23 (비커 한 개에 담아야 할 물의 양)
=(전체 물의 양)÷(비커의 수)
$= 1.65 \div 5 = 0.33$ (L)

24 일주일은 7일입니다.
(하루에 먹는 쌀의 무게)=(전체 쌀의 무게)÷(날수)
$= 3.22 \div 7 = 0.46$ (kg)

개념 1 ~ 3 기초력 집중 연습 68쪽

1 1.13　　2 2.46　　3 4.43
4 0.69　　5 0.47　　6 0.25
7 16.5　　8 12.4　　9 13.2
10 8.37　　11 5.73　　12 7.53
13 0.97　　14 0.63　　15 0.64
16 6.32　　17 0.83

유형 진단 TEST 69쪽

1 747, 2.49　　2 10.2　　3 6.6
4 ( )(○)　　5 1.31 m　　6 1.14 L
7 (1) 5.67　　(2) $5.67 \div 9 = 0.63$, 0.63

2 40.8은 408의 $\frac{1}{10}$배이므로 □ 안에 알맞은 수는 102의 $\frac{1}{10}$배인 10.2입니다.

3 $39.6 > 35.4 > 22.98$이므로 가장 큰 수는 39.6입니다.
➡ $39.6 \div 6 = 6.6$

4 $8.05 \div 7 = 1.15 > 1$
$7.52 \div 8 = 0.94 < 1$

> **참고**
> (나누어지는 수)<(나누는 수)이면 몫이 1보다 작습니다.

5 수아가 가지고 있는 리본을 3등분하면 $393 \div 3 = 131$ (cm)입니다. 민정이가 가지고 있는 리본을 3등분하는 식은 $3.93 \div 3$입니다. 3.93은 393의 $\frac{1}{100}$배이므로 민정이가 상자 한 개를 묶기 위해 필요한 리본은 131의 $\frac{1}{100}$배인 1.31 m입니다.

6 (1 m^2의 벽을 칠하는 데 사용한 페인트의 양)
=(전체 페인트의 양)÷(벽의 넓이)
$=7.98 \div 7 = 1.14$ (L)

7 작은 수부터 일의 자리에 차례로 써 가장 작은 소수 두 자리 수를 만들면 5.67입니다. 따라서 5.67을 남은 수 카드의 수 9로 나누면 몫은 $5.67 \div 9 = 0.63$입니다.

1 STEP 개념별 유형 70~73쪽

1 (1)
```
    1.4 5
 4)5.8 0
   4
   1 8
   1 6
     2 0
     2 0
       0
```
(2)
```
    1.1 5
 2)2.3 0
   2
     3
     2
     1 0
     1 0
       0
```
2 1.25

3 예 $9.2 \div 8 = \frac{920}{100} \div 8 = \frac{920 \div 8}{100} = \frac{115}{100} = 1.15$

4 3.46　　**5** 4.95

6
```
    0.4 2
 5)2.1 0
   2 0
     1 0
     1 0
       0
```
, 0.42 cm

7 2.07

8 예 $7.35 \div 7 = \frac{735}{100} \div 7 = \frac{735 \div 7}{100} = \frac{105}{100} = 1.05$

9 (1) 3.04　(2) 4.08　　**10** 3.04배

11
```
    1.0 7
 5)5.3 5
   5
     3 5
     3 5
       0
```

12 $4.18 \div 2 = 2.09$, 2.09 cm
13 (위에서부터) 2, 5, 16, 40, 40
14 (1) 3.2　(2) 2.25
15 ㉠　　**16** 1.75
17 (○)( )　　**18** 4.6 m
19 28
20 (1) 예 27, 9, 3 / 3□0□4
(2) 예 36, 6, 6 / 5□9□6
21 $4.36 \div 2 = 2.18$에 색칠
22 (선 잇기)　　**23** 현서

4
```
     3.4 6
 5)1 7.3 0
   1 5
     2 3
     2 0
       3 0
       3 0
         0
```

5
```
    4.9 5
 2)9.9 0
   8
   1 9
   1 8
     1 0
     1 0
       0
```

10 (큰 수)÷(작은 수)$=9.12 \div 3 = 3.04$(배)

11 3은 5보다 작으므로 몫의 소수 첫째 자리에 0을 쓰고 5를 내려 계산해야 합니다.

> **주의**
> 세로로 계산하는 중에 수를 하나 내려도 나누어야 할 수가 나누는 수보다 작으면 몫에 0을 쓰고 수를 하나 더 내려 계산해야 함에 주의합니다.

12 (색 테이프 한 도막의 길이)
=(색 테이프 전체의 길이)÷(도막 수)
$=4.18 \div 2 = 2.09$ (cm)

15 ㉡ $2 \div 5 = \frac{2}{5} = \frac{2 \times 2}{5 \times 2} = \frac{4}{10} = 0.4$

17 $3 \div 20 = 0.15$이고 $300 \div 2000 = 0.15$, $30 \div 20 = 1.5$이므로 $3 \div 20$과 계산 결과가 같은 나눗셈은 $300 \div 2000$입니다.

18 (직사각형의 세로)
$=$(직사각형의 넓이)$\div$(직사각형의 가로)
$=23\div5=4.6$ (m)

19 28.2를 반올림하여 일의 자리까지 나타내면 소수 첫째 자리 숫자가 2이므로 버림하여 28이 됩니다.

20 (1) $27.36\div9$를 $27\div9$로 어림하여 계산하면 약 3이므로 몫은 3.04입니다.
(2) $35.76\div6$을 $36\div6$으로 어림하여 계산하면 약 6이므로 몫은 5.96입니다.

21 $4.36\div2$를 어림하여 계산하면 약 2이므로 알맞은 식은 $4.36\div2=2.18$입니다.

22 $34.83\div9$를 $35\div9$로 어림하여 계산하면 약 4이므로 몫은 3.87입니다.

23 $9.15\div3$을 $9\div3$으로 어림하여 계산하면 약 3이므로 물통 1개에 담아야 할 물의 양은 3.05 L입니다.

개념 4~7 기초력 집중 연습 74쪽

1 1.24	2 0.75	3 2.15
4 1.07	5 1.08	6 2.05
7 4.5	8 1.4	9 0.75

10 예 20, 2, 10 / 9.7□8

11 예 24, 3, 8 / 8.0□2

12 5.45 13 3.06

유형 진단 TEST 75쪽

1 3.5

2 ( )
(○)
( )

3 (선 잇기)

4 0.25 kg

5 방법 1 예 $8.16\div8=\frac{816}{100}\div8=\frac{816\div8}{100}=\frac{102}{100}=1.02$

방법 2 예
```
    1.0 2
 8)8.1 6
   8
     1 6
     1 6
       0
```

6 8.16 m^2 7 (1) 0.85 (2) 6, 7, 8, 9

2 $21.42\div7$을 $21\div7$로 어림하여 계산하면 약 3이므로 몫은 3.06입니다.

3 $36.2\div5=7.24$, $43.5\div6=7.25$

4 (동화책 한 권의 무게)
$=$(동화책 4권의 무게)$\div$(동화책 수)
$=1\div4=0.25$ (kg)

6 (작은 직사각형 1개의 넓이)$=20.4\div5=4.08$ (m^2)
➔ (색칠된 부분의 넓이)
$=$(작은 직사각형 1개의 넓이)$\times2$
$=4.08\times2=8.16$ (m^2)

7 (1) $6.8\div8=\frac{680}{100}\div8=\frac{680\div8}{100}=\frac{85}{100}=0.85$
(2) $0.85<0.8\square$이므로 1부터 9까지의 수 중 □ 안에 들어갈 수 있는 수는 6, 7, 8, 9입니다.

2 STEP 꼬리를 무는 유형 76~77쪽

1 18.8배	2 0.52배	3 1.44배
4 1.05배	5 ( )(○)	6 ㉠, 1.07
7 배	8 0.82	9 900

10 예 4.1은 410의 $\frac{1}{100}$배인데 $4.1\div5$의 몫을 82의 $\frac{1}{100}$배로 계산하지 않았습니다.
/ 예 $4.1\div5=0.82$

11 5.83 12 0.68

13 1.95 14 2.04

1 ㉠$\div$㉡$=75.2\div4=18.8$(배)

참고
'㉠은 ㉡의 몇 배'인지를 물어보는 경우 ㉠$\div$㉡으로 계산합니다.

2 (작은 수)$\div$(큰 수)$=4.16\div8=0.52$(배)

주의
(큰 수)$\div$(작은 수)로 계산하지 않도록 주의합니다.

3 (소수)$\div$(자연수)$=7.2\div5=1.44$(배)

4 (세훈이가 캔 바지락의 무게)$\div$(세정이가 캔 바지락의 무게)$=4.2\div4=1.05$(배)

5 • $3.78\div3=1.26>1$
• $4\div8=0.5<1$

6 ㉠ $2.14 \div 2 = 1.07 > 1$
㉡ $8.37 \div 9 = 0.93 < 1$

7 (배 1개의 무게)$= 5.9 \div 5 = 1.18$ (kg)
➜ $1.18 > 1$이므로 배가 사과보다 더 무겁습니다.

8 7.38은 738의 $\frac{1}{100}$배이므로 $7.38 \div 9$의 몫은 82의 $\frac{1}{100}$배입니다. ➜ 0.82

9 18은 0.18의 100배이므로 $\square \div 50 = 18$의 나누어지는 수는 9의 100배입니다. ➜ 900

10 평가 기준
나누어지는 수가 $\frac{1}{100}$배가 되었는데 몫을 $\frac{1}{100}$배로 계산하지 않았다는 내용을 쓰고 바르게 고쳤으면 정답입니다.

12 $6 \times ● = 4.08$, $● = 4.08 \div 6 = 0.68$

13 $\square \times 4 = 7.8$, $\square = 7.8 \div 4 = 1.95$

14 (어떤 수)$\times 7 = 14.28$,
(어떤 수)$= 14.28 \div 7 = 2.04$

3 STEP 수학 독해력 유형 78~79쪽

독해력 유형 1 ❶ ( )(○) ❷ $7-1=6$, 6군데
❸ 2.55 m
쌍둥이 유형 1-1 2.87 m 쌍둥이 유형 1-2 0.58 km
독해력 유형 2 ❶ 8개 ❷ ÷ ❸ 2.3 kg
쌍둥이 유형 2-1 1.3 kg 쌍둥이 유형 2-2 0.75 kg

독해력 유형 1 ❶ 모종 사이의 간격은 (텃밭 가로의 길이)÷(간격 수)로 구해야 합니다.
❷ 모종을 7개 심으려면 모종 사이의 간격 수는 $7-1=6$(군데)입니다.
❸ (모종 사이의 간격)$= 15.3 \div 6 = 2.55$ (m)

쌍둥이 유형 1-1 ❶ 나무 사이의 간격은 (도로의 길이)÷(간격 수)로 구해야 합니다.
❷ 나무 9그루를 심으려면 나무 사이의 간격 수는 $9-1=8$(군데)입니다.
❸ (나무 사이의 간격)$= 22.96 \div 8 = 2.87$ (m)

쌍둥이 유형 1-2 ❶ 가로등 사이의 간격은 (도로의 길이)÷(간격 수)로 구해야 합니다.
❷ 가로등 10개를 세우려면 가로등 사이의 간격 수는 $10-1=9$(군데)입니다.
❸ (가로등 사이의 간격)$= 5.22 \div 9 = 0.58$ (km)

독해력 유형 2 ❶ 한 상자에 2개씩 4상자가 있으므로 멜론은 모두 $2 \times 4 = 8$(개)입니다.
❷ 평균은 자료의 값을 모두 더해 자료의 수로 나누어 구할 수 있습니다.
❸ 멜론의 무게의 평균은 $18.4 \div 8 = 2.3$ (kg)입니다.

쌍둥이 유형 2-1 ❶ 책은 한 상자에 3권씩 3상자가 있으므로 모두 $3 \times 3 = 9$(권)입니다.
❷ (책의 무게의 평균)$=$(책 전체의 무게)÷(책의 수)
❸ 책의 무게의 평균은 $11.7 \div 9 = 1.3$ (kg)입니다.

쌍둥이 유형 2-2 ❶ 복숭아는 한 상자에 4개씩 2상자가 있으므로 모두 $4 \times 2 = 8$(개)입니다.
❷ (복숭아의 무게의 평균)
$=$(복숭아 전체의 무게)÷(복숭아의 수)
❸ 복숭아의 무게의 평균은 $6 \div 8 = 0.75$ (kg)입니다.

4 STEP 사고력 플러스 유형 80~83쪽

1-1
```
    0.6 3
 8)5.0 4
   4 8
     2 4
     2 4
       0
```

1-2
```
    0.3 9
 4)1.5 6
   1 2
     3 6
     3 6
       0
```

1-3 예 2는 7보다 작으므로 몫의 소수 첫째 자리에 0을 써야 하기 때문입니다.

2-1 1.37 m 2-2 1.07 m
2-3 2.5 m 3-1 0.16 L
3-2 6.25 m^2 3-3 12.5 km
3-4 0.08 L 4-1 9.92 m^2

4-2 예 (직사각형의 넓이)$= 3 \times 2.6 = 7.8$ (m^2)
(색칠된 부분의 넓이)$=$(직사각형의 넓이)$\div 4$
$= 7.8 \div 4 = 1.95$ (m^2) 답 1.95 m^2

4-3 0.18 m^2 5-1 2, 8, 0.25

5-2 예 가장 작은 수인 3을 나누어지는 수로, 가장 큰 수인 5를 나누는 수로 정하여 나눗셈을 만들면 몫이 가장 작습니다. ➜ $3 \div 5 = 0.6$ 답 0.6

5-3 34, 5, 6.8
6-1 (위에서부터) 81, 6, 2, 21
6-2 (위에서부터) 42, 7, 4, 42
6-3 (위에서부터) 0, 4, 30, 28, 24, 24
7-1 단계 1 0.385 kg　단계 2 0.41 kg
단계 3 고구마
7-2 애호박
8-1 단계 1 4개　단계 2 8개
단계 3 1.07 m
8-2 1.03 m

1-1 나누어지는 수 5.04의 자연수 부분 5는 나누는 수 8보다 작으므로 몫의 자연수 부분에 0을 쓰고 계산해야 합니다.

1-2 나누어지는 수 1.56의 자연수 부분 1은 나누는 수 4보다 작으므로 몫의 자연수 부분에 0을 쓰고 계산해야 합니다.

1-3 **평가 기준**
몫의 소수 첫째 자리에 0을 써야 한다는 이유를 썼으면 정답입니다.

2-1 (정사각형의 한 변의 길이)=(정사각형의 둘레)÷4
=5.48÷4=1.37 (m)

2-2 (정오각형의 한 변의 길이)=(정오각형의 둘레)÷5
=5.35÷5=1.07 (m)

2-3 정삼각형 6개로 정육각형을 만들었으므로
(정삼각형의 한 변의 길이)
=(정육각형의 한 변의 길이)입니다.
(정육각형의 한 변의 길이)=(정육각형의 둘레)÷6
=15÷6=2.5 (m)이므로
정삼각형의 한 변의 길이는 2.5 m입니다.

3-1 (사용한 페인트의 양)÷(칠한 담의 넓이)
=4÷25=0.16 (L)

3-2 (칠한 담의 넓이)÷(사용한 페인트의 양)
=25÷4=6.25 (m^2)

3-3 (달린 거리)÷(사용한 휘발유의 양)
=200÷16=12.5 (km)

3-4 (사용한 휘발유의 양)÷(달린 거리)
=16÷200=0.08 (L)

4-1 (직사각형의 넓이)=7.44×4=29.76 (m^2)
(색칠된 부분의 넓이)=(직사각형의 넓이)÷3
=29.76÷3=9.92 (m^2)

다른 풀이
(색칠된 부분의 가로의 길이)=7.44÷3=2.48 (m)
(색칠된 부분의 넓이)=2.48×4=9.92 (m^2)

4-2 **평가 기준**
직사각형의 넓이를 구해 등분 수로 나눠 색칠된 부분의 넓이를 구하거나 색칠된 부분의 가로와 세로의 길이를 각각 구해 넓이를 구했으면 정답입니다.

4-3 (정사각형의 넓이)=1.2×1.2=1.44 (m^2)
(색칠된 부분의 넓이)=(정사각형의 넓이)÷8
=1.44÷8=0.18 (m^2)

5-1 가장 작은 수인 2를 나누어지는 수로, 가장 큰 수인 8을 나누는 수로 정하여 나눗셈을 만들면 몫이 가장 작습니다. ➡ 2÷8=0.25

5-2 **평가 기준**
가장 작은 수를 나누어지는 수로, 가장 큰 수를 나누는 수로 정하여 나눗셈식을 쓰고 몫을 구했으면 정답입니다.

5-3 가장 큰 수인 34를 나누어지는 수로, 가장 작은 수인 5를 나누는 수로 정하여 나눗셈을 만들면 몫이 가장 큽니다. ➡ 34÷5=6.8

6-1
```
    0. 2 7
3 ) 0. ㉠
       ㉡
    ------
       ㉢ 1
       ㉣
    ------
          0
```
㉡: 3×2=6　㉣: 3×7=21
㉢: ㉣=21이므로 ㉢=2입니다.
㉠: ㉢=2이고 ㉡=6이므로 ㉠=81입니다.

6-2
```
    1. 0 6
7 ) 7. ㉠
    ㉡
    ------
       ㉢ 2
       ㉣
    ------
          0
```
㉡: 7×1=7
㉣: 7×6=42
㉢: ㉣=42이므로 ㉢=4입니다.
㉠: ㉢=4이므로 ㉠=42입니다.

6-3 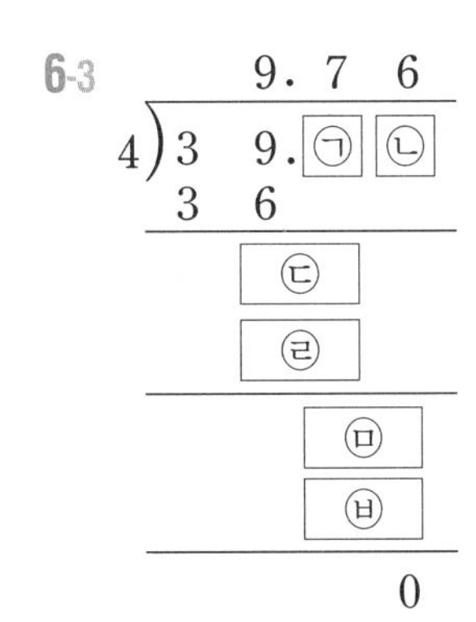

㉣: $4\times7=28$ ㉥: $4\times6=24$

㉤: ㉥$=24$이므로 ㉤$=24$입니다.

㉡: ㉤$=24$이므로 ㉡$=4$입니다.

㉢: ㉣$=28$이고 ㉤$=24$이므로 ㉢$=30$입니다.

㉠: ㉢$=30$이므로 ㉠$=0$입니다.

7-1 단계1 감자 4개가 1.54 kg이므로 감자 무게의 평균은 $1.54\div4=0.385$ (kg)입니다.

단계2 고구마 6개가 2.46 kg이므로 고구마 무게의 평균은 $2.46\div6=0.41$ (kg)입니다.

단계3 $0.385<0.41$이므로 고구마가 더 무겁다고 할 수 있습니다.

7-2 애호박 3개가 1.86 kg이므로 애호박 무게의 평균은 $1.86\div3=0.62$ (kg)입니다.

토마토 5개가 2.9 kg이므로 토마토 무게의 평균은 $2.9\div5=0.58$ (kg)입니다.

➡ $0.62>0.58$이므로 애호박이 더 무겁다고 할 수 있습니다.

8-1 단계1 사각뿔의 밑면의 모양은 사각형이므로 밑면의 변의 수는 4개입니다.

단계2 (사각뿔의 모서리의 수)

$=$(밑면의 변의 수)$\times2=4\times2=8$(개)

단계3 (한 모서리의 길이)

$=$(모든 모서리의 길이의 합)$\div$(사각뿔의 모서리의 수)$=8.56\div8=1.07$ (m)

8-2 삼각기둥의 밑면의 모양은 삼각형이므로 한 밑면의 변의 수는 3개입니다.

(삼각기둥의 모서리의 수)

$=$(한 밑면의 변의 수)$\times3=3\times3=9$(개)

(한 모서리의 길이)

$=$(모든 모서리의 길이의 합)

$\div$(삼각기둥의 모서리의 수)

$=9.27\div9=1.03$ (m)

유형 TEST 84~86쪽

1 2.13 **2** (1) 3.24 (2) 0.76

3 (1) 0.35 (2) 1.08

4 $17\div4=\frac{17}{4}=\frac{425}{100}=4.25$ **5** 3.04

6 1.62배 **7** (1) 1□5⊡9 (2) 4⊡1□2

8 3.45 **9** $=$

10 1.4 kg **11** 1.35

12 방법1 예 $12.4\div5=\frac{1240}{100}\div5=\frac{1240\div5}{100}$

$=\frac{248}{100}=2.48$

방법2 예

```
    2.4 8
5)1 2.4 0
  1 0
    2 4
    2 0
      4 0
      4 0
        0
```

13 3.87 cm **14** 16.5분

15 8.64, 2.88 **16** 6, 7, 8, 9

17 예 ❶ (직사각형의 넓이)$=3\times2.3=6.9$ (m^2)

❷ (색칠된 부분의 넓이)$=$(직사각형의 넓이)$\div5$

$=6.9\div5=1.38$ (m^2)

답 1.38 m^2

18 예 ❶ 가장 큰 수인 9를 나누어지는 수로, 가장 작은 수인 4를 나누는 수로 정하여 나눗셈을 만들면 몫이 가장 큽니다.

❷ $9\div4=2.25$ 답 2.25

19 (위에서부터) 5, 4, 6, 35, 30, 54, 54

20 예 ❶ 삼각뿔의 밑면의 모양은 삼각형이므로 밑면의 변의 수는 3개입니다.

❷ (삼각뿔의 모서리의 수)

$=$(밑면의 변의 수)$\times2=3\times2=6$(개)

❸ (한 모서리의 길이)

$=$(모든 모서리의 길이의 합)

$\div$(삼각뿔의 모서리의 수)

$=14.7\div6=2.45$ (m)

답 2.45 m

5 소수: 21.28 자연수: 7

➡ (소수)$\div$(자연수)$=21.28\div7=3.04$

6 ㉠$\div$㉡$=8.1\div5=1.62$(배)

7 (1) $47.7 \div 3$을 $48 \div 3$으로 어림하여 계산하면 약 16이므로 몫은 15.9입니다.

(2) $32.96 \div 8$을 $33 \div 8$로 어림하여 계산하면 약 4이므로 몫은 4.12입니다.

8 가장 큰 수: 31.05, 가장 작은 수: 9
➔ $31.05 \div 9 = 3.45$

9 $72.45 \div 9 = 8.05$, $48.3 \div 6 = 8.05$ ⇒ ㊁

10 (한 명이 가질 수 있는 귤의 무게)
=(전체 귤의 무게)÷(나누어 가질 사람 수)
$= 7 \div 5 = 1.4$ (kg)

11 (어떤 수)×8=10.8, (어떤 수)=$10.8 \div 8 = 1.35$

12 자연수의 나눗셈을 이용하여 계산하는 방법도 있습니다.

13 (세로의 길이)=(직사각형의 넓이)÷(가로의 길이)
$= 15.48 \div 4 = 3.87$ (cm)

14 1시간 6분은 66분입니다.
따라서 공원을 한 바퀴 도는 데 걸린 시간은
$66 \div 4 = 16.5$(분)입니다.

15 수 카드로 만들 수 있는 가장 큰 소수 두 자리 수는 8.64입니다.
따라서 남은 수 카드의 수 3으로 나누면
$8.64 \div 3 = 2.88$입니다.

16 $5.25 \div 7 = 0.75$이므로 $0.75 < 0.7\square$에서 1부터 9까지의 수 중 □ 안에 들어갈 수 있는 수는 6, 7, 8, 9입니다.

17 채점 기준

채점 기준	점수	총점
❶ 직사각형의 넓이를 구함.	2점	5점
❷ 색칠된 부분의 넓이를 구함.	3점	

18 채점 기준

채점 기준	점수	총점
❶ 몫이 가장 큰 나눗셈을 만드는 방법을 앎.	2점	5점
❷ 나눗셈식을 만들어 몫을 구함.	3점	

19

```
      1. 5  9
   ┌────────
 6 ) 9. ㉠ ㉡
     ㉢
    ──────
     ㉣
     ㉤
    ──────
        ㉥
        ㉦
    ──────
         0
```

㉢: $6 \times 1 = 6$
㉤: $6 \times 5 = 30$
㉦: $6 \times 9 = 54$
㉥: ㉦=54이므로 ㉥=54입니다.
㉡: ㉥=54이므로 ㉡=4입니다.
㉣: ㉤=30이고 ㉥=54이므로 ㉣=35입니다.
㉠: ㉣=35이므로 ㉠=5입니다.

20 채점 기준

채점 기준	점수	총점
❶ 삼각뿔의 밑면의 변의 수를 구함.	1점	5점
❷ 삼각뿔의 모서리의 수를 구함.	2점	
❸ 삼각뿔의 한 모서리의 길이를 구함.	2점	

앞 단원 유형 다시 보기 — 87쪽

① 육각기둥 ② 오각뿔

③ 예

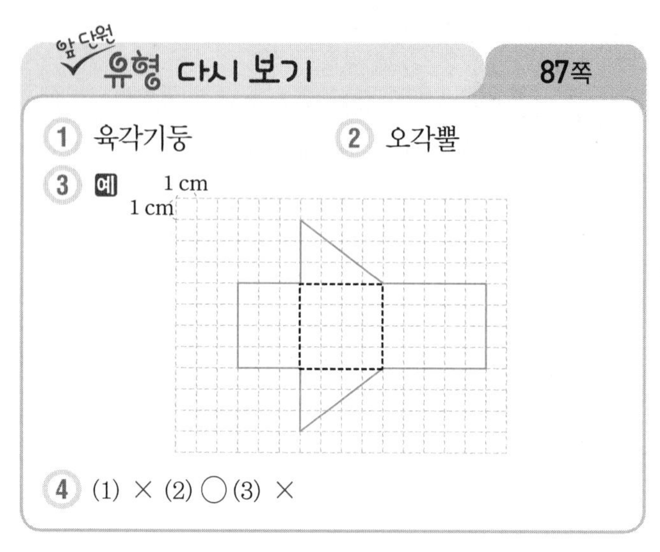

④ (1) × (2) ○ (3) ×

① 밑면의 모양이 육각형인 각기둥의 이름은 육각기둥입니다.

② 밑면이 1개이고 옆면이 모두 삼각형인 입체도형은 각뿔입니다. 밑면이 오각형인 각뿔은 오각뿔입니다.

재미있는 창의·융합·코딩 — 88~89쪽

코딩1 ㅏ, ㅂ, ㄴ / 서랍 안
코딩2 $6.16 \div 7 = 0.88$, 0.88
코딩3 $57.8 \div 2 = 28.9$, 28.9

코딩2

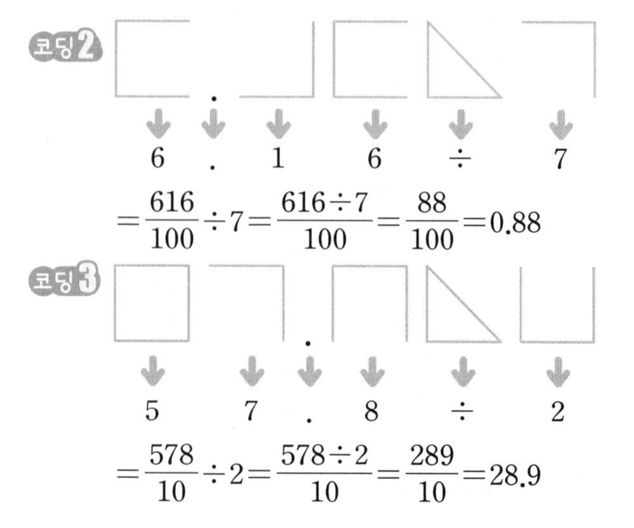

$= \dfrac{616}{100} \div 7 = \dfrac{616 \div 7}{100} = \dfrac{88}{100} = 0.88$

코딩3

$= \dfrac{578}{10} \div 2 = \dfrac{578 \div 2}{10} = \dfrac{289}{10} = 28.9$

4. 비와 비율

1 STEP 개념별 유형 92~95쪽

1 2, 2 / 2, 2　2 4
3 3, 7　4 (1) 4, 3 (2) 3, 4 (3) 4, 3
5 (1) 7, 8 (2) 2, 5 (3) 5, 6 (4) 4, 9
6 4, 9　7 ×　8 6 : 7
9 비율　10 14, 5　11 3, 8
12 (위에서부터) 11, 12, $\frac{11}{12}$ / 8, 9, $\frac{8}{9}$ / 5, 13, $\frac{5}{13}$
13 (선 잇기)　14 $\frac{10}{25}\left(=\frac{2}{5}=0.4\right)$
15 (선 잇기)　16 $\frac{100}{20}$, 5
17 $\frac{110}{2}$, 55　18 기준량, 비교하는 양
19 $\frac{2500}{2}$, 1250　20 $\frac{22000}{50}$, 440
21 물의 양, 오렌지 원액의 양
22 $\frac{25}{100}$, $\frac{1}{4}$　23 $\frac{50}{300}$, $\frac{1}{6}$

2 4÷1=4, 8÷2=4, 12÷3=4, 16÷4=4

3 막대사탕이 3개, 아이스크림이 7개이므로 막대사탕 수와 아이스크림 수의 비는 3 : 7입니다.

4 (1) 연필 수의 지우개 수에 대한 비
→ (연필 수) : (지우개 수)
(2) 연필 수에 대한 지우개 수의 비
→ (지우개 수) : (연필 수)
(3) 지우개 수에 대한 연필 수의 비
→ (연필 수) : (지우개 수)

5 (3) ●의 ■에 대한 비 → ● : ■
(4) ●에 대한 ■의 비 → ■ : ●

6 전체는 9칸, 색칠한 부분은 4칸입니다.

7 4 : 7 → 7에 대한 4의 비, 기준: 7
7 : 4 → 4에 대한 7의 비, 기준: 4

12 8과 9의 비 → 8 : 9 (8: 비교하는 양, 9: 기준량)
13에 대한 5의 비 → 5 : 13 (5: 비교하는 양, 13: 기준량)

13 4에 대한 1의 비 → $\frac{1}{4}=0.25$
3의 5에 대한 비 → $\frac{3}{5}=0.6$

14 (가로에 대한 세로의 비율)
$=\frac{(세로)}{(가로)}=\frac{10}{25}\left(=\frac{2}{5}=0.4\right)$

17 (비율)$=\frac{(비교하는 양)}{(기준량)}=\frac{(간 거리)}{(걸린 시간)}$
$=\frac{110}{2}=55$

20 (비율)$=\frac{(비교하는 양)}{(기준량)}=\frac{(인구)}{(넓이)}$
$=\frac{22000}{50}=440$

23 (비율)$=\frac{(비교하는 양)}{(기준량)}=\frac{(검은색 물감 양)}{(흰색 물감 양)}$
$=\frac{50}{300}=\frac{1}{6}$

개념 1~6 기초력 집중 연습 96쪽

1 (위에서부터) 3, 3, 3, 1
2 (위에서부터) 4, 5 / 4, 5 / 4, 5 / 5, 4
3 7, 9　4 6, 4　5 4, 3
6 8, 5　7 $\frac{3}{5}$　8 $\frac{2}{7}$
9 $\frac{5}{6}$　10 $\frac{5}{9}$

7 ● : ▲ → $\frac{●}{▲}$

8 2와 7의 비 → 2 : 7

유형 진단 TEST 97쪽

1 (선 잇기)　2 $\frac{8}{9}$　3 예

4 90　5 ㉠
6 1200　7 현아

1 $\quad$ 6 : 11
비교하는 양┘ └기준량

➜ $(\text{비율})=\dfrac{(\text{비교하는 양})}{(\text{기준량})}=\dfrac{6}{11}$

2 귤 수: 기준량, 사과 수: 비교하는 양

귤 수에 대한 사과 수의 비율 ➜ $\dfrac{(\text{사과 수})}{(\text{귤 수})}=\dfrac{8}{9}$

참고

'~에 대한' 앞의 수를 분모에 씁니다.

3 전체가 8칸이므로 3칸을 색칠합니다.

4 $(\text{비율})=\dfrac{(\text{비교하는 양})}{(\text{기준량})}=\dfrac{(\text{간 거리})}{(\text{걸은 시간})}$

$=\dfrac{180}{2}=90$

5 $13-9=4$이므로 두 수를 뺄셈으로 비교했습니다.

6 $\dfrac{7200}{6}=1200$

7 현아: $\dfrac{240}{300}=\dfrac{4}{5}$, 진우: $\dfrac{300}{500}=\dfrac{3}{5}$

➜ $\dfrac{4}{5}>\dfrac{3}{5}$

1 STEP 개념별 유형 98~101쪽

1 12, 12 $\quad$ 2 46 $\quad$ 3 97

4 (위에서부터) 43 / $\dfrac{7}{100}$ / 0.6, 60

5 예

6 ㉠
7 85 %
8 10 %
9 25 %

10 20 %	11 40 %	12 25 %
13 15 %	14 12 %	15 24 %
16 75 %	17 40, 10, 50	18 32 %
19 60 %	20 48 %	21 5 %
22 7 %	23 5 %	24 35 %
25 12 %	26 가	

2 $\dfrac{23}{50}\times100=46\ (\%)$

3 $0.97\times100=97\ (\%)$

4 $\dfrac{3}{5}=\dfrac{3\times2}{5\times2}=\dfrac{6}{10}=0.6$

➜ $0.6\times100=60\ (\%)$

5 모눈 100칸 중 27칸을 색칠합니다.

6 ㉠ $\dfrac{14}{50}\times100=28\ (\%)$

7 $\dfrac{85}{100}\times100=85\ (\%)$

8 $(\text{할인 금액})=3000-2700=300(\text{원})$

$(\text{할인율})=\dfrac{(\text{할인 금액})}{(\text{원래 가격})}\times100$

$=\dfrac{300}{3000}\times100=10\ (\%)$

9 $(\text{할인 금액})=4000-3000=1000(\text{원})$

$(\text{할인율})=\dfrac{1000}{4000}\times100=25\ (\%)$

10 $(\text{할인 금액})=15000-12000=3000(\text{원})$

$(\text{할인율})=\dfrac{3000}{15000}\times100=20\ (\%)$

11 $(\text{할인율})=\dfrac{(\text{할인 금액})}{(\text{원래 가격})}\times100$

$=\dfrac{3600}{9000}\times100=40\ (\%)$

12 $(\text{할인받은 금액})=20000-15000=5000(\text{원})$

$(\text{할인율})=\dfrac{(\text{할인받은 금액})}{(\text{원래 가격})}\times100$

$=\dfrac{5000}{20000}\times100=25\ (\%)$

13 $(\text{할인 금액})=16000-13600=2400(\text{원})$

$(\text{할인율})=\dfrac{(\text{할인 금액})}{(\text{원래 가격})}\times100$

$=\dfrac{2400}{16000}\times100=15\ (\%)$

14 $(\text{득표율})=\dfrac{(\text{득표수})}{(\text{전체 투표수})}\times100$

$=\dfrac{3}{25}\times100=12\ (\%)$

15 $(\text{득표율})=\dfrac{(\text{득표수})}{(\text{전체 투표수})}\times 100$

$=\dfrac{48}{200}\times 100=24\ (\%)$

16 $(\text{득표율})=\dfrac{(\text{득표수})}{(\text{전체 투표수})}\times 100$

$=\dfrac{90}{120}\times 100=75\ (\%)$

17 가: $\dfrac{16}{40}\times 100=40\ (\%)$

나: $\dfrac{4}{40}\times 100=10\ (\%)$

다: $\dfrac{20}{40}\times 100=50\ (\%)$

18 $\dfrac{8}{25}\times 100=32\ (\%)$

19 $\dfrac{12}{20}\times 100=60\ (\%)$

20 (전체 투표수)$=240+260=500$(표)

가: $\dfrac{240}{500}\times 100=48\ (\%)$

21 $\dfrac{(\text{소금 양})}{(\text{소금물 양})}\times 100=\dfrac{20}{400}\times 100=5\ (\%)$

22 $\dfrac{(\text{소금 양})}{(\text{소금물 양})}\times 100=\dfrac{7}{100}\times 100=7\ (\%)$

23 $\dfrac{(\text{소금 양})}{(\text{소금물 양})}\times 100=\dfrac{25}{500}\times 100=5\ (\%)$

24 $\dfrac{(\text{설탕 양})}{(\text{설탕물 양})}\times 100=\dfrac{70}{200}\times 100=35\ (\%)$

25 $\dfrac{(\text{레몬 원액 양})}{(\text{레몬 물 양})}\times 100=\dfrac{12}{100}\times 100=12\ (\%)$

26 가: $\dfrac{28}{400}\times 100-7\ (\%)$, 나: $\dfrac{10}{250}\times 100=4\ (\%)$

개념 7 ~ 10 기초력 집중 연습 102쪽

1 15	2 60	3 123
4 42	5 50	6 40
7 35	8 75	9 84
10 11	11 20	12 30
13 52		

1 $0.15\times 100=15\ (\%)$

5 $\dfrac{1}{2}\times 100=50\ (\%)$

10 $\dfrac{11}{100}\times 100=11\ (\%)$

유형 진단 TEST 103쪽

1 25 % 2 0.4, 40

3 예

4 80 % 5 20 %

6 (위에서부터) 50, 75 / 2반

7 (1) 12 %

(2) 예

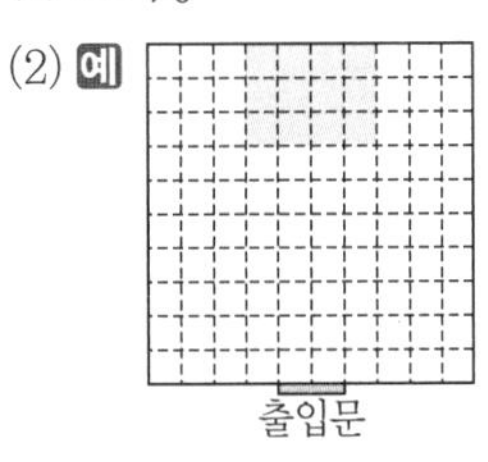

1 $\dfrac{1}{4}\times 100=25\ (\%)$

2 $\dfrac{2}{5}=\dfrac{2\times 2}{5\times 2}=\dfrac{4}{10}=0.4$, $0.4\times 100=40\ (\%)$

4 $\dfrac{12}{15}\times 100=80\ (\%)$

5 (할인 금액)$=1000-800=200$(원)

(할인율)$=\dfrac{200}{1000}\times 100$

$=20\ (\%)$

6 1반 찬성률: $\dfrac{12}{24}\times 100=50\ (\%)$

2반 찬성률: $\dfrac{15}{20}\times 100=75\ (\%)$

7 (1) $\dfrac{24}{200}\times 100=12\ (\%)$

(2) 12 %이므로 모눈 100칸 중 12칸을 색칠합니다.

다른 풀이

12 %를 소수로 나타내면 0.12입니다.

→ $100\times 0.12=12$(칸) 색칠하기

2 STEP 꼬리를 무는 유형 104~105쪽

1 $\frac{3}{8}$　2 $\frac{6}{5}\left(=1\frac{1}{5}\right)$　3 $\frac{27}{21}\left(=\frac{9}{7}=1\frac{2}{7}\right)$
4 30 %　5 62 %　6 80 %
7 50 %　8 3 %　9 6 %
10 25 %　11 $\frac{90}{150}\left(=\frac{3}{5}=0.6\right)$　12 84 cm
13 0.5, 0.5, 예 키에 대한 그림자의 길이의 비율은 같습니다.

1 (세로) : (가로) ➡ 3 : 8 ➡ $\frac{3}{8}$

2 (가로) : (세로) ➡ 6 : 5 ➡ $\frac{6}{5}\left(=1\frac{1}{5}\right)$

3 (세로) : (가로) ➡ 27 : 21 ➡ $\frac{27}{21}=\frac{9}{7}=1\frac{2}{7}$

4 $\frac{3}{10}\times100=30$ (%)

5 $0.62\times100=62$ (%)

6 5칸 중 4칸이 색칠되어 있으므로 $\frac{4}{5}$입니다.
$\frac{4}{5}\times100=80$ (%)

7 전체 8칸 중 하늘색 부분은 4칸이므로 $\frac{4}{8}$입니다.
$\frac{4}{8}\times100=50$ (%)

8 (불량률)$=\frac{15}{500}\times100=3$ (%)

9 (전체 만든 장난감 수)=(정상품 수)+(불량품 수)
$=188+12=200$(개)
(불량률)$=\frac{12}{200}\times100=6$ (%)

10 (결석률)$=\frac{3}{12}\times100=25$ (%)

11 $\frac{(\text{그림자의 길이})}{(\text{키})}=\frac{90}{150}=\frac{3}{5}=0.6$

12 (그림자의 길이)$=140\times0.6$
$=84$ (cm)

3 STEP 수학 독해력 유형 106~107쪽

독해력 유형 1 ❶ 2000원 ❷ $\frac{2000}{20000}\left(=\frac{1}{10}\right)$ ❸ 10 %
쌍둥이 유형 1-1 20 %　쌍둥이 유형 1-2 30 %
독해력 유형 2 ❶ 80 ❷ 70 ❸ 빨간 버스
쌍둥이 유형 2-1 가 버스　쌍둥이 유형 2-2 은미

독해력 유형 1 ❶ $22000-20000=2000$(원)
❷ $\frac{(\text{이자})}{(\text{예금한 돈})}=\frac{2000}{20000}=\frac{1}{10}$
❸ $\frac{2000}{20000}\times100=10$ (%)

쌍둥이 유형 1-1 ❶ 이자는 $48000-40000=8000$(원)입니다.
❷ 예금한 돈에 대한 이자의 비율은 $\frac{8000}{40000}$입니다.
❸ 이자율은 $\frac{8000}{40000}\times100=20$ (%)입니다.

쌍둥이 유형 1-2 ❶ 이자는 $117000-90000=27000$(원)입니다.
❷ 예금한 돈에 대한 이자의 비율은 $\frac{27000}{90000}$입니다.
❸ 이자율은 $\frac{27000}{90000}\times100=30$ (%)입니다.

독해력 유형 2 ❶ (빨간 버스의 걸린 시간에 대한 간 거리의 비율)$=\frac{(\text{간 거리})}{(\text{걸린 시간})}=\frac{160}{2}=80$
❷ (파란 버스의 걸린 시간에 대한 간 거리의 비율)
$=\frac{(\text{간 거리})}{(\text{걸린 시간})}=\frac{210}{3}=70$
❸ 80 > 70이므로 빨간 버스가 더 빠릅니다.

쌍둥이 유형 2-1 ❶ (가 버스의 걸린 시간에 대한 간 거리의 비율)$=\frac{(\text{간 거리})}{(\text{걸린 시간})}=\frac{180}{3}=60$
❷ (나 버스의 걸린 시간에 대한 간 거리의 비율)
$=\frac{(\text{간 거리})}{(\text{걸린 시간})}=\frac{250}{5}=50$
❸ 60 > 50이므로 가 버스가 더 빠릅니다.

쌍둥이 유형 2-2 ❶ (은미의 걸린 시간에 대한 간 거리의 비율)$=\frac{(\text{간 거리})}{(\text{걸린 시간})}=\frac{160}{2}=80$

❷ (정아의 걸린 시간에 대한 간 거리의 비율)

$=\frac{(\text{간 거리})}{(\text{걸린 시간})}=\frac{225}{3}=75$

❸ $80>75$이므로 은미가 더 빨리 걸었습니다.

4 STEP 사고력 플러스 유형 108~111쪽

1-1 40 %　　1-2 50 %

1-3 예　　1-4 예 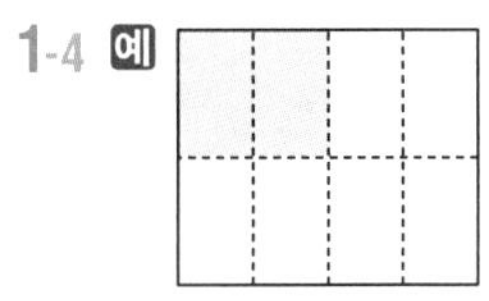

2-1 ㉡　　2-2 ㉡　　2-3 ㉠

2-4 ㉠　　3-1 16　　3-2 17

3-3 나 자동차　　4-1 ㉢

4-2 예 ㉠ $\frac{3}{4}=0.75$, ㉡ 0.69

㉢ 76 % ➔ 0.76

따라서 $0.76>0.75>0.69$로 비율이 가장 큰 것은 ㉢입니다.

답 ㉢

4-3 ㉡　　5-1 200개

5-2 예 (비교하는 양)=(기준량)×(비율)

$=5\times200=1000$(명)

답 1000명

5-3 50 g　　6-1 $\frac{2}{80000}\left(=\frac{1}{40000}\right)$

6-2 예 1 m=100 cm이므로 600 m=60000 cm입니다.

$\frac{(\text{지도에서 거리})}{(\text{실제 거리})}=\frac{4}{60000}=\frac{1}{15000}$

답 $\frac{4}{60000}\left(=\frac{1}{15000}\right)$

6-3 $\frac{5}{90000}\left(=\frac{1}{18000}\right)$

7-1 단계1 1600원　　단계2 6400원

7-2 12750원　　7-3 2200원

8-1 단계1 5 %　　단계2 6 %

단계3 나　　8-2 가

1-1 $\frac{2}{5}\times100=40$ (%)

1-2 $\frac{5}{10}\times100=50$ (%)

1-3 40 % ➔ $\frac{40}{100}=\frac{8}{20}$ ➔ 8칸 색칠하기

1-4 25 % ➔ 0.25

$8\times0.25=2$(칸)

2-1 ㉠ 4 : 5 ➔ 기준량: 5, 비교하는 양: 4

㉡ $\frac{7}{6}$ ➔ 기준량: 6, 비교하는 양: 7

2-2 ㉠ $\frac{5}{8}$ ➔ 기준량: 8, 비교하는 양: 5

㉡ 3 : 2 ➔ 기준량: 2, 비교하는 양: 3

2-3 ㉠ 3 : 7 ➔ 기준량: 7, ㉡ $\frac{1}{5}$ ➔ 기준량: 5

㉢ 8 : 6 ➔ 기준량: 6

2-4 ㉠ 5 : 6 ➔ 기준량: 6, ㉡ $\frac{2}{3}$ ➔ 기준량: 3

㉢ 7 : 2 ➔ 기준량: 2

3-1 $\frac{400}{25}=16$

3-2 $\frac{374}{22}=17$

4-1 ㉠ 0.12, ㉡ 26 % ➔ 0.26

㉢ $\frac{14}{50}=\frac{28}{100}=0.28$

4-2 평가 기준

㉠, ㉡, ㉢을 비율로 맞추던지 백분율로 맞추어 답을 바르게 구했으면 정답입니다.

4-3 ㉠ 0.74, ㉡ $\frac{3}{5}=\frac{6}{10}=0.6$

㉢ 72 % ➔ 0.72

5-1 (비교하는 양)=(기준량)×(비율)

$500\times\frac{2}{5}=200$(개)

5-2 평가 기준

비교하는 양을 (기준량)×(비율)로 바르게 구했으면 정답입니다.

5-3 (비교하는 양)=(기준량)×(비율)

$=400\times\frac{1}{8}$

$=50$ (g)

6-1 1 m=100 cm이므로 800 m=80000 cm입니다.

$\frac{(\text{지도에서 거리})}{(\text{실제 거리})}=\frac{2}{80000}=\frac{1}{40000}$

6-2 평가 기준

m 단위인 실제 거리를 cm 단위로 바꿔서 답을 바르게 구했으면 정답입니다.

6-3 1 m=100 cm이므로 900 m=90000 cm입니다.

$\frac{(\text{지도에서 거리})}{(\text{실제 거리})}=\frac{5}{90000}=\frac{1}{18000}$

7-1 단계 1 (할인하는 금액)$=8000\times\frac{20}{100}=1600$(원)

단계 2 (판매 가격)$=8000-1600=6400$(원)

다른 풀이

$100-20=80$ (%)

(판매 가격)$=8000\times\frac{80}{100}=6400$(원)

7-2 (할인하는 금액)$=15000\times\frac{15}{100}=2250$(원)

(판매 가격)$=15000-2250=12750$(원)

7-3 (이익 금액)$=2000\times\frac{10}{100}=200$(원)

(판매 가격)$=2000+200=2200$(원)

다른 풀이

$100+10=110$ (%)

(판매 가격)$=2000\times\frac{110}{100}=2200$(원)

8-1 단계 1 가: (소금물 양)$=285+15=300$ (g)

$\frac{15}{300}\times100=5$ (%)

단계 2 나: (소금물 양)$=470+30=500$ (g)

$\frac{30}{500}\times100=6$ (%)

단계 3 $5<6$

8-2 가: (소금물 양)$=48+352=400$ (g)

$\frac{48}{400}\times100=12$ (%)

나: (소금물 양)$=33+267=300$ (g)

$\frac{33}{300}\times100=11$ (%)

유형 TEST

112~114쪽

1 3, 4 **2** 4, 7 **3** $\frac{3}{11}$

4 2, 3 **5** 35 % **6** 20 %

7 $\frac{5}{8}$ **8** 예 (원을 8등분한 그림)

9 40 % **10** $\frac{2}{9}$ **11** ㉠

12 2 % **13** 12 : 10 **14** $\frac{100}{21}\left(=4\frac{16}{21}\right)$

15 20 % **16** 서아

17 예 ❶ ㉠ $\frac{4}{5}=0.8$, ㉡ 0.89

❷ ㉢ 74 % → 0.74

❸ 따라서 $0.89>0.8>0.74$로 비율이 가장 큰 것은 ㉡입니다.

답 ㉡

18 예 ❶ (비교하는 양)=(기준량)×(비율)이므로

❷ (인구)$=8\times600=4800$(명)입니다.

답 4800명

19 예 ❶ (할인하는 금액)$=5000\times\frac{15}{100}=750$(원)

❷ (판매 가격)$=5000-750=4250$(원)

답 4250원

20 예 ❶ 가: (소금물 양)$=18+282=300$ (g)

$\frac{18}{300}\times100=6$ (%)

❷ 나: (소금물 양)$=25+475=500$ (g)

$\frac{25}{500}\times100=5$ (%)

❸ $6>5$이므로 가 소금물이 더 진합니다.

답 가

2 $7:4$
비교하는 양┘ └기준량

3 ● : ▲ → $\frac{●}{▲}$

4 (빨간색 종이 수)÷(초록색 종이 수)=6÷2=3(배)

5 $\frac{7}{20}\times100=35\ (\%)$

6 $\frac{2}{10}\times100=20\ (\%)$

7 $5:8$ → $\frac{5}{8}$

9 $\frac{8}{20}\times100=40\ (\%)$

10 (가로에 대한 세로의 비율)$=\frac{(세로)}{(가로)}=\frac{2}{9}$

11 ㉠ $7:6$ → 기준량: 6, 비교하는 양: 7

㉡ $\frac{6}{7}$ → 기준량: 7, 비교하는 양: 6

12 $\frac{12}{600}\times100=2\ (\%)$

13 (남학생 수)=(전체 학생 수)−(여학생 수)
=22−12=10(명)
(여학생 수) : (남학생 수) → 12 : 10

14 (걸린 시간에 대한 달린 거리의 비율)
$=\frac{(달린\ 거리)}{(걸린\ 시간)}=\frac{100}{21}=4\frac{16}{21}$

15 (비율)$=\frac{(화단의\ 넓이)}{(마당의\ 넓이)}=\frac{2}{10}$

(백분율)$=\frac{2}{10}\times100=20\ (\%)$

16 현서: $\frac{5}{200}=\frac{1}{40}=0.025$

서아: $\frac{10}{250}=\frac{1}{25}=0.04$

17 채점 기준

❶ ㉠을 소수로 나타냄.	2점	5점
❷ ㉡을 비율로 나타냄.	2점	
❸ 비율이 가장 큰 것을 구함.	1점	

18 채점 기준

❶ 비교하는 양을 (기준량)×(비율)로 구하는 것을 알고 있음.	2점	5점
❷ 인구 수를 구함.	3점	

19 채점 기준

❶ 할인하는 금액을 구함.	3점	5점
❷ 판매 가격을 구함.	2점	

20 채점 기준

❶ 가의 백분율을 구함.	2점	5점
❷ 나의 백분율을 구함.	2점	
❸ 더 진한 소금물을 구함.	1점	

앞 단원 유형 다시 보기 115쪽

① (위에서부터) 123, 24.6, 12.3
② 8.42
③
```
   0.4 6
8)3.6 8
  3 2
    4 8
    4 8
      0
```
④ 0.3 kg

④
```
  1.2
5)6
  5
  1 0
  1 0
    0
```
→ (사과 한 봉지의 무게)=6÷5=1.2 (kg)
(사과 1개의 무게)=1.2÷4=0.3 (kg)

재미있는 창의·융합·코딩 116쪽

코딩1 4000원
코딩2 40, 60

코딩1 A=20000
B=20
B÷100=20÷100=0.2, B′=0.2
A×B′=20000×0.2=4000, C=4000
따라서 4000원을 할인한 것입니다.

코딩2 A : B → 2 : 3 → 2+3=5, C=5

$\frac{A}{C}\times100=\frac{2}{5}\times100=40$, D=40

$\frac{B}{C}\times100=\frac{3}{5}\times100=60$, E=60

5. 여러 가지 그래프

1 STEP 개념별 유형 120~123쪽

1 10, 1 2 32 kg 3 10, 1

4 1, 2 / 3, 5 / 2, 4 / 1, 8

5 좋아하는 섬별 학생 수

섬	학생 수
울릉도	☺ ∘∘
제주도	☻☻☻ •••••
독도	☺☺ ∘∘∘∘
청산도	☻ ••••••••

6 좋아하는 동영상 분야별 학생 수

분야	학생 수
음악	○○○∘∘
요리	○○∘∘
공예	○○○○○∘∘∘∘
게임	○○○∘∘∘∘∘∘∘

7 공예 8 47

9 40 10 40

11 25 % 12 음악 듣기 13 3배

14 예 가장 많은 학생이 좋아하는 운동은 농구입니다.

15 $\frac{16}{80}$, 20

16 체험하고 싶은 장소별 학생 수

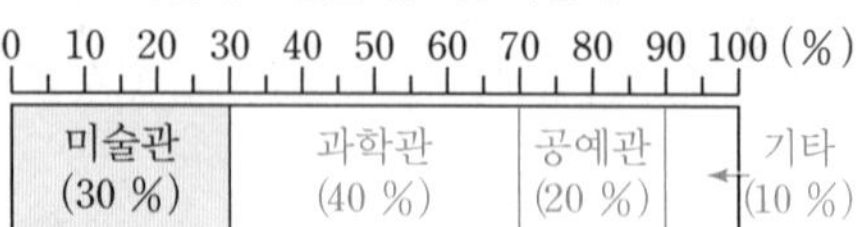

17 25, 20, 30, 15, 10, 100

18 좋아하는 급식 메뉴별 학생 수

0 10 20 30 40 50 60 70 80 90 100 (%)

돈까스 (25 %) | 닭강정 (20 %) | 불고기 (30 %) | 깐풍새우 (15 %) | 기타 (10 %)

19 30, 40, 10, 20, 100 /

좋아하는 국악기별 학생 수

0 10 20 30 40 50 60 70 80 90 100 (%)

장구 (30 %) | 대금 (40 %) | 가야금(10 %) | 기타 (20 %)

20 24명 21 36명 22 60개

2 (큰 그림)이 3개 → 30 kg, (작은 그림)이 2개 → 2 kg

7 큰 그림의 수가 가장 많은 공예가 가장 많은 학생이 좋아하는 동영상 분야입니다.

8 (큰 그림)이 4개 → 40만, (작은 그림)이 7개 → 7만
대전·세종·충청 권역의 대학생 수는 47만 명입니다.

9 $(\text{백분율})=(\text{비율})\times 100$
$=\frac{(\text{가을을 좋아하는 학생 수})}{(\text{전체 학생 수})}\times 100$
$=\frac{8}{20}\times 100$
$=40\ (\%)$

12 띠그래프에서 길이가 가장 긴 항목은 음악 듣기입니다.

13 농구: 30 %, 야구: 10 %
→ $30\div 10=3$(배)

14 채점 기준
알 수 있는 내용을 바르게 썼으면 정답입니다.

17 돈까스: $\frac{15}{60}\times 100=25\ (\%)$

닭강정: $\frac{12}{60}\times 100=20\ (\%)$

불고기: $\frac{18}{60}\times 100=30\ (\%)$

깐풍새우: $\frac{9}{60}\times 100=15\ (\%)$

기타: $\frac{6}{60}\times 100=10\ (\%)$

합계: $25+20+30+15+10=100\ (\%)$

19 장구: $\frac{9}{30}\times 100=30\ (\%)$

대금: $\frac{12}{30}\times 100=40\ (\%)$

가야금: $\frac{3}{30}\times 100=10\ (\%)$

기타: $\frac{6}{30}\times 100=20\ (\%)$

20 과학을 좋아하는 학생의 비율: 20 % → 0.2
(과학을 좋아하는 학생 수)$=120\times 0.2=24$(명)

21 미술을 좋아하는 학생의 비율: 30 % → 0.3
(미술을 좋아하는 학생 수)$=120\times 0.3=36$(명)

22 파란색 풍선의 비율: 15 % → 0.15
(파란색 풍선 수)$=400\times 0.15=60$(개)

개념 1 ~ 4 기초력 집중 연습 124쪽

1 아파트 동별 자동차 수

동	자동차 수
가	
나	
다	
라	

2 중국집별 팔린 짜장면 그릇 수

가게	그릇 수
가	
나	
다	
라	

3 20, 40, 25, 15, 100 / 20, 40, 25, 15

좋아하는 악기별 학생 수

0 10 20 30 40 50 60 70 80 90 100 (%)

피아노 (20 %)	바이올린 (40 %)	플루트 (25 %)	기타 (15 %)

4 24, 16, 40, 20, 100 / 24, 16, 40, 20

좋아하는 과일별 학생 수

0 10 20 30 40 50 60 70 80 90 100 (%)

사과 (24 %)	귤 (16 %)	오렌지 (40 %)	파인애플 (20 %)

유형 진단 TEST 125쪽

1 6학년 반별 학생 수

반	학생 수
1	
2	
3	
4	

2 3반 3 40, 10, 34, 16, 100

4 전교 학생 회장 후보자별 득표수

0 10 20 30 40 50 60 70 80 90 100 (%)

은지 (40 %)	진아 (10 %)	현우 (34 %)	준오 (16 %)

5 달리기 6 2배

7 7명

1 6학년 학생이 94명이므로
(1반의 학생 수)$=94-30-20-23=21$(명)입니다.
2개, 1개를 그립니다.

3 은지: $\frac{80}{200}\times100=40$ (%)

진아: $\frac{20}{200}\times100=10$ (%)

현우: $\frac{68}{200}\times100=34$ (%)

준오: $\frac{32}{200}\times100=16$ (%)

6 윗몸일으키기: 30 %, 줄넘기: 15 %
➔ $30\div15=2$(배)

7 윷놀이의 비율: 35 % ➔ 0.35
(윷놀이를 좋아하는 학생 수)$=20\times0.35=7$(명)

1 STEP 개념별 유형 126~131쪽

1 15 2 (왼쪽부터) 15, 40 3 35 %

4 강릉 5 예 약 2배 6 $\frac{5}{50}$, 10

7 종류별 팔린 김밥 수

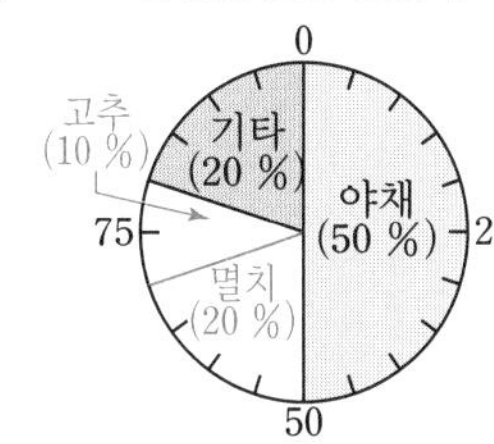

8 40, 20, 10, 10, 20, 100

9 학급 문고의 종류별 권수

0 25 50 75
역사책 (10 %)
기타 (20 %)
동화책 (40 %)
과학책 (20 %)
위인전 (10 %)

10 15, 30, 10, 20, 25, 100 / 존경하는 위인별 학생 수

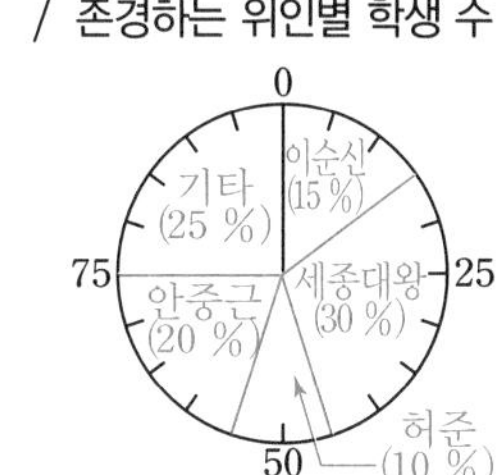

11 60개 12 20명 13 프랑스

14 30, 10, 3 15 15 % 16 예 약 3배

17 20명

18 예 냉면과 우동을 좋아하는 학생 수의 비율이 같습니다.

19 25 % 20 놀이공원 21 32 %

22 예 약 2배 23 15명 24 ㉠

25 ㉡　　26 ㉠

27 (위에서부터) 24, 12 / 20, 30, 15, 100

28

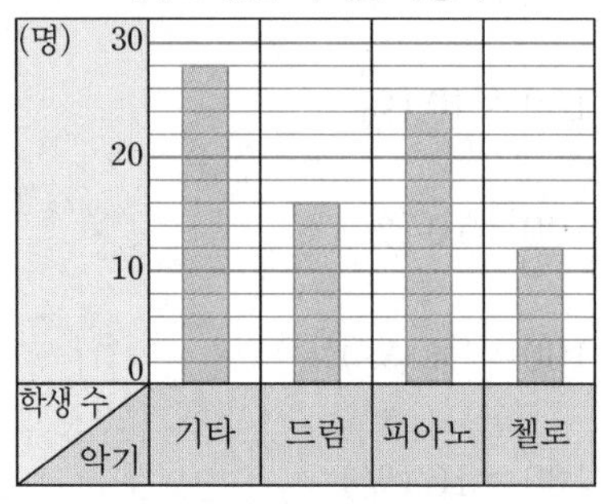

29 배우고 싶은 악기별 학생 수

0　10　20　30　40　50　60　70　80　90　100 (%)

기타 (35 %)	드럼 (20 %)	피아노 (30 %)	첼로 (15 %)

30 (위에서 부터) 480 / 15, 25, 40, 20, 100

31 아파트 동별 쓰레기 배출량

동	배출량
가	◯◯◯○○○○○○
나	◯◯◯◯◯◯
다	◯◯◯◯◯◯◯◯◯○○○○○○
라	◯◯◯◯○○○○○○○○

32 아파트 동별 쓰레기 배출량

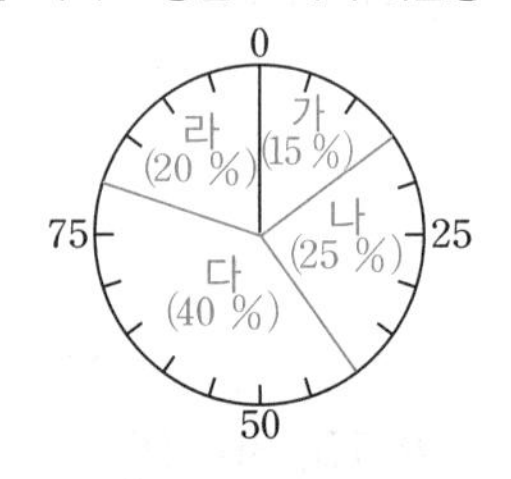

4 원그래프에서 차지하는 부분이 가장 넓은 항목은 강릉입니다.

5 공책: 39 %, 연필: 21 %
➔ 39 %는 21 %의 약 1.8배이므로 약 2배입니다.

8 동화책: $\frac{32}{80} \times 100 = 40$ (%)

과학책: $\frac{16}{80} \times 100 = 20$ (%)

위인전: $\frac{8}{80} \times 100 = 10$ (%)

역사책: $\frac{8}{80} \times 100 = 10$ (%)

기타: $\frac{16}{80} \times 100 = 20$ (%)

합계: $40+20+10+10+20=100$ (%)

11 동그라미 모양 단추의 비율: 40 % ➔ 0.4
(동그라미 모양 단추 수)$=150 \times 0.4=60$(개)

12 여름에 태어난 학생의 비율: 25 % ➔ 0.25
(여름에 태어난 학생 수)$=80 \times 0.25=20$(명)

13 띠그래프에서 프랑스가 차지하는 비율이 가장 높습니다.

14 프랑스: 30 %, 미국: 10 %
➔ $30 \div 10=3$(배)

16 기린: 40 %, 원숭이: 15 %
➔ 40 %는 15 %의 약 2.6배이므로 약 3배입니다.

17 호랑이를 좋아하는 학생 수는 기타에 속하는 학생 수의 2배입니다.
➔ $40 \div 2=20$(명)

18 **평가 기준**
알 수 있는 내용을 바르게 썼으면 정답입니다.

20 가장 많은 비율을 차지하고 있는 항목은 놀이공원입니다.

21 댄스: 12 %, 마술: 20 % ➔ 32 %

22 영어: 28 %, 댄스: 12 %
➔ 28 %는 12 %의 약 2.3배이므로 약 2배입니다.

23 옷을 선택한 학생 수는 운동화를 선택한 학생 수의 2배입니다. ➔ $30 \div 2=15$(명)

24 시간에 따라 변화하는 모습을 쉽게 알 수 있는 꺾은선그래프로 나타내면 좋습니다.

25 전체 반 학생 수에 대한 각 과목을 좋아하는 학생 수의 비율을 비교하기 쉬운 것은 원그래프입니다.

26 쌀 생산량의 많고 적음을 쉽게 알 수 있는 그림그래프로 나타내면 좋습니다.

27 피아노: (큰 그림) 2개, (작은 그림) 4개 ➔ 24명
첼로: (큰 그림) 1개, (작은 그림) 2개 ➔ 12명

28 작은 눈금 한 칸은 $10 \div 5=2$(명)을 나타냅니다.

30 라 동: $2400-(360+600+960)=480$ (kg)

31 가 동: 360 kg ➔ ◯ 3개, ○ 6개를 그립니다.

개념 5 ~ 10 기초력 집중 연습 132쪽

1 35, 30, 20, 15, 100 / 35, 30, 20, 15 /

마을별 자전거 수

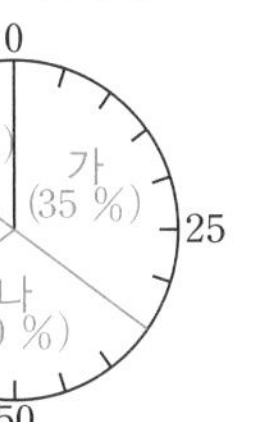

2 25, 20, 40, 15, 100 / 25, 20, 40, 15 /

좋아하는 빙수별 학생 수

3 40, 20, 25, 15, 100

4 좋아하는 동물별 학생 수

동물	학생 수
개	◯◯ ○○○○
고양이	◯ ○○
햄스터	◯ ○○○○○
기타	○○○○○ ○○○○

5 좋아하는 동물별 학생 수

0 10 20 30 40 50 60 70 80 90 100 (%)

개 (40 %)	고양이 (20 %)	햄스터 (25 %)	기타 (15 %)

6 좋아하는 동물별 학생 수

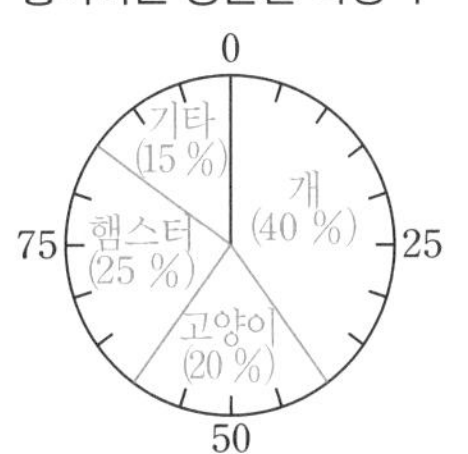

유형 진단 TEST 133쪽

1 35 % 2 고래 3 4배 4 12명

5 장래 희망별 학생 수

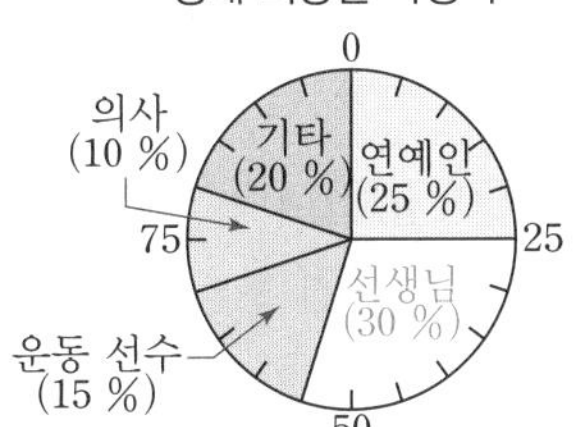

장래 희망별 학생 수

0 10 20 30 40 50 60 70 80 90 100 (%)

연예인 (25 %)	선생님 (30 %)	운동 선수 (15 %)	의사(10 %)	기타 (20 %)

6 40 %

7 ㉢

2 원그래프에서 차지하는 부분이 가장 넓은 항목은 고래입니다.

3 고래: 40 %, 기타: 10 %
➔ 40÷10=4(배)

4 물개를 좋아하는 학생의 비율: 15 % ➔ 0.15
(물개를 좋아하는 학생 수)
=80×0.15=12(명)

6 연예인: 25 %, 운동 선수: 15 % ➔ 40 %

7 ㉠은 꺾은선그래프, ㉡은 막대그래프로 나타내면 편리합니다.

2 STEP 꼬리를 무는 유형 134~135쪽

1 아파트 동별 인구

1동 ◯◯○	2동 ◯◯○○
3동 ◯○○○○ ○○	4동 ◯○○○○ ○

2 37, 53
3 당근
4 깻잎, 상추
5 당근
6 소보로
7 40 %
8 10 %
9 50 %
10 12명
11 9명
12 24개

1 2동: ◯ 2개, ○ 2개로 나타냅니다.
4동: ◯ 1개, ○ 5개로 나타냅니다.

2 다: 큰 아이스크림 3개, 작은 아이스크림 7개 ➔ 37개
라: 큰 아이스크림 5개, 작은 아이스크림 3개 ➔ 53개

3 차지하는 비율이 가장 높은 항목은 당근입니다.

4 깻잎 15 %, 상추 15 %로 생산량의 비율이 같습니다.

5 20 %의 2배 ➔ 40 %

6 차지하는 비율이 가장 큰 소보로를 가장 많이 준비하면 좋습니다.

7 자전거: 25 %, 스케이트: 15 % ➔ 40 %

8 탁구: 30 %, 수영: 20 % ➔ 10 %

9 축구: 30 %, 야구: 20 % ➔ 50 %

10 라벤더를 좋아하는 학생의 비율: 20 % ➔ 0.2
라벤더를 좋아하는 학생 수: $60 \times 0.2 = 12$(명)

11 페퍼민트를 좋아하는 학생 수는 재스민을 좋아하는 학생 수의 $30 \div 15 = 2$(배)입니다.
➔ 재스민: $18 \div 2 = 9$(명)

12 빨간색의 비율: 30 % ➔ 0.3
준비하면 좋을 빨간색 양말 수: $80 \times 0.3 = 24$(개)

3 STEP 수학 독해력 유형 136~137쪽

독해력 유형 1 ❶ 20권 ❷ 16권
❸ 진호네 반
쌍둥이 유형 1-1 가 가게
쌍둥이 유형 1-2 나 가게
독해력 유형 2 ❶ 35 % ❷ 0.35
❸ 7 cm
쌍둥이 유형 2-1 3 cm
쌍둥이 유형 2-2 3.2 cm

독해력 유형 1 ❶ $50 \times 0.4 = 20$(권)
❷ $80 \times 0.2 = 16$(권)
❸ $20 > 16$

쌍둥이 유형 1-1 ❶ 가 가게의 팔린 멸치 주먹밥은 $120 \times 0.2 = 24$(개)입니다.
❷ 나 가게의 팔린 멸치 주먹밥은 $200 \times 0.1 = 20$(개)입니다.
❸ $24 > 20$이므로 가 가게가 멸치 주먹밥을 더 많이 팔았습니다.

쌍둥이 유형 1-2 ❶ 가 가게의 팔린 야채 주먹밥은 $120 \times 0.3 = 36$(개)입니다.
❷ 나 가게의 팔린 야채 주먹밥은 $200 \times 0.25 = 50$(개)입니다.
❸ $36 < 50$이므로 나 가게가 야채 주먹밥을 더 많이 팔았습니다.

독해력 유형 2 ❶ $100 - (25 + 15 + 15 + 10) = 35$ (%)
❷ 35 % ➔ 0.35
❸ $20 \times 0.35 = 7$ (cm)

쌍둥이 유형 2-1 ❶ 우쿨렐레가 차지하는 비율은 전체의 $100 - (25 + 20 + 15 + 10) = 30$ (%)입니다.
❷ 우쿨렐레가 차지하는 비율은 30 % ➔ 0.3입니다.
❸ 우쿨렐레가 차지하는 부분의 길이는 $10 \times 0.3 = 3$ (cm)입니다.

참고
(항목의 길이)=(띠그래프 전체 길이)×(비율)

쌍둥이 유형 2-2
❶ 개그맨이 차지하는 비율은 전체의 $100 - (35 + 30 + 15) = 20$ (%)입니다.
❷ 개그맨이 차지하는 비율은 20 % ➔ 0.2입니다.
❸ 개그맨이 차지하는 부분의 길이는 $16 \times 0.2 = 3.2$ (cm)입니다.

4 STEP 사고력 플러스 유형 138~141쪽

1-1 180 kg 1-2 110대
2-1 예 ㉤, ㉣, ㉠, ㉢, ㉡
2-2 예 ㉡, ㉠, ㉣, ㉢, ㉤
3-1 2배 3-2 2배 3-3 3배
4-1 ① 예 시훈이는 학용품을 사는데 용돈 전체의 30 %를 썼습니다.
② 예 학용품을 산 금액은 저금한 금액의 2배입니다.
4-2 ① 예 가장 많은 학생이 좋아하는 음식은 피자입니다.
② 예 피자를 좋아하는 학생 수는 짜장면을 좋아하는 학생 수의 3배입니다.
5-1 68명
5-2 예 수요일: 10 %, 토, 일요일: 40 %
토, 일요일의 관람객 수는 수요일의 관람객 수의 $40 \div 10 = 4$(배)입니다. 따라서 토, 일요일의 관람객 수는 $240 \times 4 = 960$(명)입니다. 답 960명
6-1 (1) 댄스 수업 (2) 영어 회화 수업
6-2 (1) 남색
(2) 예 5월과 6월에 각각 팔린 전체 우산 수에 대한 초록색 우산 수가 차지하는 비율이 같습니다.
7-1 단계 1 25 % 단계 2 4배 단계 3 480 kg
7-2 450 kg
8-1 단계 1 135명 단계 2 54명 8-2 26명

1-1 생산량이 가장 많은 라 마을: 510 kg
생산량이 가장 적은 가 마을: 330 kg
➡ $510-330=180$ (kg)

1-2 주차된 자동차 수가 가장 많은 다 빌딩: 230대
주차된 자동차 수가 가장 적은 나 빌딩: 120대
➡ $230-120=110$(대)

3-1 만화: 30 %, 예능: 15 % ➡ $30\div15=2$(배)

3-2 닭고기: 40 %, 돼지고기: 20 % ➡ $40\div20=2$(배)

3-3 소고기: 30 %, 기타: 10 % ➡ $30\div10=3$(배)

4-1 ② 학용품: 30 %, 저금: 15 % ➡ $30\div15=2$(배)

평가 기준
그래프를 보고 알 수 있는 점을 2가지 바르게 설명하였으면 정답입니다.

4-2 ② 피자: 36 %, 짜장면: 12 % ➡ $36\div12=3$(배)

평가 기준
그래프를 보고 알 수 있는 점을 2가지 바르게 설명하였으면 정답입니다.

5-1 밤나무를 좋아하는 학생 수의 2배가 은행나무를 좋아하는 학생 수이므로 $34\times2=68$(명)입니다.

5-2 **평가 기준**
토, 일요일의 관람객 수가 수요일의 관람객 수의 몇 배인지 구하여 답을 바르게 구했으면 정답입니다.

6-1 2018년 댄스 수업의 비율: 30 %
2019년 댄스 수업의 비율: 35 %

6-2 (2) **평가 기준**
그래프를 보고 알 수 있는 점을 바르게 설명하였으면 정답입니다.

7-1 단계 2 $25\times4=100$이므로 전체 밤 생산량을 다 과수원의 밤 생산량의 4배입니다.
단계 3 $120\times4=480$ (kg)

7-2 라 과수원의 토마토 생산량의 비율: 20 %
$20\times5=100$이므로 전체 토마토 생산량은 라 과수원의 토마토 생산량의 5배입니다.
전체 토마토 생산량: $90\times5=450$ (kg)

8-1 단계 1 $300\times0.45=135$(명)
단계 2 $135\times0.4=54$(명)

8-2 남학생 수: $200\times0.52=104$(명)
음악을 좋아하는 남학생 수:
$104\times0.25=26$(명)

유형 TEST
142~144쪽

1 10대, 1대
2 15대
3 마을별 자동차 수
(가, 나, 다, 라 그림그래프)
4 나 마을
5 15 %
6 라면
7 65 %
8 80 %
9 20, 40, 30, 10, 100
10 가고 싶은 수학 여행지별 학생 수
0 10 20 30 40 50 60 70 80 90 100 (%)
경주 (20 %) 제주도 (40 %) 전주 (30 %) 기타 (10 %)
11 25, 20, 40, 15, 100
12 마을별 음식물 쓰레기 배출량
0, 25, 50, 75
가 (25 %) 나 (20 %) 다 (40 %) 라 (15 %)
13 3배
14 20명
15 ㉠, ㉡
16 4명
17 ❶ 예 갈치를 좋아하는 학생 수는 전체의 35 %를 차지합니다.
❷ 예 고등어를 좋아하는 학생 수는 가자미를 좋아하는 학생 수의 3배입니다.
18 예 ❶ 맑은 날수는 비 온 날수의 $60\div10=6$(배)입니다.
❷ 따라서 비 온 날이 3일이면 맑은 날은 $3\times6=18$(일)입니다.
답 18일
19 (1) 나 농장
(2) 예 2017년과 2018년에 각각 전체 생산량에 대한 다 농장의 생산량이 차지하는 비율이 같습니다.
20 예 ❶ 아몬드를 좋아하는 학생 수의 비율은 20 %입니다.
❷ $20\times5=100$이므로 전체 학생 수는 아몬드를 좋아하는 학생 수의 5배입니다.
❸ 따라서 6학년 전체 학생 수는 $16\times5=80$(명)입니다.
답 80명

2 1개, 5개이므로 라 마을의 자동차는 15대입니다.

주의
큰 그림이 몇 대를 나타내는지 작은 그림이 몇 대를 나타내는지 확인합니다.

3 다 마을의 자동차는 43대이므로 4개, 3개를 그리면 됩니다.

4 이 5개로 가장 많은 나 마을이 자동차 수가 가장 많습니다.

6 가장 많은 비율을 차지하는 항목은 라면입니다.

8 걷기: 65 %, 자전거: 15 %
➜ 80 %

9 경주: $\frac{16}{80}\times100=20\ (\%)$

제주도: $\frac{32}{80}\times100=40\ (\%)$

전주: $\frac{24}{80}\times100=30\ (\%)$

기타: $\frac{8}{80}\times100=10\ (\%)$

합계: $20+40+30+10=100\ (\%)$

11 가: $\frac{150}{600}\times100=25\ (\%)$

나: $\frac{120}{600}\times100=20\ (\%)$

다: $\frac{240}{600}\times100=40\ (\%)$

라: $\frac{90}{600}\times100=15\ (\%)$

합계: $25+20+40+15=100\ (\%)$

13 음악 듣기: 30 %, 영화 보기: 10 %
➜ $30\div10=3$(배)

14 댄스가 취미인 학생 수는 영화 보기가 취미인 학생 수의 $20\div10=2$(배)입니다. ➜ $40\div2=20$(명)

15 **참고**
꺾은선그래프는 시간에 따라 연속적으로 변하는 양을 나타내는데 편리합니다.

16 망고를 좋아하는 학생의 비율: 20 % ➜ 0.2
(망고를 좋아하는 학생 수)$=20\times0.2=4$(명)

17 ② 고등어: 30 %, 가자미: 10 %
➜ $30\div10=3$(배)

채점 기준

기준	점수	총점
❶ 그래프를 보고 알 수 있는 점을 바르게 설명함.	2점	5점
❷ ❶과는 다른 내용으로 그래프를 보고 알 수 있는 점을 바르게 설명함.	3점	

18 **채점 기준**

기준	점수	총점
❶ 맑은 날이 비 온 날의 몇 배인지 구함.	2점	5점
❷ 맑은 날수를 구함.	3점	

19 **채점 기준**

기준	점수	총점
(1) 답을 바르게 씀.	2점	5점
(2) 그래프를 보고 알 수 있는 점을 바르게 설명함.	3점	

20 **채점 기준**

기준	점수	총점
❶ 아몬드가 차지하는 비율을 바르게 알고 있음.	1점	5점
❷ 아몬드 비율의 몇 배가 100 %인지 바르게 구함.	2점	
❸ 6학년 전체 학생 수를 바르게 구함.	2점	

앞 단원 유형 다시 보기 145쪽

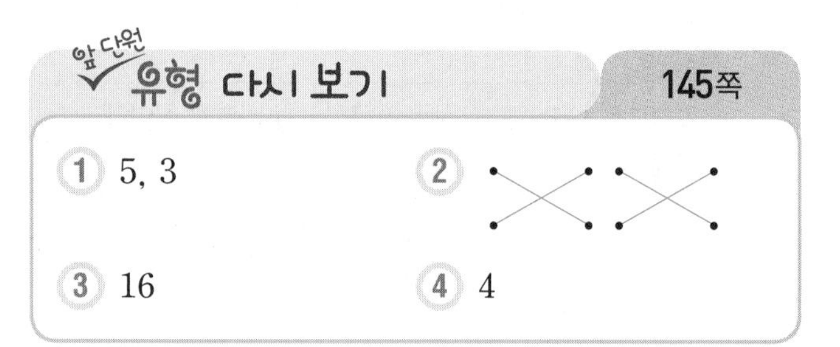

① ●의 수: 5개, ▲의 수: 3개 ➜ 5 : 3

② 4 : 5 ➜ $\frac{4}{5}=0.8$

4에 대한 3의 비 ➜ 3 : 4 ➜ $\frac{3}{4}=0.75$

③ 모눈 25칸 중 4칸에 색칠되어 있습니다.
➜ $\frac{4}{25}\times100=16\ (\%)$

④ (걸린 시간에 대한 달린 거리의 비율)
$=\frac{(\text{달린 거리})}{(\text{걸린 시간})}=\frac{100}{25}=4$

재미있는 창의·융합·코딩 146쪽

코딩1 6 코딩2 46명

창의1 $\frac{3}{50}\times100=6\ (\%)$

코딩2 $B\div100=23\div100=0.23$, $B'=0.23$
$A\times B'=200\times0.23=46$, $C=46$

6. 직육면체의 부피와 겉넓이

1 STEP 개념별 유형 150~153쪽

1 세로, 높이
2 있습니다에 ○표
3 12개, 16개 / <
4 >
5 나
6 $1\ cm^3$, 1 세제곱센티미터
7 4, 2, 3, 24 / 24
8 $24\ cm^3$
9 $12\ cm^3$
10 $30\ cm^3$
11 $4\ cm^3$
12 9, 5, 4, 180
13 $120\ cm^3$
14 $294\ cm^3$
15 $10\times2\times7=140$, $140\ cm^3$
16 $3000\ cm^3$
17 $180\ cm^3$
18 나
19 5, 5, 5, 125
20 $729\ cm^3$
21 $4913\ cm^3$
22 $7\times7\times7=343$, $343\ cm^3$
23 $64\ cm^3$
24 $512\ cm^3$

2 가와 나는 가로와 세로의 길이가 같으므로 높이가 더 높은 나의 부피가 더 큽니다.

3 가: $2\times2\times3=12$(개)
나: $2\times4\times2=16$(개)
$12<16$ ➔ 가의 부피 ⓒ< 나의 부피

4 가: 6개씩 3층이므로 18개
나: 8개씩 2층이므로 16개

5 세로와 높이가 같으므로 가로가 더 긴 나의 부피가 더 큽니다.

7 직육면체의 부피: (1층의 개수)×(층수)
$=(4\times2)\times3=24$(개) ➔ $24\ cm^3$

8 1층에는 쌓기나무가 $4\times3=12$(개)이고 2층까지 있으므로 모두 $4\times3\times2=24$(개)입니다.
➔ 부피: $24\ cm^3$

9 쌓기나무의 수: $2\times2\times3=12$(개) ➔ 부피: $12\ cm^3$

10 주어진 쌓기나무의 수: $5\times2=10$(개)
3층으로 쌓은 쌓기나무의 수: $10\times3=30$(개)
➔ 부피: $30\ cm^3$

11 가의 쌓기나무의 수: $2\times2\times2=8$(개) → 부피: $8\ cm^3$
나의 쌓기나무의 수: $2\times3\times2=12$(개)
→ 부피: $12\ cm^3$
➔ 나의 부피가 $12-8=4\ (cm^3)$ 더 큽니다.

12 (직육면체의 부피)=(가로)×(세로)×(높이)
$=9\times5\times4=180\ (cm^3)$

13 (직육면체의 부피)=(가로)×(세로)×(높이)
$=3\times8\times5=120\ (cm^3)$

14 (직육면체의 부피)$=7\times7\times6=294\ (cm^3)$

15 (직육면체의 부피)=(가로)×(세로)×(높이)

17 (직육면체의 부피)=(밑면의 넓이)×(높이)
$=20\times9=180\ (cm^3)$

18 가의 부피: $8\times6\times8=384\ (cm^3)$
나의 부피: $7\times7\times9=441\ (cm^3)$
➔ $384<441$

19 (정육면체의 부피)
=(한 모서리의 길이)×(한 모서리의 길이)
×(한 모서리의 길이)
$=5\times5\times5=125\ (cm^3)$

20 (정육면체의 부피)
=(한 모서리의 길이)×(한 모서리의 길이)
×(한 모서리의 길이)
$=9\times9\times9=729\ (cm^3)$

21 (상자의 부피)$=17\times17\times17=4913\ (cm^3)$

23 (정육면체의 부피)=(밑면의 넓이)×(높이)
$=16\times4=64\ (cm^3)$

24 전개도를 접으면 한 모서리의 길이가 8 cm인 정육면체가 만들어집니다.
(정육면체의 부피)$=8\times8\times8=512\ (cm^3)$

개념 1~4 기초력 집중 연습 154쪽

1 9, 3, 108
2 3, 3, 27
3 $120\ cm^3$
4 $240\ cm^3$
5 $140\ cm^3$
6 $360\ cm^3$
7 $1000\ cm^3$
8 $64\ cm^3$
9 $2744\ cm^3$

3 $10\times6\times2=120\ (cm^3)$

4 $5\times6\times8=240\ (cm^3)$

7 $10\times10\times10=1000\ (cm^3)$

유형 진단 TEST 155쪽

1 18 cm^3	2 512 cm^3
3 216 cm^3	4 ○
5 나	6 341 cm^3
7 216 cm^3	

1 쌓기나무의 수: (가로)×(세로)×(높이)
$=3\times3\times2=18$(개)
➔ 부피: 18 cm^3

2 (정육면체의 부피)$=8\times8\times8=512$ (cm^3)

3 (직육면체의 부피)=(가로)×(세로)×(높이)
$=9\times4\times6=216$ (cm^3)

4 가로와 높이가 같고 세로만 다르므로 세로의 길이를 비교하면 오른쪽 직육면체의 부피가 더 큽니다.

5 가의 부피: $5\times2\times3=30$(개) ➔ 30 cm^3
나의 부피: $4\times4\times2=32$(개) ➔ 32 cm^3

6 왼쪽 정육면체의 부피: $5\times5\times5=125$ (cm^3)
오른쪽 정육면체의 부피: $6\times6\times6=216$ (cm^3)
➔ $125+216=341$ (cm^3)

6 한 모서리의 길이를 □cm라 하면 □×□=36, □=6입니다.
(정육면체의 부피)$=6\times6\times6=216$ (cm^3)

1 STEP 개념별 유형 156~159쪽

1 1 m^3, 1 세제곱미터	2 3, 2, 4 / 3, 2, 4, 24
3 (1) 5000000 (2) 6	4 54 m^3
5 343 m^3	6 $6\times3\times2=36$, 36 m^3
7 예 8, 12, 6 / 52	8 3, 6, 52
9 4, 24, 100, 148	10 164 cm^2
11 210 cm^2	12 370 cm^2
13 208 cm^2	14 856 cm^2
15 >	16 169, 1014
17 384 cm^2	18 150 cm^2
19 384 cm^2	20 $4\times4\times6$
21 294 cm^2	
22 $6\times6\times6=216$, 216 cm^2	
23 $9\times9\times6=486$, 486 cm^2	
24 864 cm^2	

2 300 cm=3 m, 200 cm=2 m, 400 cm=4 m

3 (1) 1 m^3=1000000 cm^3
(2) 1000000 cm^3=1 m^3

4 $9\times2\times3=54$ (m^3)

5 700 cm=7 m
(정육면체의 부피)$=7\times7\times7=343$ (m^3)

6 (직육면체의 부피)=(가로)×(세로)×(높이)

7 직육면체 6면의 넓이를 각각 구하여 더합니다.

8 크기가 같은 면이 마주 보는 위치에 2개씩 있으므로 한 꼭짓점에서 만나는 세 면의 넓이를 합하여 2배 합니다.

10 (한 꼭짓점에서 만나는 세 면의 넓이의 합)×2
$=(10\times4+4\times3+10\times3)\times2=82\times2$
$=164$ (cm^2)

11 (한 밑면의 넓이)×2+(옆면의 넓이)
$=(5\times5)\times2+(5+5+5+5)\times8$
$=50+160=210$ (cm^2)

12 (한 꼭짓점에서 만나는 세 면의 넓이의 합)×2
$=(9\times5+5\times10+9\times10)\times2$
$=185\times2=370$ (cm^2)

13 (한 밑면의 넓이)×2+(옆면의 넓이)
$=(4\times8)\times2+(4+8+4+8)\times6$
$=64+144=208$ (cm^2)

14 (한 꼭짓점에서 만나는 세 면의 넓이의 합)×2
$=(12\times10+10\times14+12\times14)\times2$
$=428\times2=856$ (cm^2)

15 가의 겉넓이: $(5\times8+8\times5+5\times5)\times2$
$=105\times2=210$ (cm^2)
나의 겉넓이: $(7\times6+6\times4+7\times4)\times2$
$=94\times2=188$ (cm^2)
➔ $210>188$

16 (정육면체의 겉넓이)$=(13\times13)\times6$
$=169\times6=1014$ (cm^2)

17 정육면체는 6개 면의 넓이가 모두 같습니다.
➔ (정육면체의 겉넓이)=(한 면의 넓이)×6
$=64\times6=384$ (cm^2)

18 (정육면체의 겉넓이)
=(한 모서리의 길이)×(한 모서리의 길이)×6
=5×5×6=150 (cm^2)

19 8×8×6=384 (cm^2)

21 정육면체의 한 면의 넓이가 49 cm^2입니다.
(정육면체의 겉넓이)=(한 면의 넓이)×6
=49×6=294 (cm^2)

22 한 모서리의 길이가 6 cm입니다.
➔ (정육면체의 겉넓이)=6×6×6=216 (cm^2)

24 (포장지의 넓이)=12×12×6=864 (cm^2)

개념 5 ~ 7 기초력 집중 연습 160쪽

1 32, 20, 40, 184
2 24, 200, 248
3 232 cm^2
4 108 cm^2
5 188 cm^2
6 214 cm^2
7 486 cm^2
8 1350 cm^2
9 726 cm^2

1 (한 꼭짓점에서 모이는 세 면의 넓이의 합)×2
=(4×8+4×5+8×5)×2=92×2
=184 (cm^2)

2 (한 밑면의 넓이)×2+(옆면의 넓이)
=6×4×2+(6+4+6+4)×10
=48+200=248 (cm^2)

3 (10×8+8×2+10×2)×2=232 (cm^2)

5 (7×6)×2+(7+6+7+6)×4
=84+104=188 (cm^2)

6 (5×6)×2+(5+6+5+6)×7
=60+154=214 (cm^2)

7 (정육면체의 겉넓이)=9×9×6=486 (cm^2)

8 15×15×6=1350 (cm^2)

유형 진단 TEST 161쪽

1 예 30, 15, 126
2 2600000
3 600 cm^2
4 184 cm^2
5 294 cm^2
6 48 m^3
7 (1) 25 cm^2 (2) 5 cm

2 1 m^3=1000000 cm^3
➔ 2.6 m^3=2600000 cm^3

3 (정육면체의 겉넓이)
=(한 모서리의 길이)×(한 모서리의 길이)×6
=10×10×6=600 (cm^2)

4 (직육면체의 겉넓이)
=(한 밑면의 넓이)×2+(옆면의 넓이)
=(8×4)×2+(8+4+8+4)×5
=64+120=184 (cm^2)

5 한 모서리의 길이가 7 cm인 정육면체이므로
(겉넓이)=7×7×6=294 (cm^2)입니다.

6 400 cm=4 m이므로
(부피)=4×2×6=48 (m^3)

7 (1) (한 면의 넓이)=150÷6=25 (cm^2)
(2) 한 모서리의 길이를 □cm라 하면 □×□=25,
□=5입니다.

2 STEP 꼬리를 무는 유형 162~163쪽

1 210 cm^3
2 640 cm^3
3 280 cm^3
4 166050 cm^3
5 216 cm^2
6 150 cm^2
7 2400 cm^2
8 6
9 3 cm
10 7 cm
11 5 cm
12 8
13 3
14 5 cm

1 6×5×7=210 (cm^3)

2 가로를 8 cm, 세로를 8 cm, 높이를 10 cm로 보면
8×8×10=640 (cm^3)입니다.

3 7×8×5=280 (cm^3)

5 (한 모서리의 길이)×(한 모서리의 길이)×6
=6×6×6=216 (cm^2)

6 (한 모서리의 길이)=15÷3=5 (cm)
(겉넓이)=5×5×6=150 (cm^2)

7 (겉넓이)=20×20×6=2400 (cm^2)

8 5×4×□=120, 20×□=120, □=6

9 높이를 □cm라 하면
10×5×□=150, 50×□=150, □=3입니다.

10 ㉠×8×3=168, ㉠×24=168, ㉠=7 cm

11 높이를 □cm라 하면
$8\times5\times□=200$, $40\times□=200$, □=5입니다.

12 $□\times□\times6=384$, $□\times□=64$, □=8

13 $□\times□\times6=54$, $□\times□=9$, □=3

14 한 모서리의 길이를 □cm라 하면
$□\times□\times6=150$, $□\times□=25$, □=5입니다.

3 STEP 수학 독해력 유형 164~165쪽

독해력 유형 1 ❶ 물 ❷ 3200 cm^3
❸ 3200 cm^3
쌍둥이 유형 1-1 900 cm^3
쌍둥이 유형 1-2 4500 cm^3
독해력 유형 2 ❶ 2 ❷ 800 cm^3, 2400 cm^3
❸ 3200 cm^3
쌍둥이 유형 2-1 1773 cm^3
쌍둥이 유형 2-2 504 cm^3

독해력 유형 1 ❷ $40\times20\times4=3200$ (cm^3)

쌍둥이 유형 1-1 ❶ 높아진 물 높이만큼의 부피가 돌의 부피입니다.
❷ (높아진 물 높이만큼의 부피)
$=15\times20\times3=900$ (cm^3)
❸ 돌의 부피는 900 cm^3입니다.

쌍둥이 유형 1-2 ❶ 높아진 물 높이만큼의 부피가 벽돌의 부피입니다.
❷ (높아진 물 높이만큼의 부피)
$=30\times30\times5=4500$ (cm^3)
❸ 벽돌의 부피는 4500 cm^3입니다.

독해력 유형 2 ❷ 가: $10\times10\times(20-12)=800$ (cm^3)
나: $20\times10\times12=2400$ (cm^3)
❸ (입체도형의 부피)=(가의 부피)+(나의 부피)
$=800+2400=3200$ (cm^3)

쌍둥이 유형 2-1 ❶ 입체도형을 잘라서 직육면체 모양을 2개 만들었습니다.

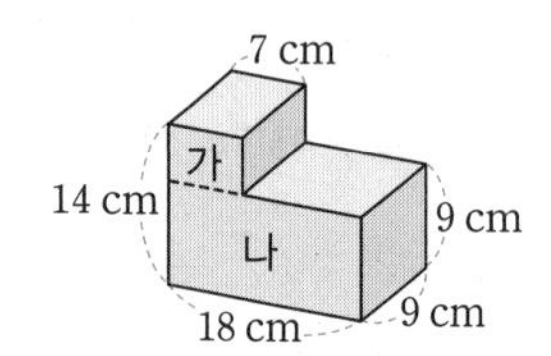

❷ 가: $7\times9\times(14-9)$
$=315$ (cm^3)
나: $18\times9\times9=1458$ (cm^3)
❸ (입체도형의 부피)$=315+1458=1773$ (cm^3)

쌍둥이 유형 2-2 ❶ 큰 직육면체의 부피에서 작은 직육면체의 부피를 빼어 구하려고 합니다.
❷ 큰 직육면체의 부피: $12\times8\times6=576$ (cm^3)
작은 직육면체의 부피: $(12-4-4)\times3\times6$
$=72$ (cm^3)
❸ (입체도형의 부피)
=(큰 직육면체의 부피)−(작은 직육면체의 부피)
$=576-72$
$=504$ (cm^3)

4 STEP 사고력 플러스 유형 166~169쪽

1-1 6200000 1-2 2.7 1-3 <
1-4 < 2-1 40 m^3 2-2 36 m^3
2-3 28.5 m^3 3-1 125 cm^3 3-2 512 cm^3
3-3 343 cm^3 4-1 7 cm
4-2 예 정육면체의 한 모서리의 길이를 □cm라 하면 $□\times□\times□=216$, □=6입니다. 답 6 cm
4-3 96 cm^2 5-1 125 cm^3 5-2 343 cm^3
5-3 예 정육면체는 모든 모서리의 길이가 같아야 하므로 직육면체의 가장 짧은 모서리인 4 cm를 정육면체의 한 모서리의 길이로 해야 합니다.
➔ $4\times4\times4=64$ (cm^3) 답 64 cm^3
6-1 3
6-2 예 $(4\times4)\times2+(4+4+4+4)\times□=128$
$32+16\times□=128$, $16\times□=96$
□=6 답 6
6-3 7
7-1 단계 1 216 cm^2 단계 2 $□\times□\times6=216$
단계 3 6 cm 7-2 7 cm
8-1 단계 1 500 cm, 400 cm, 300 cm
단계 2 25개, 20개, 15개 단계 3 7500개
8-2 6000개

1-1 1 m^3=1000000 cm^3
➔ 6.2 m^3=6200000 cm^3

1-2 1000000 cm^3=1 m^3
➔ 2700000 cm^3=2.7 m^3

1-3 4200000 cm^3=4.2 m^3

1-4 19000000 cm^3=19 m^3

2-1 500 cm=5 m, 200 cm=2 m
(직육면체의 부피)=4×5×2=40 (m^3)

2-2 300 cm=3 m, 600 cm=6 m
(직육면체의 부피)=3×6×2=36 (m^3)

2-3 300 cm=3 m, 500 cm=5 m, 190 cm=1.9 m
(직육면체의 부피)=3×5×1.9=28.5 (m^3)

3-1 한 모서리의 길이는 5 cm입니다.
➔ (부피)=5×5×5=125 (cm^3)

3-2 한 모서리의 길이는 16÷2=8 (cm)입니다.
➔ (부피)=8×8×8=512 (cm^3)

3-3 한 모서리의 길이는 21÷3=7 (cm)입니다.
➔ (부피)=7×7×7=343 (cm^3)

4-1 정육면체의 한 모서리의 길이를 □cm라 하면
□×□×□=343, □=7입니다.

4-2 평가 기준
한 모서리의 길이를 □cm라 하여 부피를 구하는 식을 세우고 한 모서리의 길이를 바르게 구했으면 정답입니다.

4-3 정육면체의 한 모서리의 길이를
□cm라 하면 □×□×□=64, □=4입니다.
➔ (겉넓이)=4×4×6=96 (cm^2)

5-1 정육면체는 모든 모서리의 길이가 같아야 하므로 직육면체의 가장 짧은 모서리인 5 cm를 정육면체의 한 모서리의 길이로 해야 합니다.
➔ 5×5×5=125 (cm^3)

5-2 직육면체의 가장 짧은 모서리인 7 cm를 정육면체의 한 모서리의 길이로 해야 합니다.
➔ 7×7×7=343 (cm^3)

5-3 평가 기준
직육면체의 가장 짧은 모서리의 길이를 정육면체의 한 모서리의 길이로 구하여 부피를 바르게 구했으면 정답입니다.

6-1 (6×2)×2+(6+2+6+2)×□=72
24+16×□=72, 16×□=48
□=3

6-2 평가 기준
□를 이용하여 겉넓이를 구하는 식을 세우고 □를 바르게 구했으면 정답입니다.

6-3 (□×5+5×4+□×4)×2=166
□×9+20=83, □×9=63, □=7

7-1 단계 1 (10×3+3×6+10×6)×2
=108×2=216 (cm^2)
단계 3 □×□×6=216, □×□=36, □=6

7-2 단계 1 (왼쪽 직육면체의 겉넓이)
=(9×10+10×3+9×3)×2
=147×2=294 (cm^2)
➔ □×□×6=294, □×□=49, □=7

8-1 단계 2 가로: 500÷20=25(개)
세로: 400÷20=20(개)
높이: 300÷20=15(개)
단계 3 25×20×15=7500(개)

8-2 가로: 6 m=600 cm ➔ 600÷30=20(개)
세로: 3 m=300 cm ➔ 300÷30=10(개)
높이: 9 m=900 cm ➔ 900÷30=30(개)
(쌓을 수 있는 상자의 수)=20×10×30=6000(개)

유형 TEST 170~172쪽

1 7, 7, 343
2 있습니다에 ○표
3 (1) 5000000 (2) 12
4 ×
5 24 cm^3
6 140 cm^3
7 4, 32, 40
8 228 cm^2
9 >
10 ( )(○)
11 27 cm^3
12 168 m^3
13 8×8×6=384, 384 cm^2
14 가
15 나
16 5
17 예 ❶ 정육면체의 한 모서리의 길이를 □cm라 하면 □×□×□=27, ❷ □=3입니다. 답 3 cm
18 예 ❶ 정육면체는 모두 모서리의 길이가 같아야 하므로 직육면체의 가장 짧은 모서리인 3 cm를 정육면체의 한 모서리의 길이로 해야 합니다.
❷ ➔ 3×3×3=27 (cm^3) 답 27 cm^3
19 예 ❶ (5×9)×2+(5+9+5+9)×□=202
❷ 90+28×□=202, 28×□=112, □=4
답 4
20 예 ❶ (왼쪽 직육면체의 겉넓이)
=(12×2+2×12+12×12)×2
=192×2=384 (cm^2)
❷ □×□×6=384, ❸ □×□=64, □=8
답 8 cm

1 (정육면체의 부피)
=(한 모서리의 길이)×(한 모서리의 길이)
×(한 모서리의 길이)

2 세로와 높이가 같으므로 가로의 길이가 더 긴 가의 부피가 더 큽니다.

3 $1\ m^3=1000000\ cm^3$

4 쌓기나무는 $100\times100\times100=1000000$(개) 필요합니다.

5 (쌓기나무의 수)$=4\times2\times3=24$(개)
➔ 부피: $24\ cm^3$

6 (직육면체의 부피)$=5\times7\times4=140\ (cm^3)$

8 $(9\times4+4\times6+9\times6)\times2=114\times2=228\ (cm^2)$

다른 풀이
(직육면체의 겉넓이)
$=(9\times4)\times2+(9+4+9+4)\times6$
$=72+156=228\ (cm^2)$

9 가: $3\times2\times3=18$(개)
나: $4\times2\times2=16$(개)
➔ $18>16$

10 $600000\ cm^3=0.6\ m^3$

11 한 모서리의 길이가 3 cm입니다.
➔ (정육면체의 부피)$=3\times3\times3=27\ (cm^3)$

12 $400\ cm=4\ m$, $600\ cm=6\ m$
(직육면체의 부피)$=4\times6\times7=168\ (m^3)$

13 (정육면체의 겉넓이)
=(한 면의 넓이)×6
=(한 모서리의 길이)×(한 모서리의 길이)×6

14 가: $3\times4\times3=36$(개), 나: $5\times2\times2=20$(개)

15 가: $(5\times7+7\times6+5\times6)\times2=214\ (cm^2)$
나: $6\times6\times6=216\ (cm^2)$

16 $12\times6\times\square=360$, $72\times\square=360$, $\square=5$

17 채점 기준

❶ 한 모서리의 길이를 □cm라 하여 부피를 구하는 식을 세움.	2점	5점
❷ □에 알맞은 수를 구함.	3점	

18 채점 기준

❶ 직육면체의 가장 짧은 모서리의 길이를 정육면체의 한 모서리로 구함.	2점	5점
❷ 만든 정육면체의 부피를 구함.	3점	

참고
직육면체를 잘라 가장 큰 정육면체 만들기
➔ 직육면체의 가장 짧은 모서리의 길이가 정육면체의 한 모서리의 길이가 됩니다.

19 채점 기준

❶ □를 이용하여 겉넓이를 구하는 식을 세움.	2점	5점
❷ □에 알맞은 수를 구함.	3점	

20 채점 기준

❶ 왼쪽 직육면체의 겉넓이를 구함.	2점	5점
❷ □를 이용하여 오른쪽 정육면체의 겉넓이를 구하는 식을 세움.	2점	
❸ □에 알맞은 수를 구함.	1점	

앞 단원 유형 다시 보기 173쪽

① 210명 ② 떡볶이
③ 3배 ④ 2배

① 2개: 200명, 1개: 10명 ➔ 210명

③ $30\div10=3$(배)

④ (가을에 태어난 학생 수)
$=100-(35+20+15)=30\ (\%)$
가을: 30 %, 겨울: 15 % ➔ $30\div15=2$(배)

재미있는 창의·융합·코딩 174~175쪽

코딩1 $0.2\ m^3$
코딩2 216
창의3 3 / (왼쪽부터) 25, 34, 21

코딩1 $200000\div1000000=0.2\ (m^3)$

코딩2 $A=2$, $A\times3=A'$에서 $2\times3=6$, $A'=6$
$A'\times A'\times A'=B$에서 $6\times6\times6=216$,
$B=216$

창의3 3호 상자는 가로와 세로, 높이가 하윤이의 상자보다 1 cm씩 길므로 적어도 3호 상자여야 합니다.

1~2쪽 1. 분수의 나눗셈

1 $\frac{1}{4}$ **2** 2, 4 **3** ( )(○)

4 $3\frac{4}{7}\div5=\frac{25}{7}\div5=\frac{25\div5}{7}=\frac{5}{7}$ **5** $\frac{5}{12}$

6 $\frac{2}{45}\left(=\frac{8}{180}\right)$ **7** 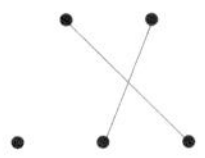

8 예 $2\frac{2}{7}\div2=\frac{16}{7}\div2=\frac{16}{7}\times\frac{1}{2}=\frac{16}{14}=\frac{8}{7}=1\frac{1}{7}$

9 $2\frac{5}{9}\left(=\frac{23}{9}\right)$ **10** $2\frac{1}{5}$배$\left(=\frac{11}{5}\text{배}\right)$

11 $<$ **12** $\frac{2}{5}$ L

13 $2\frac{2}{3}\ \text{cm}^2\left(=\frac{8}{3}\ \text{cm}^2\right)$ **14** $\frac{3}{20}\ \text{m}\left(=\frac{9}{60}\ \text{m}\right)$

15 $\frac{7}{12}\left(=\frac{49}{84}\right)$ **16** ㉡ **17** 5개

18 영하 **19** 예 $\frac{3}{7}$, 8 / $\frac{3}{56}$ **20** $\frac{3}{50}$

2 참고

분자가 자연수의 배수일 때에는 분수의 분자를 자연수로 나눕니다.

5 $5\div12=\frac{5}{12}$

6 $\frac{8}{15}\div12=\frac{8}{15}\times\frac{1}{12}=\frac{8}{180}=\frac{2}{45}$

7 $3\div5=\frac{3}{5}$, $5\div8=\frac{5}{8}$

8 대분수를 가분수로 바꾸어야 하는데 바꾸지 않고 계산하였습니다.

9 $23>17>9$ ➡ $23\div9=\frac{23}{9}=2\frac{5}{9}$

10 $15\frac{2}{5}\div7=\frac{77}{5}\div7=\frac{77}{5}\times\frac{1}{7}=\frac{77}{35}=\frac{11}{5}=2\frac{1}{5}$(배)

11 $6\div5=\frac{6}{5}=1\frac{1}{5}$

$\frac{9}{2}\div2=\frac{9}{2}\times\frac{1}{2}=\frac{9}{4}=2\frac{1}{4}$

➡ $1\frac{1}{5}<2\frac{1}{4}$

12 (컵 1개에 담아야 하는 물의 양)

$=2\div5=\frac{2}{5}$ (L)

13 색칠한 부분은 전체를 4등분한 것 중의 한 칸입니다.

(색칠한 부분의 넓이)

$=10\frac{2}{3}\div4=\frac{32}{3}\div4=\frac{32}{3}\times\frac{1}{4}$

$=\frac{32}{12}=\frac{8}{3}=2\frac{2}{3}$ (cm^2)

14 정육각형은 6개의 변의 길이가 모두 같습니다.

(한 변의 길이)$=\frac{9}{10}\div6=\frac{9}{10}\times\frac{1}{6}=\frac{9}{60}=\frac{3}{20}$ (m)

15 $\square=8\frac{1}{6}\div14=\frac{49}{6}\div14$

$=\frac{49}{6}\times\frac{1}{14}=\frac{49}{84}=\frac{7}{12}$

16 (나누어지는 수)$>$(나누는 수)이면 몫이 1보다 큽니다.

➡ ㉡ $4\frac{2}{5}>4$

➡ 몫이 1보다 큰 것은 ㉡입니다.

17 $1\frac{1}{3}\div2\times8=\frac{4}{3}\times\frac{1}{2}\times8=\frac{4}{6}\times8$

$=\frac{32}{6}=\frac{16}{3}=5\frac{1}{3}$

➡ $5\frac{1}{3}>\square$이므로 $\square$ 안에 들어갈 수 있는 자연수는 1, 2, 3, 4, 5로 모두 5개입니다.

18 (영하가 상추를 심은 밭의 넓이)$=7\div3=\frac{7}{3}$ (m^2)

➡ $\frac{7}{3}>\frac{5}{3}$이므로 상추를 심은 밭이 더 넓은 사람은 영하입니다.

19 계산 결과의 분모가 커지도록 식을 만듭니다.

➡ $\frac{3}{7}\div8=\frac{3}{56}$ 또는 $\frac{3}{8}\div7=\frac{3}{56}$

20 어떤 수를 $\square$라 하여 잘못 계산한 식을 세우면

$\square\times5=1\frac{1}{2}$입니다.

➡ $\square=1\frac{1}{2}\div5=\frac{3}{2}\div5=\frac{3}{2}\times\frac{1}{5}=\frac{3}{10}$

바른 계산: $\frac{3}{10}\div5=\frac{3}{10}\times\frac{1}{5}=\frac{3}{50}$

3~4쪽 2. 각기둥과 각뿔

1 가, 나, 다, 라, 마 2 가, 마 3 다
4 (위에서부터) 각뿔의 꼭짓점, 모서리, 높이, 꼭짓점
5 육각기둥 6 오각뿔 7 9 cm
8 ㉢ 9 ㉢ 10 삼각기둥
11 점 ㅈ, 선분 ㅇㅅ 12 8개
13 (위에서부터) 8, 12, 18 / 7, 7, 12
14 예 옆면이 삼각형이 아니고 사각형이므로 각뿔이 아닙니다.
15

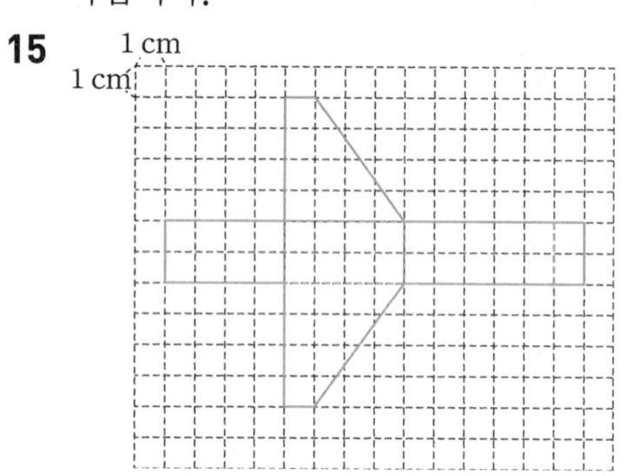

16 오각형 17 ㉡
18 52 cm 19 16개 20 2 cm

2 서로 평행하고 합동인 두 다각형이 있는 입체도형을 모두 찾습니다.

3 밑면이 다각형이고 옆면이 모두 삼각형인 입체도형을 찾습니다.

5 밑면의 모양이 육각형이므로 육각기둥입니다.

6 밑면의 모양이 오각형이므로 오각뿔입니다.

7 두 밑면 사이의 거리는 9 cm입니다.

8 ㉢ 면 ㄱㄴㅂㅁ은 색칠한 면과 평행하므로 옆면이 아닙니다.

참고
옆면은 밑면과 수직인 면입니다.

9 ㉢ 옆면과 밑면이 서로 수직인 것은 각기둥입니다.

10 밑면의 모양이 삼각형이므로 전개도를 접으면 삼각기둥이 만들어집니다.

11 점 ㄴ은 점 ㅇ과 만나고 점 ㄷ은 점 ㅅ과 만나므로 선분 ㄴㄷ은 선분 ㅇㅅ과 만납니다.

12 밑면의 변의 수가 8개이므로 팔각뿔입니다. 팔각뿔의 옆면은 밑면의 변의 수와 같은 8개입니다.

13 육각기둥의 한 밑면의 변의 수: 6개
➜ (면의 수)$=6+2=8$(개)
(꼭짓점의 수)$=6\times2=12$(개)
(모서리의 수)$=6\times3=18$(개)
육각뿔의 밑면의 변의 수: 6개
➜ (면의 수)$=6+1=7$(개)
(꼭짓점의 수)$=6+1=7$(개)
(모서리의 수)$=6\times2=12$(개)

16 옆면이 5개이므로 오각기둥의 전개도입니다. 오각기둥의 밑면의 모양은 오각형입니다.

17 ㉠ $6+1=7$(개), ㉡ $5\times2=10$(개),
㉢ $7+1=8$(개) ➜ $10>8>7$

18 길이가 5 cm인 모서리 4개와 8 cm인 모서리 4개의 길이의 합을 구합니다.
➜ $5\times4+8\times4=20+32=52$ (cm)

19 각기둥의 한 밑면의 변의 수를 □개라 하면
(모서리의 수)$=\square\times3=24$, $\square=24\div3=8$입니다. ➜ (꼭짓점의 수)$=8\times2=16$(개)

20 옆면이 모두 합동이므로 밑면은 정육각형입니다.
(높이의 합)$=4\times6=24$ (cm)
(두 밑면의 모서리의 길이의 합)
$=48-24=24$ (cm)
(한 밑면의 모서리의 길이의 합)$=24\div2=12$ (cm)
➜ (밑면의 한 변의 길이)$=12\div6=2$ (cm)

5~6쪽 3. 소수의 나눗셈

1 339, 113, 1.13 2 0.93
3 3 / 2⊡8□9
4 $17.45\div5=\frac{1745}{100}\div5=\frac{1745\div5}{100}=\frac{349}{100}=3.49$
5 13.65 6 244, 24.4, 2.44
7
$$\begin{array}{r} 7.04 \\ 5\overline{)35.2} \\ \underline{35} \\ 20 \\ \underline{20} \\ 0 \end{array}$$
8 1.25 9 <
10 5.25배
11 5.12 12 3.75, 0.75
13 5.25 cm
14 $2.7\div6=0.45$, 0.45 L
15 ④ 16 ㉢ 17 8, 9 18 2.5 L
19 8.12 cm 20 7.64, 2 / 3.82

3 6÷2=3이므로 몫이 3에 가깝다는 것을 알 수 있습니다.

4 17.45는 소수 두 자리 수이므로 분모가 100인 분수로 바꾸어 계산합니다.

5 81.9÷6=13.65

6 나누는 수가 같고 나누어지는 수가 $\frac{1}{10}$배, $\frac{1}{100}$배가 되면 몫도 $\frac{1}{10}$배, $\frac{1}{100}$배가 됩니다.

7 2는 5보다 작으므로 몫의 소수 첫째 자리에 0을 쓰고 계산해야 하는데 0을 쓰지 않았습니다.

8 10>8 ➡ 10÷8=1.25

9 6.15÷3=2.05
➡ 2.05<2.4

10 (수박의 무게)÷(멜론의 무게)
=10.5÷2
=5.25(배)

11 몫이 $\frac{1}{10}$배가 되었으므로 나누어지는 수도 $\frac{1}{10}$배가 되어야 합니다.
➡ □=5.12

12 30÷8=3.75, 3.75÷5=0.75

13 (한 도막의 길이)=(전체 길이)÷(도막 수)
=36.75÷7
=5.25 (cm)

14 (한 사람이 마신 우유의 양)
=(전체 우유의 양)÷(사람 수)
=2.7÷6=0.45 (L)

15 (나누어지는 수)<(나누는 수)이면 몫이 1보다 작습니다.

16 ㉠ 28.08÷9=3.12, ㉡ 11.4÷6=1.9,
㉢ 16.12÷4=4.03

17 12.6÷15=0.84 ➡ 0.84<0.□5이므로 □ 안에는 8보다 크거나 같은 수가 들어가야 합니다. 따라서 □ 안에 들어갈 수 있는 수는 8, 9입니다.

18 (칠한 벽의 넓이)=4×1.5=6 (m^2)
➡ (1 m^2의 벽을 칠하는 데 사용한 페인트의 양)
=15÷6=2.5 (L)

19 사각뿔의 모서리의 수: 4×2=8(개)
➡ (한 모서리의 길이)=64.96÷8=8.12 (cm)

20 몫이 가장 큰 나눗셈식을 만들려면 가장 큰 수를 가장 작은 수로 나누어야 합니다.
만들 수 있는 가장 큰 소수 두 자리 수: 7.64
가장 작은 수: 2
➡ 7.64÷2=3.82

7~8쪽 4. 비와 비율

1 8, 5　　2 9, 13　　3 5

4 2　　5 $\frac{11}{20}$, 0.55　　6 ㉢

7 48 %　　8 예 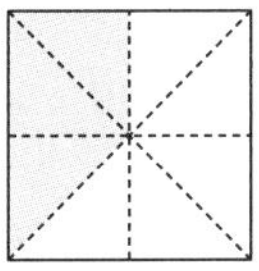

9 (위에서부터) 0.7, 70 / $\frac{64}{100}\left(=\frac{16}{25}\right)$, 0.64

10 35 : 28　　11 ㉡

12 (위에서부터) 15 / 30, 45, 60, 75 /
예 15÷3=5(배)입니다.

13 $\frac{330}{3}$(=110)　14 $\frac{2}{100000}$, $\left(=\frac{1}{50000}\right)$

15 틀립니다에 ○표 / 예 8 : 9는 기준이 9이지만 9 : 8은 기준이 8이기 때문입니다.

16 ㉢, ㉠, ㉡　　17 4 %　　18 30 %

19 천재 마을　　20 576 cm^2

2 참고
■ : ▲
비교하는 양 ┘ └ 기준량

3 10−5=5(개)
➡ 사탕 수는 초콜릿 수보다 5개 더 많습니다.

4 10÷5=2(배)
➡ 사탕 수는 초콜릿 수의 2배입니다.

5 11 : 20 ➔ 비율: $\frac{11}{20}=\frac{55}{100}=0.55$

6 ㉢ 7과 4의 비 ➔ 7 : 4

7 $0.48\times100=48$ (%)

8 전체 8칸 중 3칸을 색칠합니다.

9 $\frac{7}{10}=0.7$, $0.7\times100=70$ (%)

64 % ➔ $\frac{64}{100}=\frac{16}{25}$, 0.64

10 (가로) : (세로)=35 : 28

11 ㉠ 9 : 11 ➔ 기준량: 11, 비교하는 양: 9
㉡ 7 : 5 ➔ 기준량: 5, 비교하는 양: 7

13 (달린 거리) : (걸린 시간)=330 : 3

➔ $\frac{330}{3}=110$

14 실제 거리: 1 km=1000 m=100000 cm

➔ $\frac{2}{100000}=\frac{1}{50000}$

16 ㉠ $\frac{2}{5}=\frac{4}{10}=0.4$, ㉢ 42 % ➔ $\frac{42}{100}=0.42$
0.42>0.4>0.39이므로 큰 것부터 차례로 쓰면 ㉢, ㉠, ㉡입니다.

17 소금물 양에 대한 소금 양의 비율: $\frac{8}{200}$

➔ $\frac{8}{200}\times100=4$ (%)

18 (할인받은 금액)=27000−18900=8100(원)

(할인율)=$\frac{8100}{27000}\times100=30$ (%)

19 넓이에 대한 인구의 비율을 구해 봅니다.

해법 마을: $\frac{10000}{8}=1250$

천재 마을: $\frac{9100}{7}=1300$

20 20 % ➔ 0.2
(줄인 한 변의 길이)=$40-40\times0.2=32$ (cm)
(줄인 정사각형의 넓이)=$32\times32=1024$ (cm^2)
(처음 정사각형의 넓이)=$40\times40=1600$ (cm^2)
➔ 넓이의 차: $1600-1024=576$ (cm^2)

9~10쪽 5. 여러 가지 그래프

1 15 t **2** 1, 5

3 국가별 1인당 이산화 탄소 배출량

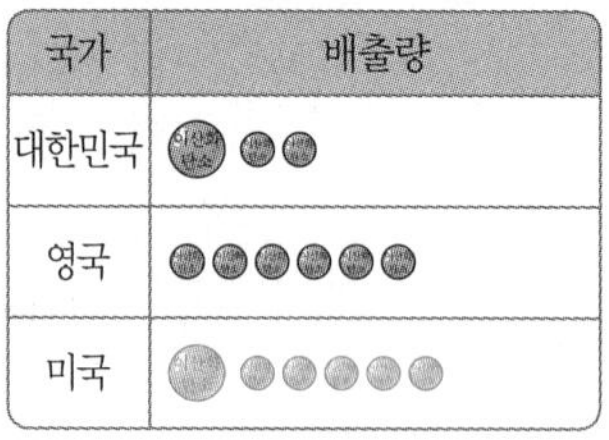

국가	배출량
대한민국	
영국	
미국	

4 20 %
5 봄, 겨울
6 200권

7 (위에서부터) 200 / 25, 20

8 빌려간 종류별 권수

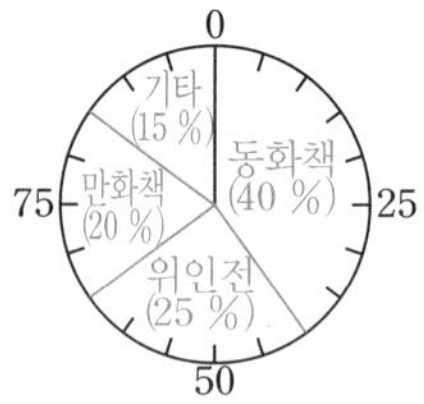

9 동화책
10 5 %
11 원그래프
12 ㉡

13 45, 35, 15, 5, 100

14 체험 학습 장소별 학생 수

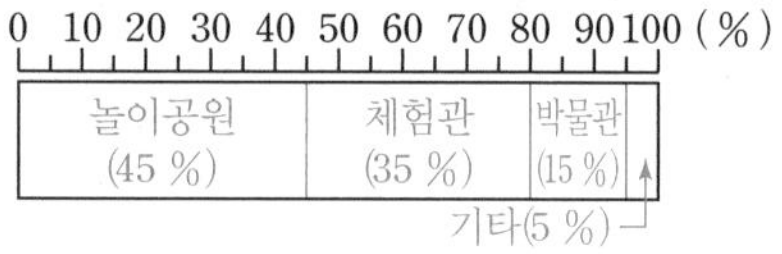

15 3배 **16** ㉡

17 등교 방법별 학생 수

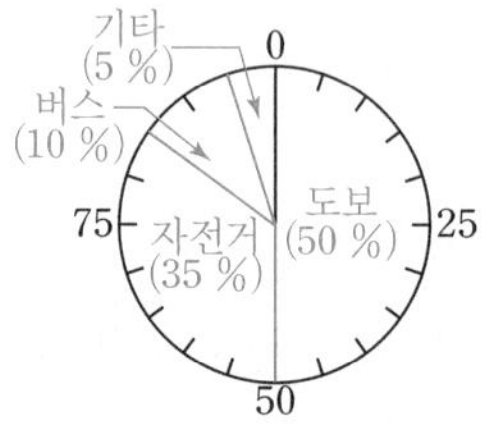

18 900명
19 315명
20 144명

5 띠그래프에서 차지하는 부분의 길이가 같은 계절을 찾으면 봄과 겨울입니다.

6 80+50+40+30=200(권)

7 위인전: $\frac{50}{200}\times100=25$ (%)

만화책: $\frac{40}{200}\times100=20$ (%)

9 원그래프에서 차지하는 부분이 가장 넓은 것은 동화책입니다.

10 위인전: 25 %
만화책: 20 %
➔ 5 %

12 ㉠은 꺾은선그래프로 나타내기에 적당합니다.

13 놀이공원: $\frac{81}{180} \times 100 = 45$ (%)

체험관: $\frac{63}{180} \times 100 = 35$ (%)

박물관: $\frac{27}{180} \times 100 = 15$ (%)

기타: $\frac{9}{180} \times 100 = 5$ (%)

15 놀이공원: 45 %, 박물관: 15 %
➡ $45 \div 15 = 3$(배)

16 ㉡ 체험관 또는 박물관에 가고 싶은 학생 수는
$35 + 15 = 50$ (%)입니다.

18 도보: 50 % ➡ 50 %의 2배가 100 %이므로
$450 \times 2 = 900$(명)입니다.

19 독서: 21 % ➡ 0.21
(취미가 독서인 학생 수)$= 1500 \times 0.21 = 315$(명)

20 운동: 32 % ➡ 0.32
(취미가 운동인 학생 수)$= 1500 \times 0.32 = 480$(명)
농구: 30 % ➡ 0.3
(취미가 농구인 학생 수)$= 480 \times 0.3 = 144$(명)

11~12쪽 6. 직육면체의 부피와 겉넓이

1 1 m^3, 1 세제곱미터	**2** 5, 2, 90
3 7000000	**4** 12, 12
5 192 cm^3	**6** 343 cm^3
7 정하	**8** 나
9 208 cm^2	**10** 150 cm^2
11 $9 \times 9 \times 9 = 729$, 729 m^3	
12 600 cm^2	**13** 가, 다
14 672000, 0.672	**15** 5
16 1000 cm^3	**17** ㉢, ㉠, ㉡
18 273 cm^3	**19** 6 cm
20 384 cm^2	

3 1 m^3 = 1000000 cm^3 ➡ 7 m^3 = 7000000 cm^3

4 쌓기나무가 12개이므로 부피는 12 cm^3입니다

5 (부피)$= 6 \times 4 \times 8 = 192$ (cm^3)

6 (부피)$= 7 \times 7 \times 7 = 343$ (cm^3)

7 정하: (옆면의 넓이)+(한 밑면의 넓이)×2
$= (5+3+5+3) \times 4 + (5 \times 3) \times 2$

8 담을 수 있는 주사위는 가에 20개, 나에 27개이므로 부피가 더 큰 상자는 나입니다.

9 (겉넓이)$= (48+24+32) \times 2$
$= 208$ (cm^2)

10 (겉넓이)$= 5 \times 5 \times 6$
$= 150$ (cm^2)

11 (부피)$= 9 \times 9 \times 9 = 729$ (m^3)

12 (겉넓이)$= 10 \times 10 \times 6 = 600$ (cm^2)

13 가와 다는 가로와 높이가 같으므로 세로를 비교하면 부피를 비교할 수 있습니다.

14 0.8 m = 80 cm
(부피)$= 80 \times 120 \times 70 = 672000$ (cm^3)
➡ 0.672 m^3

15 $9 \times 6 \times \square = 270$, $54 \times \square = 270$,
$\square = 270 \div 54 = 5$

16 정육면체의 한 모서리의 길이를 직육면체의 가장 짧은 모서리의 길이인 10 cm로 해야 합니다.
➡ $10 \times 10 \times 10 = 1000$ (cm^3)

17 ㉠ 8700000 cm^3 = 8.7 m^3
㉡ 200 cm = 2 m ➡ $2 \times 2 \times 2 = 8$ (m^3)
㉢ 300 cm = 3 m ➡ $1.5 \times 3 \times 2 = 9$ (m^3)
➡ 9 m^3 > 8.7 m^3 > 8 m^3

18 큰 직육면체의 부피에서 작은 직육면체의 부피를 뺍니다.
(입체도형의 부피)$= 11 \times 7 \times 5 - 8 \times 7 \times (5-3)$
$= 385 - 112 = 273$ (cm^3)

19 (가의 겉넓이)$= (30+18+60) \times 2 = 216$ (cm^2)
(나의 겉넓이)=(가의 겉넓이)$= 216$ cm^2이므로
(나의 한 면의 넓이)$= 216 \div 6 = 36$ (cm^2)입니다.
$6 \times 6 = 36$이므로 정육면체 나의 한 모서리의 길이는 6 cm입니다.

20 정육면체의 한 모서리의 길이를 □cm라 하면
$\square \times \square \times \square = 512$ ➡ $8 \times 8 \times 8 = 512$이므로
$\square = 8$입니다.
(겉넓이)$= 8 \times 8 \times 6 = 384$ (cm^2)

수학 성취도 평가 정답 및 풀이

14~16쪽 총정리 수학 성취도 평가

1 $\frac{2}{5}$ **2** 512, 512, 64, 0.64

3 8 : 4 **4** 오각기둥 **5** $\frac{1}{20}\left(=\frac{3}{60}\right)$

6 313, 31.3, 3.13 **7** 192 cm^3

8 (위에서부터) $\frac{12}{16}\left(=\frac{3}{4}\right)$, 0.75 / $\frac{11}{5}$, 2.2

9 68 % **10** 3 cm **11** ㉢, ㉠, ㉡

12 (위에서부터) 900 / 32, 28, 15, 100

13 후보자별 득표수

0 10 20 30 40 50 60 70 80 90 100 (%)

윤후 (25 %)	호진 (32 %)	지수 (28 %)	은미 (15 %)

14 호진 **15** 125 cm^3, 150 cm^2

16 < **17** 1.52 m

18 예 (선분 ㄴㅍ)=(선분 ㅁㅂ)=(선분 ㅇㅈ)=7 cm
(선분 ㅍㅌ)=(선분 ㅍㅎ)=5 cm
(선분 ㅌㅋ)=(선분 ㅎㄱ)=4 cm」+2점
➜ (선분 ㄷㅋ)=4+7+5+4=20 (cm)」+1점
답 20 cm」+1점

19 1, 2, 3, 4 **20** 2 **21** 8개

22 예 가로등을 16개 세우므로
(간격 수)=16−1=15(군데)입니다.」+1점
(가로등 사이의 간격) =24÷15=1.6 (km)」+2점
답 1.6 km」+1점

23 예 1반 참여율: $\frac{18}{24}\times100=75$ (%)
2반 참여율: $\frac{11}{22}\times100=50$ (%)
3반 참여율: $\frac{12}{25}\times100=48$ (%)」+2점
➜ 75 % > 50 % > 48 %이므로 참여율이 가장 낮은 반은 3반입니다.」+1점 답 3반」+1점

24 2000 cm^3 **25** 20명

6 나누는 수가 같고 나누어지는 수가 $\frac{1}{10}$배, $\frac{1}{100}$배가 되면 몫도 $\frac{1}{10}$배, $\frac{1}{100}$배가 됩니다.

8 12와 16의 비 ➜ 12 : 16 ➜ $\frac{12}{16}=\frac{3}{4}=0.75$
5에 대한 11의 비 ➜ 11 : 5 ➜ $\frac{11}{5}=2.2$

9 전체 25칸 중 색칠한 부분은 17칸이므로
$\frac{17}{25}\times100=68$ (%)입니다.

10 각기둥의 높이: 8 cm
각뿔의 높이: 5 cm
➜ 차: 8−5=3 (cm)

11 ㉡ 2900000 cm^3=2.9 m^3
➜ 5 m^3>3.6 m^3>2.9 m^3

14 띠그래프에서 차지하는 부분의 길이가 가장 긴 친구는 호진입니다

16 $\frac{8}{9}\div16=\frac{8}{9}\times\frac{1}{16}=\frac{1}{18}$, $\frac{5}{6}\div10=\frac{5}{6}\times\frac{1}{10}=\frac{1}{12}$
➜ $\frac{1}{18}<\frac{1}{12}$

17 사각뿔의 모서리의 수: 8개
➜ (한 모서리의 길이)=12.16÷8=1.52 (m)

참고
★각뿔의 모서리의 수: (★×2)개

19 $\frac{25}{7}\div15=\frac{25}{7}\times\frac{1}{15}=\frac{5}{21}$
➜ $\frac{5}{21}>\frac{\square}{21}$에서 5>□이므로 □ 안에 들어갈 수 있는 자연수는 1, 2, 3, 4입니다.

20 (3×□+6×□+18)×2=72
3×□+6×□+18=36
9×□+18=36, 9×□=18, □=2

21 각뿔의 밑면의 변의 수를 □개라 하면 모서리의 수는 (□×2)개입니다.
□×2=14, □=14÷2=7입니다.
➜ (꼭짓점의 수)=7+1=8(개)

24 (돌의 부피)=(늘어난 높이만큼의 물의 부피)
=40×25×2
=2000 (cm^3)

25 음악 프로그램을 즐겨 보는 학생 수는 전체의 100−45−20−10=25 (%)입니다.
25 %의 4배가 100 %입니다.
(현우네 반 전체 학생 수)=5×4=20(명)